L'IMPÉRATRICE JOSÉPHINE

MARIE-JOSÈPHE WAGNER

L'IMPÉRATRICE
JOSÉPHINE
(1763-1814)

Paris
www.editions-perrin.fr

collection tempus

FRANÇOISE WAGENER

L'IMPÉRATRICE JOSÉPHINE

(1763-1814)

Perrin

www.editions-perrin.fr

© Flammarion, 1999
et Édition Perrin, 2005 pour la présente édition
ISBN : 2-262-02259-3

tempus est une collection des éditions Perrin.

Pour Brigitte Iselin-Lavauzelle

Avant-propos

*Je puis dire que c'est la femme
que j'ai le plus aimée.*

NAPOLÉON à Sainte-Hélène
(27 septembre 1817)

Le 8 mars 1996 eut lieu, à Paris, le coup d'envoi des commémorations du bicentenaire napoléonien qui se poursuivront jusqu'en décembre 2004, date anniversaire du Sacre, et au-delà. J'eus l'honneur d'être pressentie par les autorités dirigeantes du Souvenir napoléonien, active société savante occupée de l'histoire du Consulat et des deux Empires, pour prononcer la conférence inaugurale, consacrée au mariage de Bonaparte et de Joséphine.

Cela me valut une double découverte. La première fut de pénétrer, en petit comité, dans le bel hôtel de Mondragon, rue d'Antin, mairie du IIe arrondissement sous le Directoire et, aujourd'hui, siège de la banque Paribas. Là, dans l'exquis salon doré de l'étage noble (il est intact et classé) avait eu lieu, deux cents ans plus tôt à un jour près – le 9 mars 1796, 19 Ventôse an IV –, la cérémonie en question[1].

---

1. S.A.I. la princesse Napoléon, qui présidait cette commémoration, a dévoilé une plaque marquant l'événement. La conférence se tint ensuite à l'actuelle mairie du IIe arrondissement, rue de la Banque.

Dans ce décor aristocratique, délicieusement rococo, sous l'œil d'une Vénus enivrant Vulcain, s'était déroulé le moins crédible mais le plus républicain des mariages. Le plus saugrenu, aussi, on le sait... Si peu assorti – cette ci-devant vicomtesse vivant d'expédients et ce jeune général aux airs d'aventurier famélique se connaissant de la veille –, entaché d'irrégularités – elle, se rajeunissant et lui se vieillissant pour se donner le même âge, vingt-huit ans, au moyen de documents d'état-civil approximatifs –, le tout à la limite de l'illégalité, l'un des témoins du général n'étant pas encore majeur ! Bref, un de ces mariages typiques de l'époque, hâtif et désordonné comme elle, où l'immédiateté et l'insouciance semblent toujours l'emporter sur la raison raisonnante et l'esprit de sérieux.

Seconde découverte : à y regarder de près, cette union improbable s'avérait, au fil du temps, le plus intelligent, le plus solide, le mieux fondé des mariages. Quand Bonaparte, sous les lambris du marquis de Mondragon, passait au doigt de sa belle un anneau d'or dans lequel il avait fait graver « Au destin », il savait, pour n'en avoir jamais douté, qu'une trajectoire fabuleuse serait la sienne et il entendait y associer Joséphine. Elle n'y faillit pas.

Cette haute destinée qui trouverait son acmé à Notre-Dame lors du double sacre et couronnement, allait les mener au plus haut, au plus loin, ensemble, jusqu'au bout d'eux-mêmes. L'étonnant c'est que, par-delà les mécomptes de leurs débuts – car leur sentiment ne fut pas synchrone –, par-delà les épreuves dont la plus obsédante fut l'absence d'héritier, par-delà les contraintes de la grandeur, au sein d'une monarchie-spectacle comme il en exista peu, dans le tumulte, le faste et les cruautés d'une épopée guerrière, ils ne cessèrent de s'aimer, de se comprendre, de s'épauler, de se servir l'un l'autre. Partenaires indissociables, au regard de leur histoire et de l'Histoire. Et quand ils durent se séparer en vertu de la raison d'État, en décembre 1809, ce fut avec une affliction qu'il sut encore moins dissimuler qu'elle. Ce qui avait commencé, rue d'Antin, comme un trépidant vaudeville s'achevait aux Tuileries, quatorze ans plus tard, dans la solennité poignante d'une tragédie antique. La baronne de « Turcaret » et son petit général énamouré s'étaient métamorphosés devant l'Europe interdite, en un Titus et une Bérénice que leur sacrifice magnifiait encore… Évolution inouïe, avouons-le !

Un sénatus-consulte défaisait ce couple – mais était-ce un couple qu'on pût défaire ? – sans que sa complicité affective et politique en souffrît. Mieux même : Napoléon combla Joséphine comme aucune reine de France répudiée ne le fut jamais. Bien lui en prit : la première impératrice continua d'être la meilleure propagandiste que le règne eût possédé. Et sans la mort prématurée qui l'enleva au mois de mai 1814, peut-être eussent-ils fini leurs jours réunis, en un exil qu'elle eût su embellir et humaniser. Ses enfants le crurent : elle était femme à cela. Napoléon la regretta. À Sainte-Hélène, il se plaisait à l'évoquer : elle était « l'art et les grâces », « c'était une vraie femme ! », « c'est la femme [qu'il avait] le plus aimée ». Autant de leitmotiv élégiaques qui n'excluaient, chez lui, ni la crudité ni la lucidité du propos.

Ce couple, c'est une évidence, fut une réussite, légende et réalité confondues. Napoléon sans Joséphine ne serait pas tout à fait Napoléon. Autre évidence : leur secret, l'alchimie de leur harmonie conjugale tient à ce que le plus masculin des hommes sut conquérir et s'assimiler la plus féminine des femmes. Qu'on se rappelle le mot de Louis XIV à Madame de Maintenon : « Au Roi, on dit Votre Majesté, au Pape, on dit Votre Sainteté, à vous, Madame, on devrait dire Votre Solidité ! » Napoléon l'eût pu reprendre à l'adresse de son « incomparable » Joséphine : « À vous, Madame, on devrait dire Votre Féminité ! »

* * *

Incarnant aux yeux de l'Empereur – et de son époque – un idéal, voire un absolu, quelle femme était-elle ? Cette initiatrice qui lui révéla l'amour, enchantements et brûlures indicibles que, pourtant, il s'efforça de dire dans les inoubliables lettres de la campagne d'Italie, cette médiatrice qui joua un rôle essentiel dans la recomposition sociale qu'il s'appliquait à réaliser, cette restauratrice du goût réinventant l'art de vivre au sortir des bouleversements révolutionnaires et qui réussit au Palais ce que Madame Récamier faisait si bien à la Ville, cette souveraine accomplie qui ne régna qu'un peu plus de cinq ans mais sut se faire aimer des Français au point qu'elle occupe encore notre imaginaire, qui fut-elle, en vérité? Qui fut Joséphine?

J'eus envie de le savoir. De la connaître plus intimement, de la saisir à la source, de capter les lignes de force de son intériorité, de percevoir ses composantes primordiales, sa cohésion profonde. De la même façon et pour les mêmes raisons que je m'étais attachée à comprendre Hortense, sa fille du premier lit – belle-fille puis belle-sœur de Napoléon et mère de Napoléon III – tentant aussi de lui redonner, au sein de l'historiographie impériale actuelle, une place que son excellence personnelle, ses talents artistiques et son rôle politique me semblaient justifier. Ce qui ne saurait être le cas pour Joséphine : sa place, elle l'occupe à bon droit depuis deux cents ans. Je sais n'être pas une napoléonienne tout à fait orthodoxe – j'aime infiniment plus le souverain que le règne –, et c'est pour cela que j'avais pénétré la saga impériale par le biais des Beauharnais. Je me donnais un point d'observation original, situé à la frontière exacte de deux mondes, ou plutôt, de deux mentalités : l'ancienne société, d'où ils venaient, et la nouvelle société, où ils s'illustraient. Le tout, de l'intérieur du Palais. Je récidive sans états d'âme.

* * *

Un portrait décanté de Joséphine suppose de l'empathie et du discernement. Ne pas la dissoudre dans une fresque pseudo-romanesque en grand habit de cour – l'Empire ne s'y prête que trop – où le cliché et le décorum gomment la consistance de l'être. Ne pas non plus l'engloutir sous une compilation systématique, juxtaposant avec une inaltérable bonne conscience des myriades d'anecdotes, de notations et de données contradictoires, d'inégale nature, d'inégale portée : son visage ne saurait apparaître que brouillé, incompréhensible. Plus complexe, plus énigmatique qu'il n'y paraît, Joséphine n'est pas facile à cerner.

C'est qu'entrée vivante dans l'Histoire, elle a pâti de ce que nous appelerions aujourd'hui une « hyper-médiatisation ». Comme Madame Récamier, une de ses plus célèbres contemporaines, elle a fasciné, ou agacé, parce qu'elle était emblématique, trop haut placée, trop apparente pour que chacun n'ait pas sur elle son opinion. Dans l'ensemble, tant qu'elle vécut, elle fut louée et aimée. Mais à peine eut-elle disparu qu'une floraison de Souvenirs virent le jour. Subalternes, courtisans, amis, ennemis... Qui, l'ayant approchée de près ou de loin, n'avait son mot à dire, sa révélation ou sa confidence à apporter... Déjà, à Sainte-Hélène, Napoléon s'appliqua à réfuter certains Mémoires mensongers tissus d'anecdotes controuvées, de témoignages pernicieux, de ragots de second rang, visant à accréditer l'image d'une femme futile voire sotte... Le Second Empire, comme on le pense, y mit bon ordre. Sous le règne de son petit-fils se créa la Légende rose de Joséphine, celle de la bonne Impératrice – ce qu'elle fut aussi – sanctifiée dans sa gloire et ses vertus. La Troisième République, à l'inverse, réglant leur compte aux régimes précédents, ne l'épargna pas. Sa Légende noire commençait, attisée par ce que la Belle-Époque savait offrir d'inquisitions petites-bourgeoises, de paternalisme doucereux et moralisateur, s'employant à recenser méticuleusement ses défauts, ses dépenses et ses soupirants. Quant au grand historien napoléonien, Frédéric Masson, il ne la releva pas. C'est tout simple, il la haïssait. Masson ne pouvait comprendre qui était l'Impératrice parce qu'il ne pouvait ni ne voulait comprendre d'où elle venait. En vérité, c'est l'ancienne France qu'il haïssait : pour lui, tout ne devait commencer qu'avec Napoléon. À quels excès cela n'a-t-il pas mené... Car la plupart des biographes venus après lui, puisant à sa gigantesque documentation, n'ont osé ni approfondir ni réfuter la conclusion – en forme de jugement de valeur – du Maître. La voici : « La femme triomphe en elle, la Française, la créole, la femme qui n'est qu'une mondaine et qui n'a besoin d'être rien de plus, parce qu'elle ne saurait être rien de mieux. »

Pauvre Joséphine! Ces fallacieux critères, ces animadversions de mauvais aloi, idéologiques, culturelles ou sexistes – avant la lettre, ont bien failli l'annuler. Quelques grands chercheurs, heureusement, lui ont rendu une part de sa vérité : Jean Hanoteau, qui restitua leur voix aux Beauharnais, Louis Hastier, qui révéla sa liaison, peu après son remariage, avec Hippolyte Charles et l'importance de cet épisode dans son existence, à ce moment-là bien hasardeuse, ou, plus près de nous, le docteur Guy Godlewski, qui pendant les dernières années de sa vie présida le Souvenir napoléonien et nous offrit une série d'études équitables et fondées. Ajoutons-y deux remarquables tenants de l'Impératrice auxquels nous devons beaucoup : le docteur Rose-Rosette, récemment disparu, qui s'employa à restaurer la présence de Joséphine dans son île natale, et Bernard Chevallier, le chaleureux conservateur du musée de Malmaison, qui conserve, précisément, un précieux patrimoine et ne cesse de l'enrichir, au fil de ses travaux érudits, de ses acquisitions, des expositions, des concerts et des voyages qu'il organise. Grâce à lui, un environnement unique est restitué.

* * *

Puisse ce livre, plus proche d'une étude de tête de Prudhon que d'un portrait officiel de Gérard, aider à préciser ce qu'on sait de Joséphine. À la voir autrement, sous un angle renouvelé. Pour ce faire, j'ai choisi deux fils conducteurs simples. En premier lieu, le fait qu'elle soit une femme du XVIIIe siècle et le demeure. Son appartenance aristocratique, son code de conduite et ses valeurs ne se démentent jamais, quels que soient les accidents que la vie et l'Histoire se plaisent à multiplier sur son chemin. Mlle de la Pagerie et la vicomtesse de Beauharnais, seules, permettent de comprendre parce qu'elles la déterminent, la citoyenne Bonaparte et plus encore l'Impératrice et reine couronnée. Son urbanité, son langage, sa fidélité à sa parentèle, à son réseau social, sa connaissance du terrain et du personnel politiques viennent de loin. Ce n'est pas Napoléon qui inventa Joséphine. Elle s'est construite irrévocablement pendant les trente-deux années qui ont précédé sa rencontre avec lui. Elle porte la marque indélébile de son monde originel – la vie patriarcale aux Îles – et de ses durs apprentissages dans le Paris des Lumières puis dans celui de Thermidor, sans parler de la survie au sein des turpitudes directoriales. Joséphine est d'abord le produit d'une culture, d'un esprit, d'une caste qui demeurèrent, au-delà d'elle et en partie grâce à elle, un puissant modèle civilisateur.

La seconde clef est qu'elle fut intrinsèquement une femme normale. Sa circonstance fut exceptionnelle, pas elle. Et cette normalité la protégea de tout. À commencer de Napoléon, dont l'extraordinaire génie conquérant et organisateur en eût épuisé plus d'une… Sa souplesse et son intelligence des situations lui permirent de s'adapter et de ne pas déroger du rang auquel elle se trouvait placée. Mieux, elle rehaussa le règne. Mais le règne ne la changea pas.

Elle demeura, sans déchoir mais à l'inverse, sans se dépasser, une femme de qualité, consciente de l'être, sachant ses limites, ne corrigeant jamais ses défauts, grands ou petits. On la savait ombrageuse, parfois indiscrète, incapable de restreindre ses dépenses, n'avouant pas ses dettes – elle n'avouait jamais rien –, incapable de résister à la tentation d'acquérir ce qui lui plaisait ou l'embellissait. Elle transfigura sa chère Malmaison en un domaine enchanté, regorgeant de collections rares qu'elle accrut avec science et goût, mais laissa à sa mort près de trois millions d'impayés…

En revanche, qui mieux qu'elle, dès qu'elle en eut les moyens et le loisir, sut déployer ses dons pour s'accomplir dans une souveraineté bien autre que politique ? Au sein d'un monde composite et turbulent, Joséphine fut un miracle de savoir-vivre, de douceur, d'obligeance, d'élégance et de charme. Son imperturbable équilibre masquant plus de sagacité et de cœur qu'on ne l'a souvent cru, car sans doute était-elle encore moins dupe que Napoléon, pour en avoir beaucoup plus souffert que lui, des incurables vilenies de la nature humaine… Essayons donc de percevoir, derrière son éternel demi-sourire, si séduisant, si mystérieux, l'authentique part d'humanité de Joséphine, qui fut aussi la part d'humanité de Napoléon, comme, peut-être, elle est la nôtre…

CHAPITRE I

Mademoiselle de la Pagerie

(23 JUIN 1763 - 13 DÉCEMBRE 1779)

*Le passé était une grande
forêt où se croisaient à perte de
vue les rameaux de ces arbres qui
descendaient jusqu'à nous...*

JEAN D'ORMESSON, *Au plaisir de Dieu*.

Rien n'est plus tentant que d'enjoliver l'Histoire pour plaire à un public avide de romanesque, comme si l'Histoire, en soi, ne constituait pas le plus beau, le plus inépuisable des romans ! Et rien n'est plus facile que la lecture rétroactive de l'enfance des héros... On se saisit de signes soi-disant prémonitoires, d'indices prétendument révélateurs qui avalisent la suite... On a longtemps fait naître Napoléon, non dans le lit de sa mère comme ses frères et sœurs, mais sur un vaste tapis au sujet mythologique figurant, bien entendu, ses hauts faits à venir. Un tapis, à la mi-août, dans une maison patricienne de la Méditerranée, où le mobilier d'hiver, à chaque belle saison, est soigneusement mis à l'abri des chaleurs... Comme c'est plausible ! Qu'importe si cela plaît...

Joséphine n'a pas échappé à cette fâcheuse disposition. Son enfance, somme toute heureuse et sans grand relief, parce qu'on en sait peu de chose, a suscité chez nombre de ses biographes un arsenal de fantasmes, de légendes, de clichés abusifs malgré leur charge de séduction : Qui n'a entendu l'histoire de la petite créole à laquelle la sorcière Eliama (à moins que ce ne soit la sorcière Euphémie) prédit qu'un jour elle « sera plus que reine », cependant qu'à ses côtés, sa cousine Aimée Dubuc (qui n'a jamais été sa cousine et qu'elle n'a pu connaître) s'entend annoncer qu'elle deviendra toute-puissante au harem du Sultan... Autant de sottises falsificatrices, mais qui ont la vie dure.

En revanche, ce qu'on sait très bien, et depuis longtemps – les premiers travaux sérieux sur la question datant de 1857 (Joseph Aubenas) et 1909 (René Pichevin) –, sur les origines familiales de Joséphine, sur le milieu auquel elle appartient et dans lequel elle grandit, la mentalité, le mode de vie de ce milieu, a été le plus souvent mal compris ou occulté. C'est regrettable, mais c'est ainsi. Essayons d'y voir plus clair.

* * *

Comme chacun sait, Joséphine est née à la Martinique, l'une des plus prospères « îles à sucre » des Antilles, ces « Isles d'Amérique » comme on disait alors, où le Royaume avait conquis au prix de luttes incessantes avec ses rivaux – surtout les Anglais – une extension économique à laquelle il tenait grandement. L'aristocratie créole, implantée depuis le règne de Louis XIV, y forme, en cette seconde moitié du XVIIIe siècle, une société très soudée, parfaitement identifiée et même répertoriée. Elle mène une existence rude et dangereuse, celle des pionniers d'un nouveau monde, et cependant, elle a su garder le charme et la stabilité de la vie patriarcale, quasiment autarcique, qu'elle a importée du vieux monde. Elle demeure en relation constante avec lui, attentive à en préserver les usages et les valeurs séculaires.

Aussi, lorsqu'elle voit le jour, aux Trois-Îlets, sur la plantation ou plutôt sur « l'habitation », de ses parents, Joséphine, qui ne s'appelle pas encore « Joséphine » mais Marie-Joseph Rose Tascher de la Pagerie, bénéficie-t-elle, d'emblée, d'un héritage, d'une mémoire, d'une culture qui sont autant de signes d'identité indélébiles et déterminants.

En premier lieu, elle appartient, tant du côté paternel que du côté maternel, à la vieille noblesse héréditaire, dont on sait qu'elle constitue le deuxième des trois ordres en quoi s'ordonne cette société de castes qu'est la société d'Ancien Régime. La Constituante y mettra un terme – par ses décrets du 4 août 1789 et du 19 juin 1790 – mais pour l'heure, la noblesse figure encore, au sein d'une monarchie de droit divin, comme une aristocratie, entendons une élite puissante et agissante. De par son éclat, ses fonctions et ses privilèges, elle tient le haut du pavé. Ses deux composantes majeures, l'Épée, d'origine féodale, et la Robe, acquise le plus souvent par charges ou sur décision du souverain, et les subtiles hiérarchies internes dont elles s'assortissent, sont loin de lui valoir une réelle homogénéité. Au contraire, elle brille par sa diversité et sa complexité.

Par exemple, l'Épée d'où est issu le double lignage de Joséphine, dite aussi Noblesse immémoriale, ou chevaleresque, se subdivise en catégories pour le moins contrastées :

Qu'y a-t-il de commun entre le grand seigneur fastueux occupant sa charge honorifique – et très lucrative – dans le ghetto doré de Versailles, figurant cette noblesse de cour (ou d'ornement), si décriée parce qu'elle est jugée parasitaire et outrecuidante, et le hobereau désargenté, typique de la Noblesse provinciale, qui végète sur ses terres parce qu'il n'a pas su, ou pas voulu prendre son virage économique et rallier la courtisanerie du Roi-Soleil ? Et que dire de ces cadets avides de grand large, quittant leurs provinces (de l'Ouest, le plus communément) parce qu'ils ont choisi de passer aux Îles dès lors que le roi leur a permis de travailler sans déroger, et qui constituent désormais la Noblesse créole ?

Ce qui les unit, c'est qu'ils sont gentilshommes et que tous, puissants ou misérables, ils partagent depuis des siècles le même sens du passé, la même origine, la même mémoire, le même code non écrit. Leurs ancêtres sont partis pour la Croisade, puis, au fil des générations, ils ont guerroyé, servant « Dieu, le Roi et l'honneur ». Tous ont droit à la même prérogative primordiale : l'admission aux honneurs de la Cour, c'est-à-dire d'être, s'il le faut, s'il se peut, présentés au souverain, et pour les hommes, admis à « monter dans ses carrosses », entendons suivre ses chasses. Ils doivent, auparavant, « faire leurs preuves », établir leur généalogie, « leurs quartiers », et soumettre celles-ci, depuis que la règlementation en est sévèrement codifiée, aux experts royaux, ou, si l'on préfère, aux juges d'armes. Car l'ancienneté et l'illustration de leur nom sont les deux critères indispensables, au sens propre, de leur reconnaissance sociale.

Au-delà de quoi, ils pourront s'ils le souhaitent, envoyer leurs filles faire leur éducation à Saint-Cyr et leurs fils chez les Pages, en attendant de leur choisir un état. Les filles se marieront, ou entreront au couvent, les fils entreront au Service (l'armée ou la Royale), les cadets se feront hommes d'Église, les aînés étant, en principe, destinés à hériter des biens paternels. Ce cas de figure, classique, est celui de la famille de notre héroïne. Voyons maintenant d'un peu plus près l'histoire de sa lignée paternelle, les Tascher de la Pagerie, et celle de sa lignée maternelle, les Des Vergers de Sannois[1].

LES TASCHER DE LA PAGERIE

Il s'agit, nous l'avons compris, d'une ancienne et honorable famille – originaire de l'Orléanais et du Blésois – un peu obscure cependant, demeurée provinciale, dont un aîné, Gaspard Joseph (le grand-père de Joséphine) a préféré – en 1726 – l'aventure tropicale à l'aventure versaillaise. Rien ne l'aurait empêché de tenter la seconde s'il l'avait souhaitée, car ses preuves sont excellentes : elles ont été présentées à trois reprises, nous le savons, en 1721, 1738 et 1743.

Elles nous apprennent que les Tascher (on prononce Taché) sont gentilshommes de la vieille roche. Si les juges d'armes Charles d'Hozier et Louis-Pierre d'Hozier (noms prestigieux dans leur spécialité) ne s'accordent pas sur le premier Tascher auquel ils remontent, c'est que les filiations

---

1. Nous proposons en annexe une liste récapitulative des principaux personnages liés à Joséphine, précisant leur identité ainsi que leurs dates anniversaires, quand nous les avons.

antérieures au XIVe siècle sont moins difficiles à établir – en vertu de la mémoire orale – qu'à produire : nombre de chartiers ont disparu au cours des guerres et des incendies. Quoiqu'il en soit, un Nicolas de Tascher se trouve en Palestine en 1157. Un autre, Renauld, participe au siège d'Acre, en 1191, sous la bannière de Thibaut, comte de Blois[1]. Son lointain descendant, Eugène de Beauharnais, s'y fera blesser, six siècles plus tard, sous une autre bannière, celle du général Bonaparte... Au fil du temps, nous voyons les Tascher embrasser la carrière des armes. Ils lèvent des troupes, se battent et se font tuer au service avec une belle régularité, comme ce Marin de Tascher, en 1557, à la bataille de Saint-Quentin. C'est le père de celui-ci qui porte, le premier, le titre de « Sieur de la Pagerie ». Nous voyons, encore, François de Tascher de la Pagerie, commandant de la noblesse du baillage de Blois, mettre en 1674 son corps d'armée au service du grand Turenne. Il se battra victorieusement, contre les Impériaux, à Sinzheim, en Souabe. Deux de ses frères mourront au service, l'un Jean, à Turin, l'autre, Jacques, à Bergues, en Flandre.

Leurs alliances sont toujours bonnes et parfois, elles font rêver, comme celle de Pierre de Tascher, écuyer sieur de la Pagerie, qui épouse, le 16 mai 1619, Jeanne de Ronsard, la petite nièce du poète. Il est amusant de découvrir que les Beauharnais descendent eux aussi, par Claude de Ronsard, grand-père de Jeanne, marié à une Tiercelin, de cette même souche[2].

Gaspard Joseph, espérant une vie plus opulente, passe donc aux Îles, en 1726 : il a vingt et un ans, et plus de détermination que d'argent. Il prend pied en Martinique, à Sainte-Marie, sur la côte Est, non loin du célèbre Fonds

---

1. *L'Armorial général de France*, Registre premier, seconde partie, part de Nicolas de Tascher, croisé en Palestine en 1157 (Paris, 1738). Nous renvoyons au travail de René Pichevin, sur lequel nous nous fondons, ainsi qu'à nos tableaux généalogiques publiés en annexe, améliorés quand nous le pouvons.
2. La double alliance Ronsard est étudiée par le père Gouyé-Martignac dans son ouvrage consacré à *La Descendance de Joséphine, impératrice des Français*, Paris, éditions Christian, 1994.

Saint-Jacques, relevé à la fin du XVIIᵉ siècle par le non moins célèbre Père Labat. Ce truculent Dominicain – auquel on doit une monumentale purgerie – était déjà reparti à l'arrivée de Gaspard Joseph. Il deviendra le confesseur de Vauban et laissera de savoureux récits, ses *Voyages aux Isles d'Amérique*. La flibuste l'intéressait au moins autant que le sucre.

L'aïeul de Joséphine ne fait pas fortune. À sa majorité, en 1730, il enregistre ses lettres de noblesse auprès du Conseil souverain de l'île, et comme il est d'usage dans son milieu, mettant à profit son vieux nom bien apparenté, il fait ce qu'il convient, à savoir un beau mariage. Le 16 avril 1734, il épouse Marie-Françoise Bourreau de la Chevalerie, descendante de Belain d'Esnambuc, le conquérant de la Martinique, en 1635 (venu de Saint-Christophe avec cent cinquante hommes !), par la sœur de celui-ci, Adrienne, épouse de Pierre Dyel, seigneur de Vaudroques, un autre grand nom créole. Elle lui apporte des biens à Sainte-Lucie, ainsi qu'un établissement au Carbet, à l'ouest de l'île, sous Saint-Pierre la première capitale, où s'était fixé d'Esnambuc[1]. C'est là qu'ils s'installent. Joséphine connaîtra ses grands-parents : Gaspard Joseph disparaîtra en 1767 et son épouse, née en 1709, mourra vingt ans après lui, en 1787.

Ils auront cinq enfants : Joseph Gaspard, l'aîné, né en 1735, le père de Joséphine, Désirée, née en 1739, une belle blonde qui deviendra Mme de Renaudin, tante très agissante dans la vie de notre héroïne, Robert-Marguerite, né en 1740, que nous retrouverons lui aussi, puis Marie-Paule, née en 1741, bien alliée à un Dugué, et enfin, en 1746, Marie-Françoise Rose, dite « Rosette », une future vieille fille dont l'aigreur n'embellira pas la mémoire.

Non seulement, Gaspard Joseph ne fait pas fortune, mais il mange celle de sa femme. Les Tascher, c'est ainsi, ne sont

---

1. Le fils d'Adrienne de Belain d'Esnambuc et de Pierre Dyel, Jacques Dyel du Parquet, achète et possède en pleine seigneurie, jusqu'à sa mort en 1658, les îles de Martinique, Sainte-Lucie, Grenade et Grenadines (Louis XIV rachètera la Martinique en 1664). C'est dire à quel point les grands-parents de Joséphine sont bien alliés, bien situés dans l'aristocratie créole : les liens avec les différentes branches de Dyel, Jaham, Le Merle ou d'Audiffredy, datent, pour Gaspard Joseph, de 1734.

pas bons gestionnaires. Ce qui se conçoit : on ne s'improvise pas chef d'entreprise, et rien dans les antécédents de Gaspard Joseph ne le prédisposait à une réussite de cette nature. Qui plus est, le climat chaud et humide avait une influence notoirement émolliente sur les êtres, et l'aisance que lui valait son mariage l'incitait probablement à passer son temps en bonne – ou mauvaise – compagnie dans les sociétés amusantes et bigarrées de Saint-Pierre ou de Fort-Royal, siège du Gouvernement général, où se côtoyaient des officiers en garnison, des flibustiers, des missionnaires atypiques, des « engagés », ces fameux « trente-six mois » (c'était le temps de leur contrat) dont la vie était plus qu'aventureuse… Sans compter les jolies indigènes, paraît-il… Enfin, n'oublions jamais que le monde très clos de la noblesse créole, dont il faisait partie, pratiquait une vertu cardinale que renforçait encore son insularité : elle se montrait, en cas de malheur, d'une solidarité à toute épreuve. Le vieux code chevaleresque jouait à plein : on appartenait à sa famille et non l'inverse. À condition de ne pas déroger, de ne pas faire scandale – ce péché mortel – quoiqu'il arrivât, on ne se trouvait jamais abandonné des siens.

Ce qui explique que Joseph Gaspard, le père de Joséphine, ne pâtisse guère, non plus que son frère, de ces mécomptes financiers. Bien que ses parents doivent quitter leur habitation du Carbet, pour s'installer à Fort-Royal, l'éducation qu'il recevra sera conforme à sa condition. De 1751 à 1755, il sera placé, à Versailles, dans les Pages de la Dauphine, où le suivra Robert-Marguerite, de 1754 à 1757. On y jouissait d'une bonne et vivante formation, d'un apprentissage, plutôt, à une époque où après avoir prouvé leur viabilité, les enfants de l'aristocratie entraient le plus directement possible dans la vie adulte. La Dauphine, Marie-Josèphe de Saxe (mère de Louis XVI), avait la réputation de bien s'occuper de ses pages. C'était une excellente princesse, pleine d'entendement et de bienveillance, dont on sait qu'elle était parvenue à force d'intelligence et de patience à désamorcer les préventions de son époux, très marqué par la disparition de la première Dauphine, l'infante Marie-Thérèse. Elle réussit à s'en faire aimer, au point que, lors de la naissance du duc de Bourgogne – frère aîné de Berry, futur Louis XVI –, le Dauphin réveillé en pleine nuit, la délivrance étant très subite, parcourait ses appartements, hagard, à la recherche de témoins, en criant : « Ma femme est accouchée, je ne sais pas de quoi ! » Cela se passait le 13 septembre 1751 : rien n'empêche que Joseph Gaspard ait été présent, car c'était le rôle des pages que de se trouver au plus près de leur princesse, en toute circonstance.

Quand il regagne la Martinique, Joseph Gaspard est sous-lieutenant des compagnies franches de la Marine et il obtient d'être envoyé en garnison, chez lui. L'appuyait en haut lieu, en vertu, toujours, de la solidarité familiale, un de ses oncles paternels, Gabriel de Tascher, homme d'Église et qui faisait une belle carrière puisqu'il avait été aumônier de la reine Marie Leczinska, avant de devenir celui de la Dauphine, précisément. Ajoutons que deux de ses cadettes, Anne et Madeleine de Tascher de la Pagerie (grands-tantes de Joséphine, donc), avaient été élevées à Saint-Cyr, la seconde devenant Ursuline.

On sait Joseph Gaspard présent à la Martinique au début de l'année 1759. Il assiste aux mariages de deux de ses sœurs : Marie-Paule, qui épouse Lejeune Dugué, un riche ancien mousquetaire, et Désirée, qui convole, le 19 avril, avec Alexis Michel Auguste de Renaudin, aide-major général de l'île de Sainte-Lucie, lui aussi ancien mousquetaire. Le premier mariage sera excellent, le second deviendra vite détestable, nous verrons pourquoi. En tout cas, les deux cérémonies se déroulent en des temps troublés : la guerre endémique avec les Anglais a repris, et si, en ce même début d'année, la Martinique résiste – sous les ordres du nouveau Gouverneur général, François de Beauharnais – la Guadeloupe est attaquée par l'amiral Moore, le 22 avril. Avant que les secours, partis de Fort-Royal le 24, n'arrivent, elle est prise le 26. Les combats ont été violents entre la Royale et la Navy : Claude de Beauharnais, cadet du Gouverneur général, comme Robert-Marguerite, cadet de Joseph Gaspard, y ont été blessés. Le jeune Tascher n'avait que dix-neuf ans, mais le roi le pensionnera. Quant à Claude de Beauharnais qui, lui, en avait quarante-deux, il recevra, en récompense, le titre de comte des Roches-Baritaud[1]. Joseph Gaspard, devenu lieutenant d'artillerie de Marine, participe, comme il le fera à d'autres reprises, à la défense de l'île. Malheureusement, les Anglais finiront par l'emporter, et le 5 février 1762, Fort-Royal tombera à son tour. Jusqu'au traité de Paris, un an plus tard, le 12 février 1763, la Martinique vivra sous occupation anglaise.

Sombre époque... Mais pendant laquelle il se passe, dans la vie de Joseph Gaspard, deux faits d'importance : le premier c'est que sa famille s'est liée d'amitié avec le Gouverneur général Beauharnais, et nous en verrons les effets. Le second, c'est qu'il se marie. Et comme c'est l'usage chez lui, comme son propre père, il se marie bien.

LES DES VERGERS DE SANNOIS

Le 9 novembre 1761, il épouse Rose-Claire Des Vergers de Sannois. Le mariage est célébré aux Trois-Îlets, la paroisse dans laquelle elle est née le 26 novembre 1736, où elle a été baptisée et où elle sera enterrée[2]. Elle a vingt-cinq ans, un an de moins que Joseph Gaspard. C'est une amie de Désirée Tascher de la Pagerie, désormais Mme de Renaudin. Elle appartient à la meilleure société créole, la plus ancienne – celle qui a pris pied, dès l'origine de la Colonie, à Saint-Christophe, d'où sa mère, née Brown, tient sa fortune – mais aussi la plus prospère, puisque ses parents, possesseurs de plusieurs habitations en Martinique, comptent parmi les propriétaires sucriers importants. C'est une jeune personne accomplie dont les qualités personnelles, l'excellente éducation et la dot substantielle font un parti idéal que ne dépare pas sa très bonne naissance.

_____

1. Le combat en question eut lieu le 21 février 1759, les deux hommes étaient à bord de la *Bellone*.

2. La charmante église des Trois-Îlets, dans le transept duquel repose Mme de la Pagerie, a été restaurée en 1850 par son arrière-petit-fils, le futur Napoléon III, puis de nouveau, après un cyclone survenu en 1891. Elle fut alors agrandie, englobant la partie de l'ancien cimetière contenant les tombes de la famille.

Les Des Vergers, seigneurs de Sannois, ou Sanois, d'Annet, d'Auroy, de Maupertuis et d'Aufferville, originaires de l'Ile-de-France, remontent à Saint-Louis. C'est par Charlotte de Longvilliers de Poincy, sœur du bailli de Poincy – Gouverneur général des Isles d'Amérique en 1651, qui épouse Florimond Des Vergers, en 1692, que la famille a été entraînée aux Antilles. Les deux neveux du bailli de Poincy ont suivi leur oncle à Saint-Christophe, dont on sait qu'elle a été colonisée dès 1623, qu'elle est passée à l'Ordre de Malte, sous le bailli de Poincy, précisément, puis qu'elle a été cédée en 1665 à la Compagnie des Indes occidentales. D'où le viel adage qui évoque, aux Îles, « les Seigneurs de Saint-Christophe, les Messieurs de la Martinique et les bonnes gens de la Guadeloupe »... Gradation très parlante, qui prend en compte l'ancienneté, comme toujours sous l'Ancien Régime.

Par les Longvilliers de Poincy, les Des Vergers remontent directement aux Choiseul, la mère de Charlotte de Longvilliers étant née Sophie de Choiseul. Par les Choiseul, on passe, tout aussi directement, aux Sully, par les Sully, aux Beaujeu, aux Chateauvillain et par Henri III de Chateauvillain, qui épouse Elisabeth de Dreux, on arrive à son père, Robert, comte de Dreux, fils de Louis VI le Gros.

Sans interruption, par sa mère, Joséphine descendra quinze fois de Louis VI le Gros (1081-1137) et de ses trois fils : onze fois de Louis VII le Jeune, marié à Éléonore d'Aquitaine, huit fois de Robert, comte de Dreux, marié à Hedwige d'Évreux puis à Agnès de Baudemont, trois fois de Pierre de France marié à Elisabeth de Courtenay. Autant dire de tous les grands feudataires du royaume. Multiple et prestigieuse filiation qui s'explique par les redoublements d'alliances au sein de clans peu nombreux – nous sommes à la fin du XIe siècle et au début du XIIe, qui se soudent entre eux au fil des affrontements territoriaux[1].

---

1. Nous reprenons ici les schémas établis, pour la généalogie de *La reine Hortense*, par Mariel Gouyon-Guillaume, la très érudite animatrice du Centre de Généalogie et d'Histoire des Isles d'Amérique, qui connaît d'autant mieux son sujet qu'elle est elle-même descendante des Poincy, par le frère de Rose-Claire Des Vergers de Sannois.

Nous ne savons pas si Joséphine trouvera aussi passionnantes que nous ces promenades au fil des générations qui l'ont précédée et dont, qu'elle l'ait voulu ou non, elle sera la résultante. Ces variations sur des destins croisés s'entremêlant à l'infini ont la saveur et l'inattendu d'une prodigieuse fiction, mais aussi le charme d'un jeu ou d'une énigme éternellement renouvelés. Et cependant, quoi de plus avéré, de mieux fondé, de plus précis que la généalogie... On comprend que nos prédécesseurs l'aient pratiquée avec ferveur : elle constituait un savoir à quoi s'alimentait leur imaginaire. Lire dans son passé, descendre ou remonter à loisir les branches de ce grand arbre – pour reprendre une métaphore chère à Jean d'Ormesson – dont on est l'ultime rameau, connaître ses morts, s'imprégner de leur histoire qui, parfois, se confond avec l'Histoire, y puiser ses modèles... Quel meilleur livre d'images pour un enfant !

Joséphine aura-t-elle rêvé à ces châtelaines, que l'Empire remettra à la mode, et dont elle provient : ces Alix de Dreux, d'Aigremont, de Savoie ou de Bretagne, ces Marguerite de Bourgogne ou de Champagne, ces Jeanne de Joinville ou de Chatillon, ces Yolande, ces Mathilde, ces Marie, dont les noms nous enchantent encore... Ce sont elles qui la rattachent, ainsi que sa descendance, à nos lointains Capétiens[1].

Outre son lignage, Rose-Claire transmettra à sa fille son goût et son sens du parage, de la solidarité qu'il commande, de la fidélité qu'il implique. Une famille, à cette époque, est plus que le seul noyau constitué par les parents et leurs enfants. Elle irradie bien au-delà et reconnaît « pour lui appartenir », selon l'expression convenue, une parentèle étendue à ses branches les plus lointaines. À partir de quoi, on se traite, on se reçoit, on s'allie, on s'associe, on se rend toute espèce de bons offices. Y faillir serait déroger d'un principe

---

1. Bernard Chevallier en fait état dans l'étude exhaustive qu'il a consacrée à *L'impératrice Joséphine* en 1988 (en collaboration avec C. Pincemaille, reprise Payot 1996) lorsqu'il appelle, à juste titre, Joséphine, « l'arrière-grand-mère de l'Europe ». Par la seule fille aînée d'Eugène, en effet, les rois actuels de Norvège, de Suède, de Belgique, la reine de Danemark, sa sœur la reine de Grèce, la Grande-duchesse de Luxembourg et le Margrave de Bade se trouvent, depuis l'Impératrice, reliés à la troisième dynastie.

élémentaire, celui de la sociabilité. À quoi s'ajoute l'entraide de caste, que nous avons déjà évoquée, et qui est vitale dans une communauté désireuse de préserver, en premier lieu, sa cohésion. *A fortiori*, dans un contexte difficile, comme c'est le cas pour l'aristocratie créole, éloignée de ses arrières et dont la prospérité et même la vie sont en proie aux aléas d'un climat ou d'une nature qui peuvent se révéler menaçants, voire mortels.

C'est de sa mère que la future impératrice prendra ses leçons de civilité et d'obligeance envers les siens – au sens restreint comme au sens large –, vertu qui s'étaie sur une connaissance parfaite de son milieu : il s'agit de savoir en permanence qui est qui, d'où il vient et ce qu'on lui (et se) doit. Les relations humaines, dans cet esprit, gagnent en efficacité et en réelle convivialité. Frédéric Masson appelait cela « être mondaine » : le mot, et ce qu'il signifie pour lui, est déplacé. L'un des codes de conduite de l'ancienne société était de savoir son monde, si petit soit-il, et de s'y mouvoir convenablement.

* * *

Le monde de Mme de la Pagerie n'est pas, loin s'en faut, resserré, même s'il est un monde insulaire[1]. Le jeune ménage s'établit sur une habitation venant des Sannois, située en arrière des Trois-Îlets, au sein de ces collines montagneuses qu'on appelle « mornes » (la Martinique, comme ses pareilles, est une île volcanique) et dont le nom originel, « la petite Guinée », évoquait, certainement, la provenance de ses esclaves. Elle est rebaptisée « Habitation La Pagerie ».

Ce domaine, auquel Mme de la Pagerie demeurera viscéralement attachée parce qu'elle y est chez elle, est important : à ce moment, qui marque l'apogée de la Martinique, il

---

1. Selon l'ancien usage, le père de Joséphine, Joseph Gaspard Tascher de la Pagerie, a choisi, pour le distinguer des membres de sa famille, son appellation courante, en l'occurrence son nom de branche, La Pagerie. Son cadet, Robert-Marguerite, se fera appeler « le baron Tascher », retenant son patronyme, assorti d'un titre de pure courtoisie. C'était habituel et l'on doit n'y voir aucune espèce d'imposture. L'essentiel étant d'être, au sein d'une même maison, immédiatement identifiable.

s'étend sur 527 hectares et compte trois cent vingt-sept esclaves. Quand on sait qu'à la veille de la Révolution, l'île recensait trois cent vingt-quatre sucriers – les Grands de l'aristocratie foncière, devant mille trois cents propriétaires de caféyères ou de cacaoyères – et qu'entre eux se répartissaient seize mille esclaves, ce qui donne une moyenne de cinquante et un esclaves par plantation, on conçoit que La Pagerie soit considérée comme « une sucrerie roulante » en pleine activité, et qui rapporte. Moulin à sucre (abritant des rouleaux verticaux broyant les cannes pour en extraire le suc), purgerie (où raffiner en la bouillant cette cassonade), autres dépendances utilitaires, habitation principale, cases à Nègres, hôpital et prison : c'est là une belle dot ! D'autant, que, selon leur contrat notarial, les époux sont défrayés de tout : ils sont logés, nourris, blanchis et soignés, ainsi que leurs enfants à venir et leurs domestiques. Ils peuvent vivre dans une réelle aisance car les parents de Mme de la Pagerie, sa mère en particulier, avaient bien pourvu leur fille[1]. Hélas ! pour celle-ci, son mari ne se révèlera guère meilleur gestionnaire que ne l'avait été son propre père. Il semble que Joseph Gaspard ait été quelque peu inconsistant. Agréable, sans doute, mais certainement peu assidu à sa tâche, qui n'était pas mince, aimant notoirement les plaisirs faciles de Fort-Royal où, parmi un cercle de jeunes gentilshommes turbulents, il s'adonnait aux distractions favorites de sa caste : le duel et le jeu.

On se figure la vie d'alors, sous les Tropiques, comme un doux rêve exotique, un délicieux et perpétuel « farniente » à l'abri des tamariniers et des flamboyants peuplés d'oiseaux-siffleurs… Quelle erreur ! Certes, l'île passait pour être la plus fertile, la plus avenante, ses paysages les plus beaux, mais le climat chaud et humide était peu apprécié et l'inertie de l'air corrodait insidieusement les énergies. Quant à la flore et la faune, elles portaient en elles la rançon de leur magnifique

---

1. D'après le contrat passé le 8 novembre 1761, les La Pagerie disposaient d'un capital de 40 000 livres, d'une rente annuelle de 3 000 livres, et vivaient sur l'habitation des Trois-Îlets en y étant défrayés. Il est à remarquer que la jeune mariée avait apporté « ses épargnes », d'un montant de 18 300 livres (cf. René Pichevin, *op. cit.*).

vitalité : à tout moment, elles pouvaient se révéler dangereuses, ou pire. Ce monde exubérant était ressenti avant tout comme un monde violent.

Quant à l'activité sucrière, comme elle constituait une manne pour le royaume – on sait qu'au traité de Paris, Louis XV abandonne sans sourciller les « quelques arpents de neige » stériles du Canada, au profit des rentables « îles à sucre » que sont les Antilles –, elle s'assortissait d'une règle impitoyable : les colonies devaient enrichir la métropole et non l'inverse. Aussi bien, le monopole commercial en était-il parfaitement unilatéral, strictement réservé à la façade atlantique où se trouvaient les grands ports, leurs négociants et leurs banquiers. Les colons n'avaient droit à aucune industrie sur place et force leur était de tenir bon, d'assurer le rendement qu'on attendait d'eux. En Martinique, on travaillait dur et on vivait chez soi, à la différence, par exemple, de Saint-Domingue où pullulaient les parvenus, où s'édifiaient des fortunes rapides, dilapidées aussi vite, où fleurissaient aisément un absentéisme et une ostentation déplaisants, qui valaient aux créoles une partie de leur mauvaise réputation. En bref, c'était un monde qui n'avait pas droit à l'erreur. Et les La Pagerie vont en savoir bientôt quelque chose.

Si M. de la Pagerie est peu compétent, sa femme, comme c'est souvent le cas, compensera ce manque et se révélera, elle, une maîtresse-femme. Ce que nous savons de sa correspondance et des témoignages de première main, à son sujet, nous renseigne grandement sur ses qualités de fond. Sa fermeté, sa simplicité, son altitude de cœur, son courage sont indéniables. René Pichevin – encore très près des sources orales – la déclarait « une femme d'élite ». Sans aucun doute. Elle aime son domaine, qu'elle ne quittera jamais, sauf à faire quelques séjours à la fin de sa vie, chez ses amis le Gouverneur général Villaret de Joyeuse et sa femme, à Fort-Royal –, et elle s'emploie à le bien mener. Non seulement du point de vue économique, mais aussi du point de vue humain. On sait que les parents de Joséphine étaient, au regard de leurs esclaves, ce qu'on appelait alors « de bons planteurs » : ils les faisaient travailler, à l'extérieur (sur l'habitation) ou à l'intérieur (au service domestique) mais dans tous les cas, ils les surveillaient, les soignaient, les émancipaient quand ils le jugeaient bon, les mariaient et les connaissaient tous. Esclavage oui, mais jamais racisme.

* * *

C'est dans ce contexte très structuré que voit le jour leur premier enfant, dont ils souhaitaient qu'il fût un garçon – pour assurer la lignée – mais comme le constate Mme de la Pagerie, qui était sincèrement pieuse et bonne : « Dieu ne l'a pas voulu ! » Elle n'en aimera pas moins cette petite fille, née le 23 juin 1763, peu après que l'île est évacuée par ses occupants et qui sera nommée Marie-Joseph (prénom traditionnel chez les Tascher) et Rose (comme sa mère et l'une de ses tantes paternelles). Elle sera baptisée le 27 juillet suivant, en l'église de sa paroisse, aux Trois-Îlets. Elle aura pour parrain, son grand-père maternel, Joseph Des Vergers de Sannois – un autre Joseph –, et pour marraine, sa grand-mère paternelle, Mme de la Chevalerie de la Pagerie. La nourrice qu'on lui donnera comme il est d'usage, Marion, fille de couleur ce qui signifie qu'elle est une « mulâtresse libre » – ainsi la qualifiera l'Empereur lorsqu'il la pensionnera, car elle mourra à un très grand âge –, la surnommera « Yéyette ».

C'est typiquement martiniquais, souriant et gentil, et cela donne la couleur, d'emblée, des premières années de la future Joséphine.

Chaleur, sécurité, satiété, voilà, nous dit-on communément, ce qui est nécessaire à l'enfant. Nul doute que son entourage immédiat ne les lui ait fournies. Nous lui savons des parents attentifs, comme leur correspondance le montre, ce qui se conçoit d'autant mieux qu'aux Îles, on met plus de naturel et d'expansion à l'expression de ses sentiments qu'en métropole. Dans l'aristocratie, le gaspillage démographique était grand, et la progéniture, nombreuse – pour assurer la survie de la caste, peu prise en compte dans son bas âge. À tel point que l'expression courante : « aimer ses enfants comme une bourgeoise », était alors dépréciative. Cependant, les mentalités évoluaient et, à cet égard, la bonne société créole préfigurait l'avenir.

La petite fille ne peut être que très imprégnée de l'ordre, de l'équilibre foncier, de la régularité que sa mère ne manque pas d'imprimer au rythme de la maison. Il est à remarquer, d'ailleurs, qu'il en sera de même, dans une autre île, dans une autre demeure patricienne, plus frugale, plus sobre, mais elle aussi confiée aux mains fermes d'une mère devant « assumer » comme on dirait aujourd'hui, l'absence, ou la légèreté, comme on voudra, d'un mari charmant mais peu fiable, une femme armaturée et vigilante, sur qui reposeront l'éducation des enfants et la stricte – par la force des choses – gestion de la situation. Cette femme, on l'aura compris, c'est Letizia Bonaparte. Joséphine et Napoléon auront eu, l'un et l'autre, des pères séduisants et faibles, des mères solides et fortes.

Le premier malheur qui rompra cette harmonie, cette paisible existence sera, en fait, une catastrophe naturelle, ravageant tout sur son passage : un ouragan qui s'abat dans la nuit du 13 au 14 août 1766. La petite Yéyette a un peu plus de trois ans, sa petite sœur, Désirée, tout juste dix-huit mois[1]. Peuvent-elles être réceptives au fantastique déchaînement des éléments ? Ont-elles entendu, la veille, la cloche de l'habitation sonner sans discontinuer, comme c'est l'habitude en cas d'incendie ou de cyclone ? La chaleur était accablante, chaleur immobile comme l'air, jusqu'à ce que se lève le vent du Sud. Et puis, le ciel qui s'obscurcit, la mer qui bouillonne, la tempête qui commence et mugit... Et tous réfugiés, barricadés dans les pièces dites « à ouragan », maîtres, domestiques et esclaves qui prient et attendent... Jusqu'à trois heures du matin, la tourmente est inexorable. Le jour levé, il ne reste plus qu'à évaluer les dégâts. Un désastre! De mémoire d'homme, on n'avait connu un tel cataclysme, pourtant fréquent sous ces latitudes. Routes dépavées, ponts détruits, toitures et arbres arrachés, cultures dévastées, sans compter les

---

1. Catherine-Désirée, née le 11 décembre 1764, baptisée aux Trois-Îlets, le 21 janvier 1765, ayant pour parrain, son père, pour marraine, sa grand-mère maternelle, Marie-Catherine Brown, dont elle porte le prénom, ainsi que celui de sa tante, Mme de Renaudin.

inondations... Les La Pagerie ont perdu leur maison principale, construite, comme c'était souvent le cas, en bois. Force leur est de se replier dans la sucrerie, construite, elle, en dur et qui a tenu. On rassemble tout ce qui peut être utilisé, meubles et ustensiles, et courageusement, on se remet à vivre. Mme de la Pagerie résiste à l'épreuve admirablement. D'autant plus qu'elle arrive au terme de sa troisième grossesse : le 3 septembre, moins de trois semaines après l'événement, elle met au monde Marie-Françoise[1]. Elle n'aura pas d'autre enfant.

LES TROIS SŒURS

Les trois petites demoiselles de la Pagerie vont grandir dans un monde qui s'est reconstitué, qui, courageusement, a reconquis peu à peu son activité, restauré ses bâtiments endommagés, ses magasins et ses ateliers démantelés. Les La Pagerie ne reconstruiront pas leur ancienne maison d'habitation mais ils agrandiront l'espace qu'ils se réservent dans la vaste purgerie et ils agrémenteront celle-ci d'une galerie extérieure.

La vie reprend ses droits, la nature, sa vitalité réparatrice et l'habitation, son existence routinière. Les enfants peuvent désormais en percevoir les deux registres essentiels : il y a ce qui touche à la plantation sucrière proprement dite, les esclaves qui travaillent aux cultures, sous les ordres du commandeur (le contremaître) de la famille, M. Blanqué. Vie scandée par la cloche du domaine, vie qui s'interrompt en fin de semaine pour laisser place à la fête – la traditionnelle « bamboula » – comme un contrepoint aux dimanches de la « Grand-case », où, ordinairement la famille reçoit, comme c'est l'usage, en tenant table ouverte.

Il y a, surtout, le territoire personnel de leur mère qui, non seulement, dirige sa maison, sa domesticité – recrutée, en principe, parmi les « gens de couleur », c'est-à-dire les mulâtres libres, comme la nourrice Marion – mais aussi les préposés à

---

1. Marie-Françoise, née le 3 septembre 1766, baptisée le 6 avril 1767, ayant pour parrain, son oncle, Jean-François Des Vergers de Sannois, et pour marraine, sa tante Mme Dugué.

l'intendance, les employés au potager, à la basse-cour, les artisans. Car une habitation comme celle-ci ressemble à un hameau de plus de cinq cents personnes, qu'on doit nourrir, vêtir, soigner, surveiller. Au besoin, la maîtresse des lieux se charge de l'économat : sa petite-fille, Hortense, se souviendra dans ses *Mémoires* de l'avoir vue procéder au comptage et à la répartition des salaires de ses serviteurs.

Monde vivant, monde chaleureux, monde rassurant. Monde bienfaisant aussi : le climat des Îles – soleil et humidité mis à part, qu'on craint comme la peste, mais dont on se protège avec soin –, favorise un développement plus rapide des enfants. Il implique une meilleure hygiène, une plus grande liberté de mouvements. Nous savons qu'à La Pagerie, par exemple, les fillettes se baignent fréquemment dans une eau vive qui traverse la propriété. Ne nous étonnons pas si, toute sa vie, Joséphine saura soigner son corps. Sa longue taille souple et ployante, son incomparable gestuelle, sa démarche de déesse, c'est à la baignade favorite de ses jeunes années qu'elle les devra.

Comme elle devra à la nature prolifique au sein de laquelle elle se meut, qu'elle connaît et aime viscéralement, un arsenal d'impressions olfactives et visuelles, une gamme de sensations dont la finesse et la variété sont une irremplaçable école de plénitude. Elle n'en perdra pas une leçon. Cette voluptueuse aux goûts exigeants et subtils se doublera un jour d'une connaisseuse émérite des sciences dites, à juste titre, naturelles, surtout la botanique et la zoologie. N'en cherchons pas non plus l'origine ailleurs qu'aux Trois-Îlets.

Les enfances heureuses n'ont pas d'histoire. Et ce qu'on peut dire de celle qui nous occupe, c'est qu'elle se déroule normalement. On joue, on musarde, on écoute, on est immergé, d'emblée, dans le monde adulte, celui des domestiques – Marion, comme ses pareilles, devait bercer, chanter, enchanter les premiers rêves, ou cauchemars de Yéyette, car Dieu sait qu'aux Îles, on est friand d'histoires de revenants, mais aussi –, le monde des parents, auprès de qui on se forme. Plus que tout, on jouit d'une merveilleuse intemporalité.

* * *

À l'âge de dix ans, notre petite héroïne va quitter cet univers généreux pour entrer, ainsi que sa cadette immédiate, Désirée, chez les Dames de la Providence, à Fort-Royal. Nous sommes en 1773. Elle y séjournera quatre années. Et contrairement à ce qu'on en a dit, ces quatre années seront, elles aussi, bienfaisantes et formatrices.

Car la « Maison d'éducation de demoiselles et de soin des pauvres femmes » où sont placées les petites La Pagerie, pour être de fondation récente, n'en est pas moins de bonne tenue. Proposée par le R. P. de Coutances, supérieur général des Missions de Capucins aux Îles, en 1764, sa création a été acceptée immédiatement par le Conseil souverain de l'île. Elle a été confiée à une communauté féminine réunie sous l'égide de la divine Providence, n'ayant cependant pas prononcé de vœux et ne disposant d'aucune fortune propre. Une équipe de pédagogues pauvres et agissantes, donc. Il s'agit d'un externat et les deux enfants sont hébergées en ville, chez leur grand-mère paternelle, auprès de qui vit sa fille Rosette, leur tante[1]. Probablement doivent-elles traverser assez souvent la baie de Fort-Royal, pour se rendre aux Trois-Îlets.

L'idée du fondateur des Dames de la Providence est de former les filles « aux devoirs de la Religion et de la Société ». Il s'en explique dans ses *Instructions*, où il souligne que « l'éducation des filles dont peu de personnes sentent les conséquences, et dont tout le monde ressent les inconvéniens, tient aux premiers principes de la société, parce qu'étant chargées, par les lois de la nature, des premiers soins de notre enfance, elles le sont aussi de nos premières impressions, de nos premiers sentimens et de nos premières connaissances ; d'où sortent les mœurs publiques, le bonheur des familles, et par conséquent exige un détail d'instructions proportionnées à des devoirs si importants ». Avouons que c'est un projet

---

1. *L'Almanach de la Martinique* de 1790 nous apprend que ces Dames ont reçu leurs lettres patentes en 1768 et qu'il en coûtait, chez elles, 600 livres annuelles par élève. Dans une lettre du 24 juin 1778, à sa sœur Renaudin, M. de la Pagerie confirmera le séjour chez Mme de la Chevalerie de la Pagerie (in J. Aubenas, cf. *supra*).

responsable. Le R. P. de Coutances résume ses principes péda-
gogiques ainsi : « On peut rapporter tout ce qui concerne
l'éducation des Enfans à ces trois points principaux : leur former le cœur par des sentimens, l'esprit par des connaissances
et le corps par des façons[1]. » Rien de plus sensé.

Dans cette institution, dont on comprend qu'elle participe
de l'esprit de Saint-Cyr, moule désormais classique qui laisse
son empreinte sur des générations de filles de bonne maison,
on apprend son rudiment, à savoir, la grammaire, l'écriture,
l'arithmétique, l'histoire, sacrée et profane, ainsi que la danse,
le dessin, la musique et les travaux d'aiguille (filage du lin,
couture et broderie), indispensables à cette époque et dans ce
contexte.

Voici comment se distribuent les journées de nos demoiselles : les quatre classes d'élèves sont réunies pour la messe,
chaque matin, à 7 heures. Puis on les sépare en deux groupes.
L'un des groupes occupe la salle dite d'école pendant une
heure, sous l'égide d'une maîtresse, cependant que l'autre
groupe, dans la salle dite de travail, – chaque élève ayant son
sac à ouvrage marqué à son nom, œuvre en silence, sous les
yeux d'une autre maîtresse. L'heure accomplie, les groupes
permutent, les élèves laissant à leur place leur sac à ouvrage,
qu'elles retrouveront ensuite. Et ainsi, de 8 heures à 11 heures
du matin et de 1 à 5 heures de l'après-midi, les leçons étant
alors celles des maîtres de danse, de dessin et de musique.

La régularité de cet enseignement, l'alternance entre travail manuel, intellectuel, culturel (ou gestuel pour la danse)
assorti d'une éducation religieuse de fond, offre un caractère
équilibré et harmonieux. La discipline qu'il impose, et qui est
d'époque, est conçue pour donner une armature durable aux
êtres. Cela peut sembler rude, aujourd'hui, que ce silence
obligé à l'ouvroir, que cette règle quasi-monacale, que ce
dressage implacable. Et pourtant...

Une formation stricte donnant avant tout des bases et des
principes de conduite, est plus profitable qu'un bourrage de

---

1. Cité *in extenso* par Sainte-Croix de la Roncière, in *Joséphine Impératrice des Français et reine d'Italie*, Paris, 1934, pp. 125 et suiv.

crâne, fût-il brillant. On a voulu que cette éducation jugée fruste ait engendré une petite La Pagerie, celle qui nous intéresse, incurablement ignare. C'est faux. On lui donnait, chez ces Dames, ce qui convenait à ce que, pensait-on, elle allait devenir, à savoir, comme sa mère, une maîtresse d'habitation créole. Et ces bases étaient plus que suffisantes pour qu'elle les développât ensuite, avec l'expérience de la vie. Mais, compte tenu de ce qu'il est advenu d'elle, sa formation a été primordiale : l'Impératrice qui pourrait tout endurer, sans jamais rechigner, de ses devoirs officiels, qui aurait un maintien impeccable en toute situation, qui supporterait avec la même égalité d'humeur les interminables séances de Cour, les sempiternelles harangues, les voyages dans des conditions impossibles, cette bienséance parfaite qui deviendrait sa marque, c'est sans conteste aux Dames de la Providence qu'elle les devrait. Et, de plus, comme nous le constaterons, elle était loin d'être inculte.

C'est un malheur qui mettra fin à cette éducation. Un malheur qui lui fait rejoindre les siens : à l'automne 1777, sa sœur Désirée meurt, dans sa treizième année, emportée en quatre jours par une fièvre maligne. Elle est enterrée aux Trois-Îlets, comme le mentionne son acte de décès[1]. Navrant, cette jeune existence qui se défait sans laisser la moindre trace… Navrant et d'autant plus douloureux pour les La Pagerie, que ce deuil intime survient à un moment plus qu'intéressant pour eux, un moment crucial.

Avoir vécu la dévastation de leur habitation leur avait été une épreuve. Avoir trois filles en avait été une autre. Car il allait falloir songer à les marier, ce qui supposerait de savantes stratégies matrimoniales, de judicieuses supputations, d'habiles ouvertures, de complexes négociations, en vertu des sacro-saints arrangements de famille qui primaient toute autre considération. Une avance, précisément, leur parvient, peu après la mort de leur fille. Une avance qui la concernait et qui mérite réflexion car elle est prometteuse. Elle émane

_____

1. Catherine-Désirée Tascher de la Pagerie, morte le 15 octobre 1777, aux Trois-Îlets, est inhumée le lendemain.

d'un ami éloigné mais fidèle, l'ancien Gouverneur général Beauharnais.

* * *

On se souvient que peu après son retour à la Martinique, Joseph Gaspard avait participé, comme il était d'usage, à la défense de l'île, assiégée de nouveau par les Anglais. Cela se passait au début de l'année 1759. M. de Beauharnais, Gouverneur général des Isles d'Amérique, résidant à Fort-Royal depuis moins de deux ans, avait tenu bon face à l'amiral Moore qui, après quelques combats mémorables, s'en était allé faire le siège de la Guadeloupe. Le temps que les secours soient requis, à Fort-Royal, et qu'ils en arrivent, la Guadeloupe était tombée[1]. Il s'en était fallu de peu. C'était une perte dont Beauharnais fut tenu pour responsable. Il fut donc rappelé en France. Son retour en grâce avait d'autant moins tardé que son successeur aux Îles, Levassor de la Touche, n'avait, lui, pas pu résister devant une nouvelle attaque anglaise. C'est la Martinique qui était tombée, cette fois, en février 1762.

Arrivé en mai 1757 à Fort-Royal, Beauharnais en était reparti en avril 1761. Pendant son séjour, il s'était lié avec les familles notables de la Colonie, dont, bien sûr les Tascher de la Pagerie. Il s'était lié particulièrement avec eux, pourrait-on dire, puisqu'il avait distingué la jeune Désirée de la Pagerie, sœur de Joseph Gaspard dont il s'était épris. Décidé à l'installer dans ce que l'époque et son milieu appelaient élégamment une « habitude honorable », il lui fallait obtenir deux choses. La première, étant marié – depuis 1751, avec une de ses cousines germaines, née Pyvart de Chastullé, riche héritière ayant des biens à Saint-Domingue –, était que Mme de Beauharnais acceptât « la femme du choix », comme on disait aussi. Ce fut facile. La seconde, c'était de marier Désirée – ce qui, alors, équivalait à une émancipation –, ce qui fut bientôt fait.

---

1. Rappelons les dates : le 22 avril 1759, Moore attaque la Guadeloupe, qui aussitôt avertit Fort-Royal, appelant à la rescousse. Les secours partant le 24, arrivent le 26 en vue de l'île, trop tard pour l'empêcher d'être prise.

Le jeune homme choisi, Alexis de Renaudin, était le fils d'un riche propriétaire au Lamentin, en Martinique, lequel père était doté d'un caractère irascible : il avait fait scandale en demandant des lettres de cachet contre son fils, accusant celui-ci d'avoir tenté de l'empoisonner. La Colonie avait pris le parti du jeune homme. Pour que cette union avantageuse eût lieu, encore fallait-il réconcilier le père et le fils. Beauharnais s'en chargea. Le ménage tourna court, car manifestement Alexis de Renaudin, comme son père, était vindicatif. Ces jeunes gens des Îles étaient, dans l'ensemble, il faut l'admettre, très remuants. Leur bravoure, leur intrépidité qui se doublaient d'un sens aigu des jouissances de la vie, les rendaient aisément insupportables. Ce fut le cas. Et comme la jeune Mme de Renaudin, belle, sûre d'elle, dotée d'un caractère énergique, ne s'en laissait pas compter, très vite, on arriva à une séparation de fait.

Quant à son lien avec M. de Beauharnais, contrairement à ce que la Légende noire a prétendu – car déprécier Joséphine, c'est d'abord déprécier les Tascher et les Beauharnais – il n'avait rien de scandaleux. Rappelons qu'à cette époque, au sein de l'aristocratie – et les Beauharnais, pour être de la Robe riche, n'en étaient pas moins partie prenante –, le mariage n'était que de convenance. On scellait une bonne alliance assortie d'un bon contrat, pour assurer la cohésion du tissu social au sein de la caste. On faisait les héritiers qu'il fallait, au-delà de quoi, chacun s'organisait comme il l'entendait – s'il l'entendait – dans sa vie personnelle. Il n'était pas question de sentiment entre époux. Si celui-ci existait, tant mieux. Sinon, sans états d'âme, pour peu que les formes et les arrangements financiers fussent respectés, chacun acceptait, si nécessaire, les inclinations de l'autre.

Dans ce cas de figure parfaitement classique, la situation de M. de Beauharnais et de Mme de Renaudin sera vite admise. Comment s'organisent-ils ? C'est simple. M. de Renaudin reparti pour la France et déposant une plainte en séparation contre son épouse, en juin 1760, celle-ci s'embarque, à ce moment, pour aller à Paris régler elle-même cette affaire. Les Beauharnais, quant à eux, la rejoindront bientôt, puisqu'ils quittent Fort-Royal en avril 1761. Leur était né un second fils, en mai 1760, le premier, François, l'ayant précédé de quatre années. Ce cadet, prénommé Alexandre, n'ayant que treize mois au départ de ses parents, il demeurera en Martinique – jusqu'en 1765 –, chez Mme de la Chevalerie de la Pagerie, la mère de Joseph Gaspard. Quant à la marquise de Beauharnais, à son retour en France, elle choisira d'aller vivre le plus couramment dans son château de La Ferté, dans l'Orléanais[1]. Ce que nous connaissons de ses lettres à Mme de Renaudin, elle-même installée dans un couvent parisien, comme il se devait à une femme en instance de séparation, est d'un ton de parfaite cordialité[2]. Nous sommes dans un monde qui sait vivre.

* * *

Depuis la mort de la marquise de Beauharnais, en 1767, M. de Beauharnais et Mme de Renaudin partagent la même existence. Ils sont demeurés en correspondance régulière avec leurs amis créoles. Ils ont accueilli auprès d'eux le petit Alexandre, à son arrivée à Paris. Il est baptisé en janvier 1770, en l'église de Saint-Sulpice, paroisse sur laquelle réside alors son père, et Mme de Renaudin devient sa marraine[3]. En fait, elle sera sa mère de substitution, celle qui – après sa propre mère, Mme de la Chevalerie de la Pagerie – l'élèvera. Elle deviendra, à ce titre, sa confidente et sa meilleure amie.

Les années avaient passé, « le petit chevalier », comme on l'appelait couramment, selon l'usage réservé aux cadets, avait

---

1. Quand, en 1756, il avait été nommé par le roi Gouverneur général des Isles d'Amérique, comprenant, rappelons-le, les îles de Martinique, Guadeloupe, Marie-Galante, Saint-Martin, Saint-Barthélemy, La Désirade, La Dominique, Sainte-Lucie, la Grenade, les Grenadines, Tobago, Saint-Vincent, à quoi s'ajoutaient Cayenne et ses dépendances, Beauharnais avait eu droit au titre d'honneur de marquis. Ses patentes vinrent en 1764, érigeant sa terre de La Ferté-Avrain en marquisat. Son titre était parfaitement régulier.
2. In René Pichevin, *op. cit.*, pp. 58 et suiv.
3. Né à Fort-Royal le 28 mai 1760, Alexandre de Beauharnais a été ondoyé le 10 juin suivant, à Saint Louis de Fort-Royal. Il est baptisé le 15 janvier 1770. Ses prénoms sont Alexandre François Marie.

grandi. On songeait à le marier. Si pour son frère aîné, on réservait une alliance Beauharnais, avec une de ses cousines (l'une des filles du Beauharnais fait comte des Roches-Baritaud), on songeait pour Alexandre à une alliance Tascher de la Pagerie. C'est dans cet esprit que M. de Beauharnais en écrit à M. de la Pagerie :

> « Je ne saurais vous exprimer, Monsieur, toute l'étendue de ma satisfaction de pouvoir, en ce moment, vous donner des preuves de l'attachement et de l'amitié que j'ai toujours toujours eue pour vous ; elle n'est point équivoque.
>
> Mes enfants jouissent à présent de 40 000 livres de rente chacun ; vous êtes le maître de me donner mademoiselle votre fille pour partager la fortune de mon chevalier. Le respect et l'attachement qu'il a pour Mme de Renaudin lui fait désirer ardemment d'être uni à une de ses nièces. Je ne fais, je vous assure, qu'acquiescer à la demande qu'il m'en fait, en vous demandant la seconde dont l'âge est plus analogue au sien. J'aurais fort désiré que votre fille aînée eût eu quelques années de moins, elle aurait certainement eu la préférence, puisqu'on m'en fait un portrait également favorable. Mais je vous avoue que mon fils qui n'a que dix-sept ans et demi, trouve qu'une demoiselle de quinze ans est d'un âge trop rapproché du sien. Ce sont des occasions où des parents sensés sont forcés de céder aux circonstances[1]. »

Cette lettre venait à point nommé, car depuis deux années, les La Pagerie affrontaient une série de difficultés dues à de mauvaises récoltes, à une mortalité accrue des esclaves ainsi qu'à la reprise imminente de la guerre. À quoi s'ajoutait une fièvre persistante qui fatiguait M. de la Pagerie. Aussi celui-ci s'empresse-t-il de répondre à son ami

---

1. In Joseph Aubenas, *Histoire de l'Impératrice Joséphine*, 1857, I, pp. 76 et suiv. Les originaux de cette correspondance vus par Aubenas, ont disparu (avant 1902) des archives de la famille Tascher. Cette lettre date du 23 octobre 1777.

Beauharnais : comme la petite Désirée venait de mourir, il lui propose la dernière de ses filles, Marie-Françoise, dite Manette. Elle « sera très bien de figure, écrit-il, elle joint à une gaieté naïve un caractère sensible. L'éducation fera le reste ». Malheureusement, l'enfant répugne à quitter sa mère et celle-ci, la trouvant encore trop tendre, répugne à s'en séparer. Car, si l'affaire s'était conclue, on eût envoyé la petite se former dans sa future belle-famille. Mais, ajoute M. de la Pagerie, l'aînée est disposée à faire le voyage. Qu'en disent les Beauharnais ? Les Beauharnais sont très impatients et désireux de réaliser cette alliance, comme en témoigne la lettre que Mme de Renaudin adresse à son frère, le 11 mars 1778 :

> « Arrivez, mon cher frère, avec une de vos filles, avec deux ; tout ce que vous ferez nous sera agréable, et trouvez bon que nous vous laissions guider par la Providence, qui sait mieux ce qui nous convient que nous-mêmes. Vous connaissez nos vrais sentiments ; il semble que l'événement fâcheux qui nous est arrivé augmente nos désirs. Il nous faut une enfant à vous. Le cavalier mérite d'être parfaitement heureux. Vous êtes à portée de connaître la figure, le caractère et enfin toutes les qualités nécessaires d'une femme faite pour plaire ; agissez donc en conséquence[1]. »

Son aînée ayant été agréée, M. de la Pagerie prend ses dispositions pour préparer sa fille à son existence prochaine et la mener lui-même à Paris. Une année se passera avant qu'ils ne s'embarquent pour Brest, en août 1779.

L'ADIEU À L'ENFANCE

Aux Trois-Îlets, on ne peut que se féliciter de cette bonne perspective. La bienveillance de M. de Beauharnais, l'entregent de Mme de Renaudin, leur protection active envers cette

---

1. In Joseph Aubenas, *op. cit.*

famille amie ne gâtent en rien les promesses et les espérances qu'incarne déjà le jeune Alexandre. Celui-ci appartient à une lignée extrêmement bien située et bien nantie, figurant on ne peut mieux la Robe brillante dont le XVIIIᵉ siècle a consacré l'ascension.

Les Beauharnais, originaires de Bretagne, se sont établis dans l'Orléanais, à la fin du XIVᵉ siècle, où ils n'ont cessé de prospérer. Bourgeois anoblis par charges dans les finances et la magistrature, ils deviennent, au fil du temps, maîtres des requêtes, présidents-trésoriers généraux, conseillers du Roi ou de la Reine, conseillers d'État. Au XVIIIᵉ siècle, ils s'orientent vers la Marine et la haute administration coloniale, alors en pleine expansion. Le bisaïeul d'Alexandre, marié à une Pyvart de Chastullé, aura quatorze enfants, dont l'un sera Intendant général de la Marine, l'autre, Gouverneur et Lieutenant-général de la Nouvelle France (pendant vingt-deux ans), d'autres capitaines de vaisseau ou de frégate. Son grand-père remontera le Mississippi et demeurera trente-huit ans dans la Marine. Son propre père, né en 1714, a commencé par être capitaine des vaisseaux du Roi avant d'être nommé Gouverneur général.

Les Beauharnais sont riches et bien apparentés : ils comptent des alliances avec les Philypeaux de Montléry, les Pontchartrain, et plus récemment, avec des familles solides, ayant du bien aux Îles, comme les Hardouincau et les Pyvart de Chastullé. Ainsi la défunte mère d'Alexandre, dont il est l'héritier bien doté.

Pour ce qu'on en sait aux Trois-Îlets, son éducation, effectuée sous la houlette d'un précepteur nommé Patricol, s'est achevée auprès des La Rochefoucauld, une des premières familles du royaume, au château de La Roche-Guyon : le précepteur d'Alexandre ayant été pressenti par le duc en titre, Louis-Alexandre, pour s'occuper de deux de ses neveux Rohan-Chabot, le jeune Beauharnais leur a été adjoint. Puis, comme son aîné, il est entré au Service. Il est présentement sous-lieutenant au régiment de Sarre-Infanterie, qui appartient à son protecteur, le même duc de La Rochefoucauld. Son avenir s'annonce bien tracé. Sans parler de ses qualités personnelles, car s'il est doté d'une jolie fortune, il est, aussi, de l'avis général, doté d'« une jolie figure ».

Bien stylé par sa chère marraine, il paraît ravi de l'union qu'on lui concocte et s'il s'est déclaré au début des négociations familiales plus favorable à un mariage avec la cadette – parce qu'il n'est pas pressé –, il s'est ravisé et, de bonne grâce, s'est réjoui de ce que l'aînée des La Pagerie doive bientôt lui échoir. Il sait, par les lettres de son futur beau-père, qu'« elle a une fort belle peau, de beaux yeux, de beaux bras et une disposition surprenante pour la musique ». Rien que de très attrayant dans cette esquisse.

Ainsi, tout est-il pour le mieux pour les deux familles. Et, sans doute, Mlle de la Pagerie se prépare-t-elle avec contentement à son mariage. Sans doute aussi, vit-elle ces derniers mois dans son île natale comme un adieu à l'enfance. Un adieu probablement enjoué car elle semble enchantée, non de quitter les siens – les traversées étant beaucoup plus fréquentes et faciles qu'on ne l'imagine, il ne s'agit nullement d'un exil définitif –, mais d'aller découvrir Paris.

Elle doit mener pleinement, jusqu'à son départ, l'intense vie sociale si typique de la Colonie. Sa vaste parentèle, ses amis, ses voisins, sans compter le petit monde des Trois-Îlets, tous doivent désormais connaître l'alliance avantageuse à laquelle elle est promise, et s'en réjouir pour elle. On imagine, dans cet univers allègre et chaleureux, ce que doivent être, alors, les visites d'habitation à habitation, les parties de plaisir ou de campagne en nombreuse compagnie, les fêtes et les réunions de famille, qu'animent ces kyrielles de Tascher, de Des Vergers, de Dyel, de Jaham, d'Audiffredy, de Girardin, de La Touche, de Gantheaume et de Marlet, de Le Merle et de Percin, toute cette société à laquelle, en créole bien née, elle demeurera attachée sa vie durant.

L'un des biographes particulièrement fervent de notre héroïne, Sainte-Croix de la Roncière, dont la plume pour être imagée se montre souvent trop imaginative, « invente » une excursion faite à la Montagne Pelée le jour de l'Ascension 1779, par la famille Tascher et sa suite. C'est pendant cette promenade qui dure deux jours, que Mlle de la Pagerie connaît sa première idylle avec un jeune officier anglais, de passage dans l'Île (un dénommé Williams qu'on identifiera par la suite comme un des neveux de Lord Lovatt), le tout sur fond de ciel tropical et de panorama grandiose... Quels que soient le lyrisme époustouflant de l'auteur et sa maestria à décrire des paysages somptueux qu'il connaît et aime merveilleusement, c'est par trop abusif[1] ! Mais qu'y faire ? Cette période de la vie de la future Joséphine a tellement surexcité les imaginations qu'on ne recense plus les prétendus soupirants qui l'ont alors approchée, tous, bien entendu, déclarés après sa mort, heureux d'étaler, avec pour certains une désarmante goujaterie, leur mirobolante et gratifiante – comme diraient nos psychanalystes – confession.

Dans le même registre, se placent les prédictions variées faites à la demoiselle du fabuleux destin qui l'attendait. Tantôt on lui annonce un mariage malheureux, un veuvage, suivi de... Tantôt elle sera plus que reine... Tantôt elle est seule auprès de la Pythie, tantôt elle s'y trouve en compagnie de sa cousine Dubuc de Rivery... Sainte-Croix de la Roncière, sur ce thème, se donne à plein et la sorcière Eliama n'a plus aucun secret pour lui ! Évidemment, dans le contexte des Îles, une prédiction est toujours plausible : pour sensée que soit l'éducation créole, et sa psychologie, de plain-pied avec les réalités de la vie, l'âme martiniquaise est réceptive aux forces de l'au-delà, elle sait animer les éléments et lire au fond des êtres. Mais, comme Jean Hanoteau, nous pensons que ces légendes sont trop bien trouvées pour n'être pas apocryphes.

On arguera du fait que Joséphine aurait évoqué ces prédictions. Quand on sait ce que vaut le témoignage de celle qui le rapporte, on demeure sceptique[2]. On dira aussi que Napoléon, à Sainte-Hélène, en a fait mention devant Las Cases, avec moins de conviction que de complaisante ambiguïté : cela l'amusait ou ne lui déplaisait pas. Car si Joséphine n'était pas superstitieuse, Napoléon, lui, en bon Méditerranéen,

1. In Sainte-Croix de la Roncière, *op. cit.*, pp. 135 et suiv.
2. Georgette Ducrest, *Mémoires sur l'impératrice Joséphine*, 1828.

évoquait souvent « sa bonne étoile »[1]. Quant à Aimée Dubuc de Rivery, la Sultane Validé, enlevée, toute jeune, pendant une traversée de Nantes aux Îles, par les Barbaresques, qui l'envoient au Sultan, dont elle devient la favorite, puis, à la mort de celui-ci, la Validé, mère du Sultan suivant, c'est à se demander si elle a existé[2]! Il s'agit d'un montage né sous la Restauration qui ne se connecte en rien, ni par les dates, ni par les liens familiaux avec Joséphine. Mais, encore une fois, qu'y faire ? Comme pour d'autres femmes célèbres, à commencer par la marquise de Maintenon ayant passé elle aussi, comme on sait, sa jeunesse aux Îles, rien n'est plus tentant ni flatteur pour leur milieu d'origine que l'aveu de ces détections précoces de leur grandeur future. Cela s'appelle, en bon français, la rançon de la gloire.

* * *

Au moment de quitter son île natale, Mlle de la Pagerie ne doit songer à rien de plus que d'aller à Paris mener une vie brillante dans la mouvance d'une tante dont elle admire certainement le charisme et l'efficacité, auprès d'un mari séduisant, au sein d'une famille qui lui est rien moins qu'étrangère. Elle n'a sans doute aucune idée, ni même aucune prescience de son destin impérial, mais elle doit, car en cet été 1779 elle vient d'avoir seize ans, rassembler ses forces et ses esprits pour être, au moment où elle va devenir vicomtesse de Beauharnais, digne des siens et de ce qu'ils attendent d'elle.

Et quand, à la fin du mois d'août 1779, sur la flûte *L'Isle de France* qu'escorte *La Pomone*, elle s'embarque, chaperonnée par son père, à destination des côtes bretonnes, il est à parier qu'elle regarde plus vers l'avant que vers l'arrière. Elle porte en elle son monde originel, comme une richesse inépuisable, mais c'est sûrement avec beaucoup d'intérêt qu'elle s'en va rejoindre une *terra incognita* qui ressemble à s'y méprendre à une rencontre avec soi-même.

---

1. *Mémorial de Sainte-Hélène*, La Pléiade, I, Gallimard, p. 628.
2. Thème exploité par Sidney Daney, historien peu scrupuleux, dans son *Histoire de la Martinique*, Fort-Royal, 1846.

CHAPITRE II

La vicomtesse de Beauharnais
(13 DÉCEMBRE 1779 - 9 MARS 1796)

*L'amour de ma femme et celui
de la gloire ont chacun dans mon
cœur un empire absolu...*

ALEXANDRE DE BEAUHARNAIS,
Lettre à sa femme, 6 septembre 1782.

Si la traversée, sa première traversée de l'Océan, a pu sembler à Mlle de la Pagerie une sorte de voyage initiatique, dangereux, en raison des possibles attaques de la flotte anglaise, mais prometteur, en vertu de l'émancipation qui l'attend, celle-ci, pour son père, a dû être un cauchemar. Elle l'a rendu si malade que, débarqué à Brest le 12 octobre 1779, il se trouve dans un état qu'on qualifierait aujourd'hui de critique. Et l'on imagine le soulagement que doit éprouver sa fille de voir bientôt arriver auprès d'eux le fringant Alexandre et l'énergique Mme de Renaudin. Ceux-ci s'empressent, en effet, de leur prodiguer soins et attentions, grâce à quoi, tandis qu'on s'achemine vers Paris à petites journées, M. de la Pagerie se remet. On fait étape à Morlaix, à Guingamp, à Rennes et à Alençon. Tout au long de la route, Alexandre et Mme de Renaudin tiennent, comme il se doit, M. de Beauharnais au courant de l'état de la santé et de l'humeur de leur petite

49

caravane. Alexandre a pourvu à tout. Comme il le confie à son père le 28 octobre, il a « acheté un cabriolet bien conditionné duquel on (lui) a demandé 40 louis », permettant un voyage plus confortable. Il ne manque pas d'y ajouter sa première impression sur celle qui lui est destinée : « Mlle de la Pagerie [...] vous paraîtra peut-être moins jolie que vous ne l'attendez, mais je crois pouvoir vous affirmer que l'honnêteté et la douceur de son caractère surpasseront tout ce qu'on a pu vous en dire[1]. »

À mesure que les jeunes gens progressent vers Paris, l'impression favorable se renforce. « Les choses vont toujours de mieux en mieux », commente, avec sa netteté coutumière, Mme de Renaudin. Nous ne pouvons entendre la voix de Mlle de la Pagerie, sinon par induction, mais il est clair, d'après le ton uniment affectueux et harmonieux des lettres dont nous disposons, que l'accueil au sein de la famille Beauharnais est chaleureux à souhait. On se montre enchanté de cette « seconde », comme on l'appelle (« seconde fille », ou bru, de M. de Beauharnais) qui, pour ce que nous en savons, se montre douce (elle le sera toute sa vie), docile même, encore peu faite, un peu lente à s'adapter à sa nouvelle vie – ce qui demande, en premier lieu, une acclimatation – et, somme toute, aimable et de bonne composition[2].

À peine installée dans l'hôtel familial, situé au cœur le plus vivant de la capitale, rue Thévenot, à deux pas de l'artère la plus animée, la plus commerçante de Paris qu'est la rue Saint-Denis, à deux pas aussi de la halle à poisson, ce parc à huîtres, comme on disait alors, et sur lequel prospérera bientôt un des restaurants les plus célèbres du Romantisme, « Le Rocher de Cancale », dans ce quartier amusant dont les rues s'appellent « Tiquetonne », « Tire-boudin », « des Deux-portes » (l'hôtel

---

1. La correspondance entre les Beauharnais et Mme de Renaudin a été retrouvée par Jean Hanoteau, qui en a tiré un ouvrage remarquable intitulé *Le ménage Beauharnais*, Plon, 1935. C'est à lui que nous nous référons.
2. Ni dans les lettres des Tascher, vues et transcrites par Aubenas, ni dans celles des Beauharnais, publiées par Hanoteau, elle n'est désignée par son prénom usuel, encore moins par son surnom. Elle est « l'aînée », pendant les préliminaires du mariage, et à son arrivée en France, « la seconde », ou, bien sûr, « Mlle de la Pagerie ».

de Beauharnais lui fait face), dont la paroisse est Saint-Sauveur (elle sera démolie en 1787) jouxtant les « Enfants bleus », un hospice pour orphelins, elle se dispose à son mariage[1]. Il a lieu un mois plus tard.

Les bans sont publiés simultanément à Saint-Sulpice, ancienne paroisse des Beauharnais, du temps qu'ils vivaient dans l'hôtel de la rue Garancière qu'avait loué Mme de Renaudin, à Saint-Sauveur, leur nouvelle paroisse, et à Noisy-le-Grand, campagne de Mme de Renaudin, qu'elle a achetée à Mme de Lauragais, en 1776, où se célèbrera la noce. Ils avaient été publiés à Notre-Dame des Trois-Îlets, les 11, 18 et 25 avril précédents, le futur beau-père ayant envoyé son pouvoir à M. de la Pagerie.

Le contrat notarial est signé le 10 décembre (un mois jour pour jour après l'arrivée à Paris des La Pagerie) et stipule que le futur garantit un revenu de 40 000 livres, provenant des héritages de sa mère et de sa grand-mère Pyvart de Chastullé, constitués de biens à Saint-Domingue et de la terre de La Ferté-Avrain, sous Orléans[2]. La future apporte son trousseau, estimé à 20 000 livres (offert par sa tante), des effets mobiliers de 15 000 livres en Martinique et une rente de 5 000 livres constituant les intérêts de sa dot, évaluée à 100 000 livres et restant aux mains de son père du vivant de celui-ci. À quoi s'ajoute la maison de Noisy-le-Grand que lui offre Mme de Renaudin, évaluée, avec son mobilier, ses cour, basse-cour, écuries, remises, jardin, potager et autres dépendances, à 33 000 livres. Plus une créance que Mme de Renaudin

---

1. Cet hôtel vient de Charles de Beauharnais, oncle du marquis, Gouverneur Lieutenant-général de la Nouvelle France, qui y est mort en 1749. La rue Thévenot correspond au tracé de l'actuelle rue Réaumur.

2. La Ferté-Avrain, et non Aurain, comme l'écrit par erreur Joseph Aubenas, pieusement repris par les compilateurs, devenu La Ferté-Beauharnais, compte, en plus de son château, une charmante petite église du XVIᵉ siècle, dotée d'un vieil auvent charpenté, et qui marque, bien que reconstruite un siècle plus tard, le passage de Jeanne d'Arc, le 7 juin 1429. Un ancêtre d'Alexandre, Jean de Beauharnais, seigneur de Miramon et de la Chaussée, compagnon d'armes du comte de Dunois fut nommé pour la justification de Jeanne d'Arc, ce long procès en réhabilitation qui eut lieu en 1456. Sa femme Pétronille aussi, qui était la sœur de Jean de Goutes, l'un des deux écuyers d'honneur donnés à Jeanne par le Dauphin, au moment de marcher sur Orléans.

possède sur un neveu de son mari, le marquis de Saint-Léger, d'un montant de 121 149 livres. Nous savons que dans sa corbeille, la jeune fille a trouvé, au moins, la traditionnelle montre et son cordon garni de petits diamants ainsi que deux bracelets et une paire de girandoles[1]. C'est ce qui s'appelle un bon contrat.

Le 13 décembre, le mariage religieux est célébré à Noisy-le-Grand, par le curé de l'endroit, en présence de l'abbé de Tascher, prieur de Sainte-Gauburge et aumônier du duc de Penthièvre, qui représente son cousin M. de la Pagerie, incapable de se déplacer. Le jeune ménage s'installe aussitôt dans l'hôtel de la rue Thévenot. Dès lors, Alexandre cesse d'être appelé « le chevalier », pour devenir le vicomte de Beauharnais, selon l'usage établi pour le cadet d'un titre régulier, et non par imposture, comme l'ont prétendu, à tort, nombre de biographes malveillants, surtout mal au fait de la société de cette époque. Quant à la vicomtesse de Beauharnais, elle découvre son monde. Quel est-il ?

UN BEL ESPRIT, UN BEAU DANSEUR...

Là encore, que de méprises ! On s'est plu à peindre la nouvelle mariée comme une pauvresse grelottant de froid, dans l'hiver parisien, utilisée par une méchante tante confortant ses intérêts auprès du vieux Beauharnais, cependant qu'elle manipule le jeune, comme il sied à une intrigante et à une « maîtresse en titre »... La vérité est différente, Dieu merci !

Le marquis de Beauharnais, âgé de soixante-cinq ans, et qui mourra à un très grand âge, est un homme doux et bienveillant, très près de ses fils, très assorti à Mme de Renaudin, aimant à ce que son entourage soit heureux. Il a auprès de lui, depuis vingt ans – et qui ne le quittera plus – une femme remarquable à plus d'un titre, dont le brio et l'intelligence animent le train

---

1. Mme de Beauharnais évoquera ces trois bijoux, dans une de ses lettres, en mars 1786. Ce contrat a été passé devant Me Trutat, dans l'appartement de Mme de Renaudin, rue Thévenot, en présence de M. de la Pagerie, trop souffrant pour quitter la chambre.

de la maison[1]. Mme de Renaudin est pénétrante, sagace, encore plus « famille », s'il se peut, que lui, et, n'étant pas créole pour rien, elle s'entoure d'une société faite d'amis, de familiers, de protégés parmi lesquels les deux demoiselles Marguerite et Blanche de Ceccony, société à la fois agréable et bienfaisante, dans la mesure où elle fortifie l'harmonie générale du lieu[2].

Mme de Renaudin, par un de ces caprices génétiques si fréquents, a reçu de grandes qualités viriles – l'énergie, la vue à longue portée, la persévérance, le sens de l'action, l'entendement des affaires – dont son aîné, Joseph Gaspard, était dépourvu. Comme son cadet, Robert-Marguerite, elle sera toujours rayonnante et sympathique. Sa nièce, à bien des égards, sera, elle, la digne fille de son père : inapte à gérer ses comptes, et quelle que soit sa qualité humaine, dépourvue d'altitude, sinon de dignité et de charme. Aussi bien, Mme de Renaudin apparaît-elle aux yeux des siens, non comme une marâtre, mais comme une sorte de bonne fée, de déesse tutélaire, apte à comprendre et à dénouer tous leurs problèmes. Apte à contribuer – c'est l'impression que les textes nous donnent, comme les actes avérés – au bonheur de son entourage.

Ceux qui l'ont noircie, de façon subjective, obéissaient à leurs propres catégories et ignoraient – ou voulaient ignorer – celles du XVIIIe siècle. Et cette méconnaissance des mentalités s'est toujours traduite par une sémantique inadaptée parce que postérieure et recouvrant une approche autre de la situation : nous l'avons déjà évoquée en parlant, comme à l'époque qui nous occupe, de « longue » ou « douce » « habitude » au lieu de « faux ménage », de « faux couple » ou d'« amour coupable »… Il est évident que le puritanisme petit-bourgeois qui domine les esprits depuis la fin du XIXe siècle est incapable d'appréhender la réalité sociale de l'aristocratie du XVIIIe. Le mariage n'étant que d'arrangement, mille exemples d'inclinations

---

1. Né en 1714, M. de Beauharnais mourra en 1800. Mme de Renaudin, née en 1739, mourra en 1803. Veuve de Renaudin, devenue marquise de Beauharnais puis veuve à nouveau, elle contractera une troisième union.

2. Les demoiselles de Ceccony, vieilles amies à demeure, ne se sont pas portées à la rencontre des La Pagerie à Brest, comme l'affirment certains biographes : les lettres d'Alexandre à son père, les saluant toujours dans ses missives, en témoignent.

instituées, pour peu qu'elles ne fissent pas scandale, peuvent être relevées dans la vie d'alors. C'est un fait de société. Et qui s'étaie sur une conjonction de goûts et de tempéraments plus que sur autre chose.

Comprenons bien que le sexe, pour employer le terme générique actuel, n'était pas un problème pour l'aristocratie. Il ne l'a jamais été et il ne comportait aucun poids de péché, encore moins dans ces années 1780, celles « de la douceur de vivre ». On avait – sagacité des vieilles sociétés – le sens du non-dit : on n'en parlait pas. Les reniflages d'alcôve, qui empoisonnent les biographies de notre héroïne, ne riment pas à grand-chose, si ce n'est à satisfaire les besoins inconscients de ceux qui les pratiquent. Car il faut dire que la notion de vie privée n'était pas connue de nos prédécesseurs. Et comme on vivait ensemble, en public, on n'exhibait ni ne commentait ce qu'on faisait – ou pas – dans son intimité. Chacun passait ses matinées chez soi, ou, comme pour M. de Beauharnais et Mme de Renaudin (partageant le même hôtel) dans son appartement, et après le « dîner », le déjeuner, tardif et d'apparat, on passait, tous ensemble, l'avant-soirée puis la soirée, au salon. Cela s'appelait sauvegarder les apparences. Certains y voient une hypocrisie, nous y voyons au contraire, une sagesse doublée d'une élégance.

Pour en revenir à Mme de Beauharnais, appelée aussi dans sa famille la vicomtesse, pour la distinguer de sa belle-sœur, elle n'est pas tombée, rue Thévenot, dans l'antre de la turpitude, mais tout au contraire, dans un intérieur affectueux et de bonne tenue, au sein d'un monde parfaitement policé, qui jamais n'aurait pensé au couple formé par son beau-père et sa tante autrement que comme à un vrai couple dont l'équilibre et la sérénité ne pouvaient qu'être admirés, au même titre que leurs excellentes manières ou leur haute position sociale[1].

* * *

---

1. Le frère aîné d'Alexandre, François de Beauharnais (1756-1846), avait épousé en 1778 sa cousine germaine, Françoise de Beauharnais (1757-1822), fille de Claude de Beauharnais (1717-1784), comte des Roches-Baritaud, et de la célèbre comtesse Fanny, que nous allons découvrir.

Si nous ne savons que peu de chose encore de Mme de Beauharnais, en revanche, nous pouvons assez bien nous représenter son jeune mari. Et tel qu'il est alors, sans doute est-elle à la fois séduite et intimidée par celui qui apparaissait à tous comme un brillant sujet, et même « un joli sujet », pour reprendre l'expression employée, à son endroit, par la duchesse d'Enville, mère du duc de La Rochefoucauld, qui, à la Roche-Guyon, le présentant à la duchesse d'Estissac, à l'envoyé de l'Électeur palatin et à l'ambassadeur de Pologne, rendait grâce à la bonté du marquis de Beauharnais de cette « acquisition précieuse » : « C'est un très joli sujet que je regarde comme mon troisième enfant[1] ». Alexandre n'avait pas quinze ans !

Voilà qui donne le ton, et l'on comprend qu'après ses classes, au collège du Plessis, suivies d'un périple en Allemagne en compagnie de son frère et de leur précepteur, le jeune garçon se soit plu à la Roche-Guyon, et qu'il ait trouvé auprès de ces La Rochefoucauld qui l'apprécient grandement, une seconde famille[2]. C'est chez eux, dans leur fief, ou à Paris, dans leurs deux hôtels – le grand ayant son entrée rue de Seine, et le petit donnant sur la rue des Petits-Augustins, l'actuelle rue Bonaparte –, qu'il s'est empreint non tant de ce « bel air » qui le caractérise, car il le pouvait acquérir chez les Beauharnais, mais des idées à la mode, des idées avancées, en un mot de l'esprit des Lumières. Dans cette illustre famille, qui date du Xe siècle, se sont développées les théories naissantes les plus avant-gardistes, tant philosophiques que politiques ou sociales, celles des Encyclopédistes, tous liés à la duchesse d'Enville, tous reçus par elle et son fils. Franklin, Turgot, Condorcet séjournent à la Roche-Guyon, comme bientôt, Jefferson, le ministre en France des jeunes États-Unis d'Amérique, dont on a suivi avec passion la conquête de l'indépendance. Le duc Louis-Alexandre travaille à la traduction en français de leurs « Constitutions »,

---

1. Lettre du précepteur Patricol à Mme de Renaudin, du 3 février 1775, in J. Hanoteau, *op. cit.*, p. 26.
2. Cf. le livre de Solange Fasquelle (née La Rochefoucauld) sur sa famille *Les La Rochefoucauld, une famille dans l'histoire de France*, Perrin, 1992.

qui verra le jour en 1783 : l'année précédente, il sera entré à l'Académie des Sciences. Ainsi donc, le jeune Beauharnais se trouve-t-il à bonne école dans ce milieu hautement éclairé, où les meilleurs esprits du temps se côtoient, s'enrichissent et se fortifient dans une atmosphère d'exceptionnelle émulation. Rien d'étonnant à ce qu'un jour, il suive son protecteur à la Constituante. Ils en deviendront des membres agissants l'un et l'autre, mais l'un et l'autre, ils périront victimes de cette Révolution qu'ils avaient appelée de leurs vœux et dont ils avaient si bien favorisé les débuts.

Alexandre est un bel esprit qui croit au Verbe, au point d'en devenir souvent verbeux et emphatique, qui croit à la perfectibilité du genre humain, qui croit à la justice et à la raison au nom de quoi il est prêt à combattre l'intolérance et l'obscurantisme. Il professe un amour sans bornes pour ses semblables, et, bien entendu, comme toute l'élite de son temps, comme son propre père, il est affilié à la Franc-maçonnerie. Et il y est entré très jeune, car, lorsqu'à dix-sept ans, il est reçu dans la Loge de son régiment, la loge de la Pureté (à Rouen), il écrit à sa marraine pour qu'elle lui envoie d'urgence ses patentes de la loge Sainte Sophie, sa Loge parisienne[1].

Non seulement, ce cérébral – qui du moins se pique de l'être – a lu les Encyclopédistes, mais il s'est fortement imprégné des œuvres de Rousseau. Et cela a façonné son affectivité. C'est un adepte de la sensibilité, la nouvelle valeur à la mode, escortée de son inévitable corollaire, qui lui aussi fait fureur, le naturel. Comme toute la jeune génération, la sienne, Alexandre a rompu avec les principes de ses aînés, en gros, le vieux modèle du classicisme, pour prôner ce nouveau credo. Et, dans sa vie personnelle, il prêche d'exemple : il est à l'écoute de ses impressions, de ses émotions, il s'épanche, il s'émeut, il se grise de sentiment et le fait savoir. En cela, il préfigure ce qu'incarnera si pleinement sa fille Hortense, le ton et l'esprit du pré-romantisme.

Effervescent, quelque peu superficiel, il aime aussi le beau sexe comme il aime les succès de société : avec fougue et non

---

1. In J. Hanoteau, *op. cit.*, p. 36. Lettre du 18 juin 1777.

sans quelque fatuité. Comme à tout jeune officier, sa vie de garnison lui en a fourni bon nombre – qui l'en blâmerait à son âge ? – mais il n'est en rien un roué ou un libertin. Aucune débauche chez lui, mais une vitalité à tous crins. L'amour et le bal l'enthousiasment. Il n'a pas dix-huit ans quand il confie à sa marraine ceci : « Je ne vous parlerai pas de ma santé. À la suite d'un bal, elle ne peut être qu'excellente. La danse est, vous le savez, le remède universel à tous les maux…[1] ». Et curieusement, c'est ce que retiendront de lui ses contemporains. Tous se le rappelleront comme un « beau danseur », tel le baron de Frénilly qui, dans ses Souvenirs évoque en un saisissant raccourci « le beau danseur, Beauharnais, qu'un entrechat avait mené à la Constituante et de la Constituante à l'échafaud[2]. » Pas mal vu ! L'hérédité étant ce qu'elle est, son fils Eugène aura droit à la même réputation non usurpée. Être Beauharnais, c'est d'abord être un beau cavalier.

Pour parfaire ce portrait, ajoutons, nous qui le savons déjà, ce dont sa jeune épouse ne va pas tarder à s'apercevoir : le séduisant, le bouillant Alexandre, n'est pas dénué de quelques défauts. Il est facilement pédant, il est volontiers susceptible et, surtout, il s'enflamme à tout propos et hors de propos. En un mot, s'il est irrésistible, il est aussi d'une subjectivité dangereuse. Alexandre peut provoquer pas mal de dégâts autour de lui, comme nous allons nous en rendre compte.

« TU T'ES PLAINTE ENCORE DE MON SILENCE… »

Sa jeune épouse, il l'aime tendrement. Et comme il la quitte, quatre mois après leur mariage, pour aller se retremper dans la brillante atmosphère de la Roche-Guyon, nous le suivons à travers les lettres qu'il lui adresse. Elles sont très affectueuses et protectrices. Alexandre trouve sa femme encore peu accomplie et il s'institue son pédagogue, décidé qu'il est à la raffiner, à lui faire acquérir un peu de l'inimitable

---

1. In J. Hanoteau, *op. cit.*, p. 43, lettre du 11 novembre 1777.
2. *Souvenirs du baron de Frénilly, pair de France, 1768-1848*, Plon, 1909, p. 220.

esprit parisien, à l'engager à approfondir ses connaissances en histoire, à orienter ses lectures vers les Belles Lettres, à savoir rédiger. Comme elle s'intègre bien, manifestement, à la vie de la rue Thévenot, et qu'elle est, elle aussi, attachée à son mari, elle s'efforce de le satisfaire.

Des premiers froissements sont aisément perceptibles, hélas! Si Alexandre se montre encourageant (« C'est en persistant dans la résolution que tu as formée que les connaissances que tu acquerras t'élèveront au-dessus des autres… »), s'il est spécialement tendre en s'arrêtant – sur la route de Brest, où il va rejoindre son régiment – dans l'auberge d'Alençon où ils ont fait étape ensemble quelques mois plus tôt, et s'il se moque gentiment d'elle (« si je t'embrassais comme je t'aime, tes petites joues grassouillettes pourraient s'en ressentir… »), il est néanmoins prompt à s'inquiéter de ce qu'elle ne lui « écrive pas tous les courriers », et n'admet pas, qu'en revanche, elle s'alarme, si la réciproque n'est pas appliquée (« Tu t'es encore plainte de mon silence… ») [1].

Au fur et à mesure que s'avance l'été, Alexandre se fait plus sentencieux : « Je voudrais que tu m'envoyas (sic) toujours le brouillon de tes lettres. J'y trouverais peut-être quelques fautes dans les expressions, mais mon cœur y démêlerait bien aisément les sentiments du tien… [2] » Son régiment devant quitter Brest pour Verdun, avant de passer par Paris, il séjourne longuement chez les La Rochefoucauld. Courant novembre 1780, enfin, le jeune ménage est réuni, le temps d'un bref séjour d'où date la conception d'Eugène. Alexandre ne reviendra près de sa femme que pour les couches de celle-ci, qui se déroulent heureusement le 3 septembre 1781[3].

Quel que soit son bonheur d'avoir un fils, Alexandre ne cache pas sa déception. L'excuse qu'il se donne est double. D'après ce qu'il en écrit à plusieurs reprises à Mme de Renaudin, et d'après ce que le précepteur Patricol, mis aussi dans la confidence, en témoigne à celle-ci, la jeune vicomtesse

---

1. In J. Hanoteau, *op. cit.*, p. 93. Lettre du 3 septembre 1780.
2. *Ibid.*, p. 92. Lettre du 30 août 1780.
3. Né rue Thévenot, Eugène est baptisé le lendemain en l'église Saint-Sauveur.

pêche à la fois par son peu d'empressement à s'instruire et par son trop d'empressement à s'enquérir de son mari et à lui témoigner son attachement. En un mot, elle est ignorante et jalouse. Deux travers rédhibitoires à ses yeux, qui marquent surtout son double échec. Il a été un pédagogue maladroit, trop directif, d'une exigence mal dosée – la suite le prouvera, mais quel tort ce reproche d'Alexandre a-t-il pu faire à la mémoire de sa femme ! –, et il s'est voulu un mari amoureux, un mari nouvelle manière, sans mesurer à quel point il redoublait par ses absences le sentiment qu'il prétendait susciter mais qu'il aurait dû endiguer en se montrant plus présent, plus rassurant et plus amical. Cet égoïste ne pouvait s'en prendre qu'à lui… Et d'ailleurs, qu'eût-il dit d'une indifférente ? Qu'eût-il fait d'une pédante à son image ? Cet apprenti Pygmalion n'a que ce qu'il mérite. Il gémit maintes fois auprès de Mme de Renaudin : « Au lieu de voir ma femme se tourner du côté de l'instruction et des talents, elle est devenue jalouse et a acquis toutes les qualités de cette funeste passion »… C'est navrant, car le ver est dans le fruit, et quoi qu'il arrive désormais, les illusions sont envolées, le charme rompu.

Le 1er novembre 1781, Alexandre s'embarque en compagnie de Patricol pour un long périple en Italie. Avec l'emphase qui le signale, il écrit à Mme de Renaudin : « L'admiration d'un tableau, d'une statue, d'une colonne, l'étude des chefs-d'œuvre qu'ont fait les hommes dans ces temps où les arts ont été poussés au plus haut degré de perfectionnement sera une occupation qui me consolera d'un éloignement […] qui, depuis que je suis hors de ma patrie, m'a fait verser souvent des larmes[1]. »

Il ne reviendra que huit mois plus tard. Le séjour qu'il fait alors à Noisy, bien que de courte durée, semble heureux : Hortense est conçue à ce moment[2]. Mais, contre l'avis de sa

---

1. In J. Hanoteau, *op. cit.*, p 109. Lettre du 29 novembre 1781.
2. Quelques changements marquent la vie familiale : M. de la Pagerie ayant obtenu sa croix de Saint Louis en 1780, est reparti pour les Îles, en ce début d'année. Passé l'été, à Noisy, les Beauharnais quittent la rue Thévenot pour s'installer rue Neuve-Saint-Charles (actuelle rue La Boétie, entre la rue de Courcelles et la rue du Faubourg Saint-Honoré, en fait, le pâté de maisons donnant sur la place Saint-Philippe-du-Roule) dans un hôtel loué au nom d'Alexandre.

famille, le 6 septembre 1782, Alexandre s'en va de nouveau et cette fois, pour s'embarquer outre-mer. La guerre a repris aux Îles, ou mieux dit, elle n'a jamais cessé : partout où elles le peuvent, les flottes anglaise et française ne cessent de s'affronter. La Martinique paraît menacée. Alexandre obtient de son colonel, le duc de La Rochefoucauld, un congé. Assorti d'une recommandation pour le marquis de Bouillé, présentement Gouverneur général. Alexandre est radieux : il va faire ses preuves, enfin ! les armes à la main.

On peut imaginer la relative consternation de Mme de Beauharnais. Quelle est sa situation ? Depuis un peu plus de deux ans et demi qu'elle est mariée, elle n'aura vu son mari que sporadiquement, pour en encourir une tutelle malencontreuse et beaucoup de reproches, de désagréments, d'humeur, même si leurs courts moments de retrouvailles ont été – de son fait, très probablement – aimables. Pourquoi lui est-il échu un homme aussi déconcertant, sémillant, gracieux, mais si instable, si insatisfait... ? Heureusement pour elle, sa famille l'entoure, et son enfant l'occupe. Et sa joie – songeons qu'elle n'a que dix-neuf ans – est dans cette grossesse nouvelle, dont Alexandre s'est montré charmé avant son départ. Mais, tout de même, ce rayon de soleil dissipera-t-il les nuées d'orage accumulées sur sa tête ? La réponse est non. Car l'orage va bientôt éclater.

* * *

Les lettres d'Alexandre, en instance de départ pour Brest, où il attendra près de quatre mois, sont inespérément affectueuses : « Me pardonneras-tu, chère amie, de t'avoir quittée sans adieu, de m'être éloigné de toi sans t'avoir prévenue, de te fuir sans t'avoir dit encore, une dernière fois, que je suis tout à toi ? Hélas ! Que ne peux-tu lire dans mon âme ? Tu aurais vu deux sentiments bien louables se combattant et me causant les plus cruelles agitations. L'amour de ma femme et celui de la gloire ont chacun dans mon cœur l'empire le plus absolu... [1] »

---

1. In J. Hanoteau, *op. cit.*, p 114. Lettre du 6 septembre 1782.

Quelques jours plus tard, il termine sa lettre par ces mots : « Embrasse de tout cœur mon petit Eugène ; soigne bien son petit frère », ou encore, sa femme étant souffrante – elle est enceinte de trois mois – : « Quand me feras-tu le plaisir de me dire que tu te portes bien ? Adieu, mon cœur, Je t'embrasse, toi, Eugène, et ton petit Scipion. Mon Dieu à quel âge le reverrai-je ? » Information intéressante : Hortense aurait dû s'appeler Scipion. En tout cas, retenons cette sollicitude qui n'est pas feinte. Malheureusement, elle ne durera pas.

Enfin embarqué, le 21 décembre, Alexandre a fait la traversée vers Fort-Royal en compagnie d'une ancienne connaissance, Mme de Longpré, une agréable Créole de bonne souche, bien nantie, dont le mari, officier de marine, est mort depuis trois ans. Elle a onze ans de plus qu'Alexandre, lequel a connu avec elle une liaison amoureuse très effervescente – comme tout ce qui lui arrive –, lorsqu'à la fin de l'été 1778, il se morfondait dans sa garnison bretonne, au Conquet précisément. De cet épisode, il était résulté une série de confidences intenses à Mme de Renaudin ainsi que, plus tangible, un dénommé Alexandre – comme son père naturel et comme son père légal –, qui, selon le vœu du jeune Beauharnais aurait dû s'appeler… Juliette. Mme de Longpré, qui s'en va recueillir en Martinique l'héritage de son père – elle est née Laure de Girardin –, est ravie de retrouver Alexandre, dont elle n'avait guère apprécié, en son temps, qu'il la laissât pour se marier, et, cette fois-ci, elle est décidée à ce qu'il ne lui échappe plus. Elle va se révéler notablement pernicieuse envers la jeune vicomtesse de Beauharnais, d'autant plus pernicieuse que les deux femmes ont, le monde créole étant petit, des liens de famille[1].

Et le trop crédule Beauharnais va se laisser prendre à cette méchante intrigue, avec son emportement et sa légèreté habituelles. Se battre lui eût évité cette mésaventure, mais le sort

---

1. Mme de Latouche de Longpré est doublement apparentée à Joséphine : par les Girardin, alliés aux Des Vergers en 1710 (ils se traitent mutuellement d'oncle et de tante, à la créole) et par les Latouche de Longpré, au neuvième degré, alliés, comme les Tascher, aux filles de Guillaume d'Orange. On les a dites abusivement cousines germaines, c'est une erreur.

en décide autrement : à son arrivée à Fort-Royal, la paix est sur le point de se conclure et le Gouverneur général le prenant pour aide de camp, il aura tout loisir de se consacrer à ses amours.

Au fur et à mesure que passe le temps, ses lettres à sa femme se font maussades : il a été bien reçu partout, dans les familles amies et alliées, mais la Colonie l'assomme, elle ne lui écrit pas assez souvent, il ne sait pas quand il regagnera la France. Le 12 avril 1783, il lui recommande d'embrasser pour lui « [son] cher fils. Ayez bien soin du futur et qu'il vous fasse au moins penser un instant à un mari qui vous aimera toute sa vie ». Sa fille Hortense est née à Paris, depuis deux jours, mais évidemment, il l'ignore encore. Comme à Paris, on ignore le scandale qui agite la Colonie : Alexandre oublie les usages et les formes convenus et il met si peu de discrétion dans ses relations avec Mme de Longpré que tout le monde s'en émeut. Il y a pire : Mme de Longpré lui a tourné la tête au point qu'elle lui fait remarquer, en public qui plus est, à l'annonce des couches de sa femme (deux mois après l'événement), que cette enfant ne peut être de lui, car elle est née avec quelques jours d'avance! Et comme nous pouvions nous y attendre, le versatile Alexandre s'enflamme à cette idée et – souvenons-nous des lettres emplies de sollicitude, dont nous n'avons cité que quelques courts extraits, plus enfiévré et furieux que jamais –, il renie l'enfant, désavoue son épouse et proclame aux quatre vents qu'il va se séparer d'elle. Au profit de qui... On n'a aucun mal à l'imaginer.

Il envoie à Paris une lettre incendiaire – c'est une erreur qui se retournera contre lui –, qui bouleverse la rue Saint-Charles, comme le scandale a bouleversé la Colonie[1]. Spécialement les Trois-Îlets, on s'en doute. La pauvre petite vicomtesse tombe des nues! Après la courte embellie, voilà maintenant le cataclysme. Dieu merci, ses familles, créole et parisienne, l'entourent et la soutiennent. Car c'est à n'y rien comprendre! Elle sera éclairée bientôt, par son beau-père – qui prend fait et cause pour elle, bien sûr, elle ne l'a jamais

---

1. Cette lettre, sur laquelle nous reviendrons et qui fera preuve contre Alexandre, est datée du 8 juillet 1783.

quitté depuis son mariage – et sa mère, Mme de la Pagerie, dont la bonne tête et la fermeté ne se laissent pas démonter par cette tourmente, et qui dénoue les fils de l'intrigue, de la cabale odieuse dont sont victimes et sa fille et sa famille. C'est elle qui lui ouvrira les yeux, en ces termes :

« Aux Trois-Îslets, le 22 mars 1784

Que je désire d'être auprès de vous, ma chère fille ! Mon cœur y vole sans cesse et plus aujourd'hui que jamais. Si ma tendresse s'est alarmée lors de votre départ, je n'avais certainement aucun pressentiment de toutes les horreurs qui vous accablent. Toutes les noirceurs exercées envers vous ne peuvent se concevoir. Toutes les âmes honnêtes ne peuvent encore les croire et il n'y a que celles qui ont tout perdu qui peuvent les inventer. Votre mari a dit à une personne qui vous touche de près que Mme de Longpré de la Touche lui avait dit des horreurs de votre tante Rosette, que c'était cette même Mme de la Touche qui lui avait fait observer, chez les demoiselles Hurault, au moment où on le félicitait de votre accouchement, que votre fille ne pouvait être de lui, attendu qu'il se manquait une douzaine de jours pour parfaire les neuf mois, terme toujours préfix, ajoutait-elle, disant que les femmes retardaient plutôt qu'elles n'avançaient. C'est le moment où votre mari se livrait à la joie d'avoir une fille qu'elle a saisi pour ses monstrueux projets. C'est à cette époque qu'elle a commencé à questionner les esclaves qui vous avaient servie. N'ayant rien pu tirer de satisfaisant à ses noires idées de Brigitte, il l'a voulu séduire aussi par l'appât de l'argent et en faisant valoir une confidence qu'il disait que vous lui aviez faite… »

Suit le récit circonstancié de Brigitte subissant un véritable interrogatoire assorti de promesses d'argent si elle consent à révéler les « amourettes », comme elle le rapporte, de sa jeune maîtresse, avant le mariage de celle-ci, et produire d'éventuelles lettres écrites à des soupirants. À quoi succèdent les menaces (« Ta vie en dépend ») que l'inélégant mari profère pour le cas où Brigitte parlerait… Mais cette dernière est aussi loyale qu'elle est indignée et elle conte toute l'affaire à Mme de la Pagerie qui continue :

> « Il a fait peu après les mêmes demandes à Maximin qui protesta ne lui avoir jamais dit ce qu'il lui a dit (Mme de la Pagerie en avait déjà écrit au beau-père de sa fille). Je le tiens à la chaîne, où il est bien nourri. Votre mari lui a donné quinze moedes [monnaie d'or portugaise] en deux fois. Il a voulu corrompre jusqu'au petit Sylvestre, qui, à l'époque de votre départ, n'avait que cinq ans.
>
> […] Votre mari doit être obligé de nommer les personnes qui vous ont si outrageusement calomniée. L'horreur de leur complot est encore enveloppée de mystère. N'épargnez rien pour en rompre le voile. Je vais, de mon côté, tout mettre en usage pour découvrir les complices de ces noirceurs. Comptez sur ma tendresse. Oui, ma chère fille, vous m'en devenez encore plus chère parce que vous êtes malheureuse. Toutes vos connaissances et toutes vos amies vous plaignent et sont remplies d'indignation de vous savoir si abominablement outragée. Si vous pouvez, après vous être blanchie, revenez dans votre petite patrie ; leurs bras seront toujours ouverts pour vous recevoir et vous les trouverez encore plus sensibles et plus portées à vous consoler des injustices que vous éprouvez. Adieu, ma chère fille, n'oubliez pas d'avoir recours à Dieu. Il n'abandonne jamais les siens. Tôt ou tard, il terrassera vos ennemis. Votre sœur vous embrasse de toute son âme. Elle gémit sur vos maux et les sent bien vivement. Votre grand'maman est bien affligée. Votre papa vous écrit.[1] »

---

1. In J. Hanoteau, *op. cit.*, pp. 170 et suiv.

Ces inquisitions malsaines, ces soudoiements d'esclaves, ces accusations sans fondement, ces ragots et ces scandales, assortis d'une mise en demeure à la victime d'entrer au couvent... Tout cela relève d'un mauvais roman... Alexandre, le défenseur universel du genre humain, l'adorateur de la justice et de la raison, agit proprement comme un insensé. Reconnaissons-lui qu'une fois passé ce coup de folie, il reviendra de ses préventions et se comportera en père affectueux envers le malheureux ex-Scipion. En attendant, son ménage ne résistera pas, non plus que sa réputation, à ce drame monté de toutes pièces par son inconduite.

Mme de la Pagerie, dans une lettre au marquis de Beauharnais, résume ce qu'on doit penser de ce déplaisant épisode :

« [...] Une conduite aussi basse, des moyens aussi vils peuvent-ils être mis en usage par un homme d'esprit et bien né ? Je rends encore justice au vicomte. Il s'est laissé entraîner sans réfléchir, sans penser à ce qu'il faisait. Il a de bonnes qualités, un bon cœur. Je suis persuadée qu'il n'est pas à en rougir. Tant de petitesses ne sont point compatibles avec une âme élevée et sensible. La dernière fois qu'il est venu à l'habitation, en se séparant de nous, je l'ai vu troublé, ému. Il semblait même chercher à me fuir promptement, à éviter ma présence. Son cœur lui reprochait déjà une démarche aussi déplacée.

Il n'est guère possible que ma fille puisse rester avec lui, à moins qu'il ne lui donne des preuves bien sincères d'un véritable retour, d'un parfait oubli... Qu'il est douloureux pour moi d'être séparée d'elle et de me rappeler tous les dangers qu'elle a courus pour se rendre malheureuse. Nous sommes, Monsieur, tous mortels. Si elle venait à avoir le malheur de vous perdre, à quels maux ne serait-elle pas exposée... ? [1] »

23. In J. Hanoteau, *op. cit.*, pp. 176 et 177.

La réconciliation, « le parfait oubli » souhaité si judicieusement par Mme de la Pagerie, ne sera pas possible. La vicomtesse de Beauharnais ira s'installer à l'Abbaye de Panthemont, rue de Grenelle et nous l'y suivrons. Non sans dire auparavant que le fringant Beauharnais n'aura rien gagné à cette affaire. Il y aura même perdu et l'amour de sa femme et la gloire qui se partageaient son cœur à son départ pour les Îles. Quant à Mme de Longpré, elle se remariera, ainsi qu'elle le désirait, et fort brillamment : elle épousera le général comte Arthur Dillon, dont elle aura une fille, Fanny. Et Fanny épousera un jour le général comte Bertrand, un dignitaire de l'Empire, ce même Empire dont Joséphine sera la souveraine. Celle-ci, avec la bénignité qui est sienne, non seulement aura protégé la fille, mais toujours traité amicalement la mère, Mme Dillon, à qui l'échafaud avait pris son second mari. Comme il avait pris le bel et fol Alexandre qui avait suscité tant d'agitations dans leurs deux existences. Ainsi va le monde…

PANTHEMONT OU L'ÉMANCIPATION

Quand Alexandre rejoint Rochefort, à la mi-septembre 1783, au lieu de se rendre à Paris, il commence par séjourner dans la famille de Mme de Longpré, à Châtellerault, d'où le 20 octobre, il enjoint sa femme de choisir entre le retour aux Îles et le couvent : « Je suis inébranlable dans le parti que j'ai pris et je vous engage même à dire à votre père (beau-père) et à votre tante que leurs efforts seront inutiles et ne pourront tendre qu'à ajouter à mes maux, tant au moral qu'au physique, en mettant ma sensibilité en jeu et me mettant dans l'obligation de contrarier leurs désirs… » Il en termine, après plusieurs pages de la même eau, par cette envolée : « Adieu, madame. Si je pouvais déposer ici mon âme, vous la verriez ulcérée au dernier point et décidée de manière à ne jamais changer. Ainsi, nulle tentative, nul effort, nulle démarche qui tende à m'émouvoir. Depuis six mois je ne m'occupe qu'à m'endurcir sur ce point. Soumettez-vous donc ainsi que moi à une conduite douloureuse, à une séparation affligeante, surtout pour nos enfants et croyez, madame, que de nous deux, vous n'êtes pas la plus à plaindre.[1] »

C'est ce qu'on se demande, devant cette outrance mêlée de complaisance envers soi-même, masquant, en vérité, peu d'intelligence et beaucoup d'absence de cœur. Car enfin, au nom de sa sensibilité, voilà un homme qui, sur un soupçon – et un soupçon insufflé par autrui –, n'hésite pas à provoquer un authentique désastre familial…

Devant cette déraison, les Beauharnais sont consternés. Il y a de quoi : Alexandre refuse de réintégrer l'hôtel de la rue Neuve-Saint-Charles. Mieux même, s'installant, dès son retour en ville, à l'hôtel de Gramont, puis chez ses amis La Rochefoucauld, rue des Petits Augustins, il ordonne que le mobilier de sa famille soit vendu. Comme, de plus, le bail est à son nom – Alexandre, héritier Pyvart de Chastullé, est beaucoup plus riche que son père – les Beauharnais sont contraints de réorganiser leur existence.

Avec le réalisme coutumier de leur milieu, ils font leurs comptes et réduisent leur train de vie. M. de Beauharnais ne disposant plus des mêmes revenus, Mme de Renaudin voyant diminuer les siens depuis quelque temps, – surtout ceux qui proviennent de ses biens en Martinique, comme de sa pension du marquis de Saint-Léger –, on décide de vendre la maison de Noisy-le-Grand (à M. de Saint-Fargeau) et d'aller vivre (à moindres frais) hors de Paris, le temps de rétablir son assiette financière. Ce provisoire, dans la tranquille retraite de Fontainebleau, durera plus de vingt ans[2].

Quant à la vicomtesse, elle prend la décision de laisser la petite Hortense en nourrice à Noisy (chez Mme Rousseau), et elle s'installe, à titre provisoire, elle aussi, dans un appartement de l'Abbaye royale de Panthemont, un des couvents très aristocratiques du Faubourg Saint-Germain, le noble Faubourg comme on dit, parce que les plus grands noms de

---

1. In René Pichevin, *op. cit.*, reprise par J. Hanoteau, *op. cit.*, pp. 187 et suiv.
2. Ils y louent une maison rue de Montmorin puis, en août 1787, ils achètent, au 8 de la rue de France, un hôtel entre cour et jardin qu'ils revendront en septembre 1795, pour reprendre une location rue Saint-Merry.

France y ont leurs hôtels. Elle fait désormais partie de ces « Dames en chambre » qui, moyennant un loyer et une pension modérés, peuvent jouir d'un asile aussi paisible que bien famé, quand les circonstances les y contraignent.

En effet, c'était une pratique courante à l'époque, que les dames de la noblesse, ou de la grande bourgeoisie, deviennent, à la suite d'un revers, d'un veuvage, d'une instance en séparation, où d'un simple séjour à Paris, si elles étaient provinciales, locataires de ces lieux très prisés qu'étaient les couvents de Bellechasse, de l'Abbaye-aux-Bois ou de Panthemont, pour ne citer que les plus connus. On y vivait comme chez soi, on y recevait et on n'y était entourée que du meilleur monde : Mme Récamier, au siècle suivant, illustrera de sa belle présence, pendant trente années, le couvent de l'Abbaye-aux-Bois, rue de Sèvres, y tenant, comme on sait, un célèbre salon littéraire[1].

Au moment où Mme de Beauharnais arrive à Panthemont, avec son fils, sa tante (dans un premier temps) et, selon l'usage, ses domestiques, cette antique abbaye de Bernardines est à la fois une maison conventuelle, une maison d'éducation pour jeunes filles bien nées et un lieu d'accueil pour des femmes dans sa situation. L'abbesse, traditionnellement une très grande dame, était une femme remarquable, Mme de Béthisy de Mézières, qui aura dirigé son couvent de main de maître pendant cinquante ans. Depuis 1743 jusqu'à la Révolution, elle n'aura cessé d'en accroître les bâtiments et d'en amplifier les activités. Elle aura fait construire une nouvelle église, inaugurée par le Dauphin en 1753, donnant sur la rue de Grenelle (au 106 actuel), elle aura agrandi les bâtiments le long de la rue de Bellechasse, elle aura ouvert sa maison d'éducation à des jeunes filles étrangères. Étant, par sa mère, née Sutton d'Oglethorpe, d'origine Jacobite, non seulement, elle aura toujours accueilli de jeunes élèves catholiques des Trois-Royaumes, mais aussi bien des protestantes, y compris des Américaines. Ainsi, la

---

1. La jeune Mme de Renaudin, après son arrivée à Paris en 1760, avait vécu plusieurs années au couvent des Petites Cordelières, rue de Grenelle.

fille aînée de Jefferson, ministre des États-Unis en poste à Paris d'août 1784 à septembre 1789, Martha, dite « Jeff », y sera élevée et, dans ses lettres à sa famille, elle vantera la tolérance exemplaire de cette maison. Elle notera même que le nombre d'enfants de chaque confession est égal. Elle notera aussi que « Madame l'Abbesse » maintient Panthemont en chantier permanent et que, malgré son âge et ses fluxions de poitrine, elle déborde d'énergie. Nul ne s'étonnera que la Révolution, supprimant les communautés religieuses, la sienne s'étant dispersée, Mme de Béthisy fût néanmoins autorisée à demeurer, comme locataire, dans ces lieux hautement marqués de sa forte personnalité, où elle s'éteindra en 1794[1].

Il est clair que Mme de Beauharnais, lorsqu'elle emménage à Panthemont, ne se trouve en aucun cas reléguée ni cloîtrée par son tyran domestique. Au contraire, elle mène une vie décente et agréable, en excellente compagnie. Il n'y a que Frédéric Masson pour imaginer qu'à Panthemont, « hôtel garni » pour femmes de la haute volée, la pauvre et obscure Mme de Beauharnais, mal dégrossie et empêtrée dans sa « gaucherie créole », jette à ces belles dames, sans pouvoir les approcher, des regards éperdus d'admiration, et s'applique à copier leurs manières...

Rectifions : dans le Paris – à fortiori, le Versailles – de cette fin de XVIIIe siècle, chacun, dans la Noblesse, peut y situer quiconque, selon son origine. Les maisons chevaleresques, pauvres ou riches, obscures ou brillantes, sont peu nombreuses et répertoriées. La Robe, qu'elle soit « première » (les grandes familles magistrales : les d'Aguesseau, les Lamoignon, les Pasquier, les Molé, les Nicolaï, etc.) ou « seconde » (les noms de la haute administration, comme les Beauharnais, ou de la

---

1. On écrit indifféremment Panthemont, ou Pentemont, selon l'étymologie de la première abbaye, fondée au XIIIe siècle, à Beauvais, sur la pente d'un mont, semble-t-il. Au XVIIIe siècle, on trouve certains textes orthographiant « Pantémont », avec un accent aigu. Comme on écrivait euphoniquement, cela suppose qu'on pouvait prononcer ainsi. Mais, depuis que le couvent fut vendu, en 1803, ses bâtiments encore existants étant attribués à des administrations du ministère de la Guerre, et depuis que son église fut concédée à l'Église réformée de France, en 1846, on dit bien et on écrit : Pentemont.

finance) est identifiée. Or, Mme de Beauharnais, nul ne l'ignore, est de vieille et bonne maison (d'où son prestige futur auprès des Bourbons). Elle aurait pu, en tant que Mlle de la Pagerie, être introduite à la Cour par son père, si celui-ci l'eût voulu, s'il en eût eu les moyens ou le désir, pour l'y faire éduquer, l'y marier et la faire entrer, par exemple, au service d'une maison princière. Par son mari, elle ne le pouvait pas[1]. Sa position dans la hiérarchie sociale était on ne peut plus claire.

Quant à ses manières, elles ne pouvaient être qu'excellentes, compte tenu de son éducation et de sa bonne nature. Sa surface sociale aussi, car elle vivait dans un milieu qui mêlait l'aristocratie créole – la bonne –, allant et venant continuellement entre les Îles et la France, et l'élite citadine, riche, éclairée, bien située, dont faisaient partie les Beauharnais. N'oublions pas que son beau-père avait occupé de hautes fonctions, que sa tante était bien entourée et qu'à Paris, on savait le relief des alliances Beauharnais : Mme de Miramion, fondatrice, au Grand Siècle, des Miramiones et bienfaitrice célèbre, n'était pas encore oubliée, non plus que sa fille, Marguerite de Beauharnais, qui avait épousé le premier président à mortier, Guillaume de Nesmond, celui qui faisait périr d'ennui Mme de Sévigné… La jeune vicomtesse n'a pas à se pousser dans sa vie de société, qui, vu son âge, n'est pas encore autonome. Cette vie ne s'est encore déroulée que dans le salon de sa famille, ou dans ceux des familles amies. Et quand elle sort, c'est toujours chaperonnée[2].

Mais à Panthemont, ce qu'elle perçoit et qui est nouveau pour elle, c'est le grand air de la Cour, comme on disait, le ton particulier à l'Œil-de-bœuf – l'antichambre du roi à Versailles –, dont sont empreintes certaines jeunes pensionnaires et leurs amies, car tout ce petit monde se connaît et se

---

1. Toujours aussi inconsidéré, Alexandre demandera à être admis aux honneurs de la Cour, ce qui, évidemment, lui sera refusé. Cf. in Vicomte de Marsay, *De l'âge des privilèges au temps des vanités*, 1932, pp. 83-84, la lettre de refus du généalogiste royal, du 15 mars 1786.

2. C'était l'usage, pour une femme, mariée ou pas, jusqu'à sa majorité légale, et nous voyons ainsi Mme de Beauharnais, escortée par sa tante, assister à la prise de voile, à l'Abbaye-aux-Bois, de sa cousine, Marie Sophie Mathurine de Pradines, le 23 mai 1785.

côtoie sans ostracisme. C'est donc là qu'elle a vu la comtesse de Polastron, – ce dont elle fera état, sous le Consulat, lorsqu'elle sera approchée par la duchesse de Guiche, envoyée officieuse des Bourbons auprès d'elle –, qui ne pouvait que venir en visite à Panthemont, dans ces années 1784 et 1785, puisqu'elle en était sortie en 1780, pour se marier et devenir dame de la reine. Dans son couvent, elle retrouvait ses amies, la future marquise de Lage de Volude, qui sera dame de la princesse de Lamballe, ou la future comtesse de Poulpry, toutes liées à Aglaé de Polignac, future duchesse de Guiche. Et ce que Mme de Beauharnais appréhendait à leur contact, c'était le code de sociabilité complexe et savant de ces jeunes femmes, leur virtuosité à se jouer de l'étiquette, leur art à capter des rumeurs exclusives sur la vie des princes, en un mot leur fascinante sophistication.

Est-ce à dire qu'elle ait envié cette mentalité si différente de la sienne, de celle de sa famille, car il y avait loin entre l'esprit du vieux patriarcat créole, si bon enfant dans sa simplicité et sa dignité, et les raffinements artificiels, mâtinés d'insolence et de vanité, du ghetto versaillais… Est-ce à dire qu'elle n'ait pas mesuré combien ces jeunes personnes, pour être auréolées du prestige qui s'attachait au Saint des Saints – et que d'ailleurs Paris haïssait –, pouvaient être, comme les autres, sottes, pestes ou intrigantes à leur tour ?

Le jour où elle règnera, Joséphine se démarquera de l'esprit « talon rouge » qu'elle avait entrevu à Panthemont. Son obligeance, sa bonne grâce, son affabilité s'exprimeront avec le même naturel qui avait été la marque de son enfance et de sa première jeunesse et qui, toujours, où qu'elle se soit trouvée, l'avait distinguée en société.

* * *

Le 8 décembre 1783, elle reçoit à demeure le conseiller de Joron, Commissaire au Châtelet, qu'elle a convoqué pour déposer devant lui une plainte contre son mari. Elle entend s'expliquer et avec une netteté non dénuée de finesse ni de sensibilité, elle récapitule sa courte vie conjugale, depuis son arrivée en France. Elle fait l'historique des hauts et des bas qui l'ont jalonnée, de ces à-coups imprévisibles dus à « la grande dissipation du mari (nous n'entendons sa voix, pour cette première fois, qu'en style indirect) et son éloignement pour sa maison [qui] furent pour cette épouse infortunée des sujets de se plaindre à lui-même de son indifférence qu'elle ne méritait point... » Elle en arrive à sa deuxième grossesse, au départ du vicomte de Beauharnais pour les Îles, aux lettres « qu'il lui avaient adressées, [qui] ne respiraient que des sentiments tendres et affectueux »... Puis vient l'évocation de deux missives accusatrices, de juillet et d'octobre 1783, pièces qu'elle verse au dossier, « contenant des imputations les plus atroces, où, non content d'accuser la comparante d'adultère, M. le vicomte de Beauharnais la traite encore d'infâme et ajoute qu'il la méprise trop pour vivre désormais avec elle... » Elle en termine, après avoir notifié la diffamation dont elle est l'objet, par accuser son mari de préméditation : « [...] Elles (ces *horreurs* qu'elle vient d'évoquer) sont tellement réfléchies et imaginées à dessein de secouer le joug qui lui pèse *qu'elle ne peut* souffrir patiemment tant d'affronts...[1] » C'est une superbe contre-attaque.

Trois jours plus tard, le 11 décembre, c'est la séparation cette fois que demande Mme de Beauharnais. Le 3 février suivant, elle est autorisée, par ordonnance du prévôt de Paris, à résider à Panthemont, jusqu'à la décision de justice, cependant que Beauharnais est, lui, condamné à entretenir ses enfants ainsi que le domestique servant son fils. On comprend, quand on l'a quelque peu pratiqué, qu'il en soit furieux et ne néglige rien pour se rendre désagréable à sa famille : il se retourne contre son propre père et dépose contre lui afin de se faire rendre des comptes de tutelle, il fait une querelle d'Allemand à sa femme pour un bijou qu'elle a dû vendre, et, pour que la mesure soit comble, il tente d'enlever le petit Eugène, le 4 février 1785 ! Déplorable attitude...

---

1. Nous reproduisons en annexe l'intégralité de cette plainte, ainsi que la première lettre fulminante d'Alexandre où, d'emblée il lui « dit froidement [qu'elle est] la plus vile des créatures ». Datée du 8 juillet 1783, cette lettre, dans la plainte officielle, serait du 12 : c'est une erreur de « la comparante », ou de son scribe...

Enfin, le 4 mars 1785, les époux acceptent de se rencontrer chez leur notaire, Maître Trutat, et en arrivent à un accord amiable. Alexandre se rétracte pleinement. Il reconnaît avoir « eu tort d'écrire le 8 juillet et le 20 octobre à ladite dame des lettres dont elle se plaint et qui ont été dictées par la fougue et l'emportement de la jeunesse, et il regrette d'autant plus de s'y être livré qu'à son retour en France, les témoignages du public et de son père ont été tout à son avantage ». La séparation est acceptée – sans procès –, et désormais, Mme de Beauharnais se trouve libre d'administrer ses biens et d'en toucher les revenus. Son mari s'engage à lui verser une rente annuelle de 5 000 livres, plus 1 000 livres pour l'entretien de sa fille. Ce qui donne à la vicomtesse, en y incluant son douaire, un revenu de 11 000 livres. Les époux conviennent de se partager les enfants : Hortense restera avec sa mère jusqu'à son mariage, et Eugène sera élevé par son père à partir de l'âge de cinq ans.

Un premier témoignage direct, ou plutôt, une esquisse d'elle, à ce moment, nous est donné par Félix d'Esdouhard, dont le fils Jean assiste le conseiller de Joron, dans la ratification qu'il opère de cet accord entre le vicomte et la vicomtesse, le 14 décembre 1785. Dans une lettre à sa femme, il évoque « un accord du moins convenable entre les époux Beauharnais au sujet de qui Jean, tu t'en souviens, nous avait écrit. Ces accords viennent d'être établis chez le notaire Trutat, le nôtre. Ces époux ne reprendront pas le commerce commun, mais vivront de loin, du moins sans se quereller. [...] D'ailleurs, je fus hier, avec cet enfant (leur fils Jean) faire visite à Mme de Beauharnais à Pantémont (sic). Cette jeune femme est fort intéressante, d'excellent ton, de parfaites manières et de bonnes grâces...[1] » Nous n'en doutions pas...

Si l'émancipation est loin d'avoir été aussi plaisante que ce qu'elle en pouvait attendre en venant en France, pour Mme de Beauharnais, elle est cependant accomplie. Et celle-ci, pour avoir traversé l'épreuve du feu, en est sortie avec les

---

1. Lettre conservée dans la famille des comtes d'Esdouhard, dont une nièce, Valérie Masuyer, filleule de l'Impératrice et dame de sa fille Hortense, fait état, dans ses *Mémoires*.

honneurs de la guerre. Une famille, aux Îles, qui l'attend, une belle-famille, à Paris, qui la révère, une réputation intacte, une aura venant de ce qu'elle a été injustement calomniée, deux adorables enfants et un mari fâcheux, écarté. Le bilan est loin d'être négatif! À vingt ans et quelques mois, elle a manifestement mangé son pain noir le premier, pour reprendre la vieille expression paysanne. Elle a perdu ses illusions, elle a entrevu la laideur de la nature humaine, mais elle a appris à se battre. Et elle a gagné. La leçon, pour dure qu'elle ait été, lui sera profitable.

* * *

Mais cette émancipation ne signifie pas indépendance. Mme de Beauharnais est trop jeune, selon le code de son milieu, pour ne pas devoir, pendant quelques années encore, partager la vie des siens. Elle peut choisir, librement cette fois, entre demeurer auprès des Beauharnais, ou retourner aux Trois-Îlets. Dans les deux familles, elle sera la bienvenue. Son père le lui a redit, dans une lettre du printemps 1784 : « Nous ferons consister – si elle revient près d'eux – notre félicité à vivre ensemble et à te faire oublier, par notre tendresse, le traitement d'un mary qui ne te vaut pas.[1] » On n'est pas plus explicite, ni plus chaleureux… Et cette sollicitude ne se démentira pas : quand sa grand-mère maternelle s'éteint, à La Pagerie, le 27 novembre 1785, son oncle, le baron Tascher, lorsqu'il fait part de ce deuil à sa sœur Renaudin, lui recommande de préparer sa nièce à la triste nouvelle, sachant à quel point elle en sera affectée[2]. Néanmoins, ses enfants étant encore en bas âge, la vicomtesse décide de rejoindre son beau-père et sa tante à Fontainebleau. C'est d'autant plus raisonnable que sa fortune n'est pas grande, et qu'ainsi, elle réduit ses dépenses, ce qui lui permettra, dans un premier temps de garder à Panthemont, moyennant un loyer de 300 livres, ce que nous appelerions un pied-à-terre parisien. Autre avantage : elle sait qu'auprès d'eux,

---

1. Lettre de M. de la Pagerie, du 23 mars 1784, in R. Pichevin, *op. cit.*, p. 160.
2. Lettre du Baron Tascher, du 4 décembre 1785, in J. Hanoteau, *op. cit.*, p. 209.

elle sera choyée, comme elle l'a toujours été. Peut-on être plus solidaires ou plus affectueux, comme ils viennent de le lui prouver…? De fait, le peu que nous sachions d'elle, pendant les deux années qu'elle passe à Fontainebleau, nous laisse entrevoir une jeune femme harmonieuse et dénuée d'arrières-pensées. Jusqu'à ce que les tatillonnages de l'inévitable Alexandre viennent empoisonner cette sérénité.

La vie à Fontainebleau est moins terne qu'on ne l'a dit. Pour la bonne raison qu'à chaque automne, la paisible petite ville connaît une animation extraordinaire. Son immense Château royal, regorgeant de souvenirs car ce fut le château de François Ier, qu'a embelli Henri II, où est né Louis XIII, où s'est retirée Christine de Suède après son abdication – elle y a fait assassiner son grand écuyer Monaldeschi –, reçoit les souverains et leur Cour, le temps de quelques grandes chasses dans ce qui est alors considéré comme la plus belle forêt de France. On imagine sans peine cette horde élégante, fringante, bruissante d'intrigues et d'affaires, envahissant les lieux – car nombre de courtisans logent en ville –, cependant que les mémorables cavalcades parcourent la campagne alentour…

Et cette même campagne environnante est très prisée, à la belle saison, par de grands noms parisiens, sensibles à la beauté verdoyante de ces retraites modérément éloignées de la capitale… Comme, par exemple, la belle-sœur de M. de Beauharnais, la célèbre comtesse Fanny – celle « qui faisait son visage et pas ses vers! » comme disait l'un de ses commensaux –, une femme de lettres haute en couleurs dont le salon s'est transporté à Avon, au bout du parc royal. Le voisinage avec elle est inévitable car les liens sont resserrés depuis que sa fille Françoise est devenue la première bru du marquis et, elle-même, la marraine d'Hortense[1]. Mais il doit être savoureux, du fait de son esprit peu conformiste, de son énergie

---

1. Née en 1738, Marie-Anne-Françoise Mouchard, riche fille d'un receveur général des Finances, épouse, à quinze ans, Claude de Beauharnais, comte des Roches-Baritaud, dont elle se sépare à vingt-deux, lui ayant donné trois enfants. Elle se lie avec le poète Dorat (disparu en 1780), ouvre un salon rue Montmartre, se retire chez les Dames de la Visitation à la mort de son père, puis reprend son salon – qui sera très prisé des Constituants, rue de Tournon. Elle meurt en 1813.

trépidante et du relief de ses habitués : Mably, Crébillon fils, Cazotte, Restif de la Bretonne, et surtout, son ami de prédilection, successeur de Dorat à la tête de cette « école affectée » que dénoncera Chateaubriand, le chevalier de Cubières, autre littérateur en vogue. À cette époque, la comtesse Fanny, si prolifique, doit sa notoriété à ses *Mélanges sans conséquence* (1772), ses *Lettres de Stéphanie* (1778), et son *Aveugle par amour* (1781), en attendant les trois volumes des *Amants d'autrefois* (1787), et ses grandes fresques poétiques, aux titres irrésistibles, comme *La Marmotte philosophique* ou *Le voyage de Zizi et d'Azor*...

Les Beauharnais se lient avec deux familles notables, vivant à Fontainebleau toute l'année, comme eux : les Montmorin – qu'on confond régulièrement avec leurs cousins, les Montmorin Saint-Hérem, dont est la célèbre et spirituelle Mme de Beaumont, l'amie de Chateaubriand, morte à Rome dans ses bras, en 1803 –, le marquis de Montmorin étant gouverneur du Château de Fontainebleau et le comte de Montmorin Saint-Hérem, ministre des Affaires étrangères de Louis XVI. Tous deux auront péri, à un jour d'intervalle, lors des massacres de Septembre, en 1792. Tous deux auront eu des fils appelés Calixte. Calixte, frère de Pauline, comtesse de Beaumont, sera guillotiné avec sa mère, cependant que le Calixte né à Fontainebleau, l'année précisément où s'y établit la vicomtesse de Beauharnais, sera protégé par elle, plus tard... Sa mère, présentée à la Cour en 1786, et qui n'a que deux ans de plus que Mme de Beauharnais, se prend d'amitié pour elle. Quand elle se remariera avec le marquis d'Aloigny, son beau-fils d'Aloigny lui aussi sera protégé en haut lieu... En vertu, sera-t-il notifié du « beaucoup d'attachement porté » à la mère...[1] Fidélité qui témoigne d'un usage très ancré dans les mœurs, mais aussi d'une réelle altitude de cœur. Ce n'est ni la première ni la dernière fois que nous le noterons.

L'autre famille amie, c'est la famille Hüe, de vieille appartenance bellifontaine, et sur laquelle nous sommes mieux

---

1. In Vte de Marsay, *op. cit.*, p. 440.

renseignés, parce que François Hüe, anobli par Louis XVIII, a laissé des Souvenirs célèbres : il a été l'un des ultimes serviteurs de la famille royale, au Temple, et après avoir partagé sa captivité, il a accompagné Madame Royale à Vienne, à Mittau et à Hartwell, où il est devenu à la fois le premier valet de chambre de Louis XVIII et son agent secret. C'est lui qui, à l'époque consulaire, confiera à l'aîné des Bourbons, qu'il a bien connu jadis, la vicomtesse de Beauharnais devenue la femme du Premier Consul, avec laquelle il entretient une correspondance. En bon politique, Louis XVIII, ayant vu les lettres, lui déclarera : « Quand on a de tels amis, on les garde ! Et les lettres ? – On les reçoit et on y répond ! », conclura le Prétendant[1].

Là encore, c'est donner, vingt ans après, la mesure et la teneur des relations établies. François Hüe, « Officier chez le Roy », employé à la capitainerie des Chasses de Fontainebleau, et sa femme, Henriette, auront toujours été très obligeants envers les Beauharnais. C'est grâce à lui, et à M. de Montmorin, que la jeune vicomtesse peut prendre de l'exercice, c'est-à-dire monter à cheval quand le cœur lui en dit. De même qu'elle peut suivre des chasses, sorte de chevauchées « préparatoires » en quelque sorte, quand le Roi n'y est pas. Son beau-père le notera, en novembre 1787, dans une lettre à Mme de Renaudin, alors absente : « La vicomtesse court les champs dans ce moment à cheval. Ce soir, le Roi et vingt ou vingt-cinq chasseurs arrivent ». Elle a chassé le sanglier, trois jours auparavant, et « a été mouillée jusqu'à la peau », ce qui n'a pas entamé sa belle humeur... Alexandre, qui se trouvait auprès des siens, furieux de n'avoir pas été admis aux Honneurs (l'année précédente, on s'en souvient), choisit de se retirer dans le Blésois, avant l'arrivée du souverain[2]. On n'en est pas autrement surpris.

Bien entourée, la vicomtesse peut parfaire son apprentissage du monde. Chaque avant-soirée, après le dîner, on se réunit au salon où, selon les intérieurs, on dresse des tables de

---

1. *Dernières années du règne et de la vie de Louis XVI*, du baron Hüe, Plon, 1860, p. 59.
2. Lettre du 5 novembre 1787, in J. Aubenas, *op. cit.*

jeux, on fait une partie de musique, une lecture à voix haute ou, tout simplement, on s'adonne aux joies sans mélange d'une bonne conversation. Les affinités aidant, le salon s'ouvre à des arrivants de passage, visiteurs, amis ou familiers, qui en renouvellent l'atmosphère au fil du récit de leurs aventures, de leurs discussions d'affaires, des informations fraîches qu'ils y apportent. Car on s'enrichit sans discontinuer dans ces assemblées sélectives et variées – d'autant que toutes les générations y sont mêlées –, et ce qu'on y apprend en premier lieu, c'est le tact, la tolérance, l'art de savoir écouter...

Et c'est à Fontainebleau, plus encore qu'à Panthemont, que Mme de Beauharnais a tissé des relations régulières, dans la mouvance des Montmorin, des Hüe et des Beauharnais, avec un certain nombre de tenants de l'ancienne société, y compris des gens de la Cour, qui se retrouveront plus tard sur son chemin : ce sont les Béthisy, parents de l'Abbesse, comme la marquise douairière de Moulins, ce sont des Nicolaï ou des Malesherbes, amis du Capitaine des Chasses, ce Gillet de la Renommière qui sera emprisonné sous la Terreur avec l'abbé Jean-Baptiste Hüe, frère cadet de François, ce sont le duc de Lorge, le chevalier de Coigny ou le comte de Crenay, dont des esprits malsains voudront, parce qu'ils se seront souvenus d'elle, à leur retour d'émigration, qu'ils l'aient fait pour de mauvaises raisons, évidemment... Car cette société sera dispersée et décimée par la Révolution et ce qui en réchappera, comme tant d'autres, pour l'avoir connue de près, de loin ou pas du tout, aura recours à la constante obligeance de celle qui, devenue puissante, n'était alors que l'aimable jeune vicomtesse de Beauharnais.

* * *

Tout irait pour le mieux, dans la plus charmante des retraites possibles, si Alexandre ne s'évertuait à être plus désagréable qu'à son tour. Devenu l'aide de camp de son colonel et protecteur, le duc de La Rochefoucauld, il mène une vie de garnison, toujours aussi dissipée, mais il est heureux, semble-t-il, de revoir les siens, régulièrement, surtout ses enfants. Il paraît avoir des problèmes d'argent – maladie endémique de la noblesse – et il harcèle sa femme pour qu'elle lui livre l'inventaire de ses effets, qu'elle règle pour lui certaines dettes, comme cette liste d'un joailler faisant état de bijoux commandés pour leur mariage, largement distribués par le seul Alexandre, et qu'elle refuse d'endosser, bien entendu ! D'où de nouveaux litiges[1].

La vicomtesse n'a guère besoin de ces soucis, car elle se trouve, elle-même, dans une certaine gêne, due à ce que son père lui envoie irrégulièrement les revenus qu'il lui doit et sur lesquels elle compte. Déjà, à la fin de l'année 1785, elle adressait une supplique à son percepteur pour qu'il l'exempte d'une capitation de 66 livres, 15 sols, 3 deniers : « J'ose vous représenter que je suis taxée à un prix exorbitant relativement à mes facultés[2]. » C'est joliment tourné, mais cela n'empêche pas sa situation de s'aggraver.

Si elle est déchargée de l'entretien d'Eugène, qui, ses cinq ans accomplis, a été repris par son père, et placé par lui dans la pension d'un sieur Verdières, rue de Seine, si le baron Tascher, venant séjourner en France, apporte à sa nièce, au début de l'année 1787, 2789 livres de la part de M. de la Pagerie, malheureusement, elle est à cours de fonds. Ce qui sera son Purgatoire sur terre, cette perpétuelle course à l'argent, commence.

Maladie endémique de sa caste, nous l'avons dit, car l'argent qu'on dépense est bienvenu, mais l'argent qu'on produit est rare. Maladie de l'époque, par trop insouciante, ou l'on vit à crédit, dans un perpétuel équilibrisme, entraînée en cela, comme en tant d'autres choses, sur une pente dont on n'imagine guère qu'elle mènera au précipice – c'est, *mutatis mutandis*, le problème de l'État et son « hideux déficit ». Maladie héréditaire enfin, chez une Tascher bon teint, incapable d'envisager ses comptes, et, pour le cas où ils soient mis au net, incapable de trancher dans le vif, de se restreindre une bonne fois pour toutes... La vicomtesse n'est qu'au début d'une

---

1. Lettre du 8 mars 1786, in J. Hanoteau, *op. cit.*, p. 206.
2. Lettre du 29 novembre 1785, in J. Hanoteau, *op. cit.*, p. 211.

longue carrière en la matière… Elle va devoir réagir, et pour cette première fois, elle va le faire, ô miracle ! de façon sensée.

Et ceci, grâce à l'amitié du banquier Rougemont, de la grande et vieille famille des Rougemont de Neufchâtel. Sa femme et lui sont des amis de longue date des Beauharnais – ils étaient présents à la signature du contrat de mariage d'Alexandre – et, s'arrêtant chez eux, à Fontainebleau, de retour de Suisse, ils proposent à la jeune vicomtesse de la recevoir quelque temps, à Paris, ainsi que sa petite fille. Mme de Renaudin se trouvant, à ce moment, un peu souffrante, Mme de Beauharnais accepte ce qui, pour elle, sera une agréable diversion. De fait, elle passera les premiers mois de l'année 1788 auprès des Rougemont et s'en trouvera bien. Ils l'entoureront, la sortiront, la faisant bénéficier de leurs demi-loges ou quart-de-loges (c'est ainsi que se comptaient les abonnements d'alors) aux Italiens et à l'Opéra, mais aussi, judicieusement, ils l'encourageront à prendre une sage décision, une décision intelligente : celle d'aller séjourner, en compagnie de la seule Hortense, chez ses parents aux Trois-Îlets. Bonne occasion de revoir les siens, qui l'attendent et se réjouissent de connaître l'enfant. Bonne occasion, comme elle y sera hébergée, d'apurer ses comptes parisiens, Mme de Renaudin se chargeant d'équilibrer pour elle, en son absence, son problématique budget.

M. de Rougemont aide la vicomtesse à réunir l'argent de son passage aux Îles et lui loue une petite maison, au Havre, où elle attendra avec Hortense, tout le mois de juin 1788, leur embarquement sur un navire de l'État. En septembre 1814, Hortense, lors d'un séjour dans le port normand, reconnaîtra la maison sur le quai, sa façade étroite, les deux fenêtres du salon, et surtout leur hôtesse, Mme Dubuc, qui se souviendra, à son tour, de l'avoir reçue enfant, ainsi que « son excellente mère », et lui fera retrouver M. Léonville, lieutenant de vaisseau, qui commandait alors le *packet-boat* sur lequel ces dames avaient voyagé[1].

---

1. Il ne s'agit pas du *Sultan,* comme il a été souvent dit : dans une lettre à sa sœur Renaudin, du 19 août, le baron Tascher fait mention de l'arrivée de sa nièce. Le *Sultan* n'abordera en Martinique que le 24 août suivant.

Seul Frédéric Masson aura eu l'idée d'un « brusque départ », d'une fuite, suspecte à ses yeux, de Mme de Beauharnais. Bien entendu, cela devait cacher une grossesse quelconque. Dans son acharnement à flétrir Joséphine, il ira même jusqu'à lui attribuer un des trois bâtards d'Alexandre! Non! Une grossesse, eût-elle existé, ne se cachait pas au vu et au su de toute une société, toute une parentèle avide de vous retrouver, de vous recevoir, de vous fêter…! Non, la relation amoureuse n'obsédait pas notre héroïne, et si elle en eût une, nous n'en saurions rien, tant le code social était strict à cet égard. On était discret, on respectait les convenances, on y mettait les formes. Et quand, d'aventure, il y avait irrégularité de conduite, on l'intégrait, franchement et sans états d'âme. Ainsi, les enfants illégitimes d'Alexandre : Joséphine, Mme de Renaudin, Hortense et Eugène plus tard, quand ils les retrouveront, les aidcront en subvenant à leurs besoins et en les établissant. L'époque mettait en ces matières un grand naturel, ou une vraie santé, comme on voudra.

LE RETOUR AUX ÎLES

Au début du mois de juillet, le bateau en partance pour les Îles, enfin, lève l'ancre. Ce doit être une joie que ce voyage, dont nous ne savons rien, si ce n'est que, passé le premier coup de vent habituel, au sortir de la Manche, il s'est déroulé sans encombre. Pour la petite Hortense, qui a tout juste cinq ans et qui enchante sa mère tant elle est charmante – Boze a fait son portrait au pastel, l'année précédente –, tant elle est éveillée et facile, ce doit être une aventure toute d'excitation et d'incertitude. Ni les intempéries, ni les rencontres hostiles ne sont à redouter cette fois, et nul doute que l'enfant, qui n'en dira rien dans ses Mémoires, n'ait été sensible à la beauté d'un navire fendant l'océan dans un sillage d'écume, à l'émotion collective quand on croise un autre vaisseau et que se hèlent les deux capitaines, à portée de voix l'un de l'autre, pour se transmettre les informations d'usage, ou à l'étonnement de pouvoir observer, à l'approche des terres nouvelles, comme la vague change de couleur et le ciel d'aspect…

Et sa jolie maman, à quoi songe-t-elle? Cette petite dizaine d'années qui la séparent de sa précédente course transatlantique, comment les ressent-elle? Elle n'a que vingt-cinq ans, mais elle porte en elle, déjà, un passé conjugal, somme de contrariétés, de déceptions, mais aussi de joies profondes, celles de la maternité, de l'épanouissement au sein d'une société et d'un cercle familial harmonieux. Celle, probablement, de commencer à être soi-même. Et qui est-elle, cette jeune femme que nous voyons appréciée de tous ceux qui l'approchent…? Le banquier Rougemont a noté dans son Journal quelques traits la concernant : sa voix « qui va à l'âme quand elle ne va pas au cœur », sa taille – entendons sa silhouette – « souple et gracieuse », son visage « charmant », mais aussi son tact, son usage du monde, son « esprit fin » et déjà son « instruction », en un mot, tout l'agrément de sa compagnie. Serait-elle devenue une Parisienne? Est-elle demeurée fille de son Île? Un miraculeux mélange des deux appartenances, pensons-nous, mais en est-elle consciente? Ce qu'il y a de certain, c'est qu'elle va retrouver son monde originel – ses paysages, son parler, ses rites et ses rythmes particuliers – et qu'elle va s'y ressourcer, y panser ses premières blessures de jeune femme, en un mot, s'y fortifier. Quant à ce qu'elle est, elle en rencontrera la réponse dans le regard de ceux qui l'aiment et l'attendent, avec quelle impatience, au fond de la rade de Fort-Royal.

Elle y prend pied, le 11 août, après cinq semaines de bonne navigation, accueillie par celui qui en commande le port militaire et ses dépôts, son oncle, le baron Tascher. Il deviendra bientôt le maire de Fort-Royal, ce qui est assez dire son implantation locale. Le baron Tascher se réjouit de ce qu'une semaine avant l'arrivée de sa nièce, lui est née une fille, enfin! après quatre garçons, et il requiert la vicomtesse pour qu'elle soit la marraine de l'enfant. Le baptême de la petite Stéphanie de Tascher n'aura lieu que le 4 septembre, car entre-temps, l'île subit un de ses habituels cyclones, qui en dévaste le nord et une partie de Saint-Pierre. Le baron

Tascher aura perdu 20 000 livres dans la tourmente[1]. Comme on dit aux Îles, « ce n'était pas un vent de bananes… »

Comme ces retrouvailles semblent familières! Un cyclone, un baptême, un malheur, un bonheur, et la vie reprend, comme à l'accoutumée… Mme de Beauharnais réintègre tout naturellement son milieu ambiant. Rien n'y a changé. Mme de la Pagerie, égale à elle-même, mène son monde et son habitation, qui « roule », selon l'expression consacrée. Elle impressionnera grandement la petite Hortense pendant les deux années que l'enfant passera chez elle, aux Trois-Îlets. Avec finesse et précision, Hortense retracera, dans ses Mémoires, une scène marquante de sa vie d'alors : un jour, regardant sa grand-mère compter le salaire de ses employés et répartir sur sa table des piles de grosses pièces de monnaie, la petite fille se persuade que cet argent est pour elle, qu'elle peut en disposer et, profitant de ce que la vieille dame s'absente un moment, elle ramasse les pièces dans son petit tablier et s'en va, tout heureuse, les distribuer aux esclaves qui la bénissent à grands cris! Ils sont ravis. Mme de la Pagerie, un peu moins, cela va sans dire! Fermement, elle remet Hortense de plain-pied sur terre. Et celle-ci, contrite, subit la leçon. Depuis lors, nous dit-elle, elle aura cessé de prendre ses désirs pour des réalités[2]. Cette jolie page rend assez bien la solidité rassurante des catégories qui régentaient les éducations du temps jadis.

Sans doute, Mme de Beauharnais se plaît-elle à parcourir les lieux de son enfance en compagnie de sa fille. Elle retrouve les grands manguiers séculaires de l'allée d'arrivée à La Pagerie, la petite eau vive, du côté de Croc-Souris, où elle se rafraîchissait chaque jour, le dédale des cases autour du moulin à sucre, la manioquerie, la case à farine, la véranda sous laquelle elle jouait ou écoutait les histoires de Marion, qu'elle retrouve aussi, comme elle retrouve tout le monde.

---

1. Robert-Marguerite Tascher de la Pagerie, dit le baron Tascher (1740-1806) a épousé en 1770 Jeanne Louise Le Roux Chapelle, dont il aura douze enfants. Stéphanie, née le 4 août 1788, deviendra princesse d'Arenberg, puis comtesse de Chaumont-Quitry. Nous la retrouverons.
2. Cf. *Mémoires de la reine Hortense*, Paris, Plon, 1928, pp. 3 et suiv.

C'est elle qui a changé, et sa métamorphose enchante les Trois-Îlets. On sait que la Martinique brille, déjà, par son élégance et que là-bas, quand un enfant est beau, on dit aimablement qu'« il est France! » C'est elle, maintenant, qui tout entière est France et réjouit le cœur de ses parents, de ses serviteurs, de ses amis…

Elle assiste donc à des fêtes familiales. Au baptême de Stéphanie, à Fort-Royal, succèdera un autre grand baptême, celui de la fille de Louis-Charles-Alexandre Le Vassor de Latouche, au Lamentin, et ce sera l'occasion de réunir à nouveau la parentèle en liesse, les Soudon de Rivecourt, les Girardin, les Audiffredy, les Gantheaume, les Percin, les Marlet et tous les autres, qui vont, qui viennent, qui se marient, procréent ou disparaissent… Elle est accueillie et fêtée, tout au long de ces mois, dans les habitations amies, ces belles demeures fraîches, à l'architecture plus ou moins transplantée depuis la Touraine ou la Normandie, aux noms évocateurs : ces Beauregard, ces Bellevue, ces Beauséjour et ces Beauchamp, insérés dans les mornes martiniquais comme autant d'îlots de civilisation.

Ce que nous savons aussi, c'est qu'elle partage sa vie entre les Trois-Îlets et Fort-Royal, où, le temps d'un bal paré, au Palais du Gouvernement, elle fait les délices de la société qu'animent les jeunes officiers en garnison, ou de passage. Le comte de Las Cases se souviendra, à Sainte-Hélène, qu'il avait dansé avec elle alors qu'il appartenait à la Royale.

Il est curieux qu'à Fort-Royal, dans l'entourage très choisi du Gouverneur – M. de Damas, bientôt en partance pour un congé et remplacé par M. de Vioménil –, la jolie Mme de Beauharnais fasse figure de Parisienne raffinée, alors qu'à Paris, elle est apparue, et apparaîtra toujours comme une créole archétypique… C'est qu'elle possède les attributs de l'une et l'autre des appartenances. Le goût et le sens de la dernière élégance d'un côté, et de l'autre la grâce et la douceur. Quant aux défauts, elle n'a que ceux des Îles. On sait que le préjugé attribuait aux Parisiennes, le piquant voire l'absence d'indulgence et le sens de l'intrigue, ce dont elle ne fera jamais montre. En revanche, à Paris, quand on disait « Nulle comme une créole », l'expression se comprenait aussi clairement que « Joueur comme les cartes » ou « Vif comme la poudre ». Pourquoi ? Parce qu'en effet, pour appartenir souvent à des familles riches, mais de fortune récente, les créoles présentes dans la capitale y paradaient en étalant plus aisément leurs atours que leur connaissance de Plutarque... Dans le cas de la Martinique, la vie y avait toujours été laborieuse et les plaisirs intellectuels peu prisés, concentrés dans la seule ville de Saint-Pierre, où se regroupaient les communautés religieuses, avec lesquelles voisinait le seul théâtre de l'île. On s'y rendait régulièrement – ces perruques poudrées, ces robes à paniers, ces calèches précédées de coureurs aux flambeaux, dans la nuit chaude, quel spectacle en soi ! –, mais on lui préférait les plaisirs de la convivialité familiale, largement prodigués, sans apprêts ni prétention. C'était ainsi. Grâce à Dieu, la « nullité » de sa culture ne privera la jolie Mme de Beauharnais ni d'entendement, ni de sagacité, ni du goût du savoir...

Un autre signe particulier aux créoles, du moins ressenti comme tel alors, est imputable à un certain Thibault de Chanvallon, auteur d'un *Voyage en Martinique*, publié en 1751, qui stigmatise certains traits de mœurs propres aux Îles. Selon lui, la créole est une indolente, dont la vivacité de cœur est exclusivement centrée sur son mari et ses enfants. Ce que nous appelerions, aujourd'hui, une affective doublée d'une possessive... L'époque s'est saisie de cette idée et, sans grand discernement, l'a poussée jusqu'à la caricature. Nous savons que Mme de Beauharnais n'est pas exempte de cette disposition, sans qu'il faille, pour autant, la styliser à l'excès.

Quoiqu'il en soit, parisienne d'adoption et créole d'extraction, Mme de Beauharnais, pour l'heure, rayonne et s'épanouit sous le ciel des Tropiques et son séjour dans sa « petite patrie », comme disait sa mère, n'y laissera que de bons souvenirs. Car la vie y coule uniment... Et quand, peu à peu, en ces années 1789 et 1790, les échos des événements parisiens parviennent dans l'île, ils sont assourdis par la distance. On continue de se voir, de se recevoir, de danser quadrilles, menuets et haute-tailles avec entrain, on jouit avec délectation de la verdure délicieuse des mornes, on écoute, dans la touffeur de la nuit, le battement cadencé de la mer, on s'enchante de ses phosphorescences si particulières sous la lune, on se pénètre de la facilité du pays et de ses habitants. Si leur sourire se fait ambigu, s'il laisse affleurer une susceptibilité peu commune, si, sous le soleil de midi, on perçoit soudainement le possible tragique du destin, si la nuit devient terrifiante et sonore, si, brusquement on sent la présence des revenants – « Je n'y crois pas, mais j'en ai peur ! » disait Mme du Deffand –, alors, peut-être sent-on aussi l'ambivalence de toute chose et la richesse inaltérable du monde. Et, peut-être en aime-t-on plus encore les êtres, et soi-même, et la vie...

* * *

Ce n'est qu'au cours de l'année 1790 que se dessinent les fractures qui vont bientôt ensanglanter les prospères « Îles à sucre » et bouleverser ces univers si structurés. Jusque-là, le péril était identifié : l'Anglais, toujours avide, toujours hostile, à tout moment pouvait débarquer dans l'île. Les planteurs avaient constitué, à cet effet, des milices très agissantes, très efficaces. Le Gouverneur avait depuis longtemps choisi de s'installer à Fort-Royal, puissamment défendu, laissant Saint-Pierre, dont la rade était trop ouverte, à sa vocation commerciale et administrative – puisque l'Intendant y résidait –, et ainsi, dans une éternelle vigilance, se passaient les années, au gré des invasions, des occupations, des reprises successives.

Désormais, l'île est menacée de l'intérieur. Les idées nouvelles ont fini par y arriver. Elles travaillent la Colonie, qui « fermente », pour reprendre l'expression du temps. Pour simplifier, les planteurs vont faire bloc avec les gens de couleur – qui savent leurs intérêts – à Fort-Royal, contre les commerçants, les petits-Blancs et les esclaves révoltés, regroupés à Saint-Pierre[1]. De grands troubles commencent.

---

1. Les grands-Blancs finiront par l'emporter et concluront, en 1794, le traité de White Hall avec les Anglais, auxquels la Martinique échoira. Elle demeurera huit ans sans communications libres avec la France.

Ils interrompront le séjour de Mme de Beauharnais. Son oncle, bien qu'il soit un grand-Blanc, est gagné aux idées nouvelles. Élu maire de Fort-Royal, il en est venu à occuper le Fort-Bourbon, avec ses troupes. Son parti tentait de rallier à lui, bien sûr, les équipages des vaisseaux ancrés dans la rade. Cependant, un officier loyaliste, Durant de Braye, était bien décidé à rentrer en France sur sa frégate *La Sensible*, escorte du vaisseau *L'Illustre*. Il va tenter sa chance. En homme d'honneur et en ami, il en prévient le baron Tascher. Mme de Beauharnais, qui commençait à s'inquiéter de savoir si elle pourrait revenir à Paris, en est immédiatement avertie par son oncle, alors qu'elle séjournait aux Trois-Îlets. Elle n'a que le temps d'embrasser les siens, de rassembler quelques effets et de gagner, avec la petite Hortense, la frégate de Durant de Braye. Celle-ci est canonnée depuis le Fort-Bourbon, mais qu'importe, le bateau fait voile, il double la Pointe-aux-Nègres, il réussit à sortir et atteindre la haute mer. Nous sommes le 4 septembre 1790. Ce dérèglement, cette précipitation, ce danger rapproché évité de justesse, voilà bien, sans qu'elle s'en doute, les modalités de l'existence qui attend la pauvre Mme de Beauharnais pendant les toutes prochaines années.

En catastrophe, sans autres adieux qu'à la volée, elle s'est arrachée à sa famille, à sa maison natale, à son pays. Les reverra-t-elle jamais ? C'est rude, mais dans l'urgence, a-t-on le temps de s'attendrir ? A-t-on seulement le pressentiment du cataclysme qui attend la France ? Quelles peuvent-être leurs pensées à tous ? Pour elle, le soulagement d'être sauve, ainsi que sa petite fille, et de rallier Paris où, semble-t-il, Alexandre, à moins que ce ne soit Mme de Renaudin, lui a conseillé de revenir... À Fort-Royal et aux Trois-Îlets, c'est la désolation. Son père, M. de la Pagerie, était bien malade quand elle l'a quitté. Cette fièvre qui le rongeait depuis des années semblait redoubler... Deux mois plus tard, elle aura raison de lui. Il mourra une semaine après que sa fille a débarqué à Toulon. Et l'année suivante, ce sera sa sœur Manette qui disparaîtra, « après avoir reçu les sacrements de l'Église et souffert une longue et cruelle maladie avec édification », comme il est précisé dans son acte de décès[1]. Il s'agissait, probablement, d'une tuberculose. Restera Mme de la Pagerie.

* * *

Noble figure, dont les deuils n'entameront pas le courage, dont le cœur ne se démentira pas, non plus que la raison, qui continuera de mener sa barque comme auparavant. Pendant des années, elle restera sans aucune nouvelle de sa fille ni de ses petits-enfants. Et puis sa fille connaîtra une élévation prodigieuse. Elle s'en réjouira, s'en inquiètera peut-être, mais elle refusera de se déraciner pour rejoindre les fastes parisiens que, d'ailleurs, elle désapprouvait. Mme de la Pagerie était sage et solide. Pourquoi l'historiographie officielle l'a-t-elle réduite à ce méchant cliché d'une vieille femme anodine croupissant dans sa sucrerie délabrée, cependant que son nouveau gendre et sa fille essayaient en vain de l'en tirer? Il nous plaît d'ajouter, au moment de l'abandonner à son destin de patricienne créole, quelques traits méconnus à ce que nous savons déjà d'elle.

En premier lieu, ceci, qui la peint en pied : après la paix d'Amiens, Le Capitaine-général Villaret de Joyeuse viendra reprendre possession, au nom de la France, de la Martinique où il fera office de Gouverneur. Établi au palais du Gouvernement de ce qui est dès lors Fort-de-France, il deviendra, ainsi que sa femme, un proche de Mme de la Pagerie. D'emblée, à son arrivée, il se proposera de poursuivre ceux qui avaient été, pendant l'occupation, les « persécuteurs » de la maîtresse des Trois-Îlets. Quel type de persécuteurs? Nous ne le savons pas. Ce que nous savons, c'est que Mme de la Pagerie s'y opposera en déclarant hautement « qu'elle n'avait que des amis ». La phrase est belle, et digne du Grand Siècle[2].

---

1. M. de la Pagerie est mort le 7 novembre 1790, aux Trois-Îlets où il est enterré, comme sa fille, Marie-Françoise, morte le 4 novembre 1791, inhumée le lendemain. L'acte de décès porte une identité erronée : on l'y désigne comme Marie Joseph Rose, son aînée. Celle-ci empruntera l'identité de Manette lors de son remariage, pour se rajeunir. Hortense croira toute sa vie que sa mère était la plus jeune des trois sœurs.

2. In René Pichevin, *op. cit.*, p. 51.

En second lieu, on peut mettre à son actif la discrétion et la dignité qui seront les siennes à l'avènement de l'Empire. Mère d'une impératrice, elle ne se croira pas pour autant une... « Impératrice-Mère », comme le souhaitera Napoléon. Mais elle participera, comme il se doit, aux cérémonies officielles alors ordonnées dans l'île : la prestation de serment d'obéissance aux constitutions et à l'Empereur, la célébration de son couronnement — ces deux premières, le 9 octobre et le 8 novembre 1804, à Fort-de-France, où elle sera reçue avec les honneurs : vingt et un coups de canon, musique militaire, cortège constitué autour d'elle, et dais dans le chœur de l'église – et, le 28 janvier 1806, un *Te Deum* d'action de grâces en l'église des Trois-Îlets, marquant les victoires de l'Empereur. Le Capitaine-général et le cortège la reconduiront à cheval jusqu'à son habitation. Rien ne la grisera de tout ceci, mais elle aura su tenir son rang[1].

En troisième lieu, enfin, six mois après cette dernière cérémonie, il lui arrivera une désagréable aventure. Alors qu'elle réside au palais du Gouvernement, chez les Villaret de Joyeuse, convalescente d'une opération – réussie – d'un squirre au visage et gardant la chambre, elle est victime d'une tentative d'assassinat. Sombre affaire! Réglée sur l'heure par le Capitaine-général. Nous en avons retrouvé le dossier aux Archives nationales. En voici la substance :

Mme de la Pagerie est servie par « sa servante de confiance », Émilie, fille de couleur, née et élevée aux Trois-Îlets. Émilie apporte à sa maîtresse, pour son dîner, un plat de petits pois. Entre les cuisines et l'appartement de Mme de la Pagerie, Émilie a saupoudré les petits pois de verre pilé. Dieu merci! Mme de la Pagerie a de bonnes dents et de bons réflexes : elle détecte le verre pilé à la première bouchée, le recrache et se rend immédiatement compte qu'on a cherché à l'assassiner. Au lieu d'ameuter le Palais, elle garde son sang-froid, et prévient les serviteurs de M. de Joyeuse du fait, en leur

---

1. Cf. la communication du Père Gouyé-Martignac, dans le *Bulletin de la Société de Généalogie et d'Histoire des Isles d'Amérique*, « Napoléon et sa belle-mère », n° 9 (X, 1984).

enjoignant de surveiller discrètement les cuisines et les offices. Les serviteurs en préviennent le Gouverneur, qui fait arrêter Émilie et diligente une enquête. Dès le premier interrogatoire devant le Tribunal spécial de l'île, Émilie avoue.

Pourquoi a-t-elle voulu tuer sa maîtresse ? Comprenne qui voudra, c'est un crime passionnel. Sa maîtresse, selon elle, « ne l'avait jamais aimée » et c'est parce qu'elle était « désespérée de jamais parvenir à mériter son affection » qu'elle s'était décidée à commettre « l'horrible attentat ». Elle s'est fait aider par deux complices, une vieille Négresse à la chaîne, Thérèse, et un dénommé Joseph, Nègre au service du Palais. Bref, jugement est rendu. Et comme rien n'était plus grave à l'époque que les crimes d'empoisonnement et ceux d'incendies volontaires, Émilie recevra le châtiment habituel : elle sera brûlée vive. Mme de la Pagerie aura sans doute été navrée de cette histoire aussi cruelle qu'absurde[1].

Elle s'éteindra un an plus tard, chez elle, aux Trois-Îlets, entourée des siens, fidèle jusqu'au bout à ce qu'elle se devait et devait à autrui, à ce code de conduite hérité de la vieille gentilhommerie et qui commandait que « Noblesse obligeât ». Précepte éthique, largement cultivé par les disciples de cette « École Maintenon », dont elle était, comme beaucoup de femmes de sa génération, la lointaine mais intangible héritière. Nous pensons infailliblement à Mme de Boisteilleul, la grandmère maternelle de Chateaubriand, qui possédait, elle aussi, cet idéal de l'« honnête femme », accompli dans son équilibre foncier et son excellence personnelle. Ce qu'on peut retenir, en conclusion, c'est que, si sa fille a hérité de son père le charme et l'aptitude aux plaisirs de la vie, de sa mère elle a pris, plus en profondeur, une texture indéfectible, le sens du respect de ses origines. Définitivement coupée, désormais, de ses racines, la fille de Mme de la Pagerie ne faillira pas à cet héritage.

---

1. Nous reproduisons en annexe ce dossier du fonds C 8A des A. N. que nous avions déjà publié dans le *Bulletin* n° 38 (XII 1991) *de la Société de Généalogie et d'Histoire des Isles d'Amériques*, sous le titre : « Du verre pilé dans les petits pois », comprenant le rapport de l'attentat du 3 juin 1806 par le Gouverneur à son ministre, les comptes rendus de l'interrogatoire du 7 juin, du jugement, du 9 juin. L'exécution eut lieu le lendemain.

Lorsqu'au terme d'une traversée qui aura duré quelques cinquante-six jours – alors qu'à l'aller, elle n'en avait pris que trente-neuf – et qui aura failli se terminer, à l'entrée en Méditerranée, par un échouage sur les côtes barbaresques, Mme de Beauharnais, débarquée à Toulon, le 29 octobre, en compagnie de sa fille et de la bonne de celle-ci, Euphémie, rejoint Paris en hâte. Pour ce faire, il lui a fallu avoir recours à la solidarité de ses compagnons de voyage, dont un officier de marine, Scipion du Roure, qu'elle avait beaucoup vu à Fort-Royal, et qui lui procure l'argent nécessaire. La précipitation de son départ, l'absence de précautions en vue de son retour la laissaient, en effet, démunie. Mais en ces temps de difficultés – elles iront grandissantes –, la générosité, la chaleur humaine s'exprimeront sans réticence, et pas seulement entre gens du même monde. Bien entendu, Scipion du Roure fera partie de la liste des soupirants de sa belle amie... Comme nous ignorons ce qu'il en a été – sauf par un ragot, plus que douteux, d'un personnage équivoque, le comte d'Antraigues, agent souvent mal informé des princes en émigration –, nous n'en tiendrons pas compte. Ce qui ne signifie pas qu'une idylle, ou une liaison, ne soit pas désormais plausible dans la vie d'une jeune femme de vingt-sept ans, libre de ses actes, séparée publiquement de son mari et se gérant elle-même comme elle gère ses biens. Simplement, cela n'aura eu, pour le cas d'une relation effective avec le galant chevalier de Malte, aucune incidence avérée sur son existence.

En revanche, ce qui va influer sur son parcours, ce sont les événements nouvellement survenus en son absence, la part qu'Alexandre y aura pris et celle qu'il y prendra. Car le bel Alexandre, non seulement s'est un peu assagi, et à ce titre il devient de plus en plus attentif à ses enfants, ce qui entraîne de meilleures relations avec leur mère, mais il a trouvé sa vocation : il a embrassé une carrière politique.

Il se passionnait depuis longtemps – depuis la Roche-Guyon – pour la chose publique et l'évolution des idées en la matière. Le 30 mars 1789, il avait été élu député de la Noblesse du baillage de Blois, aux États-Généraux. Il avait donc siégé dans l'Assemblée devenue nationale, et bientôt constituante – puisqu'elle s'était chargée d'élaborer une constitution – et, fougueusement, il avait rallié ce qu'on appelait « la minorité de la noblesse », faisant bloc avec le Tiers – le « Tiers-État », ou troisième ordre, après le Clergé et la Noblesse, dans la société d'alors –, et promouvant les premières et essentielles réformes du système politique et social français, en gros, celles qui ratifient l'écroulement du vieux carcan féodal à bout de souffle et qui ne demandait, d'ailleurs, qu'à s'écrouler.

Alexandre et ses amis, au nombre de quarante-sept, portant les plus beaux noms du royaume – La Rochefoucauld, Montesquiou, Montmorency, Clermont-Tonnerre, d'Aiguillon entre autres –, s'activent intensément, deviennent orateurs – Alexandre sera excellent, au dire de ses contemporains, montent sans discontinuer à la tribune de la Salle du Manège, l'ancien manège du château des Tuileries, où ils siègent depuis novembre 1789, après que les souverains ont été « recapitalisés », comme on disait, c'est-à-dire, recentrés à Paris. Bref, ils travaillent avec ardeur à construire la France dont ils rêvent. Ils sont les promoteurs de la première, de la belle Révolution, celle de 1789, celle par laquelle l'homme n'est plus un sujet mais un citoyen, dont les droits sont définis, au sein d'une monarchie qu'ils veulent constitutionnelle, assortie de libertés publiques, de justice sociale, d'équité et de progrès. Ils se sont distingués, pendant la mémorable Nuit du 4 août, en proposant l'abolition des privilèges – les leurs, pour commencer –, n'hésitant pas à donner l'exemple et ce, dans un enthousiasme et un esprit de générosité peu communs. Le jeune Beauharnais s'est fait remarquer en obtenant l'égalité des peines et l'accès aux emplois pour tous. Cela semble dérisoire, aujourd'hui. Mais à l'époque, c'était une conquête proprement révolutionnaire.

Le prestige d'Alexandre est tel – gardons – lui son prénom, pour le distinguer de son aîné, François, qui siégeait lui aussi à la Constituante, mais dont les positions étaient, à l'inverse, si conservatrices qu'on l'appelera bientôt « Beauharnais sans amendement », ce qui signale son intransigeance, son incapacité à évoluer –, qu'il succède à Mirabeau, à la mort de celui-ci, en avril 1791, à la présidence des Jacobins. Là encore, sa fougue, sa détermination politique et son verbe feront merveille.

Aussi bien, après qu'elle a regagné Paris, après avoir laissé Hortense chez son grand-père et Mme de Renaudin, à Fontainebleau, Mme de Beauharnais – la vicomtesse, et bientôt, la ci-devant vicomtesse, pour la distinguer de sa belle-sœur et de sa tante Fanny –, découvre-t-elle la position nouvelle de son mari, avec d'autant plus d'intérêt qu'il est disposé à traiter aimablement avec elle. Il suit de près ses enfants – il allait déjà visiter sa fille en nourrice, avait commandé au printemps 1787 l'innoculation de celle-ci, à savoir sa vaccination contre la variole, phénomène encore peu répandu qui avait effrayé la mère –, il surveille les études d'Eugène, et son succès parisien qui pour être récent n'en est pas moins inespéré, lui réussit. Il apparaît maintenant comme un homme décidé, épanoui, heureux de lui-même et des autres.

S'il n'entretient plus de « commerce rapproché » avec sa femme, s'il ne vit plus avec elle, il la rencontre souvent, dans sa famille. Car pendant cette première année qui suit son retour, il semble que la vicomtesse séjourne alternativement à Fontainebleau et dans la capitale, où elle descend, soit chez sa belle-sœur et son beau-frère, dans leur hôtel de la rue Neuve des Mathurins (au 32, qui deviendra plus tard le 856), soit, tout près, rue d'Anjou, à l'Hôtel des Asturies. Elle est à même de fréquenter les nombreux cercles de ce Paris à nul autre pareil, ce Paris effervescent de la Constituante. Elle se rend, bien sûr, chez la comtesse Fanny – d'où les équivoques de certains historiens parlant, à cette époque, du « salon de Mme de Beauharnais » comme celui de Joséphine, alors qu'il s'agit de celui de la rue de Tournon – dont le petit salon bleu et argent est devenu, comme le souligne le chevalier de Cubières « l'œuf de l'Assemblée nationale [d'où] sont sortis les germes qui, fécondés par l'opinion publique, ont produit les fruits de la liberté… ». Le comte de Tilly, dans ses Mémoires, dira que

« s'y rassemblait la bonne compagnie en hommes du monde et gens de lettres d'un mérite fort inégal ». Quant à Gouverneur Morris, l'un des pères fondateurs de la Constitution américaine, séjournant alors à Paris, se passionnant pour le spectacle de la vieille monarchie capétienne tentant de se rénover, lui qui est lié aux Necker, à l'évêque d'Autun (M. de Talleyrand-Périgord) et à sa belle amie, la comtesse de Flahaut, tous gens d'esprit et fort brillants, il passera rue de Tournon, mais pour s'étonner de la médiocrité du dîner qu'on y sert. Les nourritures de l'esprit l'emportaient, chez la pétulante femme de lettres, sur celles du corps[1]...

Celle qui a le plus intensément vécu cette période, c'est la fille de Necker, la mémorable Mme de Staël – elle avait épousé Eric-Magnus, baron de Staël Holstein, représentant son roi, Gustave III de Suède, à Paris –, qui en témoignera en ces termes : « On n'a jamais vu tant d'esprit nulle part, et l'on peut en juger par la foule d'hommes de talent que les circonstances développèrent alors. Jamais société n'a été aussi brillante et aussi sérieuse tout ensemble que pendant les trois ou quatre années de 1788 à 1791... » Au sein de ce bouillonnement d'idées, de ce débat permanent, qui ne s'interrompt dans les clubs que pour se poursuivre à l'Assemblée et reprendre ensuite dans les salons, les cafés ou la rue, tous participent avec une foi et une ardeur entraînantes à cette réforme collective. « La Nation, la Loi, le Roi » sont les mots d'ordre, au nom de quoi on disserte, on légifère, on danse, on s'enchante et chante, en attendant, bientôt, de déchanter. Car cette ville en liesse, cette ville des Lumières, universellement admirée, ne peut imaginer le chaos dans lequel elle va basculer.

Quoiqu'il en soit, les Constituants et leurs amis n'oublieront jamais ces mois exceptionnels vécus dans une ambiance, elle aussi, exceptionnelle. Toute leur vie, les Mémoires du temps en font foi, ils se les remémoreront, analysant pourquoi leurs magnifiques débuts ont ensuite périclité dans

---

1. Cf. *Mémoires du comte de Tilly*, Paris, 1965, p. 296, et *Un diplomate américain sous la Terreur*, de Jean-Jacques Fiechter, Fayard, 1983, pp. 41-42.

l'émeute puis la démagogie de ceux qui l'encadrèrent, enfin dans l'arbitraire, le sang, le goût généralisé de la mort. Ceux qui en réchapperont se retrouveront, sous le Consulat, sous l'Empire, sous les deux Restaurations, et même au-delà, formant une sorte de confrérie qui, en plus de s'adonner à la nostalgie, saura pratiquer une réelle solidarité. À la différence des anciens Conventionnels qui tenteront de masquer, de nier, de dénaturer leurs actions passées – sauf Carnot –, les Constituants, cette élite de l'élite, seront toujours conscients et fiers de l'avoir été.

C'est dans ce milieu que la jeune Mme de Beauharnais rencontrera La Fayette, les deux Noailles, le prince de Poix, dit « la fleur des pois » et son frère, le vicomte, le beau-frère de La Fayette, dit « Noailles la Nuit » (du 4 août), les duc de La Rochefoucauld (celui d'Alexandre) et de La Rochefoucauld-Liancourt, son cousin germain, Mathieu de Montmorency et son cousin Adrien de Laval, le marquis de Crillon, le marquis de Montesquiou, les frères Lameth aussi, car, à la Constituante, on se trouvait en famille, et pas tous du même bord : en plus des deux Beauharnais, siégeaient deux Mirabeau, deux Noailles, et six La Rochefoucauld…

Chez les princes de Salm-Kyrbourg – Frédéric, un grand ami d'Alexandre qui montera avec lui à l'échafaud, et sa sœur Amélie, princesse de Hohenzollern Sigmaringen, qui restera attachée aux Beauharnais toute sa vie – dans leur bel hôtel de la rue de Bourbon (l'actuel palais de la Légion d'honneur) à peine achevé, elle se liera avec d'autres jeunes gens tout aussi brillants, tout aussi éclairés : le prince Victor de Broglie – qui sera guillotiné en 1794 – ami de cœur, à ce moment, de la comtesse Alexandre de La Rochefoucauld, dite la comtesse Alex, une cousine germaine d'Alexandre de Beauharnais (née Pyvart de Chastullé), séduisante jeune personne que cette société appelle « la rose pompon » ou « la petite déesse Frivolité », car elle est petite, un peu contrefaite mais piquante, et mène des intrigues sentimentales compliquées, incluant un autre jeune homme, M. d'Esterno, soupirant transi, par ailleurs, de la belle Mme de Custine, née Delphine de Sabran, somptueuse de blondeur et d'esprit, la meilleure amie de la comtesse Alex[1]... Le monde de l'ancienne aristocratie étant petit, nous retrouverons Delphine en prison avec Mme de Beauharnais, enflammant le bel Alexandre avant d'enflammer le trépidant Chateaubriand... Nous retrouverons la comtesse Alex au sein de la Cour impériale devenue Dame d'honneur de sa cousine, et nous retrouverons la princesse Amélie, chez qui tous se voyaient, entourant Hortense, qu'elle verra mourir, Hortense que le père de Victor de Broglie caressait alors à l'hôtel de Salm, en disant « ce sera un jour ma petite fille »...

Ce monde s'amuse encore. Il ne s'amusera plus longtemps. L'apothéose d'Alexandre a eu lieu lors de la fuite à Varennes : on sait que les souverains, prisonniers de fait aux Tuileries, s'en échappent le 21 juin 1791, pour rejoindre une ville de garnison restée loyaliste, Montmédy, et qu'ils sont arrêtés à Varennes, d'où on les ramène à Paris le 25. Les esprits sont plus qu'échauffés, l'heure est grave, mais Beauharnais qui préside la Constituante, s'étant auparavant concerté avec La Fayette, désamorce le péril que courait la famille royale. Il ouvre la séance, annonce solennellement le retour des souverains, lit le Mémoire du roi, qu'on vient de lui transmettre, et ajoute simplement, avec un parfait sang-froid : « Passons à l'ordre du jour ». Silence et admiration. Mme de Genlis, « Gouverneur » des princes d'Orléans – dont le futur Louis-Philippe – ne tarit pas d'éloges envers Beauharnais : ce passage « à l'ordre du jour est en effet sublime, écrit-elle à Louis-Philippe, ce qui fixa l'opinion et assura la tranquillité publique. Faites lui compliment de cela » recommande-t-elle au jeune prince. Tout Paris encense Alexandre. À Fontainebleau, où sont réunis ses deux enfants, les habitants saluent ceux-ci comme leurs « petits Dauphins » !

La Constituante s'étant séparée le 30 septembre suivant, son œuvre accomplie, en commettant toutefois l'erreur qui sera fatale à nombre d'entre eux de décréter ses députés non rééligibles (ô naïveté !), Alexandre, après avoir goûté aux

---

1. Cf. Gaston Maugras, *Delphine de Sabran, marquise de Custine*, Paris, 1912, cf. Ch. VII et VIII.

délices de la gloire politique, entend maintenant y ajouter celles de la gloire militaire. Il reprend du service, ce qui vient à point nommé, puisque le 20 avril 1792, la France déclare la guerre à l'Empereur Léopold II.

* * *

Son avancement sera éblouissant : lieutenant-général à l'État-major, il rejoint l'Armée du Nord commandée par Rochambeau, à Valenciennes, en suit la campagne, puis dans la foulée des événements du 10 août – les Tuileries sont prises d'assaut, la famille royale emprisonnée au Temple et la monarchie balayée –, il est nommé maréchal de camp, puis général de division avant de devenir chef d'État-major à l'Armée du Rhin. Il s'en va prendre son poste à Strasbourg où, en mai suivant, il recevra le commandement en chef de cette même armée. Situation prestigieuse qui le met au rang des grands généraux républicains issus, comme lui, de l'ancienne société : Montesquiou-Fesenzac, le conquérant de la Savoie, le général comte Arthur Dillon (second mari de Mme de Longpré) qui bat les Prussiens en Champagne, les généraux de Custine, Philippe, qui prend Worms, Spire, Mayence et Francfort, et son fils Armand (le mari de Delphine), le duc de Biron (Lauzun) qui se bat en Vendée, les deux généraux La Tour du Pin. Tous finiront sur l'échafaud, à l'exception de Montesquiou, qui réussira à émigrer...

Pendant ce temps, à Paris, sous la contrainte des événements, Mme de Beauharnais a dû, une fois de plus, réorganiser son existence. Elle s'est installée, à la fin de l'année précédente, dans un hôtel de la rue Saint-Dominique (au 953, qui correspondrait aujourd'hui au 226 du boulevard Saint-Germain, percé ultérieurement), où elle est la locataire d'une amie créole, Mme Hosten (on prononçait Hostain), son exacte contemporaine, appelée généralement Mme de Lamothe-Hosten. Elle est mère de trois enfants, deux fils présentement à Sainte-Lucie, et une fille de treize ans, Désirée, qui épousera bientôt le fils d'un magistrat de Fort-Dauphin, à Saint-Domingue, Henri de Croisœil. On la confond régulièrement avec sa cousine et homonyme, Mme Hosten, née de Merceron, mère d'une Pascalie de dix-huit ans, qui épousera un d'Arjuzon – famille qui sera liée à Hortense –, et qui tient dans son hôtel de la rue Saint-Georges, construit par Ledoux, un salon notoirement contre-révolutionnaire, où se rencontrent les d'Esprémesnil, les Lefranc de Pompignan et Mme de Bonneuil (mère de la future Mme Regnault de Saint-Jean d'Angély), une des beautés de son temps, femme galante qui deviendra agent secret des Princes, et dont la fille, une beauté notoire comme sa mère, fera, quant à elle, les beaux jours de l'Empire...

Le 10 août 1792 marque un grand tournant dans leurs vies à tous. La chute de la royauté, la chasse aux ennemis du peuple, les répressions et restrictions de toute sorte qui s'abbattent sur eux déclenchent le signal de l'émigration. Le frère aîné d'Alexandre, « Beauharnais sans amendement », s'en va, la comtesse Fanny part pour l'Italie, les familles se dispersent avant qu'elles ne se décomposent. Les massacres perpétrés dans les prisons parisiennes, dans les premiers jours de septembre – M. de Montmorin, le Gouverneur de Fontainebleau, en sera victime, cependant que le duc de La Rochefoucauld périra, dépecé par la populace, à Gisors, sous les yeux de sa mère, la vieille duchesse d'Enville, décuplent ce sentiment d'attente angoissée qui étreint tout le monde. Mme de Beauharnais n'y a pas résisté. Elle, qu'on dira mauvaise mère (!), aura tenté, dans la seconde quinzaine d'août, de faire émigrer ses enfants, sous la houlette des Salm, chargés de les conduire en Angleterre : Hortense a été extraite de l'Abbaye-aux-Bois, où elle était pensionnaire – l'abbesse, Mme de Chabrillan, étant alliée aux Beauharnais –, Eugène de son collège d'Harcourt, puis ils sont partis. À Saint-Pol en Artois, un ordre de leur père les a arrêtés. Il se refusait, en bon républicain, à un acte aussi grave. Les enfants sont donc retournés chez leur mère, soulagée de les retrouver. Eugène rejoindra bientôt son père, à Strasbourg et, sans doute, sa mère y fait-elle un court séjour, à l'automne ou pendant l'hiver 1792, car c'est alors qu'elle semble avoir été reçue dans la Loge maçonnique de Mme de Dietrich, femme du maire de la capitale alsacienne, chez laquelle tout le monde sait que Rouget de l'Isle avait composé son célèbre *Chant de guerre de l'armée du Rhin* qui deviendra l'*Hymne des Marseillais*. Sans être avéré, le fait est probable, vu les positions progressistes des Beauharnais, avant et pendant la Révolution. En tout cas, lorsqu'elle reviendra à Strasbourg, en 1805, l'Impératrice et Reine participera à une cérémonie maçonnique d'initiation, à l'usage des dames de sa suite. Il sera dit qu'elle était depuis longtemps membre d'une des Loges féminines de la ville. C'est de bonne logique : son beau-père, son mari, son beau-frère, puis son fils, tous en étaient ou en seront, comme, plus tard, la majorité des Bonaparte.

La vie à Paris devient de plus en plus difficile. Une commune insurrectionnelle a pris possession de la capitale. Danton s'est emparé de l'exécutif vacant et il a soumis la pâle Législative – qui n'aura siégé qu'un an –, à sa volonté, lui faisant adopter les premières mesures d'exception : un Comité de surveillance et un Tribunal extraordinaire ont signalé, de façon plutôt inquiétante, les débuts de la République. C'en est bien fini des Lumières et des idées de justice et de progrès que promouvaient les Constituants les plus avancés... L'arbitraire, désormais, fait la loi. La peur, la lâcheté, l'envie font le reste. La Convention a succédé à la Législative, élue au suffrage universel, mais elle ne compte, en fait, que la minorité d'extrémistes ayant osé se déclarer, prêts à tout. Et, avec eux, va triompher l'intolérance instituée, mue par des intérêts occultes, masquée sous un verbiage aux références redondantes, empruntées à une Antiquité de leur invention, soustendue, en vérité, par un goût de la destruction et du sang se faisant chaque jour plus exigeant. À l'exécution du « tyran » (!) Louis XVI, le 21 janvier 1793, succède l'élimination des factions les unes par les autres. Bientôt, ce sont les Girondins – pourtant de bonne volonté, dans l'ensemble – qui montent dans la charrette, puis les Dantonistes, puis les Hébertistes, puis tout un chacun dès qu'il déplaît à Robespierre et aux siens, en attendant que ceux-ci soient eux-mêmes supprimés par le peu d'acteurs politiques restants, décidés à vivre et à en finir avec cette barbarie qui consiste à éliminer physiquement son adversaire, cette absurdité systématique qui, au nom de la Vertu, sacrifie impunément les élites d'une société...

Penser qu'en si peu de temps, la civilisation a sombré dans une sanglante utopie, penser qu'on en est arrivé à décréter « la Terreur à l'ordre du jour », penser que le pays le plus éclairé de l'Europe – car l'Europe, alors, était française – s'est laissé soumettre à la dictature de deux douzaines d'hommes opportunistes, douteux, voire paranoïaques, composant le Comité de Salut public – l'exécutif – et le Comité de Sûreté générale – le bras armé de sa répression policière –, penser que les lois, comme celle des suspects, avalisent la basse dénonciation, suivie, le plus souvent, d'une mort que décide une emphatique et sinistre parodie de justice, est révoltant... Mais la Terreur paralyse les énergies. Pendant les dix mois qu'elle va durer, Paris est comme tétanisé. Ville hagarde, ville silencieuse, ville dénaturée, que ses habitants sensés fuient, à moins qu'ils ne s'y cachent ou n'y survivent dans une perpétuelle anxiété. Un mot de trop devant un domestique mal intentionné et l'on subit une visite domiciliaire menée par son cordonnier ou son boucher, investis de tous pouvoirs, le sachant, en profitant grossièrement, ce qui ne peut manquer d'avoir d'irrémédiables conséquences...

Le croirait-on ? Cette dérive ne fait que renforcer Alexandre dans ses convictions républicaines. Non seulement il approuve la folie des décideurs, mais il renchérit. Sa femme, elle, fait comme tout le monde : elle tente de se protéger. En janvier 1793, nous la voyons se livrer, car elle n'a plus d'argent, à la débrouille d'un petit commerce d'articles de Paris avec la Belgique. Les deux frères Lezay-Marnésia, Adrien et Albert (alliés aux Beauharnais par le fils de la comtesse Fanny, qu'ils viennent de rencontrer à Lyon, à son retour d'Italie, avec Fontanes, le futur ami de Chateaubriand) en témoignent[1]. La citoyenne Beauharnais est toujours aussi charmante, mais elle fait ce qu'elle peut, en sous-main, sans

---

1. Cf. André Beaunier, *Le roman d'une amitié*, Paris, 1924, pp. 31-32. La comtesse Alex, qui avait fait plusieurs séjours à Bruxelles au cours des deux années précédentes, a peut-être favorisé les contacts commerciaux de sa cousine...

crainte de déroger, maintenant que la société est dissoute, pour subsister. Et ce n'est qu'un début.

Durant l'été 1793, Alexandre qui a été pressenti pour être ministre de la Guerre et a refusé cette dangereuse nomination, se trouve en difficulté : son orthodoxie idéologique, son républicanisme outrancier ne compensent pas son incapacité militaire. Chargé par la Convention de reprendre Mayence – prise, perdue, autoproclamée République et se trouvant, de ce fait, assiégée par les Prussiens – il y échoue, malgré les soixante mille hommes dont il dispose. Le 18 août 1793, il envoie à la Convention sa démission de général-en-chef, et se retire dans son château de la Ferté, espérant s'y faire oublier. Quelle erreur ! Beauharnais est marqué, et la Convention le retrouvera.

Quant à sa femme, Paris devenant irrespirable depuis la loi des suspects du 17 septembre qui autorise les sections (les permanences de quartiers) à arrêter tous ceux qui leur déplaisent, nobles, parents d'émigrés, prêtres, étrangers ou riches propriétaires, jusqu'à ceux qui « n'ayant rien fait contre la liberté n'ont cependant rien fait pour elle » (!), elle s'établit à Croissy, non loin de la capitale, avec ses enfants. Eugène, dès le 16 octobre, apparaît sur les listes de la commune, comme « habitant armé » : « Eugène Beauharnais, douze ans, un sabre et un fusil ». Elle a repris à son amie créole, Mme Hosten, le bail d'une maison située dans la grand-rue du village, appartenant à un M. de Bauldry, et là, elle se liera avec d'autres réfugiés notamment avec Mme de Vergennes – son mari, neveu du ministre des Affaires étrangères du défunt roi, va être bientôt guillotiné – et ses deux filles, Claire, dite Clari, dont l'esprit de sérieux et la solide culture ne seront jamais pris en défaut et qui le prouvera lorsque, devenue Mme de Rémusat, elle sera l'une des premières dames du palais de Joséphine, et Alix, la future générale de Nansouty. Pour l'heure, elles sont les compagnes de jeu de la petite Hortense, partageant aussi avec elle l'inquiétude diffuse de leurs enfances menacées.

La citoyenne Beauharnais se révèle étonnante de facilité et d'entregent ! En pleine Terreur, elle continue d'agir selon son code d'éducation première. Elle envoie, comme elle le fera toute sa vie, des suppliques et des demandes de bons offices aux gens en place, connus d'elle. Depuis qu'elle a rencontré Réal, Tallien ou Barère, Conventionnels notoires, elle n'hésite pas à les mettre à contribution, pour aider ses amis. Ainsi, elle intervient en faveur d'une demoiselle de Béthisy, nièce de la marquise douairière de Moulins, qu'on vient d'emprisonner. De même, elle joint Vadier, au Comité de Sûreté générale, et lui adresse, en pur style officiel, car elle respecte les formes quelles qu'elles soient, une lettre véhémente, lui demandant de ne pas confondre son mari, si bien-pensant, avec son frère, Beauharnais l'aîné, émigré. Elle justifie Alexandre, « avec la franchise d'une sans-culotte montagnarde » (!), certifiant que son « ménage est un ménage républicain »[1]. Nous sommes le 17 janvier 1794! Non seulement, elle n'est pas rancunière (ô Mme de Longpré!), mais elle est imprudente. Comprenons que c'est dans sa logique. Se connaître, pour elle, c'est, avant tout, se montrer solidaire et se rendre de mutuels services. Il n'y a aucun esprit d'intrigue là-dessous, contrairement à ce qu'y a toujours vu la compilation petite-bourgeoise, mais une parfaite confiance en l'esprit de sociabilité, celui qu'elle a toujours vu pratiquer, et qui joint l'utile à l'agréable. Elle ne sera pas longtemps sans mesurer, toutefois, qu'il y a une certaine différence entre les gentilshommes poudrés de Fort-Royal ou de Fontainebleau et les brutes au pouvoir en l'an II.

En effet, malgré leur patriotisme vibrant, l'étau terroriste se resserre sur les époux Beauharnais. Un arrêté du Comité de Sûreté générale, du 12 ventôse an II (2 mars 1794) enjoint au commissaire Sirejean d'aller « se saisir de la personne du ci-devant commandant en chef de l'Armée du Rhin », dans sa terre de la Ferté. Le 11 mars, il est arrêté et, malgré quelques protestations locales, il est conduit à Paris et, le 14 mars, incarcéré à la prison des Carmes, ancien couvent de la rue de Vaugirard. Sa femme a beau multiplier les démarches en sa faveur, rien n'y fait. Pire, le 1er floréal an II (21 avril 1794) dimanche de Pâques, elle est arrêtée chez elle rue Saint-Dominique. L'irruption des sectionnaires, pour violente

---

1. In *Impératrice Joséphine, Correspondance*, Payot, pp. 17-18.

qu'elle soit ordinairement, ne réveille pas les enfants, demeurés avec leur gouvernante, Mlle Lannoy, qui veillera sur eux désormais, ainsi que la princesse Amélie, assignée à résidence dans son hôtel, sous la surveillance d'un gendarme, cependant que son frère, le prince Frédéric est, lui aussi, emprisonné aux Carmes. Un cauchemar commence pour eux tous, qui va durer quelque trois mois, et qui les marquera à jamais.

* * *

Dès qu'ils se retrouvent, les époux Beauharnais communient dans la même inquiétude au sujet de leurs enfants et dès qu'ils le peuvent, ils leur font passer cette petite lettre tendre, rassurante, dont nous gardons l'orthographe et la ponctuation :

« Le 9 (floréal an II).

Ma chère petite Hortense tu partages donc mes regrets de ne pas te voir, mon amie, tu m'aimes et je ne peux pas t'embrasser. penses à moi mon enfant, penses à ta mère, donnes des sujets de satisfaction aux personnes qui prennent soin de toi et travailles bien, c'est par ce moyen, c'est en nous donnant l'assurance que tu employes bien ton temps que nous aurons plus de confiance encore dans tes regrets et dans tes souvenirs. adieu mon enfant, embrasse pour moi tendrement notre cher eugène. nous vous caressons tous deux de toute notre âme.

Alexandre Beauharnois

Oui ma chère petite Hortence il m'en coûte d'être séparé(e) de toi et de mon cher eugène, je pense sans cesse à mes deux petits enfans que j'aime et que j'embrasse de tout mon cœur.

Cy joint cinquante livres que je te prie, ma chère petite Hortence de remettre à la citoyenne Lanoy[1]. »

---

1. A. N. 400 AP 25. Notons que Joséphine écrira le prénom de sa fille, jusque tard sous l'Empire, avec un « c ». Hortence, comme Clémence ou Prudence...

Les deux enfants se rendent chaque jour aux abords de la vieille maison conventuelle qui prend, comme son église, sur la rue de Vaugirard, et dont la façade arrière donne, au-delà du vaste jardin, sur la rue du Cherche-Midi et la rue Cassette. Ils tentent de voir leurs parents, de les aider en leur apportant des effets de première nécessité, en leur communiquant des nouvelles malgré la vigilance du concierge. Mais ils devront bientôt recourir à un stratagème : ils feront passer leurs messages dans le collier de leur petit chien, le carlin Fortuné, comme au Temple, le petit André Huë dissimulait les siens à l'intérieur de sa cravate. Sans se décourager, ils écrivent de longues requêtes à la Convention, le 27 floréal (16 mai) puis le 26 prairial (14 juin) assortie d'une « justification » de leur père, datée du 20 prairial (8 juin), qu'ils se chargent de transmettre en haut lieu. Elle commence, après l'invocation d'usage à la « République française, une, indivisible et impérissable », par ces mots :

> « Accordez donc la liberté à celui qui l'a défendue constamment depuis et avant la chutte de la Bastille ; rendez à une famille patriote celui qui a la douceur d'y compter encore son père, sa femme et ses deux enfants... » Sous la signature d'Alexandre apparaît celle, pathétique, de sa fille de onze ans : « Hortence Beauharnois, pour mon papa[1] »

Tout cela est consternant. Et, plus encore, inutile.

Si les enfants continuent de mener leur petite vie, en s'efforçant de faire bon visage, leurs parents, eux, espèrent et se désolent. Du moins, aux Carmes, se trouvent-ils en pays connu : nombre de leurs familiers y sont regroupés. Les cellules sont petites, mais rien n'empêche cependant de s'y rendre visite, ni de se rencontrer dans les vastes couloirs, ou pendant la promenade dans le jardin, et surtout de se réunir tous chaque jour, à heure fixe, pour le fatidique appel, où ceux qui sont nommés savent qu'ils prennent un congé défi-

---

1. 53. A. N. 400 AP 25.

nitif de leurs amis. Ils mettent un point d'honneur à le faire avec sobriété et élégance, saluant, comme s'ils étaient encore en habit habillé, l'épée au côté et le tricorne sous le bras, dans un salon de compagnie, ceux qu'ils ne reverront plus. Tous sauront mourir.

Mme de Beauharnais partage la cellule de la marquise de Custine, cette belle Delphine, déjà évoquée et dont l'aura est rehaussée du courage qu'elle a montré lors du procès de son beau-père, le général Philippe de Custine, guillotiné l'année précédente. Fière et généreuse, elle assistait aux séances, et un jour qu'à la sortie elle était huée par la populace, elle s'est arrêtée, a tranquillement pris dans ses bras le petit enfant d'une « tricoteuse » en lui parlant gentiment, ce qui a immédiatement désamorcé la vindicte de la foule, haineuse mais versatile, comme toutes les foules, pour peu qu'on joue de son émotivité... Puis, c'est son mari, le général Armand de Custine, qui est monté à l'échafaud, en janvier 1794, pour avoir été, lui aussi, solidaire de son père. Malgré ses deuils, Delphine – toujours vêtue de noir, ce qui tranche singulièrement sur le bariolage sans-culottiste ambiant –, rayonne de jeunesse, d'esprit et de chaleur humaine.

Dans la cellule voisine sont la duchesse d'Aiguillon et Mme de Lameth, toutes deux femmes de Constituants, et plus loin, la bonne Mme Hosten et sa fille Désirée, mariée depuis l'été dernier, et dont la grossesse commençante, le jeune âge – elle a tout juste quinze ans –, le visage innocent et la blondeur cendrée touchent au cœur un jeune officier, Ange de Beauvoir, qui montera dans la charrette en lui adressant quelques vers joliment tournés, bien qu'ils n'atteignent pas à la sublime pureté de ceux d'André Chénier qui, au même moment, dans une autre prison parisienne, célèbre en l'immortalisant, une autre « Jeune Captive »...

Car le contexte dramatique, la tension permanente dans laquelle on vit aux Carmes, à Saint-Lazare ou ailleurs, la mort imminente dont on va sûrement être frappé, incitent à un redoublement de vitalité et déclenchent d'intenses passions amoureuses. Parmi ses compagnons d'infortune, le duc de Charost, le prince de Rohan Montbazon, le prince de Salm-

Kyrbourg, le marquis de Laguiche, ou le comte de Soyecourt – dont la fille, Camille, religieuse dévouée, rachètera plus tard le couvent[1], le général de Beauharnais se distingue aisément par sa beauté et son brio. À peine le général Hoche – qui ne restera aux Carmes que du 22 germinal au 27 floréal (du 11 avril au 16 mai) – peut-il rivaliser de prestance avec lui. Mais non sûrement d'élégance ni d'urbanité.

Aussi est-il naturel que la plus belle, Delphine, et le plus galant, Alexandre, se trouvent et s'aiment durant ces brèves semaines de détention partagée. Ce sera un amour fou, dont nous aurons connaissance par les lettres que, plus tard, Delphine échangera avec son jeune frère, Elzéar, qu'elle adore et auquel elle confie tout. Elle lui transmettra les lettres de Beauharnais, écrites aux Carmes, prouvant ainsi à Elzéar combien elle parlait de lui avec Alexandre. Bouleversé rétrospectivement par cette liaison à laquelle il était associé, Elzéar célèbrera avec la même exaltation que sa sœur le défunt amant de celle-ci.

Pour donner une idée de la violence de leurs sentiments, voici un échantillon de leur prose, dont l'incandescence reflète une circonstance exceptionnelle et une sensibilité qui ne l'est pas moins :

Alexandre à Delphine :

« Hier, dans mes injustes fureurs, j'avais cessé de te croire digne d'être la sœur d'Elzéar. Aujourd'hui, si je peux croire que cet être surnaturel ne soit pas une fiction, c'est parce que je me dis : il est le frère de Delphine, et la nature voulut racheter les malheurs de ces temps par la production de ces deux étonnants phénomènes. J'identifie tellement avec vous cet

1. Camille de Soyecourt (on prononçait Socourt), Carmélite depuis 1784, vivant sa foi clandestinement pendant la Terreur, aura à cœur de restaurer les Carmes, d'y préserver la mémoire des cent soixante martyrs du 2 septembre (1792), abattus à coups de gourdin et de piques, entassés ensuite, pour quatre-vingts d'entre eux, dans un puits du jardin, d'où elle réunira un ossuaire, ainsi que le souvenir de ses parents et amis guillotinés en 1794. Elle y mourra, en 1849, quasi centenaire.

admirable jeune homme, qu'il n'est pas de soins que je n'eusse, pas d'efforts que je ne fisse pour mériter son estime, pour obtenir son intérêt.

Ah! ma chère Delphine! si, comme toutes les probabilités l'indiquent, tu me survis, et si un jour heureux te rapproche jamais d'Elzéar, prononce-lui mon nom, dis-lui qu'il était dans mon cœur avec toi à mes derniers instants, qu'il fut l'objet continuel de nos conversations, qu'il aida à augmenter le charme de notre liaison. Appelle son intérêt sur ma mémoire, en lui disant combien j'étais tendre... »

Elzéar à Delphine, l'année suivante, après avoir lu cette lettre et d'autres de la même eau :

« Ma sœur, je suis touché jusqu'au fond de l'âme, en lisant les expressions dont se servit ton amant pour te parler de moi, en voyant les illusions qu'il se faisait, d'après les traits dont m'avait peint à ses yeux ton aveugle tendresse. L'amour enchérissait encore sur l'amour fraternel pour me peindre avec avantage, il ne voyait que ton frère...

[...] Oui, Delphine, c'était là peut-être le seul être digne de toi ; quand on l'a trouvé une fois, comment peut-on espérer rencontrer le second de cet être unique, et comment se contenter à moins ? [...] Delphine, tu es forcée de convenir qu'après l'amour d'Alexandre, tout autre amour serait de la dégradation[1]. »

Irrésistible Alexandre ! Il monte à l'échafaud de la Barrière du Trône renversé – place de la Nation –, le 5 thermidor an II (23 juillet 1794), quatre jours avant la chute de Robespierre, en compagnie de Frédéric de Salm, et d'une quarantaine de prisonniers des Carmes. À quoi songe-t-il ? Quelles sont ses ultimes pensées ? Vont-elles à Delphine dont

---

1. In Gaston Maugras, *op. cit.*, pp. 234-235 et pp. 272-273.

il s'est arraché comme on s'arrache des flammes? Vont-elles à ses enfants, si tendres encore, qu'il ne verra pas grandir? Vont-elles à sa femme à laquelle il a laissé une lettre admirable, lui demandant qu'on réhabilitât sa mémoire? Ou à cette Liberté pour laquelle il s'est battu avec tant d'ardeur et qu'il voit bien humiliée, à cette Révolution qu'il a appelée de ses vœux et qui finit si bas, après avoir commencé si haut? Qui le saura jamais…

Nous reste sa dernière lettre, qui se veut son testament politique et sa profession de foi familiale. Elle le peint en pied :

« Le 4 thermidor l'an II de la République une et indivisible.

Toutes les apparences de l'espèce d'interrogatoire qu'on a fait subir à un assez grand nombre de détenus sont que je suis la victime des scélérates calomnies de plusieurs aristocrates soi-disant patriotes, de cette maison. La présomption que cette infernale machination me suivra jusqu'au tribunal révolutionnaire ne me laisse aucun espoir de te revoir, mon amie, ni d'embrasser mes chers enfants.

Je ne te parlerai point de mes regrets; ma tendre affection pour eux, l'attachement fraternel qui me lie à toi ne peuvent te laisser aucuns doutes sur le sentiment avec lequel je quitterai la vie sous ces rapports. Je regrette également de me séparer d'une patrie que j'aime, pour laquelle j'aurais voulu donner mille fois ma vie, et que non seulement je ne pourrai plus servir, mais qui me verra échapper de son sein en me supposant un mauvais citoyen. Cette idée déchirante ne me permet pas de ne te point recommander ma mémoire; travailles à la réhabiliter, en prouvant qu'une vie entière consacrée à servir son pays et faire triompher la liberté et l'égalité doit aux yeux du peuple repousser d'odieux calomniateurs, pris surtout dans la classe des gens suspects. Ce travail doit être ajourné, car dans les orages révolutionnaires, un grand peuple qui combat pour pulvériser ses fers doit s'environner d'une juste méfiance et plus craindre d'oublier un coupable que de frapper un innocent.

Je mourrai avec ce calme qui permet cependant de s'attendrir pour de plus chères affections, mais avec ce courage qui caractérise un homme libre, une conscience pure et une âme honnête dont les vœux les plus ardents sont pour la prospérité de la République.

Adieu mon amie, consoles-toi par mes enfants, consoles-les en les éclairant et surtout en leur apprenant que c'est à force de vertus et de civisme qu'ils doivent effacer le souvenir de mon supplice, et rappeler mes services et mes titres à la reconnaissance nationale. Adieu, tu sais ceux que j'aime, sois leur consolateur et prolonges par tes soins ma vie dans leur cœur.

Adieu, je te presse ainsi que mes chers enfants, pour la dernière fois de ma vie, contre mon sein.

Alexandre B.[1] »

La courte existence d'Alexandre – trente-quatre ans –, que le tragique de sa mort rehausse, aura été ardente constamment, et souvent aveuglée. Aussi laissera-t-elle dans l'esprit de ses contemporains la trace d'une fulgurance. Le baron de Frénilly, à la langue si bien pendue et aux positions si ultras que Louis XVIII ne l'appellera que « Monsieur de Frénésie », la résume d'une formule virulente mais juste, lorsqu'il évoque « le beau danseur Beauharnais qu'un entrechat avait mené à la Constituante, et de la Constituante à l'échafaud »[2]! Les entrechats mortels d'Alexandre sont d'époque : ils en conduisirent plus d'un dans la charrette. Ne semble-t-il pas avoir été le symbole même d'une génération qui au sein de sa caste fut la plus parisienne, la plus brillante, la plus spirituelle, prenant

---

1. AN. 400 AP 25. Nous avons respecté l'orthographe d'Alexandre, mais, pour plus de clarté, ajouté quelque ponctuation, sa graphie, ce qui se conçoit, étant spécialement nerveuse et compacte.
2. In *Souvenirs du baron de Frénilly*, Paris, 1909, p. 220.

à toutes les nouveautés comme à tous les plaisirs, se grisant à l'étourdie de mots et de sentiments... Victime de ses illusions, le républicain Alexandre est cependant allé au supplice comme un aristocrate, la tête haute, égal à lui-même de maintien et de fermeté.

Retenons, plus que ses dissipations de jeune homme, son goût de la chose intellectuelle, son sens de l'écrit, son enthousiasme, sa sensibilité, son énergie. Comme sa fille Hortense lui ressemblera! Et comme son petit-fils, Napoléon III, lui aussi tout de séduction et d'entrain, saura, quand il aura une idée, un projet, une vision, les suivre avec la même étonnante détermination... Eugène, quant à lui, héritera de son père son éclat social. Comme lui il sera un « beau cavalier » et ce Preux, qu'on appellera « le Bayard des temps modernes » – loyal comme le Tascher qu'il est viscéralement – n'aura pas son pareil pour entraîner tous les cœurs derrière lui ou quitter un bal pour monter en selle et s'en aller battre la campagne, sans défatiguer... La séduction Beauharnais continuera d'agir durablement à travers la descendance du bel Alexandre.

* * *

En attendant, sa veuve, elle, n'est pas dotée de la vitalité mêlée de crânerie qui distingue sa belle-famille. Elle se montre éprouvée par l'angoisse, chaque jour renaissante, à l'énoncé de la liste fatidique. Quand, enfin, elle est nommée, elle s'effondre. Comme la Jeune Captive, elle pourrait s'écrier « Je ne veux pas mourir encore! ». Et le miracle se produit. Un apprenti-médecin polonais la sauve. Le comte de Lavalette, neveu de Joséphine, par alliance – époux d'Émilie, la fille de « Beauharnais sans amendement » – le racontera dans ses *Mémoires* : « C'est un médecin polonais dont je regrette de ne pas savoir le nom [qui] fut chargé de la soigner; il déclara que la maladie allait en faire justice et qu'elle n'avait pas huit jours à vivre : elle fut ainsi sauvée[1]. » Car Thermidor

---

1. In Lavalette, *Mémoires et Souvenirs*, Paris, 1905, p. 115.

arriva à la traverse. Nous avons identifié ce jeune et courageux Polonais. Il est signalé par la duchesse de Duras, née Noailles, dans ses *Souvenirs* : « il s'appelait Markoski, avait ses entrées dans toutes les prisons terroristes et se montrait secourable aux détenus, sauvant le plus d'entre eux qu'il lui était possible[1]. »

La ci-devant vicomtesse est défaite, mais vivante et lorsque sur l'intervention de Tallien, elle quitte les Carmes, dix jours après la chute de Robespierre, le 19 Thermidor an II (6 août 1794), après avoir fait ses adieux à ses compagnons, elle sort « au milieu des vœux et des bénédictions de tous », comme le note l'un d'entre eux[2]. Ils aimaient sa douceur, ils ressentaient combien elle était affectée par sa situation : elle ne les oubliera pas et interviendra en leur faveur dès qu'elle le pourra. Comme elle n'oubliera jamais les semaines qu'elle a partagées avec eux. De fait, le traumatisme qu'elle vient de subir sera ineffaçable.

SURVIVRE

Dans le Paris thermidorien, comme on dit, jusqu'à ce que s'établisse le Directoire, issu de la Constitution de l'an III, ce Paris que régente encore la Convention, ou plutôt ses meneurs, les tombeurs de Robespierre, il n'est question pendant l'année qui vient que de survivre.

Quel spectacle! La ville semble avoir été livrée au pillage d'une escouade de garçons-bouchers en délire! L'herbe pousse entre les pavés, pas une maison n'est intacte, les hôtels patriciens sont démeublés, les familles dispersées, la société détruite. Plus personne n'est à son ancienne place. Chacun cherche à se réunir aux siens, à rassembler des nouvelles, à retrouver quelques amis, un peu d'argent frais, de quoi subsister. Car la monnaie est dépréciée, les denrées de première nécessité sont rares, ou clandestines depuis la loi du

---

1. In *Journal de mes prisons*, Paris, 1889, pp 124 et suiv.
2. In *Coittant, Mémoires sur les prisons*, cité par G. Lenôtre, *La maison des Carmes*, Paris, 1933, p. 147.

maximum – instituée pour fixer les prix –, les assignats, cette monnaie-papier boursoufflée, fluctuent de façon prodigieuse. Quand par bonheur on va dîner chez quelqu'un, on se doit d'apporter son morceau de pain. Encore n'est-il jamais blanc – ce serait suspect – et doit-on envoyer son domestique, ou tout autre personne dévouée, faire la queue pendant des heures : ne pas y souscrire serait dangereux et signifierait qu'on a des ressources occultes...

Cette atmosphère de chaos aggravé de disette engendre des dérèglements généralisés. Un témoin particulièrement incisif, le baron de Frénilly, l'analyse clairement : « On voyait la population de Paris se porter sur les routes voisines pour mettre à l'enchère (tenter d'acheter) les denrées qui s'y promenaient sans entrer dans Paris de peur du maximum [...] Ce désordre universel explique l'épidémie de trafic et de spéculation qui sévissait dans Paris. On avait des montagnes d'assignats qui périssaient à rester oisifs. C'était à qui les emploierait n'importe à quoi, sucre, savon, huile, suif. Au bout d'un mois, tout avait haussé de prix, tout se revendait, et on croyait faire une superbe affaire, sans voir que c'étaient les assignats qui avaient baissé. Je donnai dans cette folie comme tout le monde, et je vois encore les magasins de sucre que j'avais amassés et qui fondirent petit à petit jusqu'à zéro ; car, si je vendais toujours plus cher que je n'avais acheté, je rachetais toujours plus cher que je n'avais vendu[1]. » Frénilly n'est pas un quelconque agioteur spéculant sur la misère de ses semblables : il vient de la bonne Finance d'Ancien Régime, c'est un homme rigoureux et intègre, mais il fait comme tout le monde, pour se nourrir, se chauffer, s'habiller, retrouver un semblant de vie structurée. Le futur chancelier Pasquier, un des meilleurs et plus solides esprits de son temps, retiré, à ce moment, à Croissy, fait le même constat : « La France ressemblait à une place de guerre après un long siège, quand tout manque à la fois ; produits du sol, denrées coloniales se vendaient au prix de l'or, le savon même atteignait des prix exorbitants, et encore il était en partie mêlé de terre

---

1. In *Souvenirs du baron de Frénilly, op. cit.*, pp. 188 et suiv.

glaise; la plus grave, la plus douloureuse privation était celle du pain...[1] »

Rendue, comme dans un vertige, à la liberté, que va faire dans cet étrange contexte Mme de Beauharnais ? La réponse est évidente : elle va faire comme tout le monde. Elle va tenter de reconstruire son existence, encore un peu étourdie de ces trois mois accablants où l'anxiété opprimante, la promiscuité et les privations ont failli avoir raison d'elle. Elle va recouvrer un semblant d'équilibre en parant au plus pressé : revoir ses enfants et ce qui lui reste de famille, trouver de l'argent et s'assurer, où elle le pourra, des protecteurs. Car, non seulement elle est démunie, dans une ville sens dessus dessous, mais elle est veuve, ce qui à son époque est une perte d'identité sociale et financière à laquelle il convient de remédier.

Ainsi donc, elle s'installe rue de l'Université, au n°371, non loin de la rue de Poitiers, chez une amie qui lui loue un appartement, tout en gardant sa maison de Croissy, où elle séjournera aux beaux jours. Elle est restée en relation, autant qu'elle l'a pu, avec son beau-père et Mme de Renaudin, toujours tranquillement installés à Fontainebleau. Elle leur conduit sa petite Hortense – en attendant, l'été suivant, de la mettre en pension, à Saint-Germain-en-Laye, chez Mme Campan –, et elle place Eugène, qui vient d'avoir quatorze ans, auprès du général Hoche, qu'elle a côtoyé aux Carmes, pendant les trois semaines qu'ils y ont résidé ensemble, et où, très probablement, s'est nouée entre eux une liaison qui va durer jusqu'au printemps suivant.

Le jeune et brave général républicain – il a vingt-six ans – avait été victime, comme tant de ses compagnons d'armes, de la paranoïa robespierriste et, accusé de complot – « Nous avons la preuve que le général Hoche est un traître » stipulait l'arrêté du Comité de Salut public –, il avait été incarcéré aux Carmes, puis à la Conciergerie, où par chance, étant au secret, on l'avait oublié ! Il en était sorti le 4 août et le 21, la Convention le nommait général en chef de l'Armée des côtes

---

1. In *Mémoires du chancelier Pasquier*, Paris, 1914, I, p. 119.

de Cherbourg. Le 3 novembre suivant, il deviendra Commandant en chef de l'Armée des côtes de Brest, et le 31 août 1795, il commandera en chef toute l'armée de l'Ouest, puis celle de Sambre-et-Meuse, le 2 septembre 1797. Sa mort prématurée, subite et plus que suspecte, le 18 du même mois, mettra un terme à une carrière militaire exemplaire. Car ce fils du peuple, par son endurance et son courage, n'aura jamais démérité. Depuis qu'il aura été en âge de le faire, Hoche aura servi sa patrie vaillamment, à l'exception des cent quatorze jours d'interruption de service dus à son incarcération...

Marié en mars 1794 à une jeune fille de Thionville dont il était – et continuera d'être – très épris, il a succombé, cependant, dans les circonstances exceptionnelles de leur emprisonnement, au charme de la douce Beauharnais, et au-delà, il n'a pu que lui rendre les services qu'elle lui demandait : prendre auprès de lui, à son départ pour le Cotentin, le petit Eugène qu'il dira « considérer comme son fils ». Et, sans doute, lui parlera-t-elle d'argent, ce qui l'exaspérera. Il s'en expliquera auprès de Barras, le brillant Conventionnel régicide qui, avec Tallien, Réal et quelques autres, a provoqué Thermidor, et bientôt, sera l'un des cinq Directeurs en charge de l'Exécutif : « Il faut avoir été en prison avant le 9 Thermidor, avec elle, pour l'avoir pu connaître aussi intimement. Cela ne serait plus pardonnable quand on est rendu à la liberté[1]. » Même en faisant la part du fiel de Barras, à chaque fois que dans ses Mémoires lui vient sous la plume les noms des époux Bonaparte, qu'il hait de toutes ses forces et qu'il diffame sans vergogne, il transpire de ceci qu'en effet Hoche a été lié à Mme de Beauharnais et qu'en effet, il lui en a gardé rancune. Quant à elle, elle se fera restituer par Rousselin de Saint-Albin, qui avait été attaché à l'État-major de Hoche, les lettres que celui-ci avait reçues d'elle à cette époque[2]. Dont acte. Nous ne savons rien de plus.

---

1. In *Mémoires de Barras*, Paris, 1946, p. 223.
2. Elle fera intervenir Sulkowski, aide de camp de Bonaparte, auprès du détenteur des papiers de Hoche.

Quelques petites missives charmantes et affectueuses d'Eugène à Hortense nous le montrent heureux dans le sillage de son général : « Ce soir, je crois monter à cheval et nous irons coucher à Valognes » écrit-il le 16 Vendémiaire (7 octobre), à quoi, en *post-scriptum*, Hoche ajoute : « Votre frère se comporte bien. Écrivez-lui pour récompense... » Cinq jours plus tard, Eugène est fier d'annoncer à sa petite sœur : « J'ai bien couru à cheval, j'ai été à tous les camps. J'ai été à Mortain, à St-Hilaire, et je repars demain pour Rennes, je passerai par la forêt de Fougères ; on dit que c'est le quartier général des Chouans... » Premières prouesses du nouveau Bayard, première complicité indéfectible avec sa sœur, première plainte, si légère, de ce que leur mère ne lui écrit pas : « Je suis un peu fâché contre Maman qui se donne la peine de mettre l'adresse et ne peut pas écrire : mon fils, je t'embrasse et je pense à toi...[1] » Nous avons là un condensé de la relation future du trio...

* * *

Désormais, nous le comprenons, Mme de Beauharnais vit sa vie. Car c'est au sortir de la Terreur, après l'abominable compression qu'elle a endurée assortie d'un brutal veuvage et de la dissolution de son monde, qu'elle commence à naviguer en eaux libres. Malheureusement pour elle, celles-ci sont troubles.

Elle est seule. Elle a besoin d'argent et de protection, deux éléments essentiels pour faire face à la précarité de sa position, deux éléments se commandant l'un l'autre, dans cette ville où tout n'est encore que menace et incertitude. Comment va-t-elle procéder pour se les procurer ? La réponse ne peut nous étonner : elle va agir selon son code de conduite en s'adaptant, toutefois, à la situation et, nécessité faisant loi, elle va jouer, aussi adroitement que possible, des atouts qu'elle a en main.

L'argent, d'abord. Pour cela, comme avant, elle va emprunter, ou plutôt, se faire donner des avances sur son seul revenu

---

1. A.N. 400 AP 28, Lettres 2, 3 et 4.

personnel, celui auquel elle a droit et qui vient des Trois-Îlets. Des banquiers amis, les Rougemont et la maison Emmery de Dunkerque (associant les Van Hée) lui viennent en aide immédiatement. Par leurs correspondants à Hambourg, les Matthiessen et Sillem, elle peut espérer faire passer les fonds qu'elle attend et qu'elle réclame, aimablement mais avec insistance, à Mme de la Pagerie. Les communications étant interrompues entre la France et la Martinique, elle ne manque aucune occasion de courrier, par Londres ou par Hambourg, pour avertir sa mère de la nouvelle situation qui est la sienne et de l'urgence où elle se trouve de recevoir son dû : « Vous serez libre, écrit-elle à celle-ci en décembre 1794, de tirer des lettres de change ou de m'adresser des sucres, si vous pouvez m'envoyer cinquante mille livres tout de suite, et après tous les trois ou six mois, me faire passer exactement ce que vous jugerez à propos de m'envoyer...[1] » Mme de la Pagerie fera ce qu'il convient.

En attendant, la vicomtesse pratique un équilibrisme financier périlleux. Elle engage un beau diamant qui lui est resté, et peut-être reprend-elle, dès lors, les petits commerces qu'elle pratiquait en 1793... Bref, elle déshabille Pierre pour habiller Paul, comme tout un chacun. Cette débrouille dans laquelle elle se meut avec précision et entendement, comme en témoignent ses petites lettres d'affaires, lui est imposée par la force des choses mais aussi par le désir qu'elle a de retrouver une certaine facilité de vie, compensant les privations subies aux Carmes et le dénuement ambiant. Pasquier, son voisin immédiat à Croissy, décrit parfaitement ses habitudes, observant que « la maison de Mme de Beauharnais avait, comme c'est assez la coutume chez les créoles, un certain luxe d'apparat; à côté du superflu, les choses nécessaires faisaient défaut. Volailles, gibier, fruits rares encombraient la cuisine (nous étions alors à l'époque de la plus grande disette) et, en même temps, on manquait de casseroles, de verres, d'assiettes qu'on venait emprunter à notre chétif ménage.[2] » Cette abondance

---

1. In *Correspondance, op. cit.*, p. 28.
2. In *Mémoires du chancelier Pasquier, op. cit.*, I, p. 118.

de vivres précédait, une fois la semaine, la venue de l'hôtesse, accompagnée de Barras et de sa suite, ce qui situe la scène l'année suivante. Néanmoins, il y a fort à parier que dès sa sortie de prison, Mme de Beauharnais a convoité ce « luxe d'apparat » peu raisonnable, mais si consolateur…

Ce qu'elle fait aussi, le plus tôt qu'elle peut, c'est s'intéresser à la possible restitution des papiers et des biens confisqués de son défunt époux, que la Convention, par la voix de Tallien, notamment, aura à cœur d'autoriser, dans un esprit de réparation envers les condamnés du régime précédent. Elle obtiendra une indemnisation pour les chevaux que Beauharnais avait laissés à l'armée du Rhin, ainsi que la restitution de son argenterie et de ses livres saisis à la Ferté. Elle touchera un accompte sur la vente de ses meubles. Mme de Beauharnais, c'est tout à son honneur, ne perdra pas une occasion de défendre la mémoire de son mari, comme il le lui avait demandé. Elle y réussira. Remarquons, d'ailleurs, qu'Alexandre aura une belle fortune posthume, car chacune des deux femmes qui auront le plus compté dans sa vie lui donnera un successeur de génie. Chateaubriand, celui qui dominera son siècle par la plume, auprès de Mme de Custine, et Napoléon, celui qui le dominera par l'épée, auprès de Mme de Beauharnais. Qui dit mieux ?

* * *

Mais nous n'en sommes pas encore là… Si la vicomtesse a besoin d'être entourée, elle manque singulièrement d'une grande présence masculine qui soutienne sa vie, qui lui donne un sens et une armature. Car elle est une femme normale, et dans ce paysage si incertain, une femme normale ressent sa faiblesse et nécessite un étai. Elle n'est dotée ni d'un esprit supérieur ni d'un caractère trempé qui la placerait au-dessus de la mêlée. Elle est même, aux dires d'un contemporain, peu flatteur mais fiable, une femme atteinte par ses épreuves. Frénilly – toujours lui, mais quel témoin, et quel styliste ! – nous la décrit alors « comme une de ces femmes qui restent quinze ans à l'âge de trente, fort maigre, fort serrée, fort enduite (fardée) et pour dire les mots techniques fort sucée et ayant beaucoup rôti le balai.[1] » Ses liens avec Barras et les Tallien lui valant cette dernière amabilité.

En effet, pendant ces quelques mois la séparant encore de sa rencontre avec Bonaparte, Mme de Beauharnais – qui depuis son retour des Îles, depuis les heures animées de la Constituante, connaît à peu près tout ce qui compte parmi le personnel politique, et même, nous l'avons vu, quelques Conventionnels notoires –, va se tourner tout naturellement vers les gens en place, sollicitant, pour autrui ou pour elle, leur appui. Mais les gens en place, sous le régime thermidorien, ne sont pas tous de bon parage, loin s'en faut... D'où sa réputation d'« inconduite », selon Mme de Rémusat – qui, pour être une observatrice de premier ordre, désapprouvant les excès de l'Empire, ne fait preuve d'aucune bienveillance excessive envers Joséphine, dont les goûts et la personnalité sont aux antipodes des siens – réputation très datée, et qu'elle doit au fait d'avoir appartenu, très tôt, à ce qu'on appelait « la bande à Barras ».

Barras, elle l'approche à travers les Tallien, ses amis les plus obligeants et les plus chaleureux du moment. Il s'agit d'un couple très en vue : Tallien, le principal acteur du 9 Thermidor, auréolé du prestige d'avoir agi par amour pour la superbe ex-marquise de Fontenay, Thérèse Cabarrus – d'une famille de Bayonne passée au service des Bourbons d'Espagne – qu'il épouse en décembre 1794, et elle, célèbre pour avoir été secourable à tous, pendant la Terreur, jouant de son influence sur Tallien pour aider et sauver les proscrits. Comme elle a suscité la chute de Robespierre, Paris, qui l'adore, ne l'appelle plus que « Notre Dame de Thermidor », ou « Notre Dame de la Délivrance ». Aussi bonne que belle, aussi expansive qu'audacieuse, elle a le goût de la vie plus qu'une autre et entraîne dans sa mouvance ceux et celles qui, comme elle, ont senti le froid du couperet sur leur nuque et ne souhaitent qu'une chose au monde : après la Terreur, décréter le plaisir à l'ordre du jour. Elle vient de s'installer dans sa charmante « Chaumière », allée des Veuves (au bas de l'avenue Montaigne), où elle reçoit beau-

---

1. In *Souvenirs du baron de Frénilly, op. cit.*, p. 220.

coup, avec la générosité et l'enjouement qui la caractérisent. Elle ne va pas tarder à mettre au monde la fille de Tallien, nommée Rose-Thermidor, ce qui, avouons-le, est tout un programme... Thermidor, parce que c'est l'événement qui a permis la conception de l'enfant en libérant sa (future) mère de la prison de la Petite Force, et Rose, comme Rose de Beauharnais, sa marraine.

Car dans ce petit milieu au pouvoir, les mœurs et les usages sont plus que faciles, ils sont familiers et empreints de républicanisme bon teint. Comme le concierge de Chateaubriand, au retour d'émigration de celui-ci, qui avait affiché sur sa loge : « Ici, on s'honore du titre de citoyen, et on se tutoie. Ferme la porte, s'il vous plaît » (!), en haut lieu, non seulement on se tutoie, mais on s'appelle par son prénom, ce qui ne s'était jamais vu sous l'Ancien Régime, même au sein des familles. Ainsi donc, Mme de Beauharnais, dont le prénom usuel n'était pas encore perceptible, devient « Rose », arborant pour quelques mois le vocable de sa fleur préférée[1]. Pourquoi pas...

C'est donc dans le sillage de la pulpeuse Tallien que Mme de Beauharnais apparaît, en cette fin de printemps 1795, satellite d'un astre nouveau, avec lequel elle ne peut rivaliser d'éclat ni de gloire, mais dont elle recueille quelques rayons bienfaisants. Elle, qui a tant besoin de sécurité, est sans doute heureuse de se lier avec celui que Thérèse vient de substituer à Tallien, « l'homme du jour », comme on l'appelle, qui n'est pas encore l'un des cinq Directeurs en charge de l'Exécutif, mais qui figure au Comité de Gouvernement et dispose, de ce fait, d'une vraie influence.

Barras, le bon ou le mauvais génie de son temps, celui, en tout cas, de Mme de Beauharnais, est un Provençal de haute naissance, bel homme – un grand brun aux yeux verts – dont le charme et la prestance sont indéniables, comme la vénalité et le sybaritisme. « Il parfumerait même du fumier », dira de lui Talleyrand, dont les grandes manières n'empêcheront

---

1. Lors de ses déclarations à M. de Joron, à Panthemont, elle s'était nommée « Marie-Rose » de la Pagerie Beauharnais. « Joseph » avait sauté. Il reviendra sous une autre forme.

jamais la lucidité, au contraire… Barras, qui tiendra les rênes de l'État pendant quatre années, avec une virtuosité qui n'aura d'égale que sa désinvolture et son avidité financière. Barras, leur protecteur à tous, entouré bientôt d'une véritable cour, qui ralliera tout ce qui compte à Paris, ou tout ce qui veut compter. Barras qui fascine les dames, Mme Tallien en tête, dont il est l'ostensible ami en titre, et qui amuse, courtise, entretient les autres, dont la malheureuse Rose, avec son cynisme et son brio coutumiers. Car, ne nous y trompons pas, ce gentilhomme raffiné est avant tout un mufle.

Quelle qu'ait été la teneur de leur relation, le ci-devant vicomte et la ci-devant vicomtesse révèleront leur vraie nature à travers elle, et ses suites. Barras, certes, aidera Mme de Beauharnais, il sera son commensal à Croissy, il lui fera avoir des chevaux, privilège, à cette époque, essentiel à tout train de vie confortable, plus tard il la recevra au palais du Luxembourg et il s'associera à certains trafics fructueux dont elle saisira l'occasion – comme tout le monde, dans ce milieu – et même, il aura incité grandement son protégé, le général Bonaparte, à l'épouser. Bien. Mais, au-delà du coup d'État de Brumaire qui portera les Bonaparte au pouvoir, il salira son ancienne amie, dans ses Mémoires, comme peu d'hommes au monde ont sali une femme. Règlera-t-il, en vaincu dévoré d'amertume, ses comptes politiques ? Règlera-t-il, plus en profondeur, ses comptes de séducteur usé et ambigu, envers la féminité ? On se le demande. Toujours est-il que Barras ne tarira pas sur les « dérèglements » intimes de Mme de Beauharnais – vautrages avec des Noirs et des garçons d'écurie –, ses artifices et ses intrigues en tout genre. C'est ignoble, au sens étymologique du mot. Et cela ne prouve qu'une chose, c'est que Barras s'était plus que perverti aux affaires, il s'y était déclassé.

Elle, en revanche, n'aura jamais un mot plus haut que l'autre à son égard. Elle continuera, tout au long du Directoire, de lui envoyer des petits billets aimables, de ce ton de cajolerie à la mode dans leur jeunesse, ce ton typique de la société des années 1780 et que fustigera Laclos, dans ses *Liaisons dangereuses*, mais que Mme de Beauharnais maniera jusqu'à sa mort : toujours courtoise et enjôleuse, enrobant de miel sa demande de service ou sa requête – formulées, elles, avec concision et netteté – et, surtout, ne levant jamais le masque. Son éducation l'ayant façonnée une fois pour toutes, nous ne pourrons rien savoir de ses pensées intimes. Et envers Barras, nous ne pourrons que constater sa persistante et affectueuse amabilité. Si elle eut des griefs à son endroit, du moins eut-elle la dignité de se taire, et si nous la défendons, c'est que les infâmies de Barras, largement exploitées comme on s'en doute, ont suscité une partie de sa Légende noire. Ce que voulait précisément Barras, beaucoup trop intelligent pour ne pas savoir quel venin mortel il crachait là.

* * *

À l'été 1795, après un conseil de famille tenu à Fontainebleau, en présence de ses hommes de loi, Mme de Beauharnais peut envisager le sort de ses enfants – les mettre en pension, ce qu'elle ne tarde pas à faire – et s'établir plus largement – sa tante lui ayant prêté 50 000 livres – dans une ravissante maison de la rue Chantereine (actuelle rue de la Victoire) et dont le nom évoque le cri des petites grenouilles d'antan. Elle loue cet hôtel entre cour et jardin à Julie Carreau, l'épouse séparée de l'acteur Talma, pour la somme de 10 000 francs par an, en assignats. Sa vie en est transformée. Car elle est enfin chez elle, et, en très peu de temps elle va métamorphoser ce qui n'est qu'un joli pavillon en un lieu délicieux, à sa mesure, à son image et à son goût.

Qu'on s'imagine, au bout d'un long passage pavé, entre les murs des maisons voisines, laissant à main droite les remises et les écuries, un rez-de-chaussée légèrement surélevé, comprenant les espaces de réception. On y pénètre par une véranda, précédée d'une tente, dans une antichambre qui sert de salle à manger, comme c'était encore l'usage, donnant sur un salon orné de boiseries blanc et or ainsi que de stucs en bas reliefs, suivi d'un petit salon en rotonde, aménagé en boudoir, ouvrant à l'arrière sur de grands arbres. C'est minuscule et frais, empreint d'une féminité exquise. Un escalier, qu'un témoin dira « des plus médiocres », mène au premier étage, exigu lui aussi, bas de plafond, comprenant trois chambres. Celle de Mme de Beauharnais, parsemée de meubles en bois des îles, agrémentée de sa harpe, d'une profusion de voilages et de miroirs, ressemble à un écrin, une sorte de Saint des Saints où elle va s'épanouir, s'occuper d'elle, devenir enfin la jolie femme que nous connaissons. C'est toute une atmosphère, tout un mystère qui se déploieront autour d'elle, comme si, après tant d'épreuves, elle avait atteint le port, pour s'y reposer, s'y sentir bien, et désormais, rayonner dans la grâce, l'harmonie, le bonheur d'être soi.

Mme de Beauharnais respire. Paris aussi. Pendant ces derniers mois, faute d'intérieurs dignes de ce nom, on vivait beaucoup dans les lieux publics, on fréquentait la multitude de théâtres, de jardins dits de plaisir parce qu'on y assistait à des feux d'artifice ou à des pantomimes, des bals de souscription. Manière d'oublier la pénurie et l'inflation, de compenser la terrible oppression qu'on avait subie... Quelle vitalité, quelle surprenante aptitude à digérer l'horreur, à se distraire d'un rien, précisément parce qu'on est encore démuni de tout, à s'enchanter simplement d'être ensemble, vivants et gais autant qu'il était possible, libres, enfin. Et on dansait : Paris comptait, en cette année 1795, plus de six cents bals! On dansait partout, même dans les anciens cimetières, comme au Bal des Zéphyrs, à Saint-Sulpice. Les parents de guillotinés donnaient des « bals de victimes », où l'élémentaire bon ton pour s'y présenter était d'avoir, à tout le moins, été emprisonné, les belles y portant un fil rouge autour du cou... Quant aux bals de souscription, ce n'était que des cohues très mélangées, mais, là encore, peu importait, l'essentiel étant de s'amuser, de s'étourdir, d'oublier. Mme Tallien, entraînant ses amies, dont Mme de Beauharnais, fréquentait les bals publics très prisés de l'hôtel de Longueville, de Thélusson, de Calypso et de la Chine, et leurs présences y étaient d'autant plus remarquées que ces dames, pour se trouver dans les bonnes grâces de l'homme du jour, en étaient devenues, elles, les élégantes...

Regardons-les... Leurs débuts sont encore modestes, comme leurs moyens, même si relativement à la pauvreté ambiante, et plus encore à son uniformité obligée, elles tranchent par leur ingéniosité à se parer, leur goût, surtout, à s'exprimer à travers leur parure, à rompre avec le conformisme niveleur des carmagnoles et des sabots. L'individu a été si laminé par l'idéologie terroriste qui voulait faire table rase de tout, et changer l'homme, que tous, à commencer par elles, sentent le besoin de s'affirmer. Et quelle meilleure affirmation que celle du vêtement… Quel autre langage plus immédiat traduit l'originalité, l'inventivité, l'ivresse d'être différent !

Avant les excès et les ostentations directoriales, Mme Tallien osera apparaître comme une nymphe, libérée du corset et de la poudre. La première, elle imposera ces draperies souples et suggestives qui épousent le corps sans le contraindre, la première, elle coupera ses cheveux à la « porc-épic », comme les hommes bientôt se coifferont à la Titus, car l'anticomanie continue de faire rage – de manière, toutefois plus frivole qu'en l'an II, où l'esprit de Sparte commandait tout –, et bientôt, ce seront les perruques bouclées « à la grecque » qui feront fureur, blondes, de préférence…

Quel renouveau ! Et quel oxygène ! Mme de Beauharnais en ressent le bienfait, car si elle sait ne pouvoir rivaliser de beauté avec la superbe et fraîche Tallien, elle s'emploie à apparaître dans son mieux, à mettre en valeur sa jolie gestuelle et pour faire effet, à choisir avec art ce qui l'embellit. Après les apprentissages des Carmes, elle pratique désormais ceux d'une « merveilleuse », affichant son origine créole dans un madras noué de façon expressive, ou dans une tunique savamment révélatrice… Elle envoie, par exemple, un petit billet à la belle Thérèse, à la veille d'une fête à Thélusson, où elle demande à son amie d'assortir sa parure à la sienne : « Je vous préviens, lui dit-elle, que j'aurai sur les cheveux un mouchoir rouge noué à la créole, avec trois crochets aux tempes. Ce qui est bien hardi pour moi est tout naturel pour vous, plus jeune, peut-être pas plus jolie, mais incomparablement plus fraîche. Vous voyez que je rends justice à tout le monde.[1] » On n'est pas plus aimable, ni plus lucide…

1. In *Correspondance, op. cit.*, p. 32.

Pendant que ces vaporeuses néo-Athéniennes rêvent à leurs sauteries et au succès qu'elles ne manqueront pas d'y rencontrer, de grands événements politiques se préparent. Le plus important est la Constitution dite de l'an III, qui est mise en œuvre, en cet automne 1795, et qui redonne au pays un semblant d'équilibre. L'idée est de se garantir à toute force contre la dictature. Le suffrage est censitaire, l'Exécutif et le Législatif, soigneusement séparés. Le premier est confié à cinq Directeurs, qui s'installent au palais du Luxembourg, tous ex-Conventionnels régicides – car la Convention se séparera fin octobre –, le second à deux assemblées : le Conseil des Cinq Cents, siégeant au Palais-Bourbon et le Conseil des Anciens, sorte de Sénat, siégeant aux Tuileries. Les deux étant renouvelables par tiers, chaque année, afin d'éviter une majorité durable qui pourrait devenir une faction. La faiblesse du système réside dans le fait qu'en cas de conflit entre les deux pouvoirs, seul un coup de force peut trancher. Bonaparte ne sera pas le dernier à le comprendre. Le difficile équilibre entre les Jacobins et les royalistes renaissants sera, pendant quatre années, maintenu assez habilement par Barras, le plus agissant des Directeurs. Néanmoins, une suite de tentatives de coups d'État agiteront Paris.

C'est ce qui se produit le 13 vendémiaire (5 octobre 1795). Les royalistes fomentent une insurrection qui, depuis la veille, agite la ville. Le général Menou est chargé de la réprimer. Comme il hésite, la Convention le destitue et charge Barras de mener l'affaire. Celui-ci avait été lui-même un bon officier et son coup d'œil est excellent. Il demande au jeune général Bonaparte, présent à Paris depuis peu de temps, de prendre le commandement des opérations. En un rien de temps, Bonaparte s'exécute et, faisant mitrailler les sectionnaires récalcitrants sur les marches de l'église Saint-Roch, il écrase la rébellion. Victoire rapide et brillante qui, immédiatement, le propulse sous les feux de la rampe. Paris le découvre et ne l'appelle plus que « le général Vendémiaire ». Ce jour-là, Mme de Beauharnais dînait avec Barras.

Quand, quatre jours plus tard, Barras annonce à la tribune de la Convention la décision de désarmer les sections les plus

turbulentes, il n'imagine pas la scène qui aura lieu, le lendemain (10 octobre). Le petit Eugène de Beauharnais se présente au général Bonaparte, fort ému et fort émouvant,
demandant à garder le sabre de son père. Son père, le célèbre
Constituant, le général en chef de l'armée du Rhin, mort sur
l'échafaud... Bonaparte, touché, accepte. La mère du jeune
garçon lui envoie un petit mot de gratitude. Elle l'invite à lui
rendre visite – c'était l'usage, les hommes se déplaçaient dans
ce cas – pour lui témoigner sa reconnaissance. Il se rend rue
Chantereine. Dieu le protège! Car il est loin d'imaginer ce
qui l'attend...

Et ce qui l'attend dans le petit hôtel au creux de la verdure,
c'est son Destin. En la personne douce, élégante, irrésistible,
de la veuve Beauharnais. Le coup de foudre est absolu.
D'emblée, lui, encore si obscur, si peu familier du monde parisien, il est séduit par le parfum de femme, cette *odore di fem-
mina* qu'il respire auprès de cette aimable ci-devant. Son obligeance n'a d'égale que son raffinement, son charme de créole
bien née lui paraît rehaussé du prestige de ses relations haut
placées, sa séduction enveloppante est tout à la fois promesse
et mystère... Bref, il en a la tête tournée... Il la revoit, il est
enivré. Il vient de découvrir la femme, la Parisienne accomplie,
experte, dont les savants raffinements se mêlent d'infaillible
suavité. Il y revient. Amoureux fou, il se met en frais auprès des
deux enfants – qu'il aimera toute sa vie puissamment –, et
bientôt, après quelques conversations avec Barras, il se
convainc qu'il doit épouser la gracieuse Mme de Beauharnais.
Barras a fait comprendre que le commandement de l'armée
d'Italie suivrait aussitôt – on l'appellera, d'ailleurs, « la dot de
Mme de Beauharnais ». Impétueux, amoureux, trépidant
d'énergie et de détermination, Bonaparte arrive à ses fins : le
mariage est décidé.

Mme de Beauharnais a, comme lui, l'idée du mariage, pas
nécessairement de ce mariage, mais de la sécurité qu'une nouvelle union lui apportera. Il y a bien, parmi les soupirants
déclarés, le vieux marquis de Caulaincourt, de son monde.
Mais peut-être manque-t-il de cette flamme qui brûle le petit
général Vendémiaire. Celui-ci, en tout cas, semble promis à

un avenir brillant, car il regorge d'idées stratégiques neuves, d'inventivité, de fougue. Alors, pourquoi pas ? Elle ne sait à peu près rien de lui, ni de sa famille — qui est corse, de la classe patricienne, et nombreuse —, mais l'impression est bonne, mieux, elle est bienvenue. Mme de Beauharnais accepte.

Le 9 mars 1796, dix-neuf mois après sa sortie des Carmes, Mme de Beauharnais se remarie. Bonaparte a été nommé peu de jours auparavant général en chef de l'Armée d'Italie. Ils se connaissent depuis quatre mois à peine, mais ils ont l'intuition profonde qu'ils doivent se lier l'un à l'autre. Il en a envie. Elle en a besoin. L'avenir leur appartient.

CHAPITRE III

Madame Bonaparte
(19 VENTÔSE AN IV - 28 FLORÉAL AN XII)
9 MARS 1796 - 18 MAI 1804

*Joséphine avait donné le bonheur
à son mari, et s'était constamment
montrée son amie la plus tendre...*

Napoléon à Sainte-Hélène (19 mai 1816).

Qui sont-ils, ces nouveaux époux de l'an IV ? Comment se voient-ils l'un l'autre ? Quels sont les fondements d'une union qu'on dirait bâtie sur du sable, et qui pourtant sera plus qu'une réussite, puisqu'elle les inscrira dans notre mythologie et dans notre Histoire, comme l'un des couples les plus complets et les plus indéfectibles qui soient...?

Mais d'abord, leur mariage. Il est aussi représentatif de l'air du temps, pour celle qui va devenir Mme Bonaparte – ou la générale Bonaparte, ou la citoyenne Bonaparte, selon le milieu où ils évoluent –, que son premier mariage l'avait été du sien. Cette fois-ci, plus d'arrangements ni de parité familiale, plus de mariage religieux, mais un chétif contrat notarial suivi d'une cérémonie civile, si on peut qualifier de cérémonie une formalité administrative réduite à sa plus simple expression, expédiée dans la hâte et l'approximation... Rançon du républicanisme orthodoxe qui entoure les nouveaux conjoints. Rançon de leurs situations respectives : ils sont seuls à Paris, à l'exception de leurs quelques amis au pouvoir, et, dans une société aussi appauvrie qu'instable, ils ne possèdent que les promesses qu'ils portent en eux.

Les bans ont été publiés les 19 et 20 février 1796, comme il se doit, Mme de Beauharnais ayant argué de l'absence de communications avec son île natale, pour faire établir par son notaire, Me Raguideau, rue Saint-Honoré, un certificat de notoriété remplaçant l'acte de baptême qu'elle ne peut produire. Ensuite a eu lieu, rue Chantereine, le contrat notarial, en présence de Me Raguideau et des deux intéressés. Scène plaisante qu'a racontée, plus tard, Napoléon, à son secrétaire, l'honnête et fiable Mèneval et que nous retenons, à l'exclusion des autres commentaires sur cette union, qui seront, depuis que Bonaparte est apparu sur la scène publique et dans la vie de Joséphine, autant de réinterprétations souvent tendancieuses d'un mariage qui déconcertera les entourages, en premier lieu les aides de camp du général et sa famille, tous opposés à cette union. Nous ne nous fondons que sur les sources avérées venant des intéressés eux-mêmes, de leurs proches quand ceux-ci sont crédibles – par recoupements –, ou encore de témoins impartiaux ou spécialement judicieux, comme, par exemple, le virulent Frénilly qui résume d'un mot le nouveau couple Bonaparte : « Ce fut le mariage de la faim et de la soif » ! Dans le Paris d'alors, rien de plus commun, au demeurant...

Le 8 mars, donc, 18 ventôse an IV, Me Raguideau, au moment de procéder au contrat, a notifié à sa cliente que, compte tenu du dénuement du général, n'ayant que « sa cape et son épée », il lui conseillait la séparation de biens et le maintien de la tutelle de ses enfants. Le général qui, discrètement, tournait le dos en regardant à travers la fenêtre, mais avait tout entendu, au lieu de se formaliser de cette prudence, en a félicité le notaire – il sera toujours prompt à détecter la compétence et la rectitude chez autrui –, en disant à Mme de Beauharnais : « J'espère qu'il continuera à s'occuper de vos affaires, car il m'a disposé à lui accorder ma confiance. » Mme de Beauharnais apportait sa rente annuelle de

25 000 francs – la moitié du revenu des Trois-Îlets – ainsi que ses meubles, linge et argenterie de la rue Chantereine, sans oublier son équipage qui lui provenait des libéralités de Barras. Le général n'apportait, lui, qu'un douaire virtuel de 1 500 francs, en cas de veuvage, sous forme de rente viagère. Il avouera, à Sainte-Hélène, au général Bertrand, qu'il croyait Joséphine plus riche qu'elle n'était. Et cependant, tout étant relatif, des deux, elle se trouvait, de loin, la mieux nantie.

Le lendemain, 9 mars, mercredi, jour de la Sainte-Françoise, veuve romaine, ou, si l'on préfère, nonidi 19 ventôse an IV, fête du cerfeuil (!), et dans les deux cas, date de la nouvelle lune, a lieu, dans la soirée, le mariage civil. La scène, une fois encore, est significative parce qu'empreinte du style et du rythme propres à Bonaparte. Imaginons, à l'étage noble de l'ancien hôtel de Mondragon, rue d'Antin, un bien d'émigré confisqué et qui, jusqu'en 1833, abritera la mairie du IIe arrondissement, les participants – la future, trois des quatre témoins et l'officier d'état-civil requis pour la circonstance –, réunis dans le salon doré. Ce décor raffiné, ces boiseries relevées de fresques allégoriques, ces bas-reliefs, dont l'un figure une Vénus enivrant Vulcain, ces lambris délicats, exprimant l'ancienne opulence des précédents hôtes, contrastent vivement avec la nouvelle finalité du lieu. La petite assemblée attend... Manque encore le futur, dont on se demande s'il n'a pas oublié que ce soir, il se mariait !

C'est, qu'en fait, il s'est attardé dans les bureaux de l'État-major, tout proche, rue Neuve-des-Capucines, absorbé par les préparatifs de la campagne qu'il va entreprendre dans deux jours, tout entier concentré sur l'étude des cartes du Piémont. Mme de Beauharnais, assise en bonne place au coin de la cheminée, s'impatiente-t-elle... ? Elle a revêtu, pour l'occasion, une robe de mousseline assortie d'une ceinture et d'une guirlande de fleurs, aux trois couleurs républicaines, et la grâce de son maintien ne doit pas déparer le salon dans lequel elle se trouve. En vis-à-vis, s'est endormi, assoupi par la chaleur et l'attente, le dénommé Leclerq, membre du Comité de la section Le Pelletier, et qui officiera. Non loin, trois des témoins : Barras, le plus éminent des Directeurs, le

« roi sans couronne », comme on l'appelle déjà, flanqué de Tallien et de Calmelet, homme de loi des Beauharnais. Que disent-ils, s'ils disent quelque chose... Le temps passe...

Et puis soudain, alors qu'allaient sonner dix heures, un bruit de bottes et d'éperons, un cliquetis de sabres, la porte s'ouvre et apparaît le général Bonaparte, suivi de son aide de camp et quatrième témoin, Lemarrois. Entrée fracassante, qui réveille et bouscule tout le monde. « Mariez-nous vite! » s'écrie-t-il. Et l'on procède aussitôt, à voix haute, comme il se doit, à la lecture de l'acte de mariage – entaché d'une demi-douzaine d'erreurs – et à l'échange des consentements[1]. Le général passe au doigt de sa belle le petit anneau d'or dans lequel il a fait graver : « Au destin! », invocation, ou plutôt certitude, déjà, de ce qu'il possède un destin, précisément. Et cette trajectoire fabuleuse qu'il sait l'attendre, il entend fermement y associer la femme qu'il aime et qu'il vient de faire sienne. Il lui avait offert quelque temps auparavant un petit saphir[2] bleu, une attention touchante quand on sait son peu de moyens. Ce sont là, ce petit saphir et cet anneau d'or, les deux premiers et bien modestes bijoux d'un écrin qui, bientôt, comme lui, va éblouir le monde...

ELLE ET LUI

Les voilà mariés. Au soir du 19 nivôse, nul doute que chacun ne s'en trouve grandement satisfait. Lui, parce qu'il se sent fortifié par cet acte fondateur dont il vient d'enrichir son existence. C'est dans un état de plénitude qu'il va partir pour Nice, prendre son commandement, en remplacement du

---

1. Joséphine se déclare née le 23 juin 1767, au lieu du 23 juin 1763, se donnant ainsi vingt-huit ans alors qu'elle en a trente-deux passés, et Bonaparte se déclare né le 5 février 1768, alors qu'il est du 15 août 1769. Il aura vingt-six ans, l'été suivant. Lemarrois se déclare majeur alors qu'il est né le 17 mars 1776. Napoléon dira, à Sainte-Hélène, n'avoir pas été dupe du rajeunissement de sa femme.

2. Il s'agit de deux pierres taillées dont un saphir, montées sur un jonc d'or. Hortense en héritera. Cette bague figure parmi les collections de la famille impériale. Elle est reproduite dans *Le Livre de la famille impériale*, Librairie académique Perrin, 1969, p. 29.

général Schérer et il a, en la matière, de grandes idées, des idées novatrices, comme par exemple, attaquer les Impériaux et leurs alliés à partir de leurs possessions en Italie du Nord, stratégie qu'il défend de toute sa vive intelligence, de toute son entraînante conviction. Sans conteste, l'élan amoureux qui le meut depuis qu'il connaît celle qu'il vient d'épouser l'exalte et le conforte. Car il l'aime à la passion, à tel point qu'il l'a rebaptisée, qu'il a voulu la recréer, comme si elle était née de leur rencontre : il a inventé pour elle ce diminutif délicieux, Joséphine, de Joseph, prénom traditionnel des Tascher, mais aussi prénom de son frère aîné, avec lequel il entretient, pour le moment, une relation d'amitié privilégiée. Et celle qu'il désire violemment conjuguer – c'est bien le mot – à sa vie, Joséphine, lui est un monde…

L'ennui, c'est que la réciproque n'est pas vraie. Du moins, pas encore. Car elle est loin d'être aussi exaltée que son mari, que d'ailleurs, fait significatif, elle n'appellera jamais autrement que « Bonaparte » – même sous l'Empire – sans prénom ni diminutif. Ce mariage la satisfait car c'est, par là, acquérir de nouveau un statut sans lequel il n'est ni sécurité ni identité. Et le général possède à ses yeux la qualité première d'être doté d'un avenir, certainement un bel avenir : il est déterminé, talentueux – on le sait depuis son action au siège de Toulon, repris aux royalistes, en décembre 1793, et depuis Vendémiaire –, et puis il se montre si empressé, si vibrant, si profondément épris de la femme séduisante qu'elle est redevenue au fur et à mesure que s'estompaient le cauchemar des Carmes et le spectre de la solitude et de la dissolution de tout… Car enfin, Mme Bonaparte, même si elle a su tirer son épingle du jeu macabre dans lequel le sort l'avait jetée, demeure une de ces « rescapées de Thermidor », pour reprendre le titre du beau témoignage d'Angélique de Maussion, comme tant de ses pareilles, dont la vie est brisée, le monde effondré, la fortune dissipée, et qui ne conservent que des souvenirs comme autant de blessures plus ou moins cicatrisées, de leur ancien état. Elles le demeureront toujours.

Elle, du moins, a eu l'intelligence de s'adapter au nouvel ordre des choses. Sa jeunesse auprès des Beauharnais l'y prédisposait. Alexandre, son premier mari, regardait vers l'avenir, et ce à quoi il aspirait, une société renouvelée, est advenu. Au prix de quelles violences, de quelle barbarie – dix-sept mille guillotinés en dix mois –, de quelle générale destruction... Peu importe, maintenant que la vie reprend, les survivants doivent suivre le mouvement, regarder, s'ils le peuvent, en avant et non demeurer paralysés par leurs pertes et l'anéantissement de leur ancienne prospérité, de leur ancienne position sociale. Mme Bonaparte a choisi. Le méritoire, c'est qu'elle n'abandonne ni les valeurs qui furent celles de la société dans laquelle elle a vécu, valeurs d'éducation, de comportement, d'appréciation des êtres et des choses, ni les tenants de cette société. Dès le moment où elle refait surface, auprès des Tallien et de Barras, se liant maintenant à l'un de leurs plus brillants protégés, son jeune mari, elle agit en faveur de ceux qu'elle a connus – ils sont encore peu nombreux et bien timides –, et qui ont eu moins de chance, ou de souplesse qu'elle. Elle en sera louée sa vie durant, et c'est, reconnaissons-le, une preuve de sa qualité.

Cela dit, comme toute femme de sa génération et de son milieu, elle ne se laisse pas submerger par le sentiment. La raison, l'équilibre bien compris, la stabilité et le confort qu'ils procurent lui semblent primordiaux. Ce qui n'empêche ni la sensibilité ni, nous allons le voir, l'écart amoureux, mais ils doivent être, comme l'émotivité, jugulés et ne pas empiéter sur l'harmonie de l'être commandée par une stricte adhésion aux réalités de la vie. C'est là le hiatus, la fracture avec ceux qui privilégient, au contraire, le domaine du sensible, bientôt de l'imaginaire, cette grande révélation qu'ils ont reçue de Rousseau. Comme ses deux maris. Car Alexandre de Beauharnais préfigurait la nouvelle génération qui se plaira et se complaira à cultiver ses battements de cœur, ses impressions, ses émotions esthétiques, ses nostalgies et ses rêves. Et Bonaparte, ce lecteur d'Ossian, n'est pas exempt de cette disposition.

Elle a dû s'en apercevoir. Mais, l'essentiel, pour elle, est que cela ne l'atteigne pas dans son intégrité profonde. Pour le moment, elle se laisse aimer par l'effervescent général dont les emportements peuvent lui apparaître comme le reflet bienfaisant de l'effet qu'elle produit sur lui. Ne sont-ils pas l'émanation même de sa séduction, de son pouvoir et de son savoir-faire de femme et d'initiatrice, experte à enchanter un homme jeune, plus jeune qu'elle, et qui, manifestement, découvre à travers elle les grâces infinies de la volupté et de l'amour… Sa douceur et sa facilité d'être ne peuvent que se trouver comblées par l'ardeur du général, sa totale dévolution au sentiment qu'il éprouve.

Qui plus est, elle sait qu'il vient d'un monde particulier dont il est, malgré sa très forte personnalité, très empreint. Elle sait que sa famille, cette famille qu'elle ne connaît pas encore, mais dans laquelle elle entre en adoptant son nom fier, fort et généreux – Buonaparte, la bonne part, la bonne part de tout, sans doute –, lui a donné quelques vraies vertus. La frugalité, à l'image de l'île où elle s'est installée, la solidarité clanique, aussi, induite par la société de cette île où les alliances et les vendettas commandent les stratégies familiales que commandent elles-mêmes la rareté des biens et la valeur, par contraste, qu'acquièrent le moindre héritage, le moindre agrandissement d'une propriété, la moindre acquisition fût-elle d'un bénéfice ou d'une charge, et, au-delà, les litiges qu'ils entraînent. Quelle différence avec la Martinique ! Mais elle doit mesurer aussi que la sobriété corse, doublée d'un irrédentisme légendaire, produit des êtres trempés, et, en l'occurrence, compte tenu de l'origine ligurienne des Bonaparte, des êtres pour qui l'intelligence est synonyme, toujours, de liberté, des êtres qui ont la réputation d'avoir le sang chaud mais la tête froide.

Sans doute sait-elle aussi que le général est fils d'une famille nombreuse, que son père, Charles de Buonaparte, mort précocement à Montpellier, en 1785, a laissé sa veuve, Letizia, âgée de trente-cinq ans, en charge de huit enfants, mais qu'il avait eu le temps, ayant joué la carte française – lors de la nouvelle acquisition par le Royaume de l'île, en 1768, après que celle-ci a frôlé l'indépendance en se libérant des Gênois, les précédents occupants –, de faire reconnaître sa qualité de patricien. Il avait, dès 1772, siégé aux États corses comme député de la Noblesse, et ses quatre aînés avaient été élevés en France, dans les collèges royaux, les trois fils, Joseph, Napoléon et Lucien, à Autun ou à Brienne, la fille, Marianna – future Elisa – chez les Dames de Saint-Cyr. Quant aux petits, Louis, Paoletta, bientôt Pauline, Maria-Annunziata, future Caroline, et Jérôme, ils avaient pâti des troubles engendrés par la Révolution, si graves que la famille avait dû fuir l'île et se réfugier dans le Midi, en attendant la fin d'une tourmente qui, cependant, avait favorisé les débuts fortement teintés de jacobinisme des trois fils aînés.

Vu sa bonne nature et sa sociabilité, Joséphine ne peut qu'être désireuse de les connaître. Ils lui seront une richesse, comme toute parentèle, et leur nombre, leur variété ne peuvent que la séduire. Elle attendra un peu… et elle verra ce qui lui échoit! Mais d'ici là, les perspectives immédiates sont encourageantes. Malgré l'affectivité brûlante, exigeante dont il est doté, son mari a suffisamment de volonté pour s'arracher à elle et s'en aller, non moins passionnément, vers les champs de bataille où il est décidé à vaincre, à s'illustrer, à devenir quelqu'un. Elle a l'assurance, en regardant le général dont la minceur, l'énergie et l'expressivité rehaussent la petite taille, en scrutant ce visage encore émacié, mais non sans beauté, tout de tension et d'intelligence, qu'il fera son métier d'homme. Et elle n'est pas sans deviner que les succès qu'il remportera, dans la pensée d'elle, seront quelque peu son œuvre.

* * *

Aussi bien, est-elle décidée à continuer à mener sa vie, en l'absence du général, comme il sied à la femme d'un officier. Elle est bien établie rue Chantereine, elle s'y plaît, et dès lors que Paris recommence, dans la mouvance du régime directorial, à se repeupler et à se réorganiser, la vie sociale s'y restructurant, Mme Bonaparte s'y étant toujours sentie dans son élément – parce que c'était la base même de son existence antérieure – va recommencer à recevoir. Elle le fera, le soir, dans son salon, mais aussi, selon le nouvel usage, lors de déjeuners priés, ces déjeuners de dames, qu'elle affectionne particulièrement et dont elle gardera l'habitude. De plus, étant reçue au Luxembourg, elle ne manquera pas de soutenir, en haut lieu, les intérêts de son mari, de se tenir au courant des affaires, et d'entretenir, comme elle l'a fait depuis l'époque de la Constituante, ses bonnes relations avec les membres du monde politique. Le général y compte et il sait que sous sa douceur et sa parfaite civilité, se cache une femme fine, bien informée, sachant son Paris, pouvant obtenir, quand elle le veut, les appuis qu'il convient, en un mot se révéler ce qu'elle est, non une femme de pouvoir, mais une femme influente, ce qui, à tout prendre, est plus précieux, le vrai pouvoir étant indirect, occulte, hors les gesticulations et les discours verbeux des acteurs en place, ceux que le général appelle génériquement : « les Jean-foutres »...

Sa société est donc mêlée. Elle côtoie les gens en place, Directeurs, ministres, officiers, députés, presque tous sortis du rang, mais aussi elle reçoit ses amis de l'ancienne aristocratie, présents à Paris. S'ils n'y tiennent plus le haut du pavé, ils n'en sont que plus chaleureux quand, dans une maison accueillante et de bonne compagnie, ils se retrouvent pour y échanger souvenirs et réflexions, s'informer les uns des autres, s'entraider autant qu'ils le peuvent. Et, sans doute, goûtent-ils plus que toute autre chose, le plaisir de partager la même appartenance, de posséder les mêmes manières que le sans-culottisme a bafouées et que la société nouvelle, avec ses mœurs grossières, ne peut que ravaler : c'est l'art d'entrer dans une pièce, d'y saluer chacun selon le degré d'importance ou de proximité qu'on lui doit, c'est l'art de parler bas et finement, c'est l'art d'écouter, de relever avec tact ou esprit le propos de l'autre, c'est l'urbanité, code non écrit de l'élégance qu'on doit mettre à tout, et en priorité à sa relation à autrui, cette politesse faite d'attention, de soins autant que du sens des convenances, qui gomme les aspérités de la nature humaine et sa naturelle agressivité, et font qu'un salon ne devienne jamais une foire d'empoigne ou la succursale d'un Club, quels que soient l'enthousiasme des idées qui y circulent ou la véhémence de ceux qui les expriment.

Mme Bonaparte est experte là encore, fait d'autant plus remarquable qu'elle n'a rien d'un esprit supérieur, mais par sa douceur et sa grâce, elle réjouit ceux qui l'approchent. Aucune mauvaise surprise n'est possible avec une telle femme, elle sait se tenir, ce qui, dans son code, a toujours signifié se maintenir, comme il faut et là où il faut.

Napoléon, à Sainte-Hélène évoquera ces soirées des débuts de leur couple, rue Chantereine. Il se souviendra avoir vu la duchesse d'Aiguillon, Mme de Lameth, toutes deux compagnes de prison de leur hôtesse, ainsi que le vieux duc de Nivernais, cet arrière-neveu de Mazarin, octogénaire sémillant et spirituel, Académicien depuis au moins cinquante ans et qui se plaisait à versifier des fables – ce qu'il fera encore quelques heures avant sa mort, en 1798 –, et ce petit cénacle, auquel s'ajoutait le marquis de Montesquiou, déclarait, devant le général secrètement ravi, après s'être assuré que « les portes étaient bien fermées » : « Causons de l'ancienne Cour, faisons un tour à Versailles...[1] » Et le général Bonaparte, républicain au Service mais patricien de fibre, et toujours ébloui – avec cependant l'ambiguïté de l'enfant pauvre qu'il n'oubliait jamais avoir été – par les grandes manières, passait un moment de délectable convivialité... Car Joséphine, c'est à remarquer, sans être le moins du monde, nous l'avons dit, une intelligence transcendante, comptait déjà – et comptera toujours – des amis très spirituels.

Comme, par exemple, Aimée de Coigny, ci-devant duchesse de Fleury, présentement comtesse de Montrond, et qui fut pendant sa détention à Saint-Lazare, sous la Terreur, l'inspiratrice du poète André Chénier. C'est pour elle qu'il écrivit son impérissable *Jeune Captive*, mais, ironie du sort, elle ne l'aura jamais su... Cette autre « rescapée de Thermidor », à peine plus jeune que son hôtesse, n'avait pas craint de jeter son bonnet par-dessus les moulins, et, en authentique grande dame, elle relevait sa tumultueuse existence par une intelligence et un esprit hors pair. L'une des femmes les mieux informées des coulisses de la vie politique, nantie d'un scepticisme virulent, d'une plume incandescente et sèche, elle ne se départit jamais d'un ton de gaieté qui per-

_____

1. In *Mémorial, op. cit.*, I, p. 104.

met, en s'amusant d'un rien, de se consoler de tout. Elle partage avec Joséphine l'allégresse retrouvée, cette allégresse de la jouissance immédiate, assortie, chez elle, d'une finesse et d'une élégance non dénuées d'ironie coruscante, ou de désespoir, comme on voudra...

Joséphine comptera bientôt une autre amie non moins intéressante, qui fut liée à Talleyrand du temps qu'il n'était encore que le séduisant abbé de Périgord, et dont elle a un fils, Charles, qui deviendra « le mari de cœur » de la future reine Hortense. C'est Mme de Flahaut qui, revenue de son émigration en Allemagne, laissera, sous le nom de son second mari M. de Souza, une œuvre romanesque plus que charmante ainsi qu'une réputation de femme d'esprit jamais prise en défaut...

Nous citons à dessein ces deux brillantes personnes, parce que leurs écrits témoignent en faveur de leur talent, souvent piquant, parfois féroce, et qu'il est tout à l'honneur de Mme Bonaparte d'avoir entretenu avec elles une relation suivie et de qualité. Nous les retrouverons, bien sûr, mais notons que, d'ores et déjà, Mme Bonaparte se démarque de la pure société directoriale du Luxembourg, et que ses amitiés ne sont pas uniquement centrées sur la belle Mme Tallien ou ses pareilles, les Fortunée Hamelin et autres Mme de Chateaurenaud, cette pléiade de femmes aussi ravissantes que frivoles, vénales ou intrigantes, faisant les beaux jours et, plus encore, les belles nuits du « roi Barras ».

* * *

En l'absence de son mari, Mme Bonaparte compte s'occuper de ses enfants. Ils ont été placés, à la fin de l'été précédent, dans de bonnes maisons d'éducation privées, à Saint-Germain-en-Laye. Eugène, au Collège Irlandais que dirige Patrice Mac Dermott, auquel succèdera M. Mestro, et Hortense, chez Mme Campan, une ancienne femme de chambre de la reine, réfugiée, elle aussi, à Croissy, et qui, courageusement, au sortir de la Terreur, a ouvert un pensionnat dans l'ancien hôtel de Rohan, contigu à l'ancien couvent des

Ursulines, où précisément est établi le Collège Irlandais. Excellente solution. En effet, comment une mère seule, disposant d'un établissement encore précaire mais surtout exigu, aurait-elle pû les élever à demeure, ce qui aurait entraîné un surcroît de domesticité, sans compter la présence permanente auprès d'eux d'un précepteur et d'une gouvernante. Car même si dans l'ancienne société, on ne s'embarrassait pas d'enfants inconsidérément, Joséphine demeure d'autant plus proche des siens que les épreuves révolutionnaires, comme dans nombre d'autres familles cruellement éprouvées, ont resserré leurs liens affectifs. C'est donc, de façon raisonnable, qu'elle a envisagé cette séparation, qu'elle entend, cependant, adoucir de visites régulières et de petites attentions choisies. Hortense et Eugène sont loin d'être isolés, à Saint-Germain, ils y seront, même bientôt, rejoints par leurs grands-parents Beauharnais. Quatre mois après celui de leur mère, c'est en effet un autre mariage qui se célèbre dans leur famille : le marquis de Beauharnais, à quatre-vingt-deux ans, épouse, le 20 juin 1796, leur tante, enfin veuve de son épisodique Renaudin, et, après être demeurés un temps à Fontainebleau, où ils ont vendu l'hôtel qu'ils possédaient, ils s'installeront près de leurs petits-enfants, dont ils n'ont cessé de se soucier, comme en témoignent les charmantes petites lettres qu'ils leur écrivent lorsqu'ils en sont séparés. Nul doute que cette proximité n'enjolive encore leur paisible vieillesse. Ils vont suivre, comme tous autour d'eux, à commencer par Mme Campan, les faits d'armes du général Bonaparte, dont ils ont considéré d'un bon œil qu'il devienne leur allié.

Mais si les Beauharnais sont satisfaits du remariage de leur nièce et belle-fille, ils ont lieu d'être inquiets du sort de leur première bru, l'épouse de François de Beauharnais « sans amendement », Françoise, fille de la comtesse Fanny. On se souvient que le mari avait rejoint Coblence après le 10 août. Il n'était pas revenu d'émigration, et sa femme, demeurée à Paris, avait, en dépit d'un divorce obtenu en 1793 – pour des raisons financières, comme c'était souvent le cas dans les familles d'émigrés –, été emprisonnée à Sainte-Pélagie de longs mois. Les suppliques de sa fille et de sa belle-sœur n'y avaient rien fait, et c'est un Conventionnel régicide, un mulâtre nommé Charles Guillaume Castaing, qui l'avait sauvée. Au sortir de l'épreuve, il avait divorcé à son tour et l'avait épousée. Pour elle, à l'époque, cela signifiait la mise à l'écart de sa société. Elle allait s'éloigner donc, non sans auparavant avoir réglé un litige domestique avec sa belle-sœur la vicomtesse, portant sur des vins et des effets confiés sous la Terreur à la garde de cette dernière, et qui avaient disparu dans le pillage généralisé des maisons et des caves. La vicomtesse lui avait, à sa sortie des Carmes, adressé une lettre de justification, assortie d'une proposition d'arrangement, et ce, avec la précision quasi-procédurière que mettait l'ancienne société à ces sortes d'affaires, toujours prises sérieusement.

Restait sa fille Émilie, exacte contemporaine de son cousin Eugène, charmante jeune personne, dotée du long visage ovale des Beauharnais, et passablement traumatisée par ses épreuves, au nombre desquelles les mauvais traitements qu'elle avait endurés de sa gouvernante, Mlle Coquille, surnommée, à bon escient, Mlle Coquine. Grâce à Dieu, ses grands-parents ainsi que la vicomtesse s'en étaient chargés, et la petite fille allait rejoindre ses cousins à Saint-Germain, où Mme Campan regroupait, pour premiers élèves, un petit phalanstère para-familial. On y trouvait son fils, les trois filles de sa sœur, Mme Auguié, elle aussi, femme de la reine, ayant préféré se jeter par la fenêtre plutôt que d'être arrêtée par les sans-culottes. Ce sont Antoinette, depuis Mme Gamot, Eglé, la future maréchale Ney, et Adèle, qui deviendra Mme de Broc et l'amie de prédilection d'Hortense. À quoi s'ajoutent trois autres neveu et nièces, sans compter les trois Beauharnais, ainsi que le plus petit frère du général, Jérôme Bonaparte. Cette éducatrice solide, cette femme à la forte personnalité, dotée d'une authentique vocation pédagogique, ayant l'expérience de l'ancienne société mais décidée à faire son chemin dans la nouvelle, allait se révéler leur Providence à tous. Elle saura les encadrer, leur dispenser une instruction pluridisciplinaire aussi complète que le temps le permettait, assortie d'une éducation digne de ce nom, sachant leur inculquer les bonnes manières et développer leurs talents.

Mme Campan fera de son collège un nouveau Saint-Cyr, et nous en verrons bientôt le résultat.

* * *

Il est intéressant de noter que Joséphine et Bonaparte, en ce moment crucial où ils s'unissent, communient d'emblée sur quelques points fondamentaux, que jamais ils ne remettront en cause : l'intérêt qu'ils portent à leurs enfants – car Bonaparte aimera Eugène et Hortense comme les siens –, la carrière du général, comme aussi bien les agréments matériels, cette indispensable « douceur de vivre » dont a besoin Joséphine pour s'épanouir, ou encore, le ton d'« amitié », comme on disait alors, qui doit régner entre des époux. Pour le reste, au-delà de leur intempestive union, combien il leur faudra de souffrances et de renoncements pour s'ajuster l'un à l'autre ! Quelle somme de tolérance et de patience ils devront déployer, tour à tour, avant de pouvoir s'accepter tels qu'ils sont...

Car, en vérité, ils n'ont ni la même conception du couple, ni la même approche de la vie. Là résident les premiers mécomptes de leur histoire conjugale. On ne l'a pas assez dit, parce qu'assez sottement, on a voulu prendre parti, pour lui contre elle, et imputer à la seule Joséphine la responsabilité des dissensions qui furent les leurs, sans mesurer aucunement que ces traverses étaient dues à la disparate de leurs tempéraments ainsi qu'à la non-synchronisation de leur sentiment. Mieux vaut essayer de comprendre comment, après un faux départ et quelques crises, deux êtres aussi dissemblables que possible ont réussi ce pari admirable de s'accompagner pleinement et de se donner mutuellement ce que chacun attendait de l'autre...

Si Joséphine, nous l'avons compris, cloisonne plaisir et conjugalité, elle le doit essentiellement à son éducation, à la mentalité séculaire de son milieu, mais aussi à son premier mariage, aux intempérances du bouillant et sensible Alexandre qui, pour l'avoir vivement échaudée, l'ont probablement renforcée dans cette disposition. Bonaparte, au contraire, confond encore passion amoureuse et félicité domestique. Il y a quelque chose de simple et de fort dans sa psychologie. Car, en vérité, ce frugal, doublé d'un passionné singulièrement exigeant – en bon Méditerranéen qu'il est –, croit intensément au bonheur. Joséphine, certainement pas.

À quoi s'ajoute leur appréhension radicalement différente de la réalité. À commencer par leur rapport au temps, qui commande beaucoup de choses. Pour avoir vécu tant de troubles, pour avoir vu s'engloutir le monde qui était le sien, Joséphine a quitté à jamais « le temps qui dure », le temps immémorial, le temps immobile dans lequel on l'avait élevée, stabilité intangible et hautement rassurante, pour entrer dans le temps immédiat, le temps sans perspective, induit par les bouleversements et les menaces qui continuent de peser sur les êtres. D'où ce qu'on a appelé, à tort, sa « légèreté ». En fait, Joséphine savoure comme une grâce éphémère tout ce que la vie peut lui apporter d'agréable et de bienfaisant. Un peu comme si, inconsciemment, elle se trouvait encore dans la cour des Carmes, subissant l'énoncé de la liste fatidique. *Carpe diem*, voilà, du moins pour le moment, son intime devise. En revanche, Bonaparte, lui, est tout entier dans le temps projeté, le temps à venir, celui où il se réalisera, où il se réalise déjà, tendu vers un idéal, ou du moins un but : parvenir, s'illustrer, imposer sa marque sur l'époque.

De là, les divergences à venir, les disparités de comportement. Elle est une femme sans illusions, heureuse des quelques avantages qui lui sont donnés. S'il se peut de les accroître, tant mieux ! Mais qu'attendre, sinon… ! Lui, en revanche, confiant en lui-même, sûr de son destin – ou de son génie, c'est la même chose – il attend tout de la vie, il attend tout d'elle. Et il est si heureux d'être marié – Dieu sait combien il le souhaitait ! – car le couple incarne, à ses yeux, un absolu et le moteur secret de son être. Le couple uni, tendre, complice, sans faille ni faiblesse. Bref, il est tout optimisme, tension vers son but, et il se croit un homme comblé parce qu'il est amoureux fou de sa femme, au demeurant charmante avec lui. Elle n'aurait, d'ailleurs, aucune raison de ne pas l'être…

***

Au moment où il va la quitter, le général Bonaparte emporte avec lui un médaillon représentant Joséphine. Nous regrettons de ne pas le connaître, il nous aiderait à mieux nous la figurer telle qu'elle était alors. Plusieurs contemporains la trouvent plus séduisante que belle, et même, certains la disent laide, mais les critères sont tellement variables selon les époques que cela n'a guère de sens. Il est certain, toutefois, que pour réguliers que soient ses traits, pur l'ovale de son visage, nets la ligne de son nez et celle de son arcade sourcilière, petite sa bouche qui apprit vite à s'étirer en un long sourire, fermé, dit-on, pour masquer une denture tôt abîmée – fait d'époque, très commun –, ce qui retient en elle, c'est son cou délié, sa silhouette parfaite que met en valeur une gestuelle souple et suave, soulignant sa longue taille, dégageant une gorge fine et de jolis bras... De stature moyenne, elle possède un incontestable charisme physique, une présence, une aura de féminité incomparables. Sa carnation de châtaine – plutôt foncée, semble-t-il –, ses yeux bleu sombre, son teint plus mat que clair, doivent aisément se rehausser des couleurs dont elle sait jouer, mais qui, dans l'ensemble, sauf le noir qui n'était pas de mise alors, devaient la flatter. C'est en tout cas, dès à présent, une femme qui sait la grâce du moindre mouvement, le pouvoir du fard et de la parure qui l'embellissent, qui, en un mot, possède l'art de soi-même et ne néglige rien pour mettre en valeur son absolue féminité, intrinsèquement liée, chez elle, à l'élégance. Pour Joséphine, rien de plus nécessaire que l'artifice invisible mais étudié, masquant l'indigence ou l'imperfection de la nature, à condition que l'imitation du naturel soit harmonieuse et rehausse judicieusement l'exquise douceur de l'ensemble. Sur son mari, l'effet est infaillible...

Ainsi donc, Bonaparte s'en va, marié depuis deux jours à peine. Tout au long de leur séparation qui va durer presque quatre mois, il va rêver à Joséphine, l'attendre, lui écrire, s'abandonner à elle comme il ne le fera jamais avec quiconque, chaque jour plus enchaîné à la passion qui l'irradie, sa ferveur se muant en fièvre, en obsession, en délire parfois... Mais il n'est pas sûr que la passion qui est toujours illusion et enfermement et qui ne vaut que si on la met au service d'une pensée ou d'une action, soit le mode idéal de l'amour conjugal. Et il est moins sûr encore que ce soit celui de Joséphine...

« PRENDS DES AILES, VIENS, VIENS ! »

La campagne d'Italie, pour éblouissante qu'elle ait été, et fulgurante aussi, n'était envisagée que comme une action de diversion. On sait que la France continuait d'être en guerre, depuis avril 1792, contre l'Autriche et contre l'Angleterre qui n'admettait pas l'occupation de l'actuelle Belgique. Pour en finir, Carnot, l'un des Directeurs, implicitement chargé du ministère de la Guerre, avait imaginé une offensive multiple et simultanée : sur le Rhin, par Jourdan, contre l'Angleterre, par Hoche, dans la vallée du Danube, par Moreau, et en Italie, par Bonaparte. Seule, cette dernière réussira.

Bonaparte, entraînant une armée de quarante mille hommes qui était loin d'être la meilleure ou la mieux équipée, va faire des prodiges. Il va descendre jusqu'à Nice, qui est occupée par les Français, passer l'Apennin et affronter l'armée austro-sarde qu'il rencontrera sur le versant septentrional. Il commencera par séparer brillamment les deux alliés, à Montenotte, puis les poursuivra, les Sardes, en Piémont, qui capituleront à Cherasco, sans qu'il lui faille remonter jusqu'à Turin, puis les Autrichiens, qu'il va repousser en Lombardie, où il les battra à Lodi, le 10 mai. De là, il ira mettre le siège devant Mantoue, place centrale, et il vaincra successivement les quatre armées ennemies envoyées en renfort : Wurmser, une première fois, venu par l'Adige, à Castiglione, une seconde fois, sur la Brenta, à Bassano, puis Alvinczy, venant par l'Adige, à Arcole, et le même, plus au nord, à Rivoli. À partir de quoi, Mantoue prise, il marchera sur Vienne. Seul l'armistice de Leoben (le 18 avril 1797) l'arrêtera (à cent kilomètres du but !). Le traité de Campo-Formio, signé avec l'Autriche, le 17 octobre suivant, vaudra à la France directoriale le maintien de son occupation de la

Belgique et l'obtention du Milanais, qui deviendra République cisalpine. Le Piémont avait cédé Nice et la Savoie. L'Autriche, en compensation recevait la Vénétie, la Sérénissime disparaissant. Le tout dû à la vigueur, à l'endurance, au brio de Bonaparte, et à la valeur de ses hommes, évidemment, qu'il avait su galvaniser, auxquels il avait communiqué le feu dont il brûlait. Cette première campagne, menée *allegro vivace*, étourdissante de verve et d'entrain, c'est à Joséphine que nous la devons.

Le général en chef ne vit que pour elle, ne vainc que pour elle, ne veut en finir que pour la retrouver au plus vite... Il le lui écrit, à en perdre la tête, il est comme un possédé, ébouriffant de vitalité et d'adoration. Chez lui, et c'est une constante, la grandeur et le souffle n'empêchent jamais l'attention au plus petit détail, à la parcelle d'humanité dans ce qu'elle a de plus intime ou de plus tendre. Voici quelques échantillons de cette correspondance exceptionnelle, parce qu'elle conjugue une action historique à un sentiment personnel, tous deux hors normes :

Dès après son départ :

> « [...] Tu es l'objet perpétuel de ma pensée ; mon imagination s'épuise à chercher ce que tu fais : si je te vois triste, mon cœur se déchire et ma douleur s'accroît. Si tu es gaie et folâtre avec tes amis, je te reproche d'avoir bientôt oublié la douloureuse séparation de trois jours... »

> « [...] Que mon génie, qui m'a toujours garanti au milieu des plus grands dangers, t'environne, te couvre et je me livre découvert. Ah ! ne sois pas gaie, mais un peu mélancolique, et surtout que ton âme soit exempte de chagrin, comme ton beau corps de maladie... » (24 ventôse, 14 mars, de Chanceaux) [1]

---

1. Nous nous référons, comme le plus souvent en ce qui concerne Napoléon, aux travaux de Jean Tulard. En l'occurrence, à son édition des *Lettres d'amour à Joséphine*, établie par Chantal Tourtier- Bonazzi, préfacée par Jean Favier, la première intégrale, parue chez Fayard, 1981.

À son arrivée à Nice :

« [...]Au milieu des affaires, à la tête des troupes, en parcourant les camps, mon adorable Joséphine est seule dans mon cœur, occupe mon esprit, absorbe ma pensée. Si je m'éloigne de toi avec la vitesse du torrent du Rhône, c'est pour te revoir plus vite. Si, au milieu de la nuit, je me lève pour travailler encore, c'est que cela peut avancer de quelques jours l'arrivée de ma douce amie... »

« [...] Adieu, femme, tourment, bonheur, espérance et âme de ma vie, que j'aime, que je crains, qui m'inspire des sentiments tendres qui m'appellent à la nature, à des mouvements tempestueux, aussi volcaniques que le tonnerre. Je ne te demande ni amour éternel ni fidélité, mais seulement... *vérité, franchise* sans bornes. Le jour que tu me diras : *je t'aime moins* sera ou le dernier jour de mon amour ou le dernier de ma vie. Si mon cœur était assez vil pour aimer sans retour, je le hacherais avec les dents. Joséphine! Joséphine! souviens-toi de ce que je t'ai dit quelquefois : la nature m'a fait l'âme forte et décidée; elle t'a bâtie de dentelle et de gaze... » (10 germinal, 30 mars)

Quatre jours plus tard, au reçu d'une lettre d'elle :

« [...] Quel style! Quels sentiments que ceux que tu peins! Ils sont de feu; ils brûlent mon pauvre cœur! Mon unique Joséphine, loin de toi, il n'est point de gaieté; loin de toi, le monde est un désert où je reste isolé et sans éprouver la douceur de m'épancher. Tu m'as ôté plus que mon âme; tu es l'unique pensée de ma vie... »

« Adieu, adieu, je me couche sans toi, je dormirai sans toi, je t'en prie, laisse-moi dormir. Voilà plusieurs jours où je te serre dans mes bras, songe heureux mais, mais, ce n'est pas toi... »

(14 germinal, 3 avril, de Port-Maurice)

D'Albenga, peu après :

> « [...] Ta dernière lettre est froide comme l'amitié.
> [...] La crainte de n'être pas aimé de *Joséphine*, l'idée
> de la voir inconstante, de la... Mais je me forge des
> peines. Il en est tant de réelles ! Faut-il encore s'en
> fabriquer !!! Tu ne peux pas m'avoir inspiré un amour
> sans bornes sans le partager... »
> (18 germinal, 7 avril)

Dès le premier répit, celui que lui donne sa victoire sur les
Sardes, il envoie à Paris son frère Joseph, qu'il recommande
chaleureusement à sa femme, lui vantant son « caractère
doux, égal et inaltérablement bon », qu'accompagne l'aide de
camp du général, Junot, chargé de porter au Directoire les
vingt-deux premiers drapeaux pris à l'ennemi. Bonaparte a
déjà livré six batailles, fait douze mille prisonniers, tué six
mille Piémontais, et pris quarante canons.

Dès lors, tout s'accélère, car le général, plus fougueux que
jamais, souhaite que Joséphine descende en Italie, avec Junot,
la mission de celui-ci accomplie. Il s'exalte : « Tu vas être ici,
à côté de moi, sur mon cœur, dans mes bras, sur ta (sic)
bouche. Prends des ailes, viens, viens ! » Nous sommes le
24 avril. Elle ne quittera Paris que le 27 juin. Deux mois de
turbulences insensées attendent le pauvre général, deux mois
– au milieu du tumulte des camps – où, l'imagination déré-
glée, il fluctuera de l'espoir au désespoir, de la tendresse à la
jalousie, de l'ivresse amoureuse à l'inquiétude la plus incon-
trôlable... Écoutons-le :

> « Mon bonheur est que tu sois heureuse, ma joie
> que tu sois gaie, mon plaisir que tu en aies. Jamais
> femme ne fut aimée avec plus de dévouement, de feu,
> de tendresse. [...] Pas de lettres de toi ; je n'en reçois
> que tous les quatre jours, au lieu que si tu m'aimais,
> tu m'écrirais deux fois par jour ; mais il faut jaser avec
> les petits messieurs visiteurs dès dix heures du matin,
> et puis écouter les sornettes de cent freluquets jusqu'à

une heure après minuit. […] Ah! si ce soir je n'ai pas de tes lettres, je suis désespéré. […] Écris-moi, viens vite : ce sera un jour bien heureux… que celui où tu passeras les Alpes; c'est la plus belle récompense de mes peines et des victoires que j'ai remportées. »
(Cherasco, 10 floréal, 29 avril)

Bientôt après, il apprend par Murat, autre aide de camp, de retour de mission à Paris, que sa femme est retenue par l'espérance d'une grossesse. C'est, en effet, l'alibi qu'elle a fait valoir – l'un des plus vieux du monde! – pour s'attarder un peu. Réaction foudroyante de tendresse du général : « Serait-il possible que je n'aie pas le bonheur de te voir avec ton petit ventre! Cela doit te rendre intéressante! […] Sois gaie, contente, et sache que mon bonheur est attaché au tien […] Bientôt tu vas donner la vie à un autre être qui t'aimera autant que moi. Non, ce n'est pas possible, mais autant que je t'aimerai. Tes enfants et moi nous serons sans cesse autour de toi, pour te convaincre de nos soins et de notre amour. […] Les choses vont bien ici; mais mon cœur est d'une inquiétude qui ne peut pas se peindre… » (Lodi, 24 floréal, 13 mai)
Et ainsi de suite, jusqu'à ce qu'elle le rejoigne. Oscillations permanentes entre le souci d'elle, l'attente d'elle, le tourment d'elle. De temps en temps, un cri : « Joséphine, tu eusses fait le bonheur d'un homme moins bizarre » (déclaration qu'Alexandre eût pu contresigner!), ou ceci : « Mes larmes coulent, plus de repos ni d'espérance. Je respecte la volonté et la loi immuable du sort; il m'accable de gloire pour me faire sentir mon malheur avec plus d'amertume. » (Milan, 20 prairial, 8 juin)
Que la passion est folle, et vaine, et subjective! Ces « pressentiments » qui « affligent », ces « serpents » qui « déchirent l'âme », cet « accablement », toujours suivi de « millions de baisers »…On a peine à croire, qu'en même temps, le même homme mène une des campagnes les plus mémorables de notre histoire! Et pourtant, que dire… Ces lettres sont bouleversantes, d'une expressivité contagieuse, d'une sincérité

admirable, d'un style emporté mais percutant : nous sommes devant l'un des sommets de la littérature pré-romantique, et même, devant un modèle inégalé de ce genre classique qu'est la lettre d'amour. Celui qui deviendra un styliste épuré, un maître de la concision, à la syntaxe sèche et impérieuse, se suffisant d'un minimum de mots, nous émeut pourtant dans cette veine lyrique et enflammée. Peut-être parce que nous savons, et lui pas encore, que son malheur, comme il dit – ne pas être aimé comme il aime, être trompé – n'est que trop réel et que nous mesurons la souffrance – à la mesure de sa démesure – que cet amour blessé ne va pas manquer de lui occasionner.

* * *

Joséphine n'a, évidemment, aucune envie de quitter Paris, ni la vie qu'elle y mène. Pour différentes raisons, à commencer par le fait que les victoires de son mari rejaillissent sur elle, et qu'elle cesse d'être une simple particulière, pour devenir, modestement encore, une personnalité du nouveau régime. Elle est beaucoup plus entourée qu'avant. On la requiert comme partie prenante de la gloire inespérée de son époux. À preuve, la fête que donne le Directoire, au Luxembourg, le 9 mai, pour célébrer avec solennité la remise des trophées apportés par Junot : musique militaire, discours, acclamations… Joséphine apparaît publiquement, élégante ambassadrice du général vainqueur, et, comme telle, mise à l'honneur par le gouvernement de son pays… C'est, pour elle, n'en doutons pas, une délicieuse griserie…

Pourquoi la vouer aux gémonies ? Nous avons compris qu'elle n'a ni l'intention ni l'armature psychologique nécessaire pour résister à la tentation, devenant une femme en vue, de jouir de sa nouvelle situation. À fortiori, dans un Paris qui se métamorphose à grande allure et qui, dans la synergie, comme nous dirions, de ces succès extérieurs – enfin ! – s'adonne, avec la bénédiction des autorités, à une incroyable joie de vivre : le plaisir et les affaires, voilà ce qui va occuper, pour l'essentiel, cette société permissive au-delà de l'entendement. Pendant plus de trois ans, Paris va redevenir une fête. On y vivra, du moins dans les milieux satellites du pouvoir, dans un tourbillon d'enthousiasme, mêlant à tout va liberté des mœurs et argent facile. Mme Bonaparte, sans être en rien une débauchée ni une déclassée, se laissera, un temps – qui n'est pas le plus honorable de son existence –, glisser dans le conformisme ambiant, oubliant, ou croyant oublier, dans la facilité de sa vie, ce qu'elle a enduré auparavant. C'est, pour elle, une sorte de renaissance, de regain miraculeux.

Comment aurait-elle, dans ces conditions, envie de voyager si lointainement? Ce ne pourrait être que périlleux, dérangeant, aléatoire. Passer les Alpes, à l'époque, ne l'oublions pas, était encore une aventure. Qui plus est, aller sur les champs de bataille, au milieu des dangers, des hommes en armes, dans la poussière et l'odeur de la poudre à canon, quelle perspective peu engageante pour une femme raffinée, une Parisienne soucieuse d'élégance, d'attentions et de soins délicats...

Enfin, et c'est là une nouveauté, elle est amoureuse, ou, du moins, intensément divertie par un soupirant récemment apparu dans son existence, un de ces « freluquets » comme les imaginait Bonaparte, un jeune officier dénommé Hippolyte Charles, attaché à Leclerc – appelé, lui, à devenir le mari de la belle Pauline – dont la double vertu est d'être décoratif – c'est un joli brun aux traits fins et aux yeux bleus, de neuf ans plus jeune qu'elle – et, surtout, amusant. Aux antipodes de son général de mari, ravagé d'angoisse, pressé de gloire, épuisant de passion et d'exigence, éreintant, en un mot...

Son amoureux, qui n'a rien de transi, lui, est la gaieté même. C'est un boute-en-train dont la verve comique semble inépuisable, tant il s'ingénie à la renouveler par la pratique constante du calembour, particulièrement appréciée dans le Paris d'alors. Cela nous semble puéril, et pourtant, cet esprit de sel, ces facéties perpétuelles, cet équilibrisme verbal à tout propos et hors de propos, ces trouvailles à feu roulant relèvent du vieil esprit gaulois toujours triomphant, comme un oxygène réparateur, dès que l'époque s'y prête. Hippolyte Charles, venant avec déférence, dans la suite de Leclerc, saluer la femme du brillant général Bonaparte, et lui disant d'emblée qu'il s'étonne qu'une si jolie femme « ait un mari qui a *Milan* (mille ans) ! », voilà qui semble à tous un trait merveilleux... Mais le monde directorial est ainsi, raffolant de ces effets faciles et plaisants, précisément parce que sans portée. Bref, Joséphine se prend au charme du petit hussard – car il en arbore l'uniforme irrésistible, culotte et bottes à la hongroise, dolman agrémenté de sa pelisse bordée de renard, jetée sur l'épaule gauche –, et le reçoit de plus en plus fréquemment, en ce joli printemps, sans y mettre grande discrétion, heureuse, flattée, enjouée. Car ne cherchons pas ailleurs l'origine de l'ascendant que Charles a pris sur elle, et qui va durer trois années : il la fait mourir de rire...

Malheureusement, son impérieux mari la réclame en Italie. Comment faire ? Elle a commencé, un peu inconsidérément, par laisser miroiter une possible grossesse – quand on sait la suite, on ne peut que croire à une justice immanente : elle sera bien punie par où elle a péché ! –, et, puis, le temps passant, Bonaparte se faisant plus pressant et plus désespéré, elle réussit à ce que le Directoire, en la personne de Carnot, s'en mêle, retardant officiellement son départ au motif qu'elle distrairait par trop le grand chef de guerre... Elle réussit aussi à faire admettre le jeune Charles, dans sa suite, ce qui n'est guère difficile, à partir du moment où le chef de ce dernier, Leclerc, s'est fait lui-même muter de l'armée de l'Intérieur – dont Bonaparte avait été l'éphémère commandant – à celle d'Italie. Le 24 juin 1796, Mme Bonaparte reçoit enfin du gouvernement ses passeports, et le 27, ayant somme toute corrigé le désagrément d'entreprendre un si lointain et si incertain périple, elle part pour Milan, escortée de Joseph Bonaparte, de Junot, de Charles, de ses quatre domestiques sans oublier le carlin Fortuné, l'ancien petit messager des Carmes, dont le caractère teigneux ne s'était guère amélioré en vieillissant, que Bonaparte détestait parce que le chien lui disputait le lit de sa maîtresse à coups de dents dans les mollets, et qui, paix à sa petite âme canine, va trouver une fin subite en Lombardie, victime du chien du cuisinier... Il sera remplacé aussitôt, car, en bonne créole, Joséphine, toute sa vie, s'est entourée de présences familières variées, parmi les-quelles ses animaux domestiques ont toujours eu une place de prédilection.

JOSÉPHINE TROMPE, JOSÉPHINE TRAFIQUE...

C'est de Fontainebleau, où elle s'est arrêtée deux jours chez les Beauharnais, avec lesquels elle entretient une relation toujours aussi affectueuse et régulière, que Joséphine, plutôt dolente, prend la route de la Lombardie, qui, en dix-huit jours, par Lyon, Chambéry, le Mont-Cenis et Turin, la mènera à bon port. Le voyage lui semblera « pénible » ainsi qu'elle l'écrira à Mme Tallien. Elle se plaint d'une douleur au côté, persistante. Elle souffre surtout, sans l'expliciter, de la séparation d'avec son monde parisien d'où elle n'était pas sor-tie depuis son retour des Îles. Elle souffre d'avoir quitté sa jolie maison, ses enfants, sa petite société familière, ses habi-tudes. La séparation va durer quelque dix-huit mois, sorte d'initiation aux nombreux voyages officiels qu'épouse de Bonaparte puis de Napoléon, elle effectuera par la suite. Et ce séjour en Italie lui vaudra un double apprentissage : celui des champs de bataille, ou du moins des quartiers généraux où elle suivra son conquérant de mari, et celui de ses devoirs de représentation en pays conquis. Elle n'aimera guère le pre-mier, et se tirera très bien du second. De plus, elle rencontrera la plupart des membres de la famille Bonaparte, véritable fiasco qui lui vaudra le pire de ses désagréments à venir. Enfin, et surtout, elle va s'installer, à la faveur de ce périple, dans ce qu'il faut bien appeler une liaison, avec Hippolyte Charles – liaison dont Bonaparte mettra plus d'un an à s'apercevoir, et encore, à cause de la délation d'une domes-tique –, à la faveur de laquelle elle montera une petite affaire de trafics d'influence.

Avant de lui jeter la pierre, disons tout de même que sa liaison regarde la seule Joséphine et se place dans sa logique de séparation des genres : les choses sérieuses, avec le mari, le plaisir, avec le sigisbée. Qu'on n'en fasse pas, pour autant, une

Messaline! Au regard de l'époque, et de l'entourage directorial, dont la corruption est sans frein, elle est même d'une sobriété notable, car son compagnon, si divertissant, si facétieux et somme toute si anodin, sera le premier et le dernier écart de conduite dans sa vie conjugale, le reste ne relevant que de ragots pernicieux mais faciles à démonter. Les retombées sur l'affectivité de Bonaparte seront, elles, d'un autre ordre, comme nous le verrons. À la décharge de Joséphine, toutefois, disons que ce n'est pas sa faute si son mari se montre si excessif! Et cet écart, elle le paiera cher et longtemps, car il lui rendra la monnaie de sa pièce au centuple, en se commettant, pendant des années, avec des actrices, des lectrices, des aventurières de toute espèce… Pour comprendre le lien de Joséphine avec Charles, il faut peut-être se représenter que Charles était non seulement plus distrayant mais plus satisfaisant qu'un autre, on sait lequel, pour la femme voluptueuse qu'elle était alors… Car dans son intimité, Napoléon se montrera toujours un homme aux pulsions saines, quasi-hygiéniques, mais un homme aux désirs impérieux et tôt assouvis, un homme nerveux, pressé pour tout dire – « Vite! un bain, un souper et Mme Walewska! » –, et l'on imagine sans peine que ses partenaires pouvaient, au sortir de son alcôve, se sentir plus flattées que comblées. De ce point de vue, Joséphine était encore trop jeune, trop vibrante, trop désireuse des plaisirs savoureux de l'amour, quand on prend le temps de les vivre comme tels, pour ne pas s'y abandonner.

Quant aux « affaires », elles étaient d'usage pour quiconque touchait au pouvoir – politiques, banquiers et affairistes ne séparant pas leurs intérêts – et Joséphine se contentait de suivre le mouvement, pas très honorable, sans doute, mais généralisé. D'ailleurs, son mari, qui s'apprêtait à faire main basse sur l'Italie du Nord et ses trésors, lui donnait l'exemple et, au besoin, un coup de main pour obtenir en haut lieu, des passe-droits sur tel ou tel marché juteux de fournitures aux armées. Souvenons-nous de son célèbre bulletin à ses hommes, daté de Nice, 27 mars 1796 : « Soldats! vous êtes nus, mal nourris; le gouvernement vous doit beaucoup, il ne peut rien vous donner […] Je vais vous conduire dans les plus fertiles plaines du monde [...] Vous y trouverez honneurs, gloire et richesses...[1] » On n'est pas plus explicite, ni efficace ! Car sa campagne, en plus de nourrir son armée sur l'habitant, s'avèrera une gigantesque razzia qui remplira les caisses du Directoire et les salles du Louvre, cependant que la famille Bonaparte, Joséphine y compris, y trouvera son compte au passage. Quelques millions, des diamants et pas mal d'œuvres d'art seront détournés par eux en toute impunité.

Alors, Joséphine, cette fine mouche, profitant de sa position pour enclencher, avec des associés choisis, quelques débrouillardises d'elle seule dépendant, pour garnir une escarcelle toujours démunie, il n'y a vraiment pas de quoi fouetter un chat ! D'autant que pour elle, c'était se donner un espace d'indépendance qui lui plaisait plus encore qu'il ne l'enrichissait. En bonne fille de Joseph Gaspard, elle ne gagnera pas grand-chose à ces petits montages financiers, à ces pourcentages prélevés automatiquement sur les marchés qu'elle faisait attribuer. Joséphine était loin d'avoir la bosse des affaires, et ses difficultés d'argent n'en persisteront pas moins. Elle n'y gagnera, finalement, qu'une réputation encore plus affreuse auprès de la compilation malveillante, et, comme toujours, moralisante à bon compte : parce qu'à Napoléon, lui, on pardonnera tout ! Ce qui est, avouons-le, parfaitement abusif.

* * *

Après avoir reçu un très bon accueil à Lyon, où l'on donne en son honneur une représentation de l'*Iphigénie en Aulide* de Gluck, la première d'une longue série car cet opéra si brillant sera le plus aimé et, comme tel, le plus joué du répertoire, à l'occasion des cérémonies consulaires et impériales, – loin d'être ennuyeux comme le disent les compilateurs, qui, manifestement, n'ont jamais entendu le célèbre chœur, d'une

---

1. Reproduit dans le *Dictionnaire Napoléon*, dirigé par Jean Tulard, ouvrage de référence incontournable pour qui s'intéresse au Consulat et à l'Empire, fût-ce en amateur. Fayard, 1987, p. 954.

tonicité si martiale : « Chantons, célébrons notre reine ! » soulevant régulièrement l'assemblée, depuis sa création en 1774, pour la Dauphine Marie-Antoinette –, Joséphine, qui, en bonne musicienne dut s'en régaler, arrive enfin à Milan, le 9 juillet, où la rejoint son mari, le 13.

Retrouvailles chaleureuses – « Mon mari ne m'aime pas, il m'adore », sera le commentaire de l'intéressée –, mais brèves, car Bonaparte doit regagner immédiatement son quartier général, devant Mantoue, où, désormais, se déroulent les opérations. Non sans avoir auparavant installé sa femme au palais Serbelloni, où elle est comblée d'attentions et, déjà, de sollicitations de la part des autorités locales : Joséphine se prête, malgré sa fatigue, à ces manifestations obligées. C'est qu'elle représente, au milieu d'une ville en liesse, qui a acclamé les Français, à leur entrée, en libérateurs – souvenons-nous du mot de Stendhal, déclarant que ce dimanche 14 mai 1796 ferait « date dans l'histoire de l'esprit humain » –, ce que la grâce féminine peut ajouter à la liberté retrouvée par les armes. Un air d'allégresse imprègne l'atmosphère et son hôte, le duc de Serbelloni, qui sera bientôt le premier président de la nouvelle République cisalpine avant d'en devenir le représentant à Paris, redouble d'obligeance envers elle.

Elle a peu le temps de goûter à ces réjouissances officielles car, le 25 juillet, elle se remet en route, pour Brescia, sous le lac de Garde, où le général l'attend. Elle va recevoir son baptême du feu. Joséphine, qui n'a rien d'une héroïne stendhalienne, rien d'une Sanseverina, sera pour longtemps rebutée par le danger et la violence du champ de bataille. La mitraille n'est pas son élément. Au moment même où elle retrouve Bonaparte à Vérone, les Autrichiens déferlent sur la cité... Dans la panique, elle doit fuir, poursuivie par les uhlans. Elle va tenter de regagner Milan et, pour ce faire, contourner le sud du lac. Elle atteint la forteresse de Peschiera, où elle passe la nuit du 30 juillet, puis, au matin, escortée par Junot, le brave et chaleureux aide de camp, elle essaie de rallier Castelnuovo par une route qui, précisément, longe le lac, à découvert. Malheur à elle ! Car sa voiture est bientôt canonnée. En catastrophe, les voyageurs – dont sa femme de chambre, Louise Compoint, et Hamelin, le mari de la célèbre « merveilleuse », assez triste sire, mais pour le moment protégé du couple Bonaparte, qui lui fera obtenir des marchés de fournitures – en descendent, et la berline vide continue son chemin sous les boulets. On finit par trouver une carriole et se sortir de là… Mais quelle émotion! De fait, Joséphine l'a échappé belle. Son général de mari, plus chevaleresque que nature, a beau promettre que Wurmser lui paierait cher les larmes et les alarmes de sa femme, celle-ci jure qu'on ne l'y reprendra plus!

La voilà embarquée, dans la fournaise d'août, pour une aventure sans fin. Car la route de Milan étant barrée par l'ennemi, il lui faut faire un long détour par le sud pour regagner la capitale lombarde. Et la générale Bonaparte n'a rien d'une Romantique goûtant au « tourisme », pour reprendre l'anglicisme bientôt à la mode, le mot et la chose la séduisant peu. En femme du XVIIIe siècle, le voyage d'agrément ne lui importe pas, les paysages l'intéressent moins que la vie de la société locale, la beauté des ruines moins que les mœurs, les usages ou les produits du cru qu'elle peut découvrir et acquérir. En un mot, l'identité des contrées qu'elle traverse la retient plus que le pittoresque de leurs sites, la réalité du terrain plus que l'émotion qu'il provoque.

Chaleur, poussière, incertitude… Elle poursuit sa course, traverse le Pô aux alentours de Crémone et rejoint bientôt Parme. Pour y faire la connaissance d'un nouveau membre de la famille Bonaparte, l'oncle Fesch, frère utérin de Letizia, personnage pour l'heure sans grand relief mis à part ses goûts artistiques et son avidité, et qui, ayant été ordonné prêtre dans sa jeunesse, deviendra, sous l'égide de son neveu, un prélat aussi nanti que consciencieux et médiocre. Joséphine aura tout loisir, alors, de le mieux jauger.

C'est certainement avec soulagement qu'elle atteint Florence, une vraie ville – ô bains parfumés, comme à Paris, ô délassement! – avec cependant l'anxiété de savoir comment elle y serait traitée. Car elle se trouvait dans les États du grand-duc de Toscane, et celui-ci n'était autre qu'un archiduc d'Autriche, frère de l'Empereur, donc de l'ennemi contre lequel se battait Bonaparte… Étrange situation! qu'elle va tourner à son profit : le grand-duc, non seulement, la recevra admirablement bien, mais il sera durablement séduit par elle. Pour ce coup d'essai, son premier souverain, chez lequel elle tombe impromptue, étant qui elle est – la femme du général en chef ennemi, victorieux pour le moment –, c'est un coup de maître! Joséphine inaugure là une serie de relations au sommet, qu'elle saura toujours, par ses qualités personnelles de maintien, de grâce et d'élégance, réussir. Ce qui a commencé à Florence, en ce début d'août 1796 finira à la Malmaison, à la veille de sa mort, où le Tsar se rendra en personne, pour prendre de ses nouvelles... Quel que soit le contexte, Joséphine, qu'elle en soit consciente ou non, est toujours demeurée la fille de sa caste, au ton et aux manières empreintes d'une aisance et d'une justesse qui ne s'inventent, ne se copient ni ne s'achètent, mais que seule la patine du temps sur les générations peut donner.

Ce succès, elle en fera état dans ses lettres à ses proches, lorsqu'elle aura regagné Milan, après avoir obliqué par Lucques, être remontée depuis Livourne, et fait un nouveau séjour à Brescia, où elle a retrouvé Hippolyte Charles et passé huit jours avec Bonaparte qui la reconduit dans la capitale lombarde, sa base désormais. Le général y reviendra sporadiquement, et il y séjournera tout le mois de décembre suivant. Entre-temps, il aura vaincu Wurmser à Bassano, le 8 septembre, et, surtout, du 15 au 17 novembre, il aura forcé le passage du pont d'Arcole, d'illustre mémoire : des marais avoisinants dans lesquels il s'embourbait avaient failli avoir raison de lui, mais son jeune frère Louis et Marmont l'en avaient tiré, Lannes s'y étant blessé et l'aide de camp Muiron y trouvant la mort pour, l'un et l'autre, lui avoir fait un rempart de leur corps...

En cette fin d'année, si mouvementée et si brillante sur le théâtre de la guerre, Bonaparte prend un temps de répit bien mérité. Entouré d'une véritable cour militaire, bruyante, sans manières, mais jeune et enjouée, ayant auprès de lui la femme qu'il aime, attendant sa mère et ses sœurs, il est heureux et s'adonne aux plaisirs que la capitale lombarde est décidée à offrir à son libérateur. Les réjouissances et les fêtes se succèdent, et le 10 décembre, c'est Joséphine qui reçoit à son tour, donnant, au palais Serbelloni, un grand bal en l'honneur du général Clarke, fraîchement arrivé de Paris – cependant qu'elle s'était permis une petite escapade à Gênes – et qu'elle traite magnifiquement. L'aristocratie éclairée du Milanais, ennemie du joug autrichien, ne se fait pas faute d'être présente autour d'elle et cette assemblée, très parée et très réjouie, brille d'esprit et d'élégance. Nous sommes loin des Carmes ou des bals publics du Paris thermidorien !

Le 14 janvier 1797, Bonaparte remporte une de ses plus belles batailles, à Rivoli, battant successivement la gauche, le centre et la droite de l'ennemi – un cas d'école ! – et descend vers les ports de l'Adriatique, à Ancône, notamment, points stratégiques de commerce avec l'Orient et qu'il faut neutraliser. Il aimerait que Joséphine le rejoigne à Bologne. Elle n'en a nulle envie mais y fera une brève apparition, en mars, qui lui vaudra une fièvre dont elle se plaindra dans une lettre à sa fille. Elle préfère tenir son salon à Milan et se préparer à accueillir les dames Bonaparte, leur faisant aménager de charmants appartements dans le palais qu'elle occupe. Elle envoie des cadeaux à ses proches, notamment à ses enfants – parfums, petits bijoux à l'antique pour Hortense, pailles de Florence et jolies étoffes qu'elle a pu glaner au cours de ses pérégrinations – bref, elle se pose, elle souffle, elle se reprend. D'autant que le jeune Charles est parti, dans la suite de Marmont, en mission à Rome auprès du pape.

Le printemps arrivant, tout l'entourage du général en chef va s'établir dans une campagne magnifique, à dix-huit kilomètres de Milan, le château de Mombello, loué aux Crivelli, qu'il a fallu réaménager et agrandir, dont le parc a été embelli, agrémenté de serres et de volières... C'est un lieu élégant, orné de fresques, richement meublé, dont les vastes espaces, les enfilades et les galeries reposent l'âme, dont le goût baroque savamment ponctué d'éléments à l'antique est un ravissement. Là, les Bonaparte vont tenir leur première cour. Et Joséphine n'en sera pas le moindre ornement...

***

Elle en sera même la maîtresse de maison, car c'est en épouse du général vainqueur qu'elle va s'y installer et recevoir, pendant toute la belle saison, une société variée et bruissante, où se côtoient les grands noms de l'aristocratie locale, les administrateurs, les fournisseurs, les généraux, ainsi que tous les bons esprits, désireux d'approcher le général Bonaparte. Joséphine saura faire les honneurs de Mombello, se plier à la première étiquette imposée par son mari qui, déjà, tient à mettre un peu de distance entre ses aides de camp par trop familiers et lui, et elle apparaîtra comme ce qu'elle est en puissance, une exquise souveraine. Dans moins de dix ans, elle sera devenue, du moins en titre, reine d'Italie.

C'est à Mombello qu'elle accueille sa belle-mère et ses belles-sœurs, autant dire le noyau dur du clan Bonaparte, de la Famille. Il y avait eu, dès après son mariage, un échange de lettres courtoises entre elle et Letizia, celle-ci ayant répondu très obligeamment à sa nouvelle bru, dans une missive dictée par le général, de passage à Marseille où se trouvait sa mère, lorsqu'il était allé prendre son commandement à Nice. Joséphine, avec les dispositions que nous lui connaissons, s'attend donc à une réunion familiale agréable, voire affectueuse. Il n'en sera rien.

Était-ce dû au prétendu « doux et pacifique » Joseph ? Cet aîné, plus doucereux que doux, s'était-il blessé de ce que Napoléon n'ait demandé, pour convoler, aucune autorisation formelle à l'actuel chef de sa famille ? Celui-ci, par ses commentaires, avait-il préparé le terrain, attisant leur perplexité à tous ? Car enfin, ce mariage hâtif, que signifie-t-il réellement ? Qui est cette enjôleuse ayant capté si aisément le cœur et la main de ce cadet, pourtant doté d'un caractère trempé, d'une énergie et d'une indépendance indéniables… ? Les Bonaparte constituent un clan, un clan âpre et fermé, et à ce titre, ils sont méfiants. Les pièces rapportées doivent être annexées sans rémission, et mieux leur vaut se fondre dans la tribu, ses rites et ses visées, sans barguigner, sinon gare ! Alors, cette ci-devant, cette Parisienne si élégante, cette femme en vue, non seulement au Luxembourg, mais ici, à Mombello, où elle occupe avec aisance la position dominante qui lui revient, qui est-elle, que veut-elle, que peut-elle, sur ce frère qui réussit au-delà de toute espérance, et qui ne va pas tarder, ils le sentent, à se poser lui-même en chef de clan...?

Pour eux, en bloc, Joséphine est et demeurera une étrangère. L'Étrangère, une fois pour toutes. Dès qu'ils l'approchent, ils mesurent la différence d'extraction, de culture, d'éducation, d'étoffe, de classe en un mot, qui les sépare. Et puis, ce sera leur argument majeur, une veuve, plus âgée que Napoléon, nantie de deux enfants charmants et que leur beau-père a l'air d'aimer, en plus... Qu'est-ce à dire... Ils ont de quoi être inquiets.

Car les Bonaparte ne sont guère bons. Ils viennent d'un monde dur, et ils ont beaucoup perdu à la Révolution malgré le mal qu'ils se sont donné pour émerger. Ils ont de vraies qualités : l'énergie, l'intelligence, la solidarité familiale – qui ne résistera pas à l'épreuve du succès –, et le brio qu'ils savent mettre à leurs façons dès qu'ils se sont fixé un but. Ce sont des battants, comme nous dirions aujourd'hui, ils veulent parvenir et font preuve de tant de détermination, de tant de charisme, que tout plie devant eux. En un mot, les Bonaparte sont irrésistibles.

Ils se trouvent devant une femme, et bientôt, les siens, qui ont à leur actif leurs qualités intrinsèques, leur sociabilité éprouvée, leur élégance parfaite et leur puissance de séduction. D'autant que les Beauharnais sont anciens, comme on disait, qu'ils sont riches de ce vieux fonds français, pétris d'une altitude et d'une générosité ancestrales qui imprègnent le cœur, l'esprit et les manières. Bref, en stylisant à peine, face à la Mafia, sa force occulte et ses vues bien ciblées, voilà la Chevalerie, sa bravoure et son excellence! L'empoignade va durer dix-sept ans, et elle sera rude. Les Bonaparte contre les Beauharnais, une autre manière de lire l'histoire de cette époque, ne manquant ni de relief ni d'enseignements...

Joséphine, avec sa douceur et son affabilité coutumières, est enchantée de les recevoir. Elle connaissait déjà Joseph, dont le beau visage emprunte la finesse de ses traits à sa mère, dont l'esprit ouvert aux idées nouvelles, avec modération cependant, séduira la grande Mme de Staël en personne, et qui n'est pas le pire du lot. Mais, sent-elle qu'il y a en lui un mélange de dissimulation, de médiocrité et de prétention qui le rendra redoutable? Car, toujours, il souffrira d'avoir été l'aîné, dans un monde où la naissance est une valeur primordiale, et de n'avoir été doté ni de l'autorité ni du talent nécessaires pour le rester. Napoléon l'écrasera. Pour l'heure, il est en bons termes avec sa belle-sœur – qui, elle, sera toujours, invariablement, en bons termes avec tous, quoiqu'elle pense ou sache de leurs agissements – comme sa petite femme, Julie Clary, effacée et bienveillante, qui ne saurait être vindicative envers Joséphine, ni envers quiconque, d'ailleurs.

Pas plus que l'excellente Christine Boyer, l'épouse de Lucien, qui, lui, n'a pas daigné se présenter à Mombello, tant il redoute l'affrontement avec son frère. Littéraire échevelé, prévaricateur sans scrupules, grinçant, sûr de lui, parce qu'il se sait le préféré de sa mère – il saura le demeurer –, il se révèlera, dès qu'ils devront se traiter, le plus odieux de tous, envers sa belle-sœur, ajustant ses coups bas avec une virulence dont il sera, le premier, la victime, ne manquant jamais de rallier les autres Bonaparte à sa perfide hostilité, à commencer par sa mère.

Quant à celle-ci, Madame Letizia, comme l'appelait jadis sa famille, elle intéresse par sa beauté aux traits classiques – dont ses enfants ont presque tous hérité, à l'exception de Lucien et de Jérôme –, sa dignité naturelle, son maintien roide. C'est une patricienne, mais étroite, sans charme ni esprit, enkystée dans un matérialisme qu'explique le dénuement dans lequel elle a vécu et lutté pour élever sa pochée d'enfants, doublé d'un fatalisme ancestral et d'une sobriété que rien n'ébranle. Les grandeurs ne lui tourneront pas la tête, qu'elle a, au demeurant, claire et solide. Letizia ne peut être que désapprobatrice du choix qu'a fait son fils Napoléon car Joséphine, à ses yeux, incarne tout ce qu'elle déteste : le raffinement parisien, ses dépenses, ses pièges, ses artifices, son brio et sa superficialité, toutes notions aux antipodes de ses valeurs de frugalité et de rectitude. Joséphine, dont la séduction puissante mais subtile ne peut que lui sembler d'une créature, lui apparaît, d'emblée, comme pernicieuse. Cela dit, elle aussi a trop de sens de la tenue pour se laisser aller jamais à une expression publique de ce qu'elle ressent. Les deux femmes, parce qu'elles y mettront les formes, entretiendront une relation cordiale, qui, même refroidie, ne basculera dans aucune vulgarité de ton.

Ce ne sera pas le cas avec ses filles, loin s'en faudra! Élisa, lorsqu'elle arrive à Mombello, flanquée du mari de son choix, le médiocre et bonasse Félix Bacciochi – qui sera, tout compte fait, un excellent époux –, choix qui ne plaît à personne, devant lequel sa mère a dû s'incliner, car du moins s'agit-il d'un Corse, révèle sa nature altière et rebelle. Elle brave les fureurs de ses frères, et réussit à faire accepter son conjoint, à tel point qu'on célèbre, le 14 juin, leur mariage religieux, en grande pompe, ainsi que celui de sa sœur Pauline avec le général Leclerc. Letizia souffre de ce que ses filles n'en fassent qu'à leur tête, mais elles sont Bonaparte, c'est-à-dire obstinées, et ce qu'elles veulent, elles finissent toujours par l'obtenir... Élisa est sèche, elle manque singulièrement d'entregent, mais elle a pris de Saint-Cyr, où elle a été élevée, un bon ton et une vraie discipline personnelle. En vertu de son intelligence qui est grande, de son ambition qui ne l'est pas moins, elle deviendra une mémorable administratrice des territoires que son frère lui octroiera. Élisa est capable, elle a de la poigne et des idées, mais cette cérébrale ne peut que mépriser la pauvre Joséphine, toute pétrie de sociabilité, vainement occupée, à ses yeux, de colifichets et de futilités. Bien trop féminine, dans l'acception la pire du terme, à son goût...

Pauline, elle, est ravissante et Joséphine s'en éprendra tout de suite, ne sachant que faire pour lui être agréable. Mais cette délurée se double d'une peste et c'est elle qui surnomme sa belle-sœur, quasi publiquement, car de plus, elle est mal élevée, « la vieille »! Curieuse fille! Un esprit de petite-maîtresse, un narcissisme à toute épreuve, un physique exquis dont elle sera vite la prisonnière, une vie de dérèglements et de vanité, et pourtant, la plus Corse de tous, la plus « Famille » quand il le faut, la plus courageuse dans l'adversité, elle le montrera à Saint-Domingue dans des circonstances terribles, et à la chute de l'Empire où elle se souciera de son frère et s'en ira le rejoindre à l'île d'Elbe. Mais hors de l'adversité qui la réveille, Pauline est peu de chose. Elle tentera de nuire à sa belle-sœur autant que faire se pourra, et non sans méchanceté.

Quant aux trois autres, pour le moment, ils ne posent pas problème. Le jeune Louis est charmant, un peu maladif — ce sera bientôt un grand rhumatisant torturé par son mal, en souffrant et faisant souffrir autour de lui —, mais dans le sillage de Napoléon, pour lequel il éprouve une dévotion toute filiale, ce jeune militaire se montre plein de bons sentiments envers la femme de celui-ci. Adepte de la nouvelle école, ce littéraire — les Bonaparte le sont tous —, ce sentimental, n'a toutefois rien de commun avec elle. Il va pourtant se lier aux Beauharnais, ce qui renforcera sa relation à Joséphine : amoureux fou de sa nièce Émilie, il épousera, sur ordre, sa fille Hortense, et s'il essaiera de jouer le jeu, ce mariage entraînera cependant, dans leurs vies à tous, des conséquences désastreuses.

Les petits, eux, sont encore inoffensifs. Jérôme, charmant enfant, est en pension à Saint-Germain, dans la mouvance Beauharnais et ne s'en plaint pas. Quant à Caroline, elle suit le ménage de son frère Joseph, à Rome, et cette piquante petite demoiselle, toute d'entrain et de vitalité, enchante sa belle-sœur. On va la mettre, elle aussi, chez Mme Campan, mais sa précocité l'en fera sortir la première, pour se marier. Caroline développera un sens politique hors pair, soutenu par une ambition sans bornes. Avec son futur mari, Murat, qu'elle manipulera à sa guise, Caroline constituera bientôt le front le plus dur, le plus haineux, le plus acharné contre Joséphine…

Il est étrange de penser qu'à Mombello, pendant ces beaux jours d'été, dans un cadre enchanteur, pour une circonstance remarquable, alors que sous l'égide souriante de Joséphine se succèdent fêtes et réceptions, que sous l'autorité sagace de Bonaparte, s'élabore le futur statut de la Lombardie, que dans leur mouvance, une animation de bon aloi, riche de projets, d'intentions stratégiques, politiques, diplomatiques, se met en place, la médiocrité des passions, les antagonismes à courte vue, les rivalités personnelles, déjà, tissent leur toile... Dès la réunion de Mombello, on voit se profiler les tensions et les turbulences qui, bientôt, empoisonneront leurs vies à tous, et finiront par avoir raison d'eux...

* * *

Après avoir souscrit aux réjouissances officielles, célébrant à Milan l'anniversaire du 14 juillet, assorti comme il se doit, de défilé, de manœuvres au Champ de Fête, d'hommages aux généraux et officiers tués pendant la récente campagne, de chants militaires et de tirs au canon, Joséphine a la très grande joie de retrouver, après quatorze mois d'absence, son fils Eugène.

Alors que ce tout jeune homme – il aura seize ans, en septembre – s'intègre à l'armée de son beau-père, il brille déjà par son sérieux et sa loyauté. « Eugène, quel bon fils ! » sera le leitmotiv de sa mère, sa vie durant. Et parce qu'il est brave, droit, équilibré, jovial, sa bienfaisante influence agit et agira toujours sur elle. Avec Eugène, Joséphine aura une relation privilégiée, une relation de mère mais aussi d'amie. Toujours, il saura la conseiller et la consoler, toujours, elle pourra s'appuyer sur lui. La grâce d'Eugène, c'est qu'il fait l'unanimité partout où il passe. Tous l'aiment, à commencer par son beau-père qui a jaugé son dévouement et sa qualité humaine. Les unit une indéfectible affection, née d'emblée, lorsque le petit garçon s'était présenté dans le bureau du général, pour défendre, on s'en souvient, le sabre de son père, affection qui ne fera que s'accroître.

À la différence d'avec la petite Hortense, que tous évoquent en Lombardie, parce qu'elle est bien triste d'avoir été laissée à Saint-Germain, à qui ils écrivent, à qui ils continuent d'envoyer des petits cadeaux charmants – un éventail, des crayons, une pièce de crêpe, plus tard, un « shall » turc brodé d'argent –, et qui se console comme elle peut, ou plutôt, comme elle sait, en cultivant ce qu'elle aime le mieux après les siens : ses chères études et ses amitiés de pension.

Bonaparte a eu du mal à la séduire : la petite fille s'émouvait du remariage de sa mère parce qu'étant encore très marquée par le supplice de son père, elle pensait que la mémoire de celui-ci en serait trahie, et que sa mère l'en aimerait moins… Le général, à force de prévenances et de gentilles provocations, avait réussi à se faire accepter d'elle. Et, plus le temps passait, plus il appréciait la sensibilité exceptionnelle d'Hortense, son application, son désir d'exceller en tout, cependant qu'elle, le respectant et lui rendant justice, elle gardera toujours une nuance de crainte dans l'attachement qu'elle lui portera.

L'arrière-été les entraînera tous en Frioul, à Passeriano, d'où Eugène s'embarque pour Corfou, chargé de mission par son beau-père, avant que celui-ci ne s'achemine, une fois conclu le traité de Campo formio, vers Rasdadt, où un important congrès doit se tenir. De là, il repartira directement vers Paris. Joséphine, de son côté, seule depuis qu'Hippolyte Charles, nanti d'un congé, s'en est allé se reposer dans sa famille, à Romans, formera le projet, auquel elle renoncera bien vite, d'aller visiter Rome. Puis par Venise et Turin, elle regagnera la France, où elle ne rejoindra Bonaparte que le 2 janvier 1798.

C'est pendant le mois d'août précédent, sans doute, que son mari avait eu vent de ses liens avec le jeune Charles. Sur le moment, rien n'a transpiré de cette révélation, due, si nous en croyons le général, à la délation d'une femme de chambre, renvoyée parce « qu'elle couchait avec Junot, ce que Joséphine avait trouvé fort mauvais (!) », ainsi qu'il le contera à Sainte-Hélène. Au moment où se termine leur séjour italien, Bonaparte n'est donc plus dupe : il sait que sa femme lui a menti, il sait même le nom de celui qu'il pense n'être qu'« un petit adjudant attaché à l'État-major de Berthier » (ce en quoi il se trompe) ainsi que le fait qu'ils avaient voyagé ensemble de Paris à Milan[1]. Comme le jeune hussard a été dûment éloigné, le général peut, à bon droit, penser que cette incar-

---

1. Cité par Louis Hastier, dans sa remarquable petite étude sur *Le grand amour de Joséphine*, Corréa, 1945, p. 123.

tade, si incartade il y eut, a pris fin, que la page est tournée.
Car comptons sur Joséphine pour ne rien avouer et surtout,
pour rassurer les inquiétudes de son mari... D'ailleurs celui-
ci a changé. L'état de fébrilité passionnée dans lequel il se
trouvait au début de sa campagne s'est manifestement dissipé
avec son éblouissant succès sur le terrain. Bonaparte, c'est évident, s'épanouit. Et le succès lui plaît, comme il endosse avec
aisance la réputation et l'autorité qu'il en retire... De plus, la
présence de sa femme à ses côtés l'apaise, ce sera longtemps le
cas, car elle sait mettre un charme particulier à toute chose. Il
a pu constater, aussi, combien elle est parfaite dans son rôle
officiel. Tous arguments rationnels et hautement réconfor-
tants, pour un homme qui a désormais les yeux ouverts... À
suivre cependant, doit-il penser...

C'est aussi l'intention de Joséphine. Non seulement, elle
s'est attachée au jeune Charles, mais elle a le projet de l'associer, comme son homme de paille, à quelques-unes de ces
« petites entreprises » qu'elle a en tête, qu'elle a commencé
d'échafauder à la faveur de ce séjour italien et qu'elle se promet bien d'amplifier à son retour à Paris. La preuve qu'elle
tient à son petit hussard nous est donnée par Louis Hastier,
qui a retrouvé dans les archives de la famille Charles cinq
lettres d'elle, inconnues jusqu'alors, révélatrices non seulement du sentiment qu'elle éprouvait pour Charles, mais des
dessous de leurs affaires d'argent. Et nous comprenons pourquoi Joséphine tarde à rejoindre Paris : au-delà de Lyon où
elle est reçue, de nouveau, officiellement, le 19 décembre
1797, elle s'arrange pour retrouver son chevalier servant, aux
environs de Moulins, le 25, et de là, prendre avec lui, du
moins jusqu'à Essonnes, le chemin des écoliers – pendant
plus d'une semaine ! – avant d'aborder la capitale.

LA CRISE

Plus de cris d'amour, plus d'envolées lyriques de la part du
général Bonaparte. S'il attend sa femme avec impatience,
cette fois il s'agit d'une impatience irritée, celle d'un mari

pointilleux, décidé à se faire rendre des comptes, et en premier lieu, sur les travaux réalisés rue Chantereine – que le Directoire, en hommage à sa campagne, vient de rebaptiser « rue de la Victoire » –, en leur absence. À quoi tout cela rime-t-il ? Et pourquoi ce retard, alors que les autorités ne songent qu'à les fêter, que déjà, dans la cour d'honneur du Palais du Luxembourg, a eu lieu, le 10 décembre, un hommage solennel au héros signataire du traité de Campo formio, que le public délire, que l'enthousiasme est à son comble, et que le ministre des Relations extérieures, le « citoyen » Talleyrand mais surtout M. de Talleyrand-Périgord, grand seigneur s'il en fut et homme aux grandes manières, n'attend qu'elle, pour donner une splendide fête à l'hôtel de Gallifet, fête qu'il a dû déjà décommander, ce qui ne se conçoit pas… !

Joséphine, c'est la vertu de l'expérience, a connu époux plus bouillant, et sans trop s'émouvoir, s'emploie à calmer, apaiser, rassurer. Et surtout, se faire belle, pour apparaître le lendemain même – 3 janvier – à cette fête qui la célèbre si chaleureusement. Elle se pare d'une tunique grecque et agrémente sa coiffure de camées. Elle reçoit les compliments avec sa bonne grâce accoutumée, dont le toast que lui dédie le ministre : « À la citoyenne qui porte le nom le plus cher à la gloire ! » On danse jusqu'à onze heures, puis un banquet réunit l'assemblée, les femmes seules étant assises, les hommes, autour d'elles, les servant. La décoration est somptueuse, tout relève d'un goût parfait, le public est nombreux et spécialement démonstratif. Une jeune fille s'approche du général Bonaparte au point de le toucher et s'écrie : « Maman ! C'est un homme ! » Que croyait-elle donc ! Bonaparte fait figure de héros, de demi-Dieu, et pour un retour triomphal, c'est un retour triomphal…

La citoyenne est ravie. La citoyenne a retrouvé Paris. La citoyenne sent qu'une période faste s'ouvre à elle. Et elle est bien décidée à l'employer comme il se doit. Les Bonaparte, de fait, commencent alors à mener une intense vie sociale, reçoivent beaucoup, s'entourent, dans leur petit paradis de la rue de la Victoire, de financiers, de munitionnaires, d'hommes politiques en place, sans compter, bien entendu, la pléiade d'officiers, cette cour militaire propre au général et qu'il déplace partout avec lui... Beaucoup d'animation, donc, sur la lancée de Mombello, mais dans une version parisienne qui mêle les projets du général – il est actuellement occupé d'Orient et trouve un interlocuteur complaisant, et même un soutien, en la personne de Talleyrand, très séduit par sa fougue et sa valeur –, et les affaires de Mme Bonaparte.

Elle a quelque peu structuré la chose : il s'agit, on le sait, de fournitures aux armées, dont on touche un pourcentage sur les bénéfices quand on a décroché le marché, grâce à ses relations en haut lieu. D'une part, Joséphine s'est liée depuis le début de sa descente en Italie – avec un ancien ami d'Alexandre de Beauharnais, dénommé Lagrange, qu'avec Hamelin, elle a recommandé à son mari, lequel est intervenu et a permis d'obtenir dans un premier temps un marché sur les fourrages à l'armée des Pyrénées, avant de leur ouvrir le marché de l'armée d'Italie, ce qui a constitué le point de départ de la Compagnie Lagrange. D'autre part, se monte la Compagnie Bodin, du nom de trois frères de Romans, donc compatriotes de Charles, auxquels celui-ci est associé, compagnie qui obéit au même schéma, à la même finalité que la précédente. Enfin, Joséphine, jouant de son amitié pour Barras, ne craint pas, par l'entremise de Botot, le secrétaire du Directeur, de s'appuyer sur eux, et d'entremêler leurs intérêts, ainsi que ceux, à l'occasion, du général Schérer (ministre de la Guerre) ou d'un autre Directeur, le très Jacobin et très Alsacien Reubell. Celui-ci possède un beau-frère, le bien nommé Rapinat, pro-Consul en Helvétie, qui ne dépareille pas la bande, loin s'en faut ! Et la mutine Aimée de Coigny se plaît à réciter, et sans doute le fait-elle devant Joséphine, ce petit quatrain qui l'enchante et qui stigmatise à merveille les mœurs ambiantes :

> « Le pauvre Suisse qu'on ruine
> Voudrait bien que l'on décidât
> Si Rapinat vient de rapine,
> Ou rapine, de Rapinat... »

Cependant que Bonaparte s'échauffe sur un projet qui prend corps, et dont naîtra très prochainement l'expédition d'Égypte, projet anti-Anglais en principe, mais, en vérité, projet d'une conquête orientale qui est le rêve secret du nouvel Alexandre et que soutiennent trois Directeurs – François de Neufchâteau, La Révellière-Lépeaux, Merlin – mais que combattent Barras et Reubell, assiégés pourtant par Joséphine, celle-ci coule des jours heureux et bien remplis. Sa correspondance, toujours un peu mince, toujours un peu contrainte, car elle n'écrit guère que lorsqu'elle y est obligée, en témoigne et offre bon nombre d'exemples de petits billets recommandant, sollicitant, requérant pour elle et ses amis ou ses obligés, de façon toujours concise et sucrée. Elle joint l'utile à l'agréable : chaque jour, s'il se peut, elle réussit à s'échapper et à rencontrer son cher Hippolyte, qui, pour plus d'efficacité, loge chez les Bodin, 100 faubourg Saint-Honoré. On imagine aisément le délectable mélange des genres...

Tout irait pour le mieux dans la plus corrompue des républiques, sans la catastrophe qui s'abat sur elle. Alors que Charles vient de donner sa démission de l'armée, le 17 mars 1798, 27 Ventôse an VI, acceptée bientôt par le ministre de la Guerre, Schérer, Bonaparte et son frère Joseph, présent à Paris, ont découvert le pot aux roses. À savoir qu'elle continue de rencontrer Charles et qu'elle a des liens avec la Compagnie Bodin. Une lettre de Joséphine, une vraie lettre enfin ! retrouvée par Hastier, et qui doit être datée du 19 mars, relate la scène à laquelle elle a eu droit, la veille, scène qui a dû être salée. Pour une fois, la seule, elle lève le masque. C'est un régal, auquel nous nous garderions d'enlever sa saveur, c'est-à-dire son orthographe originale, mal fixée à l'époque, et reflet exact de l'émotion de la scriptrice :

« Josephe a eu hier une grande conversation avec son frère ; à la suite de cela, on m'a demandé si je connaisçait le citoyen Bodin, si c'était moi qui venait de lui procurer la fourniture de l'armée d'Italie, qu'on venait de le lui dire, que Charles logeait chez le citoyen Bodin N°100, faubourg St Honoré, et que j'y allais tous les jours ? J'ai répondue que je n'avais aucune connaisçance de tout ce qu'il me disait ; que s'il voulait divorcé il n'avait qu'à parlé ; qu'il navait pas besoin de ce servir de tout ces moyens ; que j'étais la plus infortunée des femmes et la plus malheureuse.

Oui, mon Hipolyte, ils ont toute ma haine ; toi seule a ma tendresse, mon amour ; ils doivent voir combien je les aborres par l'état affreux dans lequel je suis depuis plusieurs jours ; ils voyent les regrets, le désespoir que j'éprouve de la privation de te voir aussi souvent que je le désire. Hipolyte ; je me donnerai la mort ; oui, je veux finir [une vie] qui me sera désormais à charge si elle ne peut têtre consacré. Hélas ! qu'ai-je donc fait à ces monstres, mais il auront beau faire, je ne serai jamais la victime de leurs atrocités.

Dis, je t'en prie, à Bodin qu'il dise qu'il ne me connaît pas ; que ce n'est pas par moi qu'il a eu le marché de l'armée d'Italie ; qu'il dise au portier du n°100 que, lorsque l'on demandera si Bodin y demeure, il dise qu'il ne le connaît pas ; qu'il ne ce serve des lettres que je lui ai donné pour l'Italie que quelques tems après son arrivé dans ce païs-la, et quand il en aura besoin ; sache, entre nous soit dit, si Jubié [banquier, fondé de pouvoir de Bodin] n'est pas lié avec Josephe. Ah ! ils ont beau me tourmenté, ils ne me détacheront jamais de mon Hipolyte ; mon dernier soupire sera pour lui.

Je ferai tout au monde pour te voir dans la journée. Si je ne le pouvais pas, je passerai ce soir chez Bodin et demain matin, je t'enverrai Blondin pour t'indiquer une heure pour te trouver au jardin des Mousseau [Mousseaux, ou Monceau].

Adieu mon Hipolyte, mille baisers brûlant, comme mon cœur, et aussi amoureux.

Si tu as quelques choses à m'envoyer, donne-le à Blondin.

On a dit aussi que le jour de cette catastrophe, tu avais été chez le ministre de la Guerre demandé ta démission[1]. »

On en voudrait beaucoup de la même eau! Rien de plus révélateur que ce propos pris sur le vif! Bien évidemment, Joséphine est hors d'elle, véhémente parce que blessée au point le plus sensible, dans son double secret : celui de l'intimité de son cœur (tout à son « Hipolyte ») et celui de ses agissements d'affaires, tout aussi personnels. Ces deux inquisiteurs que sont les frères Bonaparte – au demeurant, perspicaces – elle les enverrait sur le bûcher si elle le pouvait, tant elle les hait. Mais elle ne le leur dira pas. De même qu'elle leur tient tête, car elle a du cran. Et cette même tête (« Tête de créole! » s'exclamait son mari, excédé, au sens de « Tête de mule! »), fût-elle sur le billot, elle ne démordrait pas de sa version des faits. En dépit de ses larmes – faciles et convenues, à l'époque –, Joséphine a les nerfs solides. Et pour protéger son intégrité, elle est capable de déployer beaucoup d'énergie. Qui l'eût cru?

* * *

Et il va lui en falloir! Car la crise ne fait que commencer. C'est le pire moment de la vie conjugale des Bonaparte, celui où ils se montrent, l'un comme l'autre, sous leur pire aspect.

Elle, parce qu'elle mène une vie sans portée, plus opulente, certes, depuis la campagne d'Italie qui a renfloué et le Directoire et les Bonaparte, mais quoi…? Un jeune officier mué en fournisseur comme le premier gandin venu, auquel consacrer ses pensées, des petites affaires occultes qui donnent beaucoup de souci et rapportent, somme toute, assez peu, des dépenses qu'on ne jugule pas, le tout sur fond de dilapidations directoriales, d'instabilité politique, d'incertitude qu'on voudrait qualifier d'existentielle tant est vain cet éternel carrousel de plaisirs ostentatoires et déréglés… Pas de quoi être contente de soi…

1. In Louis Hastier, *op. cit.*, pp. 152 et suiv.

Et que son mari se mêle de ce qui la regarde en propre est un comble! Elle a une idée claire de ce qu'est un couple, elle le lui a prouvé : elle est solidaire de sa gloire et elle en attend une sécurité accrue ainsi qu'un relief d'identité, de position. Mais cette manie de tout confondre! Cependant, elle est sûre – trop sûre – de l'ascendant qu'elle a sur lui, elle sait en jouer, et n'est-ce pas mieux ainsi, un couple devant être harmonieux s'il se peut, et un mari aimant... Mais que Bonaparte lui laisse sa respiration, son espace, son jardin secret! Tout son problème, actuellement, est de les reconquérir et de les préserver. Fût-ce au prix de mensonges et de petites rouerieries... En un mot, ayant détecté les forces hostiles récemment apparues dans son ménage, du fait de Joseph, elle entend les contrecarrer tout en développant son quant-à-soi, point sur lequel elle ne transigera jamais.

Lui est certainement tombé de haut lorsqu'il s'est aperçu que l'« incomparable Joséphine » – souvenons-nous des lettres d'Italie – pouvait n'être ni aussi divine, ni aussi limpide qu'il le pensait, qu'elle pouvait ne pas tout partager avec son époux, comme une bourgeoise, mais au contraire, se réserver, se ménager des pans de vie bien à elle. Peut-être commence-t-il à se dire que la séduction féminine est une arme à double tranchant... Et s'il aime Joséphine, s'il sait ses qualités, son influence sociale, s'il aime la féminité délicieuse dont elle imprègne tout, sa vie, son intérieur, ses amitiés, il est clair aussi qu'il est crispé devant ses écarts, son indépendance, son silence et, plus encore, cette volonté qu'elle a de ne rien lui demander. Si elle a monté son petit trafic, c'est parce qu'elle ne réclame jamais rien à son mari, et qu'ainsi, elle espère pouvoir s'offrir l'éternel superflu dont elle est friande. Il ne sait pas encore qu'elle agira toujours ainsi : l'un des grands ressorts du couple impérial, ce seront ses fameuses dettes qu'il devra à plusieurs reprises éponger. Il tonitruera mais il paiera, et, à chaque fois, il la sentira dépendante, soumise, reconnaissante, ce qui lui sera une bien délicieuse revanche...

Pour l'heure, il est mécontent, irrité du comportement de sa femme – en bon Latin, il n'aime que la femme maternelle et vertueuse, il a peur de la sirène qui attire et menace la virilité masculine –, mais néanmoins, il achète le petit hôtel de la rue de la Victoire, le 26 mars, soit huit jours après la scène avec elle, et signe une clause le lui garantissant pour le cas où il disparaîtrait à la guerre…! Comme il est ambivalent! Le plus généreux, le plus enflammé, le moins réaliste des maris, et cependant, le plus scrutateur, le plus soupçonneux des hommes, le plus désabusé, bientôt…

C'est un couple un peu refroidi, chacun campant sur ses positions et ses arrière-pensées qui se sépare, dans la rade de Toulon, le 19 mai 1798. Bonaparte est sombre et acide. Joséphine, agacée et inquiète. Lui ne pense, en vérité, qu'à sa nouvelle expédition, qui s'est montée en secret – pour ne pas risquer d'alerter l'ennemi, c'est-à-dire la Navy, qui tient la Méditerranée et qu'il va falloir vaincre –, et cette espèce de folie, car l'entreprise est plus que risquée, mobilise son énergie et ses espérances. Le Directoire, qui commençait à prendre ombrage de son immense succès, a été heureux de l'éloigner à si bon compte : Bonaparte en Egypte, rien de plus aléatoire, si cette diversion qu'il a bâtie pour faire pièce aux Anglais réussit, tant mieux pour la République, si elle échoue, comme c'est à parier, tant mieux pour le Gouvernement, qui se sera débarrassé d'un gêneur doublé d'un arriviste…

Bonaparte aurait souhaité que sa femme l'accompagne et partage avec lui cette extraordinaire aventure, promettant des combats navals, puis une progression dans les sables de l'Orient, à la conquête de la terre des Pharaons contre le Turc, allié de l'Anglais, et, en cas de victoire, la fondation d'une colonie, voire d'un empire gagné sur les Ottomans et qui régira la Méditerranée… À vrai dire, ce nouveau commandement suprême ne peut que conforter la fortune des Bonaparte.

Joséphine n'a aucune envie d'aller s'ensabler au milieu de farouches sabreurs, parmi les dangers, les épidémies, les aléas et les horreurs de la guerre. Elle sait, peut-être, qu'une note secrète avait confirmé en haut lieu que les Anglais laisseraient passer la flotte française, mais finalement, que pouvait-il résulter de tout cela ? Et comme le pensait son amie, Mme de Coigny, « Bonaparte partait pour l'Égypte, comme Argus, avec les yeux de derrière fixés sur Paris », extrêmement attentif aux soubresauts d'un régime de plus en plus instable, prévaricateur, honni, et surtout, incapable de mener convenablement les affaires...[1] Aussi bien, promet-elle à son mari et à son fils Eugène, aide de camp de son beau-père depuis l'Italie, qu'elle ira les rejoindre dans deux mois, si la traversée est possible, mais sans doute se promet-elle, en même temps, de n'en rien faire. D'ici là, elle ira prendre les eaux de Plombières, station réputée pour soigner les maladies féminines. Une saison d'été qui s'annonce bien et qui, peut-être, permettra enfin à Mme Bonaparte de procréer, ce qui satisferait hautement, elle le sait, le général.

Ils se séparent donc, dans la splendeur de la rade provençale, où près de trois cents voiles se déploient, emportant les cinquante-quatre mille hommes du corps expéditionnaire, encadré par un aréopage de brillants généraux, Berthier, chef de l'État-major, Murat, Lannes, Davout, Marmont, Duroc, Bessières, Friant et Billard, tous compagnons d'armes d'Italie, ainsi que Desaix et Kléber, venus de l'armée du Rhin, sans compter une commission de savants aux noms réputés, dont Monge, Berthollet et Geoffroy Saint-Hilaire, qui rehaussent par leur présence et leur compétence, le projet bonapartiste. Car si la campagne précédente tenait d'un opéra endiablé, celle-ci prend des allures de *Conte des Mille et une nuits...*

Malheureusement, cette expédition tournera au désastre. Après des premiers succès, la prise de Malte puis un heureux débarquement à Alexandrie – malgré Nelson qui talonne la flotte française –, après la remontée du Nil et la bataille des Pyramides – contre six mille Mamelucks –, le 21 juillet, l'entrée au Caire, Bonaparte se trouve pris au piège : le 1er août, devant Aboukir, Nelson a détruit la flotte française. Il est prisonnier des sables, coupé de ses arrières. Force lui est de vivre sur sa conquête, la Basse-Égypte, cependant que se poursuit son avancée en Haute-Égypte. Il fait preuve, alors, d'un admirable talent d'organisateur, fortifiant le delta du Nil,

---

1. Cf. *Le Journal d'Aimée de Coigny*, Perrin, 1981, p. 194. C'est elle qui signale la note du 22 février 1798. Amie de Lord Malmesbury et de Talleyrand, entre autres, elle savait beaucoup de choses...

aménageant les ressources du Caire, faisant alliance avec les notables locaux, mettant les savants à la tâche, et créant l'Institut d'Égypte, sous la direction de Monge. Il sait muer une pure expédition guerrière en acte civilisateur, modernisateur, ce dont, sur place, on le loue encore…

Au-delà de quoi, il lui faut trouver une échappatoire. Il monte alors en Syrie, pour aller vaincre les Turcs qui s'apprêtent à venir aider leurs alliés anglais devant Alexandrie. Il commence par les battre au Mont-Thabor, mais échoue devant Saint-Jean d'Acre, où Eugène est blessé. Les épidémies déciment ses hommes – on se souvient des pestiférés de Jaffa, que Bonaparte ordonne de sacrifier à l'opium, pour les soustraire aux cruautés des Janissaires –, et il redescend en hâte en Basse-Égypte afin de contrer un débarquement ennemi. Il y réussit à Aboukir, la victoire terrestre – le 25 juillet 1799 – corrigeant la défaite navale de l'été précédent. Puis, mis au courant des désordres politiques qui agitent Paris, il décide de rentrer en France, secrètement, laissant son commandement à Kléber, dont l'assassinat, le 14 juin 1800, entraînera la capitulation des troupes et leur rapatriement sur des vaisseaux anglais… Bonaparte, lui, débarqué à Fréjus, le 9 octobre 1799, finira le siècle en beauté, balayant le pouvoir en place et devenant, avec quel brio, le nouveau chef d'un État qu'il régénèrera puissamment. Mais avant de remettre de l'ordre dans les affaires de la France, il aura dû en remettre dans celles de son ménage…

* * *

Car Joséphine, pendant ces longs mois de séparation, n'a évidemment pas changé son mode de vie ni ses intérêts premiers. Du moins s'est-elle occupée d'elle, des siens, et de sa société, sans doute apaisée du départ du général, car il la retrouvera plus séduisante que jamais. Elle a commencé par sa saison à Plombières où elle s'est installée le 14 juin. Dans les vallons verdoyants de la cité vosgienne, elle découvrait la vie très particulière qu'on menait alors dans les villes d'eaux, où, ignorants de nos modernes « vacances », nos prédécesseurs se rendaient régulièrement, le temps d'un long séjour, ressenti comme un délassement, car les protocoles habituels s'y trouvaient sinon bannis, du moins très assouplis. On se recevait sans étiquette, on prenait à heures fixes les eaux bienfaisantes, éventuellement, on s'y trempait de façon thérapeutique, et, ensuite, libéré de ses obligations de santé, on consacrait l'après-midi aux excursions, aux promenades, et les soirées, à la vie de société, dont seuls les affinités ou l'agrément commandaient la réunion. Rien de plus prisé, donc, que ces agréables sessions en vogue dans l'aristocratie depuis la fin du XVIIIᵉ siècle, et que l'Empire consacrera, comme il consacrera les quelques stations fréquentées par les princesses et le haut personnel impérial. Aix-en-Savoie, Aix-la-Chapelle, Spa, Plombières, Gréoux (découverte par Pauline), Saint-Amand-les-Eaux, en Hainaut, ou Barèges, dans les Pyrénées, liés à la reine Hortense, en gardent encore le souvenir.

La pauvre Joséphine n'a guère de chance – à moins que dans son malheur, elle n'en ait trop! –, mais six jours après son arrivée, alors que du balcon de la maison où elle loge, tenue par un vieux couple charmant, les Martinet, elle se précipite à l'appel de son amie Mme de Cambis, pour voir passer un petit chien, le balcon s'effondre et les deux dames font une chute de cinq mètres pour se retrouver sur le pavé. Mme de Cambis a la cuisse cassée, et Mme Bonaparte de fortes contusions sur... la partie la plus charnue de son anatomie! La compagnie s'empresse, M. Martinet, qui est médecin aux eaux, calme les cris, ordonne une purge et un bain chaud, puis fait poser des sangsues, suivies de compresses de pommes de terre cuites à l'eau, sur le charmant fessier de sa jolie et célèbre patiente... Joséphine souffre grandement, ainsi qu'elle l'écrit à Barras, douze jours après l'événement :

« Je profite, mon cher Barras, du premier mouvement de calme que j'éprouve depuis ma chute pour vous remercier, mon ami, de l'intérêt que vous m'avez marqué et de la charmante lettre que j'ai reçue de vous. Elle a mis du baume sur mes blessures en me donnant une nouvelle preuve de votre amitié. J'ai bien de la peine à me remettre de ma chute, mon cher Barras, je ne puis pas encore marcher. J'éprouve aux reins et au bas-ventre des douleurs horribles. On me fait prendre tous les jours des bains. On attend que je sois un peu plus forte pour me faire prendre des douches : la seule chose, à ce que me disent les médecins, qui pourra me rétablir. En attendant, je souffre cruellement... »

Suit une recommandation pour un ancien ami d'Alexandre de Beauharnais, le chef de bataillon Lahorie, qui a continué de servir dans les armées de l'Est et qui s'est mis à sa disposition dès qu'il l'a sue accidentée. Elle demande à Barras de l'appuyer auprès de Schérer, afin de le faire monter en grade[1]. Elle y ajoute une lettre pour Bonaparte, dont elle avait déjà reçu une missive « bien tendre et bien sensible », ce qu'elle avait commenté auprès du Directeur en des termes sur lesquels on s'est mépris : elle lui disait qu'elle s'efforçait de bien faire sa cure de façon à aller rejoindre au plus vite « Bonaparte que j'aime bien », ajoutait-elle, « malgré ses petits défauts... » C'était, la connaissant, et sachant le langage du XVIIIᵉ, non seulement un charmant euphémisme, mais une déclaration de trêve pacifique... Sauf que, la connaissant et sachant son langage, il est douteux qu'elle ait eu vraiment envie de partir pour l'Égypte...

Elle a la joie d'accueillir sa fille, qu'elle a fait demander aussitôt après son accident, à Mme Campan, doublement désolée, parce qu'on était en fin d'année scolaire, à la veille de l'« Exercice » annuel, ou cérémonie de remise des prix, suivie d'un bal, et qui deviendra bientôt, grâce au relief des Bonaparte et à l'activité de la directrice, l'un des événements prisés du mois de juillet. La pauvre Hortense est toute morfondue de le manquer, d'autant qu'elle est une bonne élève et que rien ne lui plaît comme sa vie de pensionnaire. Cette

---

1. In *Correspondance, op. cit.,* p. 68. Ajoutons que Lahorie participera à la conspiration de Malet, contre l'Empereur alors absent, en 1812, et, qu'à ce titre, il sera fusillé incontinent dans la plaine de Grenelle.

année, elle recevra le prix de dessin que lui accorde Isabey, qu'on portera à la marquise de Beauharnais, sa tante. La belle Mme Récamier avait auréolé la séance de sa merveilleuse présence, ce qui avait fait date. Pauvre petite Hortense, éloignée de son frère pour lequel elle s'inquiète, de son petit monde habituel, elle se console comme elle peut, en faisant la lecture à sa mère, en adoucissant au mieux les maux et l'immobilité forcée de celle-ci.

Hortense, qui n'a que quinze ans, a vécu des moments marquants, à la veille de l'embarquement de son beau-père, quand le général s'est rendu à Saint-Germain, au pas de charge selon son habitude, en compagnie de son aide de camp, Lavalette, et d'Eugène. Grand émoi parmi ces demoiselles, au nombre desquelles Caroline, la petite sœur du général, et grand bouleversement quand on comprend de quoi il s'agit : tout simplement, de marier la douce et ravissante Émilie de Beauharnais ! La jeune fille était jugée inmariable à cause de l'émigration de son père – dont l'Empire fera l'un de ses ambassadeurs – et du remariage de sa mère, on s'en souvient, avec le mulâtre Castaing, que Bonaparte n'appelait que « le Nègre » ! Le prétendant choisi par le général n'était autre que Lavalette, esprit solide au demeurant, et de bonne composition – le chancelier Pasquier l'estimait particulièrement –, un peu abasourdi par la volonté soudaine de son chef. Émilie avait été entraînée dans le parc, escortée d'Eugène et de Lavalette. Elle n'avait rien dit, mais gentiment, en signe d'acceptation, elle avait tendu son bouquet au fiancé ravi. Le mariage avait eu lieu chez ses grands-parents Beauharnais, puis, en petit comité, une bénédiction nuptiale – rarissime alors – avait été donnée au jeune couple, au couvent de la Conception, rue Saint-Honoré, Hortense et Caroline y assistant. Ce n'est que quelques jours plus tard qu'Émilie avait avoué à sa cousine son inclination, partagée, pour Louis Bonaparte, le jeune frère du général.

Émilie, comme sa mère, Françoise de Beauharnais, comme ses cousines Hortense et Stéphanie, future Margravine de Bade, aura un curieux destin. Belle comme un ange, accomplie, soumise, elle fera peu parler d'elle sous l'Empire, dont son mari aura été l'intangible et très nécessaire Directeur des Postes, et elle, dame de sa tante Joséphine, mais après Waterloo, elle se révèlera une héroïne : elle sauvera Lavalette, condamné à mort par la Seconde Restauration, en se substituant à lui dans sa prison, échangeant ses vêtements avec les siens, non sans avoir, auparavant, préparé sa fuite qui réussira. Mais, enceinte lors de ces événements tragiques, elle en deviendra folle...

Quant à sa mère, qu'on croyait disparue, nous en avons retrouvé la trace. Grâce au *Journal* de Lord Blaynay, un officier Anglais, prisonnier sur parole à la fin de l'Empire, et qui, voyageant, vers 1812, dans la Meuse, visite le fort de Sampigny, dont il s'aperçoit avec surprise que le Gouverneur est, comme il le raconte, « un nègre dont la situation est à peu près celle d'un prisonnier d'État car il ne peut jamais sortir du Château ou des jardins. Il a épousé une parente de l'Impératrice Joséphine. Ils avaient divorcé l'un et l'autre afin de pouvoir s'unir. Ce sont des personnes d'un excellent ton. Le mari de la fille du premier mari de la dame (Lavalette, mari d'Émilie) a une place de confiance dans la maison de l'Impératrice Joséphine. Le Gouverneur a aussi un fils qui est tout à fait noir et marié à une bourgeoise de Sampigny. Ils ont trois enfants chez lesquels on remarque une singularité : c'est que les deux garçons sont aussi noirs que leur père et que la fille est blanche. »[1]

Ce couple héroïque et amoureux aurait pu servir de modèle aux Romantiques! Mais la réalité dépasse la fiction, bien plus savoureuse, bien plus imprévisible! Nul doute que les Castaing aient coulé des jours paisibles et heureux dans la lointaine mais évidente protection impériale... Joséphine a-t-elle jamais revu sa belle-sœur? A-t-elle jamais mesuré l'injustice du Destin qui, de l'une avait fait une Impératrice et, de l'autre, une femme à l'écart du monde? On peut se demander, toutefois, qui, des deux, fut la plus accomplie dans sa vérité profonde...

* * *

---

1. *Journal d'un prisonnier anglais, 1811-1814*, « Une captivité en France », Louis Michaud, 1910. Collection Albert Savine, p. 125.

À la mi-septembre, après avoir passé trois mois dans la paisible petite cité vosgienne, Joséphine reprend ses quartiers parisiens. Elle continue, comme elle l'a fait tout l'été, d'assaillir Barras de recommandations et de suppliques, afin d'obtenir places et protection pour qui lui paraît devoir les mériter, Barras répartissant, au fur et à mesure, auprès des ministres concernés, les demandes de son inlassable et amicale solliciteuse. Après Lahorie, elle est intervenue en faveur de Laurent de Rémusat, le mari de la petite Clari de Vergennes, dont nous nous souvenons qu'elle faisait partie des réfugiés de Croissy, puis de son beau-père le vieux marquis de Beauharnais, ou encore, du général de Beurnonville, dont la brillante carrière avait été interrompue par la capture et l'emprisonnement au fort d'Olmütz, en compagnie des commissaires français – dont le Drouet de Varennes – pris par Dumouriez, en 1793. Ils en étaient sortis deux ans plus tard, échangés avec Madame Royale, l'Orpheline du Temple. Joséphine, déjà, s'était entremise, pendant la campagne d'Italie, pour soutenir auprès des Autrichiens la demande d'indemnisation des prisonniers, que souhaitait le Directoire, et dont était chargé Bonaparte. C'est tout naturellement qu'elle récidivait, afin d'aider Beurnonville à régler ses problèmes financiers. Notons qu'il deviendra bientôt suffisamment riche pour racheter aux Sabran-Custine leur ancien hôtel du faubourg Saint-Honoré, et suffisamment audacieux pour faire la cour à la belle Delphine, seule à Paris, sa famille se trouvant encore en émigration aux confins de la Pologne, et prétendre à sa main !

On conçoit que la réputation d'obligeance de Joséphine soit, d'ores et déjà, excellente, tant auprès de la nouvelle société que de l'ancienne, précisément parce qu'elle apparaît comme le lien entre elles. Voici, par exemple, puisque nous évoquons Delphine de Sabran, marquise de Custine, un témoignage retrouvé par Gaston Maugras, dans les papiers des Sabran, montrant à quel point « Mme de Buonaparte » a bonne presse auprès des grands noms de l'Émigration. Il s'agit d'une lettre écrite par une grande dame de ses amies à la mère de Delphine, la comtesse de Sabran, récemment remariée avec son ami de cœur, le chevalier de Boufflers – de la maison de Lorraine – épris de Mme de Sabran depuis son précoce veuvage sous l'Ancien Régime. Il a partagé avec elle les joies de l'esprit – et Dieu sait qu'ils en étaient pétris, dans cette famille ! –, les charges de la maternité – Delphine et son jeune frère Elzéar, qui deviendra un charmant poète, commensal attitré de Mme de Staël à Coppet – et les souffrances d'une émigration lointaine, auprès de la famille régnante de Prusse, puis à Wimislow, en Pologne, dans une terre concédée par leurs protecteurs. La grande dame en question ne se nomme pas, mais se situe auprès de ses correspondants pour qu'ils l'identifient. Elle arrive à Paris, de Berne, pour régler ses affaires et réaliser sa fortune avant d'aller s'établir en Allemagne. Elle décrit ce qu'elle découvre du nouveau paysage social parisien. Voici un extrait de son propos, aussi sagace que pénétrant :

> « 2 juin 1798.
> [...] Persuadée qu'une femme a plutôt aperçu les nuances qu'un homme, calculé les différences, je vais hasarder mes observations.
> Tout ce qui avait reçu de l'éducation, de l'opulence, est dans la misère, et conserve, sous des habits sales et usés, des formes polies, un certain air de dignité, je dirai même de supériorité ; car on ne se défait point de cet air-là. La politesse, la décence, le bon ton, l'aisance dans les manières, tout cela ne se trouve plus que dans les galetas ; C'est là que s'est réfugiée cette politesse française, ces gracieuses manières qui ne sont plus regardées que comme d'antiques préjugés, que les nouveaux venus ridiculisent, parce qu'ils ne peuvent y atteindre. Cette coquetterie d'esprit, cette grâce de dire des riens, ce fin persiflage de la cour, ce son de voix doux, que l'éducation donnait aux femmes, est remplacé par le glapissement et le tutoiement bourgeois.
> Un des grands bonheurs est de manger. La mode est de donner des déjeuners. J'ai été d'une de ces orgies, et je vais tâcher de vous dire ce que j'ai vu et

entendu. On se rassemble à midi ; les députés (c'est leurs femmes qui tiennent la maison) boivent un coup d'eau-de-vie, avant de partir pour l'Assemblée législative ; tout le monde, hommes et femmes, porte le toast de la République ; ensuite on commence le déjeuner par le thé parce que c'est le bon ton ; et l'on finit par le vin, les liqueurs, et un bruit insoutenable pour les anciennes oreilles ! Ce déjeuner dure à peu près deux heures : ensuite, pour attendre le dîner, on joue à de petits jeux innocents, où l'on se baise, se tape, se déchire ; tout cela forme une gaieté si bruyante, que tout le quartier est instruit qu'il y a dans telle maison une fête. À quatre heures, les députés reviennent, on dîne. La table est couverte de plats, autant qu'elle en peut tenir, avec la plus grande profusion. Le bon ton est de détailler ce que coûte chaque plat, chaque bouteille : celui où j'ai assisté, le calcul le plus modéré le porte à deux cent soixante mille francs, valeur nominale, c'est-à-dire assignats.

Après le dîner qui finit à six heures, nous fûmes voir des maisons et jardins nationaux, tels que Monceau, Tivoli, etc., où il n'y a que les députés et leur compagnie qui puissent entrer. Ces messieurs firent les faunes, ces dames, les nymphes. Les plaisanteries républicaines sont, je vous assure, très libres : c'est la seule liberté en France, mais on en use bien. [...] L'esprit consiste à beaucoup gagner, n'importe comment. Les jeunes gens sont tous avilis ; on ne confie qu'à très peu de gens un louis pour le changer, encore lui paye-t-on sa commission, afin qu'il vous regarde comme bonne pratique, et dans l'espoir de gagner une autre fois, il est exact. Le mal gagne tout le monde. Les gens de notre espèce, qui ont conservé quelques principes, ne voulant pas être escrocs, composent avec l'usure ; je pourrais vous citer beaucoup de grands seigneurs de notre connaissance, qui disent, tout haut : j'ai placé vingt louis, dix louis... à quarante livres par louis, par mois. Tous les principes sont réduits en préjugés; cela doit être dans un pays où il n'y a point de lois.

Le luxe des parures est extrême pour les femmes, porté au plus haut degré; cela est nécessité par les circonstances. Les propriétaires et les rentiers sont écrasés : les premiers par les impôts, les taxes arbitraires, et par leurs fermiers, et les autres par la non-valeur des assignats. Il n'est donc resté que les fortunes mobilières. Pour faire de grandes affaires et inspirer la confiance, il faut avoir un beau mobilier, une maison montée, une femme richement vêtue, et pour montrer tout cela, avoir un bon dîner, donner des fêtes, des bals. Jamais on a autant dansé que cet hiver. [...]

Je veux donc vous parler [...] de deux femmes bien célèbres et qui jouent ici un grand rôle : Mme Tallien, née Cabarrus, femme divorcée de l'émigré Fontenay, conseiller au Parlement, aujourd'hui l'épouse de Tallien, et Mme de Buonaparte, ci-devant vicomtesse de Beauharnais. Ces deux femmes sont très extraordinaires, elles ont une grande faiblesse de caractère avec beaucoup de courage; la première est belle comme un ange, a de l'esprit, des talents, un très bon cœur, des sens très vifs et une fort mauvaise tête. La seconde a beaucoup moins d'esprit, est laide, mais créole; elle a cette douce nonchalance qui plaît aux hommes; toutes les deux ont un très bon caractère et une obligeance infinie. Avant leur mariage, elles étaient aristocrates très prononcées. Mme de Fontenay était en prison avant le 9 thermidor. Tallien, séduit par sa beauté et son esprit, imagina, pour la sauver, de dire qu'elle était sa femme : il obtint à ce titre sa liberté. Il acquit quelque gloire à la mort de Robespierre; engagée par la reconnaissance, elle se détermina par ses services. Ses anciens amis aristocrates, lui voyant du pouvoir, s'adressèrent à elle, et en furent extrêmement contents : elle a obligé toujours quand elle l'a pu, sans calcul; il suffit d'être malheureux pour l'intéresser : son excessif luxe, la légèreté de ses mœurs, l'ont mise en butte à toutes les critiques ; elle a sur ce point une philosophie imperturbable, rien ne trouble sa sérénité : elle est belle, elle a du pouvoir, cela suffit pour elle.

Mme Buonaparte peut être regardée comme sa suivante, moins prononcée sur tout, mais pas moins obligeante ; elle a la modestie de la laideur ; plus facile, elle est plus touchée des hommages, parce qu'elle y est moins accoutumée ; il n'y a rien qu'elle ne fasse pour être utile à un homme qu'elle croit amoureux d'elle.

Au total, il est fort heureux que ces deux dames se soient emparées des membres du gouvernement ; elles adoucissent la rudesse de leurs mœurs. Il est peu d'aristocrates de Paris qui ne leur aient quelque obligation ; je suis peut-être la seule qui ne leur ait rien demandé ; cela viendra peut-être, si quelqu'un de mes amis était en danger, j'aurais avec plaisir recours à leur bon cœur : voila avec impartialité, le portrait de ces deux femmes, qui joueront un rôle dans l'histoire des mœurs, plutôt que dans celle de la politique. Elles ne sont pas propres à mener une intrigue importante : trop occupées de leurs plaisirs, elles sont étourdies, vaines, et ont trop de confidents[1]. [...] »

Jolie analyse, totalement oubliée, hélas ! et qui se poursuit, avec la même acuité et la même justesse de langue, sur la situation politique et économique du pays... Elle nous permet de voir Joséphine, au sein de son monde, agissant dans un rôle de médiatrice autrement plus intéressant, avouons-le, que le seul rôle de « courtisane » que lui attribue Frédéric Masson. Ajoutons que c'est elle qui interviendra, plus tard, sous le Consulat, pour faire rentrer en France les parents de Delphine, entre combien d'autres...

* * *

---

1. In Gaston Maugras, *op. cit.*, pp. 345 et suiv.

L'hiver suivant n'est pas propice à l'obligeante « Mme de Buonaparte ». D'une part, ses relations avec Barras se refroidissent – il doit être fatigué de demandes qu'il ne saurait, évidemment, lui refuser, ne serait-ce qu'en vertu du nom qu'elle porte – et, d'autre part, ses affaires ne sont guère florissantes : la Compagnie Bodin éprouve des difficultés qu'il lui faut sans cesse aider à estomper et redresser, faute de quoi elle risquerait d'être mêlée à une faillite de mauvais aloi...

Qui plus est, la situation préoccupante dans laquelle se trouve Bonaparte en Égypte, l'absence de communications directes avec lui, accroît un malaise qui va se précisant : elle aura mis du temps à l'apprendre, mais l'été précédent, le général, loin de sa douce influence, s'était laissé circonvenir par des confidences et des ragots de proches – dont « Junot, et même Berthier », selon Eugène, qui assistait à tout –, concernant sa femme et les relations persistantes de celle-ci avec Charles. Bonaparte s'était monté au point d'écrire à Joseph : « Le voile est entièrement levé », ajoutant : « J'ai besoin de solitude et d'isolement ; les grandeurs m'ennuient, le sentiment est désséché, la gloire est fade... » Il confiait ses états d'âme à son écritoire, tout comme le brave Eugène, contant à sa mère ce qu'il avait glané du « bavardage fabriqué par [ses] ennemis », décrivant son général « triste », désireux cependant de prouver à son beau-fils qu'il ne lui tenait pas rigueur des « fautes » de sa mère, « redoublant d'amitié » pour le jeune homme... Ces lettres non seulement n'arriveront jamais à leurs destinataires mais, interceptées par les Anglais, elles seront publiées par Londres dans les feuilles publiques, ce qui est de bonne guerre, mais le comble de l'inélégance ! Inutile de dire que dans la société parisienne d'alors, gangrénée par des plaisirs et des manières de bas étage, un délectable parfum de scandale et pas mal de gorges chaudes accueillent la révélation des personnelles mésaventures du général Bonaparte ! Molière avait popularisé l'épithète qu'on donnait aux maris dans ces cas-là...

Joséphine, alertée par Barras, à la fin de novembre 1798, ne tarde pas à en subir les retombées. Les Bonaparte, présents à Paris désormais, la dédaignent. Mis à part Mme Bonaparte la mère, tous, y compris le jeune Louis, qui les rejoint à la fin de l'hiver, tournent ostensiblement le dos à l'Étrangère, devenue à leurs yeux la Femme écarlate de la Bible... Mauvaise posture, car ils constituent une véritable ligue contre elle, et elle aurait intérêt à mettre quelque prudence à ses peu reluisants agissements. D'autant que les relations avec son soupirant attitré sont loin d'être au beau fixe. Il y a même de la brouille dans l'air... Est-elle consciente du mal que les Bonaparte sont décidés à lui faire? Elle semble suffisamment sûre d'elle, en tout cas, pour renouer avec Charles, espérant, dans le même temps, des rentrées d'argent qui, bien entendu, ne viennent pas...

C'est au printemps 1799 que Joséphine, un peu lasse de ce petit monde sans dimension, mue par le conformisme ambiant, à moins que ce ne soit par un vieux réflexe de caste, acquiert une campagne près de Paris, comme c'était l'usage avant la Révolution, où passer la belle saison, sans se couper de ses affaires. Le problème, c'est qu'elle n'a pas un sou vaillant! Qu'à cela ne tienne, elle promettra, empruntera, s'engagera, autant sur le nom qu'elle porte, que sur son propre crédit, car elle a fait son choix : celui d'une propriété qu'elle avait pu contempler depuis Croissy, de l'autre côté de la Seine, situé au lieu-dit Malmaison, une longue maison de maître, gentilhommière plus que château, en assez mauvais état, mais assortie d'une bonne terre, dont les propriétaires, gens de la haute finance, les Le Couteulx du Moley, en demandaient, quand elle l'avait visitée en compagnie de son mari, avant le départ de celui-ci pour l'Égypte, 290 000 francs, à quoi ajouter 30 000 francs pour son entretien. Trop cher! Par l'entremise de Chanorier, un notable devenu le premier maire de Croissy, les négociations avaient continué, et maintenant, Joséphine pouvait l'acquérir pour 225 000 francs, plus 37 516 francs pour le mobilier, sans compter les droits de mutation de plus de 9 000 francs. Séduite, elle emprunte 15 000 francs au régisseur et elle fait affaire.

Elle ignore encore que cette Malmaison, cette « *Mala Domus* », cette mauvaise maison – combien y avait-il encore, de par le ci-devant royaume, de belles terres répondant à l'appellation ancestrale de « la Maladrerie », « la Maladière » ou « la Malmaison », évoquant de lointains et maléfiques souvenirs ? – elle en fera mentir l'étymologie de façon grandiose. Cette Malmaison deviendra sa bonne maison, sa maison par excellence, à jamais liée à elle, la plus belle de ses conquêtes, son territoire sacré, et l'expression d'elle-même...

Elle l'ignore encore, comme elle ignore qu'elle y vivra, s'y épanouira, s'y réfugiera aux heures difficiles, et y mourra. Il n'y aura pas un autre lieu, sur terre, plus marqué par elle, pas un autre lieu qui, à l'inverse, ne lui aura autant permis de s'accomplir. Car Joséphine à la Malmaison, ce sera l'histoire splendide et inépuisable d'une symbiose, d'une mutuelle création. La maison demande des soins, des travaux, des embellissements. Et il faudra la payer. Mais peu importe ! Le 21 avril 1799, 2 floréal an VII, chez Me Raguideau, Joséphine signe l'acte le plus intelligent de son existence, et le plus décisif, depuis son mariage avec Bonaparte.

* * *

C'est tout à fait inopinément qu'elle apprend, dînant chez le président du Directoire, au palais du Luxembourg, le débarquement, à Fréjus, de Bonaparte. Bien qu'elle se réjouisse ouvertement de ce retour, ainsi que de celui de son fils, elle est assez incertaine des dispositions de son mari envers elle pour se précipiter à sa rencontre, en compagnie d'Hortense. Malheureusement, elle descend par la route de Bourgogne cependant que Bonaparte a pris celle du Bourbonnais. Contretemps qui ne joue pas en sa faveur ! Le général, déjà irrité, trouvant sa maison vide, se livre à une colère d'autant plus violente qu'elle est attisée par la Famille, trop heureuse d'incriminer l'ennemie. Les Bonaparte jouent sur du velours... Bref, le général prend la décision de divorcer. La chose s'ébruite assez pour que le vieux marquis de Beauharnais s'entremette et prêche l'oubli des injures... Peine perdue ! Bonaparte est décidé. On verra ce qu'on verra, et peu importe ce qu'en dira Paris ! On verra, en effet... Dès que Joséphine réapparaîtra, les enfants s'en mêlant, il est vrai, tout sera expliqué, et bientôt pardonné.

Bonaparte a meilleur fond qu'on ne croit. Le héros est un homme, et un homme infiniment sensible à la femme qu'il aime. Après tout, qu'est-ce qu'un accident de parcours, au regard de tout ce qu'elle incarne, surtout si elle s'amende... Lui-même ne s'est-il pas affiché, pendant son séjour en Égypte, avec la jolie Pauline Fourès, qui avait suivi son mari, travestie en homme, ce qui était assez romanesque, et s'était empressée de l'oublier dans les bras du commandant en chef, ce qui l'était encore plus! Bonaparte et Joséphine sont quittes. Quant aux trafics, on a vu mieux, et on verra plus grand, dès lors que les Bonaparte vont pouvoir spéculer sur les acquisitions de biens nationaux, Joséphine n'y perdant rien au passage...

Cette réconciliation a fait couler beaucoup d'encre. Bien des mémorialistes bavards – car seuls Hortense et Eugène y assistaient – ont brodé sur une scène qu'ils se sont appliqués à rendre vaudevillesque à souhait... La palme revenant à Laure Junot, cette enfant gâtée du régime, cette tête folle et désordonnée dont l'Empire a fait une duchesse – la duchesse d'Abracadabrantès, comme l'appelait Théophile Gautier! –, qui, en pleine vogue romantique, s'étourdissait de ses propres élucubrations, tirant à la ligne pour boucler ses fins de mois, et nous laissant d'interminables Mémoires dont le succès ne s'explique que par leur facilité, leur verve fantasque, leur feu continu d'anecdotes piquantes et colorées, leur relief souvent ragoteur, toujours indiscret et de mauvais ton. La mère de l'Empereur, encore vivante alors, ayant pris connaissance des premiers tomes – auxquels Nodier, puis Balzac avaient prêté leur plume – en concluera sèchement : « C'est du roman! Et du mauvais roman...! » Peu importait à Laure Junot, tombée dans la misère, qui ne voulait que plaire. Et elle n'y réussit que trop! Comme elle se targue d'avoir tout su du couple consulaire et impérial, et qu'elle n'aimait pas Joséphine qui la surclassait, elle la réduit continuellement selon des petites catégories, plus renseignantes sur la mémorialiste que sur l'Impératrice... Cela pour dire qu'évidemment, la Légende noire s'est emparée du fait et qu'en ce mois d'octobre 1799, la pauvre Joséphine est cataloguée, une fois pour toutes, comme « une petite créole à la vertu facile et une fausse vicomtesse endettée », liée sans qu'elle soit jamais capable de le comprendre « au plus grand génie de l'Histoire! » Nous n'inventons rien.

Nous pensons, au contraire, que cette réconciliation, certainement plus sensée et plus humaine qu'on ne le croit, a scellé un pacte entre les époux Bonaparte, qui prennent ensemble un nouveau départ. Un départ de nature politique. Car, sans parler de leur vertu respective – qui se vaut –, nous sommes en présence, pour styliser à notre tour, d'un couple d'aventuriers, elle, une fausse merveilleuse, fatiguée de l'être, et lui, un général déserteur qui vient d'abandonner son armée pour tenter un coup, un gros coup, cette fois, à savoir faire main basse sur le gouvernement de la France... Cet homme et cette femme qui risquent tout, qui se complètent, qui ont besoin l'un de l'autre, vont s'atteler, ensemble, à remonter la pente et, ensemble, ils vont gagner.

Joséphine a senti le vent du boulet. Elle rentre dans le rang. C'en sera fini des amusements et des hommages reçus avec complaisance. Elle s'achètera une conduite, avec d'autant plus de facilité que son mari, s'il réussit, lui offrira une vie digne d'intérêt : en prise directe sur les affaires, non celles du petit milieu directorial si frelaté, mais les grandes affaires de ce monde, les seules qui vaillent la peine qu'on y consacre tout son temps, toute son énergie : la haute politique. Sa relation avec Charles prendra fin : il paraissait ne demander que cela. Un mot, pour dire qu'il continuera sa carrière de fournisseur, demeurera ami de Junot, achètera sous l'Empire le château de Cassan, près de l'Isle-Adam, puis, sur ses vieux jours, s'installera au château de Génissieux, près de Romans, sa ville natale. Comment l'ancien petit hussard vit-il l'élévation de la belle Mme Bonaparte, à qui il devait tant? Nous l'ignorons.

* * *

190

Le baron de Frénilly qui n'aimait ni le Premier Consul ni l'Empereur mais qui, du moins, s'en tint à l'écart, résume très justement la situation, à la veille du 18 Brumaire : « Cet homme se glissa donc de nuit hors de l'Égypte, se faufila entre les frégates anglaises, et le voilà à Paris. Là, il n'avait plus qu'à se baisser et à prendre. La France haletait après le despotisme d'un seul, après avoir passé pendant huit ans de l'anarchie des bourreaux à l'anarchie des histrions. Bonaparte vint et la prit, ou, disons mieux, il la reçut, car au 18 Brumaire, il perdit la tête, et, sans son frère Lucien, ce jour qui lui donna un trône, ne lui eût peut-être donné qu'un échafaud. Enfin, le Directoire n'était plus ; la joie fut générale et les espérances sans bornes. Cet homme voulait régner ; il entrerait donc dans les voies monarchiques ; il donnerait le Pérou à ses complices, un joug à la canaille, à la France l'honneur et la paix, à nous [les aristocrates] l'oubli et la liberté ; nos vœux n'allaient pas plus loin[1]. »

Pendant le mois qui sépare son retour à Paris de son coup d'État – les 18 et 19 brumaire an VII, 9 et 10 novembre 1799 –, Bonaparte, diligemment secondé par sa femme, mène une intense activité politique : la rue de la Victoire ne désemplit pas, les visiteurs se succèdent, les consultations et les conciliabules se multiplient, les lignes de force de l'action se dessinent. Le pays est mécontent, le climat, donc, est propice à un changement, le régime en place est à bout de souffle, l'instabilité politique engendrée par le déséquilibre de la Constitution de l'an III, qui à trop vouloir séparer l'Exécutif du Législatif, a laissé place libre à une série de petits coups d'État avortés, l'affaiblissant sans entraîner aucune réforme durable, les finances sont en piteux état, et la situation extérieure est de nouveau menaçante. Une nouvelle coalition européenne regroupant l'Angleterre, la Russie, l'Autriche, la Sardaigne et la Turquie se montrait d'autant plus virulente que le chef de guerre le plus craint d'elle, Bonaparte, était éloigné de l'Europe. En un mot, la France est exsangue. Elle veut un maître. Et Bonaparte veut la France.

---

1. In *Souvenirs, op. cit.*, p. 256.

Ce qu'il prévoit, c'est d'abord un changement constitutionnel, et pour ce faire, il se tourne vers Siéyès, qui, depuis les débuts de la Révolution de 1789, a fait la preuve de sa compétence en la matière. Il est actuellement l'un des cinq Directeurs en exercice et Joséphine entretient de bonnes et anciennes relations avec lui. On le verra donc, et on le convaincra de la nécessité du changement. Sur quels Directeurs peut-on compter ? Joséphine, en bons termes avec le très jacobin Gohier, et sa femme, est chargée de le rallier. Elle s'en acquittera du mieux qu'elle pourra, mais au dernier moment, Gohier se récusera. Du moins se sera-t-on assuré de sa neutralité. Elle est aussi chargée de Barras, beaucoup trop compromis et impopulaire pour l'assimiler au renouvellement, mais du moins le convaincra-t-on — avec des arguments sonnants et trébuchants — de ne pas se mettre à la traverse du complot. On compte avec Roger Ducos, autre Directeur bien falot, — qui sera le troisième Consul, après Bonaparte et Siéyès —, mais surtout avec deux brillantes intelligences politiques, Talleyrand et Fouché, assistés d'hommes de moindre dimension mais non de moindre activité, comme Roederer et Réal, constituant le noyau dur du cercle resserré des « Brumairiens ». Siéyès, selon son célèbre mot, cherchait « une épée ». Très vite, il se persuade que le seul homme d'envergure, le seul réunissant un cerveau, une trempe et une vraie popularité est, plus que Moreau ou Bernadotte, le général Bonaparte. Le complot prend consistance.

L'idée est de déplacer à Saint-Cloud les deux assemblées, le Conseil des Anciens et les Cinq-Cents — formant le Corps législatif — en arguant d'une émeute prochaine, une de ces « Journées » comme on en a tant vécues — Prairial, Vendémiaire, Fructidor —, contre quoi on prétendra les garantir. Le commandement suprême de l'armée entre les mains de Bonaparte, il suffira à celui-ci de « maintenir l'ordre », et, en homme providentiel, de se faire donner toute latitude pour imposer, dans un semblant de légalité, une refonte de l'Exécutif. On supprimera l'inefficace pentarchie au profit d'un triumvirat, composé de Consuls, dont on définira les attributions en renouvelant la Constitution. Et le tour sera joué!

Le jour venu – le 18 Brumaire –, tout se déroule comme prévu : les Directeurs sont déposés. Sièyès, Ducos et Barras, étant du complot, ne font pas problème. Les deux Jacobins récalcitrants, Gohier et le général Moulin sont, eux, gardés à vue. Le Directoire a vécu. Fin du premier acte. Le Consulat sera-t-il entériné par les députés à Saint-Cloud?

Le second acte se joue le lendemain et il est plus aléatoire. Les Cinq-Cents s'agitent, deviennent houleux, s'insurgent, malgré les efforts de leur président, Lucien Bonaparte, contre la possible dictature du général Bonaparte. Celui-ci veut prendre la parole. Il est nerveux, maladroit, il s'empêtre… C'est Lucien qui sauve la situation, maîtrisant l'assemblée jusqu'à ce que Murat, à la tête de ses grenadiers, arrive à la rescousse, et charge les députés au cri de : « Foutez-moi tout ce monde-là dehors! » Épouvantés, les députés s'enfuient, et ce qui en reste décrète tout ce qu'on veut… Le Consulat est né. Sous le signe de l'énergie. Ce sera sa dominante. Et le moins qu'on puisse dire, c'est qu'elle venait à point nommé…

Un grand travail de réorchestration de la vie civile, politique, juridique, diplomatique et militaire attend le Premier Consul, Bonaparte. Joséphine y tiendra sa partie, avec efficience : à elle, le ton nouveau, la restauration des mœurs et du goût, de l'art de vivre. À elle, pour commencer, avec Fouché, d'aider à cicatriser la fracture sociale, comme nous dirions aujourd'hui, en faisant rentrer les émigrés. Car il s'agit de redonner une unité à un pays déchiré par dix années de troubles et d'exactions, dix années de traumatisme profond, d'antagonismes aigus, de discordances et de haines plus ou moins prononcées, qu'il convient de calmer. Elle va s'y employer, et dans la mouvance de cet époux qui, chaque jour, fait preuve un peu plus de son immense capacité, de sa puissante étoffe, de sa véritable dimension – et qu'elle commence à admirer –, s'ouvrent à elle de beaux jours, les plus beaux, peut-être, de son existence.

Pour Joséphine, l'avènement du Consulat, qui entraîne une métamorphose de la vie politique, entraîne aussi une métamorphose de son existence, en ce sens qu'il en change la nature : désormais, et jusqu'à sa mort, elle apparaîtra comme l'épouse – à la fin, l'ex-épouse, avec les mêmes titres et les mêmes devoirs, sinon les mêmes fonctions – du chef de l'État, et partant, investie d'une charge de représentation qu'il va lui falloir assumer, ce qui supposera un certain nombre d'avantages et autant de servitudes.

Avec le nouveau siècle commence pour elle une nouvelle vie qui, durant quatorze années, sera jalonnée d'obligations : cérémonies et voyages officiels, réceptions de dignitaires, d'ambassadeurs, bientôt de souverains étrangers, liens obligés avec tout ce qui compte dans la vie civile du pays, sans oublier les activités sociales de toute sorte... La souplesse, le tact de Joséphine, son intelligence des situations la soutiendront dès les premiers temps de ce nouveau régime, ainsi que son équilibre foncier, qui lui permettra de se ménager un espace intérieur propre, qui sera d'ordre affectif et esthétique : ses enfants, sa parentèle, ses amis deviendront le cœur de ses préoccupations intimes, comme l'aménagement de son environnement, de son cadre de vie, la gestion d'elle-même qu'elle aura tous les moyens désormais de pratiquer à sa guise, sera le domaine privilégié où s'exprimeront son goût, sa sensualité, son raffinement, son sens du luxe et de la beauté, jamais pris en défaut. Il est à noter qu'au fur et à mesure que les contraintes officielles se feront plus pesantes, elle s'immergera, en manière de compensation – nous savons cela depuis la sortie des Carmes – dans le besoin toujours plus impérieux d'accumuler, de collectionner de beaux objets, des tableaux, des bijoux, surtout – lui permettant, seul, d'atténuer, comme le ferait un baume miraculeux, les traces à jamais douloureuses de ses anciennes cicatrices...

Dans ce domaine, ses débuts sont encore modestes. Le premier changement tangible est que son mari – dont l'accession au pouvoir est soutenue par les puissances d'argent –

commence par payer ses dettes et ratifier l'achat de cette belle campagne près de Paris, où ils entreprennent des travaux d'aménagement, de façon à pouvoir s'y installer aussitôt que possible. Déjà, à l'automne précédent, Hortense annonçait, dans une lettre à son frère : « Maman a acheté la Malmaison, qui est près de Saint-Germain. J'y suis presque toutes les décades ; elle y vit très retirée, n'y voit que Mme Campan et Mlles Auguié qui y viennent souvent avec moi[1]. » Débuts modestes, eux aussi, pour une demeure qui verra défiler les têtes couronnées de l'Europe...

À ce propos, qu'on nous permette une remarque, quant à l'appellation de la campagne en question. Elle est double et varie selon que l'on parle du lieu-dit, Malmaison, sans l'article défini (comme Rueil-Malmaison), ou de la demeure en soi, la Malmaison (article sans majuscule, définissant le genre, en principe, féminin pour une gentilhommière, masculin pour un château) que l'Ancien Régime, sachant son étymologie et toujours si juste quant à l'usage et à l'esprit des lieux, avait institué depuis des siècles, car cette *Mala Domus*, si elle n'apparaît comme telle qu'au XIIIe siècle, empruntait son nom à une incursion normande, venue par la Seine, au IXe siècle. Napoléon, par décret, en fera le « Palais impérial de Malmaison », comme Fontainebleau ou Compiègne, gommant, au mépris de la nature et de la dimension de l'endroit, son caractère féminin. Telle était sa volonté. Courtisans et militaires, dont Eugène de Beauharnais, pendant dix ans, diront donc « Malmaison ». Mais les tenants de l'ancienne société, et pas seulement eux, il n'est que de lire les lettres et les Mémoires du temps, tout au long du XIXe siècle, continueront d'évoquer Joséphine à « la » Malmaison. Parmi beaucoup d'autres, Hortense, Talleyrand, Pasquier, Mme Campan, Mme de Chastenay, Mme de Rémusat, Mme de Boigne, Caroline d'Arjuzon, Las Cases à Sainte-Hélène, y compris les subalternes proches de Joséphine, comme Mlle Avrillon ou Mlle Cochelet, et même le sénatus-

---

1. Cf. *Les Beauharnais et l'Empereur,* Plon, 1936, Lettre du 4 octobre 1799, pp. 124 et suiv.

consulte du divorce impérial l'y établissant... Le génie de la langue autant que la culture aristocratique séculaire y trouvant leur compte. Aujourd'hui, toutefois, l'endroit étant devenu le Musée national de Malmaison, conformément à l'orthodoxie impérialiste, l'article se trouve supprimé. Tout étant question de convention, nous souhaitions souligner cette nuance. Pour notre part, nous continuons l'habitude « joséphinienne », car elle nous est naturelle, à fortiori quand il s'agit de la châtelaine et de son contexte, mais nous évoquons volontiers le Premier Consul ou Napoléon, à Malmaison, puisque c'est ainsi qu'il s'exprimait. Les deux acceptions se justifiant et s'enrichissant l'une l'autre, d'ailleurs, chacune des deux ayant sa légitimité culturelle ou historique, également respectables.

* * *

Mais avant qu'elle puisse aller séjourner et se détendre dans sa belle campagne qui, pour l'instant, est en chantier, Joséphine doit bouleverser ses habitudes citadines. Après avoir habité de façon provisoire le Petit Luxembourg, où tous se trouvent rapidement à l'étroit, Bonaparte prend la décision de transporter les trois membres de l'Exécutif et les leurs – qui sont désormais Cambacérès et Lebrun, Siéyès et Ducos s'étant retirés – aux Tuileries. Il entend, en bon politique, faire de cette translation un événement marquant.

C'est donc un peu médusés, mais charmés cependant, que les Parisiens considèrent le long cortège qui, le 19 février 1800, 30 pluviôse an VIII, s'achemine vers la rive droite de la Seine, les troupes d'élite précédant les voitures des conseillers d'État, celles des ministres, que suivent l'état-major de la capitale, les officiers généraux à cheval, puis le carrosse des Consuls, tiré par six chevaux blancs. La musique militaire et la Garde consulaire en grande tenue donnent à ce défilé un caractère solennel qui n'est pas sans rappeler les anciennes « entrées » monarchiques. Et la revue qui suit, place du Carrousel, suscite une réelle émotion et une ovation prolongée... Joséphine y assiste depuis les fenêtres du Pavillon de

Flore (côté Seine) en compagnie d'Hortense et de Caroline, et, sans doute, n'échappe-t-elle pas à la disposition générale : le Premier Consul a fière allure, son maintien fait l'admiration de tous et sa popularité est telle que son arrivée ressemble à une marche triomphale... Et pourtant, cette pompe dissimule mal l'indigence des temps : les voitures des ministres sont d'anciens fiacres dont on a pris la peine de couvrir les numéros à la hâte, avec du papier ton sur ton! Touchante simplicité! Comme est touchant l'enthousiasme du public envers ce nouveau gouvernement, dont l'ardeur et la frugalité tranchent singulièrement sur le style de celui qui l'a précédé...

Sa fille nous le confie, Joséphine déclare en entrant aux Tuileries : « Je ne serai pas heureuse, ici! » Ce qui se conçoit, car l'endroit, pour être illustre, n'avait pas bonne réputation. C'était une sorte de château de la Belle au Bois-Dormant, silencieux mais sans mystère, que des souvenirs récents et sanglants entachaient encore aux yeux des Parisiens. Peu habité par les souverains, à peine ouvert le temps d'une fête ou d'un caprice royal – le mariage d'Henri III ou les promenades d'Anne d'Autriche –, seul le Carrousel du jeune Louis XIV, y menant, devant quinze mille spectateurs, en 1662, un brillant quadrille à cheval, célébrant, précisément, l'inauguration de la place qui en porte le nom, restait dans les mémoires. Le château lui-même ne s'était rouvert que lors des Journées d'octobre 1789, pour accueillir dans le trouble, l'improvisation et l'inconfort la Famille royale « recapitalisée » de force. Au-delà de quoi, la réclusion inquiète de celle-ci, durant de longs mois, suivie de la tuerie du 10 août 1792, dans laquelle avait succombé la monarchie, y avaient laissé une empreinte de douleur et de mort.

Habitant les anciens appartements de la reine Marie-Antoinette, prenant au rez-de-chaussée du Pavillon de Flore, côté Carrousel, et s'étendant vers les jardins, Joséphine sera réceptive à leur ambiance pesante et triste. « Comme la grandeur », précisera Bonaparte au conseiller d'État Roederer. Redécorés à la hâte – un « Salon jaune », salon de compagnie où se tient souvent le Premier Consul, une chambre en camaïeu bleu et blanc, une salle de bains aménagée dans un ancien oratoire, communiquant discrètement avec le cabinet de travail de son mari, à l'étage au-dessus, une bibliothèque et, enfin, un boudoir –, les lieux déplaisent à Joséphine, car ils manquent de lumière, d'harmonie, de vie. Mais que faire contre ces boiseries surannées, ces tapisseries ou ces tentures décolorées, ces vestiges omniprésents d'un autre âge… ? Cette femme de goût ne réussira jamais, même quand les moyens lui en seront donnés, à s'aménager aux Tuileries un espace qui lui plaise : inlassablement, elle commandera qu'on en refasse le décor pendant ses nombreuses absences, et toujours, elle s'avouera déçue du résultat. L'esprit des lieux, est, hélas! indélébile. Pas un des habitants des Tuileries – Napoléonides, Bourbons aînés ou Orléans n'échappera, pendant le siècle à venir, à la malédiction qui pèse sur le vieux palais : tous en seront chassés violemment, et à part Louis XVIII qui y reviendra et y mourra, tous s'éteindront en exil. Et pourtant, Joséphine va devoir s'accoutumer à y vivre… Ce qui va l'y aider, c'est que, pendant les deux premières années du nouveau régime, elle va aisément conjuguer vie privée et vie officielle.

* * *

Le Premier Consul s'est attelé à la tâche, et le moins qu'on puisse dire est qu'il ne chôme pas. S'étant opportunément séparé de ses premiers acolytes, le ténébreux bien que très compétent Siéyès et l'insipide Ducos, il les a remplacés par un légiste et un administrateur, comme il les définit lui-même. Le légiste, c'est Cambacérès, qui s'installera bientôt à l'hôtel d'Elbeuf, tout proche, où il prendra ses aises de sybarite, entouré de ses inséparables, les marquis de Vieilleville et d'Aigrefeuille, toujours dévoués, toujours flatteurs… Cambacérès, dont la perspicacité n'a d'égale que la pusillanimité, sera toujours écouté de son maître, qui en fera l'un des grands dignitaires de son Empire. Aimée de Coigny le stigmatise dans son *Journal* : « Il ne gouverna jamais, c'était un *fidéi-commis* qui rendait compte, informait, proposait, avec intelligence et mauvaise foi... » Sans omettre ses « goûts contre nature », dont elle nous dit qu'ils exaspéraient Napoléon, à tel point que celui-ci, plus tard, lui « ordonna de s'afficher avec une actrice ». On sait le mot qui en résulta et qui fit le tour de Paris : l'actrice en question étant enceinte, certains en complimentaient Cambacérès qui répondait avec une fausse candeur : « Cela regarde M. de R. Je ne l'ai connue que postérieurement.[1] »! Cambacérès était doté d'un esprit de finesse et d'une souplesse à toute épreuve. À telle enseigne que personne, sur la place, n'avait réussi à démêler son vote de régicide! Pasquier et Mme de Coigny le résument avec les mêmes mots : « Il commença par déclarer le Roi coupable, puis refusa à la Convention le droit de le juger ; il vota ensuite sa détention, même sa mort, mais seulement en cas d'invasion étrangère, et arriva enfin, jusqu'à demander l'exécution dans les vingt-quatre heures du jugement qui portait la peine capitale[2]. » On comprend que ce personnage ambigu et séduisant ait, pendant des années, figuré comme le modèle de la courtisanerie. Sa relation avec Bonaparte était excellente. Il le stimulait et le rassurait en permanence, en un mot, il lui était un précieux collaborateur et un indispensable faire-valoir.

De même que Lebrun, le troisième Consul, bientôt installé, avec sa famille, à l'hôtel de Noailles. Comme Cambacérès, cet homme formé à l'esprit des Lumières, cet ancien Constituant, conciliant, modéré en tout et bon spécialiste des affaires financières, demeurera aux côtés de Napoléon pour devenir, lui aussi, un autre grand dignitaire impérial. Notons, au passage, l'équilibre bien compris des origines des premiers collaborateurs que choisit le chef de l'Exécutif : un Conventionnel, d'une part, et un Constituant, de l'autre. On le retrouvera souvent.

C'est que la ligne que se fixe Bonaparte est claire et ferme : « Ni bonnet rouge (Jacobins), ni talon rouge » (royalistes). Peu importe qu'il s'entoure de régicides ou de monarchistes

---

1. In *Journal, op. cit.*, pp. 240-241.
2. In *Mémoires du Chancelier Pasquier, op. cit.*, I, p. 237.

constitutionnels, pourvu que ceux-ci se soient amendés et soient prêts à servir son projet, qui est de reconstruire le pays. Pour ce faire, il accélère la refonte des institutions, cette Constitution de l'an VIII lui en donnant tous les moyens. Bien que les apparences républicaines soient encore scrupuleusement préservées, en vertu de l'extrême susceptibilité des Jacobins les plus farouches, notamment parmi les généraux – dont certains ont fait payer, au sens propre, très cher leur ralliement à Brumaire! – tous les pouvoirs sont, en fait, concentrés dans les seules mains du Premier Consul.

Élu, comme les deux autres, pour dix ans, et « indéfiniment » rééligible – par le plébiscite de l'an VIII, rondement mené –, le Premier Consul décide de tout, en matière de politique extérieure comme intérieure. À lui, la nomination des ministres, des officiers, des juges, ainsi que des membres du Conseil d'État, chargés d'élaborer les projets de loi et ceux du Sénat, qui jugent de leur constitutionnalité. Le Pouvoir législatif comporte, outre ces deux assemblées, un Tribunat, comprenant cent membres élus par degrés, mais choisis par le Sénat, qui discutent les projets de loi, et le Corps législatif, dont les trois cents membres, les Législateurs – que Bonaparte appelle aussi les « Législatifs » –, élus et nommés comme les précédents, qui eux, votent ces mêmes lois. Bref, c'est ce qui s'appelle verrouiller la situation…

Le Premier Consul l'a voulu ainsi car il se sent pleinement capable de mener à bien, sur tous les fronts à la fois, l'incommensurable défi qui est le sien. Et il y réussira, réalisant le plus essentiel en moins de deux années! Ce travailleur infatigable est doté il est vrai d'une énergie et d'une intelligence hors du commun. Rien ne lui échappe. Sa vision est ample et cependant son regard est précis, susceptible de s'attacher au moindre détail. La capacité analytique de son cerveau se double d'une faculté assimilatrice qui fait l'admiration de tous ceux qui l'approchent. Bonaparte, si différent du petit « général vendémiaire », au teint jaune, aux méplats accentués, à la gestuelle encore peu aisée, si différent, aussi, de ce chef de guerre sombre et tourmenté, laissant derrière lui son armée dans les sables, pour tenter le diable, ou sa chance, en fustigeant sa trop séduisante épouse… Bonaparte qui, depuis Brumaire, semble enfin être devenu lui-même.

Il rayonne. Regardons-le, le soir, accoudé à la cheminée du salon de Joséphine, entouré des siens, se plaisant si c'est un jour où il ne se mure pas dans un silence qui trahit un surcroît de préoccupations, à jouter avec des interlocuteurs de choix. Il a le geste net, la réplique foudroyante, le regard pénétrant. Il a meilleur aspect aussi : son visage s'est rempli, il a coupé ses oreilles de chien, il soigne sa tenue. Celle de Consul est particulièrement seyante : habit de velours de soie amarante, au collet et aux parements brodés, pantalon collant de daim blanc, qui préfigure le retour prochain à la culotte et aux bas de soie, cravate noire assortie aux élégantes bottines de maroquin… S'il est attentif au vêtement, c'est que celui-ci est un langage, un symbole expressif, un reflet de l'ordre et de la hiérarchie sociale. Il se montre aussi vigilant quant aux uniformes civils, nécessaires accompagnements, à ses yeux, de la fonction et de son autorité, qu'elle soit magistrale, administrative, législative, qu'aux uniformes militaires, qu'il affectionne évidemment, y compris pour lui-même, puisque, on le sait, sa tenue préférée sera toujours celle de colonel de la Garde consulaire. Rien d'ostentatoire chez lui, le décorum qu'il impose, et imposera de plus en plus, n'étant, pour lui, qu'une indispensable et significative expression politique. Bonaparte n'a rien d'un satrape. Il ne sera jamais ivre de ses richesses, mais conscient du pouvoir qu'elles lui donnent et de celui qu'elles incarnent. Ses habitudes personnelles ne changeront pas : il est d'une hygiène rigoureuse, d'une frugalité nette, saine et intangible, à tous les égards. Il ne conçoit pas, déjà, de passer plus d'un quart d'heure à table « quand il dîne avec peu de monde, et n'est pas plus d'une demi-heure à la plus grande table », ainsi que le remarque le conseiller Roederer, très proche de lui à cette époque[1].

À ses fascinantes capacités organisatrices, le Premier Consul ajoute une force de caractère et de détermination peu communes qui, à ce moment décisif où l'aigle prend son pre-

---

1. In *Bonaparte me disait…*, Paris, 1942, p. 85.

mier envol, se double d'une finesse toute latine, d'une chaleur humaine qu'on dirait solaire, tant elle est une aspiration à la bienfaisance, à l'harmonie, à la réussite générales. Sa sensibilité est subtile, comme son sourire si réputé, parce qu'il est rare et spécialement séduisant, aux dires de tous les témoins. Pour l'heure, c'est un homme jeune, que sa plénitude, son relief, autant que son charisme et son activité rendent infiniment attrayant et dont ils font le chef incontesté, non seulement de son pays, mais aussi de sa famille.

* * *

Et cette famille est, à son image, irradiante. En premier lieu, bien sûr, Joséphine, sur qui la primauté du Consul rejaillit bénéfiquement, car elle a tout loisir d'apparaître dans son éclat de femme de qualité, dont l'élégance et le savoir-vivre en imposent à tous. Ces valeurs qu'on croyait abolies parce qu'elles n'étaient plus de mise depuis les excès révolutionnaires, vont, tout naturellement, redevenir dominantes dès lors qu'elles sont incarnées au sommet de l'État. Comme plus tard, sous l'Empire, le seul comportement de Joséphine suffira à expliciter la volonté de son mari. Il entend rétablir les mœurs, c'est-à-dire les normes civilisatrices, rien de plus simple, il suffit de se régler sur le couple consulaire. Désormais, l'exemple vient d'en haut.

L'élégance de Joséphine est une de ses composantes premières. Elle s'exprime en tout, et d'abord, bien sûr, dans sa parure. Nous sommes loin des modestes artifices déployés, on s'en souvient, pour se présenter à Tivoli ou à Mousseaux. Les ressources de Joséphine se sont amplifiées, sa séduction aussi. Elle n'a plus à s'efforcer de suivre la mode, alors audacieuse mais outrancière, elle la crée. Bientôt, grâce à elle, Paris deviendra la capitale de la haute couture, car auparavant, c'était Versailles qui donnait le ton. Aux sophistications de Versailles avaient succédé le diktat de la rue puis celui de la folie directoriale. Dès lors qu'aux Tuileries, l'épouse du Premier Consul modère ces récentes excentricités au profit de son goût personnel qui est très sûr, elle entraîne une transformation générale. Joséphine impose en douceur un style exquis, qui loin de renier les influences de l'anglomanie ou de l'anticomanie toujours prépondérantes, les rend plus décentes, plus mesurées, plus séduisantes, car elle en supprime le dévergondage sans en effacer la fantaisie. Elle continue d'arborer les tissus légers, linon ou mousseline, qui épousent et allègent la silhouette – qu'elle a parfaite –, de même que la taille haute – qui lui sied admirablement – et les manches courtes dégageant des bras impeccables. Mais elle atténue le décolleté provocateur, en adjoignant systématiquement à sa tenue le grand « shall » (ou châle) de cachemire, de vigogne, de percale brodée, suivant les saisons, qui couvre, souligne et suggère, dont le drapé traduit l'aisance et l'éducation de celle qui le porte – car c'est un art subtil! – et qui, grâce à elle, demeurera tout au long du siècle comme un indispensable attribut de l'élégance féminine. Bientôt, Joséphine popularisera le port de la rédingote, venue d'outre-Manche, ou du spencer de promenade, agrémentant la robe dite en « fourreau », la plus répandue à l'époque et dont la ligne se maintiendra jusqu'à la fin de l'Empire. Sa coiffure n'est plus agressivement à la « porc-épic » ou à la « Titus », mais ornée de bandelettes, d'aigrettes appelées « esprits », de peignes précieux, souvent assortis aux bijoux qu'elle choisit... Nous sommes encore loin du luxe d'apparat qu'imposera la Cour impériale, des lourds habits de cérémonie, du port obligé des diamants, de la codification rigoureuse des passementeries ou de la chérusque, mais déjà, cependant, le raffinement et le bon ton de la parure féminine expriment le retour aux bonnes manières. Redisons-le, loin d'être frivolité, cette attention au vêtement tient, en vérité, à ce que le vêtement est un langage qui reflète, en priorité, un code social. Bonaparte le sait, tout comme Joséphine. La grande vertu, et l'art de celle-ci, c'est qu'elle ne cessera jamais de l'envisager, aussi, comme une expression personnelle. Composer son apparence comme une création perpétuellement renouvelée, suscitant la surprise, l'admiration ou l'envie, faire de soi-même un chef-d'œuvre, qui, pour être exemplaire doit être irréprochable, voilà qui relève non du seul narcissisme, comme le croit la cuistrerie petite-bourgeoise, mais, plus en profondeur, du courage de la féminité et de la sociabilité bien comprises.

***

En plus d'être un couple élégant, le couple consulaire est un couple harmonieux. Napoléon y reviendra souvent, à Sainte-Hélène. Combien de fois redira-t-il de Joséphine qu'« elle était l'art et les grâces », que rien n'était plus exquis que de la voir à sa toilette, à chaque heure de sa vie intime, ce dont il ne se privait pas, car, il y insiste, « ils avaient fait ensemble un ménage tout à fait bourgeois, c'est-à-dire fort tendre et très uni, n'ayant eu longtemps qu'une même chambre et qu'un même lit ». Cela prendra fin lors du camp de Boulogne, avoue-t-il (à l'été 1805) mais « tant que dura cette habitude, aucune de mes pensées, aucune de mes actions n'échappaient à Joséphine ; elle suivait, saisissait, devinait tout...[1] » Cette réelle osmose explique bien des choses.

À commencer par l'influence, le rôle grandissant des Beauharnais dans l'affectivité de Bonaparte, dont le cercle familial, à cette époque, est le plus charmant qui soit. Car Hortense et Eugène ont rejoint leurs parents. Hortense a maintenant dix-sept ans et tout en elle enchante son entourage : sa sveltesse, son regard bleu-violet, son admirable chevelure blond-cendré, son maintien parfait autant que son intelligence et ses multiples dons pour la musique, la danse, l'art dramatique, l'écriture ou le dessin. Comme sa mère, Hortense est douce, affable et élégante, encore qu'à la différence de celle-ci, elle cultive le naturel, et comme son père, elle est déterminée dans ses choix – « tu es une douce entêtée » lui répète son frère –, tout en faisant montre d'une rare sensibilité qui se double d'une réceptivité aux autres d'une exceptionnelle qualité. Les événements l'ayant arrachée à son cher collège, elle entend néanmoins poursuivre ses études, et s'y emploie, sous l'égide toujours attentive, toujours affectueuse, de Mme Campan.

---

1. In *Mémorial, op. cit.,* I, p. 627.

C'est de son arrivée aux Tuileries que date une anecdote qui la peint en pied. Hortense réalisait, à la demande de Mme Campan, une belle étude de tête de Roustan, le Mameluck ramené d'Égypte par Bonaparte, dont l'aspect et le costume étaient saisissants. Un jour qu'absorbée par son travail elle avait oublié l'heure de passer à table, sa mère vient la chercher, et devant son application, celle-ci lui demande si elle compte gagner son pain en artiste pour œuvrer avec tant d'ardeur ! « Maman, lui répond Hortense, dans le siècle où nous sommes, qui peut dire que cela ne sera pas… ? » Quel esprit de sérieux et quelle sagesse, surtout chez la belle-fille d'un chef d'État ! Mme Campan lui rappellera ce mot, en juin 1816, alors qu'Hortense ne sera plus qu'une exilée, dont les puissantes ressources intellectuelles et créatrices, à défaut de richesse matérielle, lui vaudront la richesse inestimable de l'accomplissement de soi dans l'excellence personnelle. Si, en cette année 1800, qui la révèle au public, Hortense fait figure, à juste titre, de jeune personne exemplaire – ce qui lui vaut déjà quelques inimitiés, comme celle de l'envieuse Caroline –, il apparaît aussi qu'il ne lui manque désormais, pour couronner cette éducation parfaite, qu'un mari. Elle n'en est guère soucieuse, mais on ne va pas tarder à s'en occuper pour elle.

Si Hortense fait la joie des siens, Eugène, lui, en fait la fierté. Comme sa sœur, il est de belle stature, comme elle, il a le visage allongé et séduisant des Beauharnais, mais ses traits sont plus réguliers que ceux d'Hortense. La prestance d'Eugène, sa bravoure et ses bonnes manières lui valent tous les suffrages. Il a la passion de son devoir, et pour avoir été formé très tôt à la discipline militaire, il a fait ses preuves brillamment, dans le sillage de son beau-père. Sous-lieutenant de Hussards, en Italie, bientôt aide de camp du général, il a été promu lieutenant en Égypte où, l'on s'en souvient, il s'est distingué lors du siège de Saint-Jean-d'Acre. Il est maintenant, à moins de vingt ans, capitaine des Chasseurs à cheval de la Garde consulaire et son prestige d'officier ne nuit en rien à ses succès dans le monde. Aussi « beau cavalier » que l'avait été son père, aussi bon danseur, il est pétri de tact et d'affabilité. Pour l'heure, il enchante le salon le plus élégant de Paris, celui que l'exquise Mme Récamier vient d'ouvrir rue du Mont-Blanc (rue de la Chaussée-d'Antin), où se retrouvent sans ostracisme mais dans un esprit de concorde les grands noms de l'ancienne société et les gloires naissantes de la nouvelle, où les émigrés côtoient les hommes politiques, les militaires, les financiers, les gens de lettres, sans oublier, bien entendu, les plus belles personnes de la capitale.

Mais s'il s'épanouit dans les servitudes de la vie militaire et s'il excelle aux plaisirs de la vie sociale, ce qu'Eugène aime par-dessus tout, c'est sa famille. Sa mère, qu'il entoure, qu'il comprend, qu'il conseille toujours judicieusement, sa sœur avec laquelle il communie en tout, liée à elle par une tendresse et une complicité que leur enfance douloureuse a renforcées à jamais – « Je ne vis que de la vie d'Eugène », se plaît à dire Hortense, « Pense à moi et aime ton frère comme il t'adore », lui écrit-il souvent –, et, bien sûr, son beau-père, qu'il révère et qu'il sert de tout son cœur, à qui il sait devoir la vie animée, intelligente et enfin protégée, qui est la leur désormais.

Comme Hortense, Eugène est l'emblème de sa génération. Et ce qu'il incarne déjà à merveille, c'est la figure légendaire de l'ancien Preux, le symbole de cette Chevalerie d'où il est issu et qu'il ressuscite dans sa version moderne, sachant conjuguer les prouesses guerrières et les prouesses amoureuses, sachant plaire à la Ville comme aux Tuileries, marquant, surtout, chaque acte de sa vie, d'honneur, de rectitude, de générosité et de loyauté. Toujours, Eugène saura servir, en obéissant sans se plaindre, en s'efforçant de faire au mieux, quelles que soient les contraintes ou les difficultés de ses charges ou de ses missions, en ne dérogeant jamais. Comme sa sœur, il saura incarner les valeurs de l'ancienne aristocratie, dans un monde neuf, ce qui le dispensera de s'en prévaloir, et là, comme elle, il saura illustrer, selon des codes et des exigences renouvelées, le vieux et beau nom qu'ils portent.

* * *

Lorsque en mai 1800 commence une nouvelle campagne, dont la préparation a été tenue secrète et qui mène Eugène, dans le sillage du Consul, en Suisse, puis, par le Grand Saint-Bernard, en Italie, où ils vont affronter de nouveau les Autrichiens, celui-ci n'oublie pas de décrire à sa sœur le ravissement qu'il a éprouvé devant « les charmants bords du lac de Genève! Avec quels (sic) délices on lit Jean-Jacques Rousseau! [...] Il m'a semblé le retrouver à chaque pas que je faisais dans ce pays[1]. » À ces impressions élégiaques, succèdera une guerre-éclair, couronnée par la victoire de Marengo, le 14 juin, au terme d'une bataille hasardeuse mais qui, grâce aux grenadiers de la Garde consulaire et aux troupes fraîches de Desaix arrivées en renfort, se retournera au profit des Français. Desaix y laissera la vie, et l'on sait que jusque sur son lit de mort, Napoléon sera obsédé par ce souvenir. « Desaix! Desaix! Ah! la victoire se décide! » s'écriera-t-il encore dans son agonie... Comme si, de cette bataille aléatoire, dont les pertes furent considérables – six mille tués chez les Français, et trois mille chez les Autrichiens – et qui donnait toute l'Italie du Nord à la France, avait dépendu le sort du Consul... Ce fut le cas, en quelque sorte, car l'annonce à Paris, différée, comme toujours, assortie d'une fausse mauvaise nouvelle pour commencer, puis enfin, de la victoire, constitua un événement considérable, renforçant encore sa popularité. L'enthousiasme atteint alors des sommets inouïs. Paris illuminait, le peuple délirait de joie, la perspective de la paix, tant attendue, se dessinait, Législateurs et Tribuns, en délégation, allaient aux Tuileries apporter à Mme Bonaparte une branche de laurier d'or, détachée d'un drapeau pris à l'ennemi! Et Joséphine, en retour, ouvrait la Malmaison, le temps d'un dîner célébrant les vainqueurs...

* * *

On sait l'adage qui accompagnera le règne : « Napoléon gagne les batailles, Joséphine gagne les cœurs. » Rien n'est

---

1. A. N. 400 AP 28. Lettre du 19 mai 18OO, 1er prairial an VIII.

plus vrai dès cette première victoire de Bonaparte Premier Consul. Car c'est dans le même temps que Joséphine s'installe dans un rôle où elle s'illustrera, avec discrétion mais efficacité, celui de médiatrice, gagnant pour premiers cœurs ceux, bien éprouvés, de son ancienne caste. Napoléon s'en expliquera à Sainte-Hélène, en ces termes, particulièrement précis : « La circonstance de mon mariage avec Mme de Beauharnais m'a mis en point de contact avec tout un parti qui m'était nécessaire pour concourir à mon système de fusion, un des principes les plus grands de mon administration et qui le caractérisa spécialement. Sans ma femme, je n'aurais jamais eu avec ce parti aucun rapport naturel[1]. » Voilà qui est clair. La centralisation et la pacification, à l'intérieur comme à l'extérieur, sont les deux maîtres-mots du Premier Consul. Et, dans son désir de réaliser la pacification intérieure de la France, son système de « fusion » sociale est essentiel. Bonaparte rétablira l'ordre en Vendée, désamorcera l'activisme royaliste encore virulent et, par la réinsertion des émigrés – encore cent cinquante mille environ, au début de 1800 –, il apaisera les dissensions et les cicatrices toujours cuisantes des anciennes élites décimées par le bouleversement révolutionnaire : ceux qui ont perdu rang, fortune, position, pourront, s'ils le souhaitent, rentrer dans leur pays, se faire « radier » de la trop fameuse « liste des Émigrés », retrouver leurs biens quand ceux-ci ne sont pas aliénés – on ne remet pas en cause l'acquisition des biens nationaux –, et reprendre enfin, chez eux, une vie normale. Dans un premier temps, ces retours s'effectueront au coup par coup, puis, à partir d'octobre 1800, ils seront accordés massivement (à cinquante-deux mille d'entre eux), en attendant la loi d'amnistie qui viendra le 26 avril 1802.

L'entremise de Joséphine sera déterminante pour réaliser cette politique conciliante – contrecarrée, hélas! par les attentats d'une poignée de royalistes extrémistes, qui, jusqu'en 1814, ne reculera devant rien pour éliminer l'Usurpateur –, car l'épouse du Consul est située à l'endroit

1. In *Mémorial, op. cit.*, I, p. 582.

stratégique idéal pour ce faire. Elle se trouve, par sa naissance et son premier mariage, en relations de société avec l'aristocratie, et, dans le même temps, son second mariage l'a placée au plus près des centres du pouvoir en place. Qui plus est, sa réputation d'obligeance est fondée, des deux côtés. À la frontière exacte entre la nouvelle société et l'ancienne, elle va cristalliser les espérances, recevoir les visites, collationner les informations, réunir les sollicitations des proscrits, qui, depuis quelque temps, n'hésitent pas à rentrer clandestinement. Avec sa bonne grâce, elle draine à elle un véritable courant, une sorte de réseau d'émigrés, ou de familiers d'émigrés, qui la connaissent, soit directement, soit à travers ses anciens amis et dont elle est en mesure de transmettre ce qu'on appellerait aujourd'hui les dossiers, au très actif ministre de la Police, ou à la commission chargée de régler ces épineuses questions.

Joséphine réussira pleinement cette mission officieuse mais dont nous pouvons être sûrs qu'elle ne l'aurait pas menée sans la bénédiction de son mari et la collaboration de Fouché, qui malgré son lourd passé de régicide et de terroriste, est toujours attentif et souvent secourable aux tenants de la vieille société, qu'il semble connaître aussi bien que la nouvelle… Joséphine jouit d'une réelle aura de bonté et de douceur : le fait est qu'elle excelle à désamorcer les conflits, sachant d'expérience ce que peuvent la patience et la diplomatie. Jamais elle ne se montrerait agressive ni hautaine, jamais elle ne se prévaudrait, dans sa brillante position, d'aucune supériorité illusoire, car elle est d'une autre appartenance, d'une autre texture que les intrigantes et les parvenues gravitant dans les allées du pouvoir, et on lui en sait gré. À commencer par le ministre de la Police qui la connaît bien et sait traiter avec elle, leur mutuelle onctuosité et leur art du sous-entendu y trouvant leur compte…

Ne nous étonnons pas que, des plus obscures aux plus notables, les familles de l'ancienne aristocratie se manifestent auprès de Joséphine, dès son arrivée aux Tuileries. Nous ne pouvons les citer toutes, mais nombre d'entre elles auront l'élégance de la gratitude à son égard. Son intercession lui vaudra d'authentiques et durables louanges, qui alimenteront longtemps sa Légende rose. Chez les Sabran, par exemple : « Ce n'est point Barbe-Bleue (le général Beurnonville) qui a obtenu notre radiation », écrit Mme de Boufflers à son fils Elzéar, alors à Vienne. « C'est plutôt Mme Buonaparte, avec qui ta sœur (Delphine, marquise de Custine) a été en prison huit mois, qu'elle a pu arranger toutes nos affaires[1]. » Après une interminable et douloureuse séparation, la famille, enfin, en cette même année 1800, sera réunie à Paris. La duchesse de Saulx-Tavannes, née Choiseul-Gouffier, dont la mère, née Gouffier, fille du marquis d'Heilli, était alliée aux Beauharnais (par les Philypeaux), raconte, dans ses *Mémoires*, combien elle est redevable à Joséphine, approchée par Mme de Montesson (épouse morganatique du duc d'Orléans, père de Philippe-Égalité), d'avoir fait radier son mari, ayant appartenu à l'armée de Condé. « Madame Bonaparte avait recommandé mon affaire à Fouché qui lui donna une surveillance. Ce n'était pas sans répugnance, ajoute la jeune femme, que je me trouvais placée à côté de ce ministre dans un dîner que je fis à la Malmaison[2]. » De même, la comtesse Alex de La Rochefoucauld, cousine de Joséphine, ou son beau-frère François de Beauharnais, Mme de Montmorin, connue à Fontainebleau, on s'en souvient, Mme de Sourdis, Mme de Matignon (fille du baron de Breteuil), les Lévis, les Montmorency, les Gontaut, les Mun, comme tant d'autres, n'ont eu qu'à se féliciter de la bienveillance active de Joséphine envers eux. Mme de Flahaut, pourtant si liée à Talleyrand, n'a obtenu sa radiation qu'en avril 1800, alors qu'elle était rentrée depuis août 1797 !

À telle enseigne que le Prétendant en personne – le comte de Provence ou Louis XVIII, comme on voudra –, s'intéresse vivement à l'esprit d'apaisement qui émane des Tuileries et, nous l'avons déjà signalé, encourage son premier valet de chambre, François Hüe, à poursuivre la correspondance que celui-ci n'a jamais cessé d'entretenir avec son ancienne amie

---

1. In Gaston Maugras, *op. cit.*, p. 365.
2. In *Mémoires de la duchesse de Saulx-Tavannes*, Calmann-Lévy, 1934, pp. 152 et suiv.

de Fontainebleau. En fin politique, il ira même jusqu'à envoyer de Mittau, le 4 juin 1800, une lettre que Napoléon qualifiera à Sainte-Hélène de « très soignée », à son endroit, faisant des ouvertures quant à une possible Restauration... La réponse sera fermement négative. Le Prétendant récidivera en envoyant, cette fois, des émissaires personnels, comme le comte de Clermont-Gallerande, chargé d'approcher Joséphine (en avril 1801) en vertu, écrit Louis XVIII, « de l'appui qu'elle donne aujourd'hui à ceux de mes fidèles sujets qui ont recours à elle [et qui] lui mérite le surnom d'ange de bonté que vous lui donnez... » Suivront la marquise de Champcenetz, parente, sans doute, de celui qui monta dans la charrette avec Beauharnais, la duchesse d'Escars, ou l'aimable duchesse de Guiche, née Polignac, cette « Guichette », liée à Louise d'Esparbès, comtesse de Polastron et amie de cœur du comte d'Artois – qui va bientôt avoir, dans son exil londonien, la douleur de la perdre. Mme de Guiche sera reçue aimablement à la Malmaison mais, comme les autres, elle aura agi en pure perte. Le Premier Consul n'a rien d'un Monck, il n'a aucune envie de replacer sur un trône qu'il se sent capable d'occuper lui-même un rival bourbonien. Il est tout à l'honneur de Joséphine, cependant, d'œuvrer comme elle le fait, et sans être le moins du monde la royaliste que ses détracteurs l'accusent d'être, d'adoucir, chaque fois qu'elle le peut, un certain nombre de situations douloureuses, voire franchement affligeantes. Et ce n'est qu'un début.

* * *

Cette politique n'empêche nullement les actes criminels, comme l'attentat du 3 nivôse an IX, 24 décembre 1800. Voici, en substance, le récit d'Hortense qui se trouve aux côtés de sa mère lors de cette dramatique soirée : aux Tuileries, on s'apprête à aller écouter pour la première fois l'oratorio de Haydn, *La Création du monde*, à l'Opéra. Bonaparte est fatigué, il n'en a guère envie. « Cela te distraira, tu travailles trop », lui dit Joséphine, qui finit par le convaincre. Il s'attarde, inspecte, comme à son habitude, la toilette de ces dames, Hortense, Caroline, mariée depuis le début de l'année à Murat et qui est enceinte, et Joséphine dont il critique la parure. Le temps de draper plus souplement son châle, Joséphine se met légèrement en retard sur la voiture du Consul. La sienne, dans laquelle ont pris place sa fille, sa belle-sœur et l'aide de camp Rapp, n'a pas le temps d'entrer dans la rue Saint-Nicaise, qui relie la place du Carrousel à la rue de Richelieu, où se trouve l'Opéra, qu'une explosion la soulève. Les vitres se brisent, les chevaux s'emballent, Joséphine cède à la panique car elle est persuadée que Bonaparte a été atteint, alors qu'il est passé sans encombre, juste avant la déflagration, grâce à l'habileté de son cocher. Caroline garde son sang-froid et la pauvre Hortense, blessée à la main, essaie de calmer sa mère... Rapp se précipite sur le lieu de l'explosion : spectacle de désolation! Des cadavres de femmes et d'enfants jonchent le pavé. Une maison a été soufflée par le baril de poudre dissimulé dans une charrette. Il s'agit de ce que nous appelons un attentat à la voiture piégée... Bonaparte, lorsqu'il aura connaissance du détail de l'événement, résumera d'un mot l'indignation générale : « Quelle horreur! Faire périr tant de monde parce qu'on veut se défaire d'un seul homme! » Quelle horreur en effet! Mais qui en sont les auteurs? Lorsqu'après le concert, qui s'est déroulé vaille que vaille malgré l'émoi général – et la pâleur de Joséphine –, tout ce qui compte dans la capitale accourt aux Tuileries, les supputations vont bon train. Le Consul est persuadé, comme la majorité de l'assistance, qu'il s'agit des Jacobins. Fouché, seul, soutient que ce sont les Royalistes. L'altercation est vive. Il s'avèrera que Fouché avait raison[1]. Ce fanatisme inextinguible ne fera, à la longue, que renforcer le Consul dans sa marche vers un pouvoir de plus en plus personnel, étayé sur une police omnisciente, confiée au redoutable mais efficace et toujours affable ministre en exercice.

***

---

1. Cf. *Mémoires de la reine Hortense, op. cit.*, pp. 42 et suiv.

Dès le retour de la belle saison, la plus grande joie de Joséphine est d'aller à la Malmaison. Là, elle est heureuse. Là, elle se sent chez elle, sur son territoire. Même s'il lui faudra attendre encore neuf années avant qu'elle n'en soit l'officielle propriétaire, ce domaine, elle l'a choisi, elle l'a voulu, elle l'anime, elle ne cessera de l'agrandir, de l'embellir, de le façonner à son goût. Toute la créativité qu'elle porte en elle, Joséphine la mettra, inlassablement, au service de sa belle demeure, dont elle saura faire un monde harmonieux, raffiné, complet, à son image, un monde où il lui fera bon vivre, selon son rythme et ses catégories, mais un monde, aussi, qu'elle ne finira jamais d'enrichir et de parfaire, comme s'il lui était un absolu, un idéal, voire une utopie. Un monde enchanteur, enchanté, qui sera son palais des Merveilles, son chef-d'œuvre.

C'est Bonaparte qui lui en donnera les moyens. Au total, il n'y passera que dix mois et douze jours, mais il s'y plaira vivement et, dans les premiers temps de son Consulat, il s'y transportera volontiers, chaque décade, avec ses collaborateurs pour à la fois y travailler et s'y détendre. Et au-delà, les exigences de sa politique l'entraînant vers d'autres lieux, plus propices à sa fonction, plus symboliques de son rang, il continuera d'aimer la demeure de ses premiers succès parce qu'elle est celle de sa femme. Et il acceptera que Joséphine persiste à s'y sentir mieux que partout ailleurs, contribuant, avec quelle générosité, à ce qu'elle puisse l'amplifier, encore et toujours…

Nous avons évoqué l'étymologie du lieu, liée aux incursions des farouches Normands qui, dans la seconde moitié du IXe siècle, depuis la Seine qu'ils remontaient, l'avaient investi et de là, pillaient les environs. Au XIIIe siècle, il apparaît dans les archives : son seigneur, Hugues de Meulan, prévost de Paris, devant hommage en mainmorte à la puissante abbaye de Saint-Denis. Au fil des siècles, le domaine s'était enrichi de terres, autour d'un château originel datant du XVIIe siècle, notablement agrandi et embelli au siècle suivant. Les Barentin puis les d'Aguesseau avaient fait place aux Le Coulteux du Moley, gens de la haute Finance qui l'avaient acquis en 1771 pour le céder, en 1799, à Mme Bonaparte.

Pas mal de ses contemporains se souvenaient encore des beaux moments qu'ils y avaient passés sous l'égide de Mme du Moley, dont la vivacité, l'ouverture d'esprit autant que la fortune faisaient une aimable hôtesse. Mme Vigée-Lebrun, Grimm ou l'abbé Delille – qui trouvera que la conversation du Consul « sentait la poudre à canon ! » – ont laissé des écrits qui en témoignent.

Le baron de Frénilly aussi. Écoutons-le, car son texte n'est jamais cité, et pourtant, il évoque le dernier été (1799) de la Malmaison, avant Joséphine :

« J'eus aussi cet été-là, de beaux jours à la Malmaison, dans le château de M. du Moley, où par bonheur on ne le voyait jamais. C'était, quoique bien loin de Magnanville, du Marais et de Champlâtreux (châteaux où il est reçu habituellement), une belle habitation de particulier. Bonaparte l'a enrichie sans l'agrandir (ce qu'il a agrandi, c'est le domaine foncier). Le rez-de-chaussée faisait une très longue enfilade décorée avec beaucoup d'élégance. À l'extrémité du côté du mont Valérien, était la salle à manger, et à l'extrémité opposée l'appartement de Mme du Moley, séparé de la grande route de Saint-Germain par un jardin en terrasse. On y trouvait une charmante bibliothèque en acajou massif où tout respirait le souvenir de l'abbé Delille, qui avait été la divinité de ce temple, le poète et l'ami de Mme du Moley. C'est d'elle que je tiens ce couplet impromptu qu'il fit pour la naissance de Pauline, l'aînée des enfants. On désirait un garçon :

Comme un chien dans un jeu de quille
On reçoit une pauvre fille
À l'instant qu'elle voit le jour.
À quinze ans, quand elle est gentille,
Elle nous reçoit à son tour
Comme un chien dans un jeu de quille.

Je me souviens que dans cette bibliothèque, Dupont de Nemours nous lut un chant de sa traduction en vers de l'Arioste. Il avait soixante ans et il disait, il gesticulait et jouait avec un feu très amusant, toujours en « jeune homme d'une très belle espérance ». Je lus à mon tour un chant de ma traduction, et il plut tellement à ce bon Dupont de Nemours qu'il me proposa de nous associer pour ce grand ouvrage[1]. »

On lisait l'Arioste… On y lira désormais Chateaubriand et l'esquisse du Code civil…

Dès son accession au pouvoir, le Consul avait demandé au duo d'architecte-décorateur Percier et Fontaine de commencer les travaux de réaménagement des lieux. Fontaine, l'architecte et maître d'œuvre – qui deviendra officiellement celui du règne –, avait restauré la salle de la Convention, aux Tuileries, c'est d'ailleurs David qui l'avait présenté à Bonaparte. Quant à Charles Percier, le concepteur et décorateur, il venait d'accéder à la notoriété pour avoir – avec l'architecte Berthault et les ébénistes Jacob – réalisé un décor avant-gardiste dans l'hôtel parisien des Récamier. Tout y était nouveau : l'agencement des espaces, les matériaux – marbre et acajou à foison –, le style, surtout, réinventant une Antiquité qui pour être à la mode, n'en était pas moins fantaisiste et composite : néo-grecque, néo-étrusque ou néo-pompéienne, on ne savait trop… Même s'il vieillira mal, ce décor faisait fureur, il enchantait ses contemporains qui se précipitaient en masse aux soirées de l'épouse du banquier, afin de le découvrir…

À la Malmaison, Percier et Fontaine vont donner leur pleine mesure novatrice mais leur virtuosité s'assortira d'un goût plus décanté, dont la pureté et l'équilibre feront date. Car c'est à la Malmaison que naît le style consulaire proprement dit, relevant d'une double inspiration, antique et militaire, style à la fois léger, net et parlant, dont la vigueur est indéniable.

---

1. In *Souvenirs du baron de Frénilly, op. cit.*, pp. 240-241.

L'ordonnance générale de la maison a été respectée. Ce long bâtiment classique, tout simple, au corps central flanqué de deux pavillons symétriques, s'ouvre, sur la cour d'arrivée à l'avant, et, à l'arrière sur le jardin, dont les perspectives en font un prolongement naturel de la demeure. Les pièces de réception distribuées tout au long du rez-de-chaussée ont le charme aéré des dispositions de cette époque, celles aussi bien des hôtels citadins entre cour et jardin, dont l'aisance typiquement française provient du dialogue entre l'intérieur et l'extérieur. Les enfilades démultiplient la respiration de l'espace et la double ouverture, sur la cour et sur le parc, en amplifie la largeur. La relation permanente entre la nature et la culture est délicieuse.

Les visiteurs passent sous une tente de coutil rayé – destinée aux domestiques – avant de pénétrer dans le vestibule néo-classique doté de quatre imposantes colonnes de stuc. La salle à manger, achevée dès Marengo, s'orne de panneaux peints représentant des danseuses pompéiennes, sur un fond ocré, de cette nuance particulière appelée « terre d'Égypte », car l'évocation des campagnes du Consul est partout perceptible. La salle de billard réjouit Hortense, adepte de première force à ce jeu, comme le salon de compagnie, doré, réjouit sa mère, qui en a commandé les grands tableaux à Girodet et à Gérard, pour y figurer Ossian, le barde calédonien, personnage dominant de la mythologie du pré-Romantisme. En hommage, bien sûr, aux lectures de jeunesse de son mari... Deux pièces, spectaculaires, sont réservées au Consul : sa salle du Conseil, en forme de tente militaire retenue par des piques et des faisceaux, agrémentés de trophées, rappelant, pour le cas où on l'oublierait, chez qui on se trouve, et sa merveilleuse bibliothèque, constituée de trois petites pièces en enfilade reliées par des jeux de colonnes. Une série de coupoles, formant le plafond, s'orne de peintures à la gloire d'Apollon et de Minerve, mais aussi de l'incontournable Ossian. Le Consul, qui faisait beaucoup de difficultés tout au long des travaux, persiflait en disant que cela ressemblait à une sacristie ! Le résultat est exquis d'élégance, d'intimité et d'incitation à la vie de l'esprit. D'autant que les architectes ont dû respecter des impératifs aussi prosaïques que le passage du conduit de la cheminée des cuisines, situées sous ladite bibliothèque... De même qu'ils devront étayer la façade côté jardin, ébranlée par les travaux de la salle à manger et de la salle du Conseil : des pieds-droits élevés sur les trumeaux y pourvoieront. « Ces pieds-droits, d'ailleurs, porteront des statues, des vases et orneront un peu cette vilaine maison », note Fontaine dans le Journal de ses travaux en cours[1]. Il faut reconnaître que, compte tenu de l'irascibilité du Consul, du mauvais état des lieux, du peu d'éclat architectural de la maison et des contraintes de temps qui sont les leurs, ils s'en sortent avec les honneurs !

Si le maître de maison peut trouver ses aises pour travailler –, un escalier reliait ses appartements, à l'étage, et ses lieux d'études ou de réunion – Joséphine, quant à elle, peut tenir sa table et son salon confortablement. Elle dispose, de plus, d'un salon de musique, situé au rez-de-chaussée, pièce spacieuse et féminine qu'enjolivent sa harpe et son piano-forte, où elle réunit sa société particulière, ainsi que de ses appartements à l'étage. Comme ceux de son mari, ils seront remaniés et rédécorés à plusieurs reprises. Au-dessus, en demi-étage, sont un certain nombre de logis d'invités et de domestiques.

Sans être en rien prestigieuse, la maison devient accueillante, et bientôt, en vertu de ses hôtes, le brillant centre obligé de la vie sociale et politique du pays. On lui adjoindra des bâtiments de service, des corps de garde – nécessaires depuis l'attentat du 3 nivôse – ainsi qu'un « théâtre portatif », disparu aujourd'hui, et qui fera les délices de la jeunesse. Plus tard, viendront les serres chaudes et les grands travaux du parc. Sans compter les acquisitions de terres et de bois qui couvriront, à la mort de Joséphine, plus de 700 hectares.

Mais d'ores et déjà, malgré un mobilier encore incomplet, ce que les tableaux, les statues et les mosaïques rapportées

---

1. Cité par Bernard Chevallier dans *Malmaison, château et domaine des origines à 1904*, Éditions de la Réunion des Musées nationaux, 1989, p. 72.

d'Italie font aisément oublier, la Malmaison est une demeure suprêmement agréable parce qu'elle conjugue la proximité de la capitale avec le dépaysement verdoyant propre à toute campagne, qu'elle permet au Consul de continuer à diriger les affaires cependant que sa femme et les siens peuvent y mener, comme c'était l'usage dans les anciennes familles, une vraie vie de château.

Chaque décade, le Consul s'y rend, pour y séjourner parfois plusieurs jours. « Les habitudes du Consul à la Malmaison, explique Hortense, étaient à peu près les mêmes qu'à Paris. Il travaillait toute la matinée, seul ou avec les ministres qui venaient de Paris. Il invitait ensuite des savants qui passaient ensuite la soirée et avec lesquels il aimait à causer[1]. » Là, comme aux Tuileries, l'activité est celle d'une ruche. En moins de deux années, on élabore les grandes lois réorganisant l'administration en la centralisant (création des préfets et des sous-préfets), en modifiant la hiérarchie judiciaire (création des juges de paix, des tribunaux de première instance, criminels, d'appel, de cassation), en instituant une remise en ordre financière, grâce aux ministères du Trésor et des Finances, à la direction des Contributions directes et à la Banque de France. On négocie avec les Chouans, avec les Autrichiens (paix de Lunéville, le 9 février 1801), bientôt avec les Anglais (paix d'Amiens, 25 mars 1802) et avec le Pape pour préparer le rétablissement de la religion (Concordat de 1801), sans oublier la mise en route des Codes, le Code civil, qui sera achevé en 1804, le Code d'instruction criminelle et le Code pénal. On va bientôt créer les Lycées et la Légion d'honneur... Toutes mesures et institutions importantes qui, à bon droit, enthousiasmeront les Français, dont la plupart durent encore et dont il est émouvant de penser que leur conception ou leur gestation, pour tout ou partie, sont liées à la Malmaison...

Cette ruche se double d'une volière. Imaginons, en ces beaux-jours, la maison pleine. Autour du Consul, ses ministres, ses conseillers, ses visiteurs – les talents de la société

---

1. In *Mémoires de la reine Hortense, op. cit.*, p. 46.

civile, comme nous disons, dont il aime à s'entourer –, ses officiers, mais aussi, ses aides de camp, cette escouade de jeunes gens fringants, Eugène en tête, ravis de se trouver là, parmi un essaim de jolies personnes, les amies de la maîtresse de maison ou de sa fille. Toute cette société est jeune et désireuse de vivre pleinement les plaisirs de son âge. Nous pouvons nous représenter les idylles, les petites intrigues qui se nouent, se dénouent et s'entrecroisent au fil des promenades quotidiennes – considérées à l'époque comme indispensables à la bonne santé –, au fil des jeux de société, des parties de billard ou de musique, bientôt de la mise en œuvre de représentations théâtrales... Ce monde enjoué et vif ne peut que réjouir Joséphine, au sortir de l'atmosphère un peu confinée des Tuileries... Toujours, elle aimera cet environnement nombreux et tonique, cette animation de bon aloi, ce mouvement et cette joliesse, charmant contrepoint à l'austérité du Consul, par trop concentré sur ses dossiers en cours...

Et pourtant, il arrive à celui-ci de se laisser aller à la gaieté ambiante. Alors, au grand dam des visiteurs de marque, on voit le chef de l'État – après tout, il n'a que trente ans ! – rivaliser de rapidité et de vivacité avec sa belle-fille, ou ses aides de camp, le temps d'une partie d'escarpolette ou d'un jeu de « barres », l'ancêtre de notre « ballon prisonnier », où contre toute attente, il se dépense comme un fou, riant et trichant – paraît-il – à qui mieux mieux...

Car c'est le charme de la vie de château, que cette absence de contraintes conjuguée à l'art d'être ensemble, cette alternance salutaire entre les moments où chacun est libre de faire ce qui lui plaît, pendant ses matinées en principe, qu'il consacre à ses lectures, sa correspondance, ses occupations favorites, et les moments de convivialité obligée : le sacro-saint dîner et la soirée qui le suit. Si le Consul est présent, la compagnie est variée, la table est nombreuse et les plaisirs de la conversation centrés sur la vie de l'esprit ou l'omniprésente politique. On connaît la boutade de l'époque : « Les mains du Premier Consul sont charmantes » dit quelqu'un. « Ah! de grâce! Ne parlons pas de politique! » s'écrie quelqu'un d'autre... Il arrive qu'on fasse une lecture à haute voix, comme ce soir où le Consul demande à Hortense de lire ce petit *Atala*, de M. de Chateaubriand, qui fait fureur. La pauvre Hortense bute sur des mots exotiques, qu'elle écorche sans rémission, au grand amusement du salon et à sa non moins grande confusion! Elle se rattrapera lors d'une partie de musique ou de billard, ou bien elle suivra le Consul et sa mère, lors d'une douce promenade dans le crépuscule estival... Ou bien encore, elle improvisera avec Eugène une série de petits jeux divertissants. Ce savoir-vivre en commun était le secret de toute bonne compagnie et nul n'excellait mieux à ce *modus vivendi* que Joséphine, le centre et l'âme de la maison.

Joséphine, la châtelaine pleine de grâces, ressuscitant comme une magicienne l'ancienne « douceur de vivre » après quoi tous soupirent, imprégnant de son goût et de son charme exquis ces beaux jours et ces beaux lieux où tout lui ressemble et ne semble être qu'élégance et facilité. Joséphine, « faite de dentelle et de gaze », comme le lui écrivait le général pendant sa campagne d'Italie... La métaphore, pour être ravissante, n'a rien perdu de sa justesse. Acuité à nulle autre pareille de Bonaparte! Et c'est sans doute ainsi qu'il continue de la voir, lorsqu'elle évolue, dans son salon ou sous les ombrages, vaporeuse, légère dans ses mousselines claires – dont elle prétend qu'elles ne viennent pas d'Angleterre mais de Saint-Quentin! – toujours aussi féminine, toujours aussi parée, agréable dans chacun de ses gestes, chacun de ses demi-sourires, chacun de ses battements de cils – qu'elle a si longs, si expressifs –, réceptive à tout, captant la moindre fausse note, une rose qui s'étiole, une abeille fourvoyée, un ruban qui s'échappe... Si gracieuse dans le soin qu'elle prend de tous, si parfaite, en vérité. Apaisée et sereine de ce que sa Malmaison soit harmonieuse, de ce qu'elle y puisse rayonner, au sein d'une plénitude qui la nimbe comme un halo et qui semble la combler. Son baldaquin, son boudoir parfumé, ses linons et ses chiffons n'étant, peut-être, que l'écran perpétuel qu'elle s'est inventé pour se protéger d'anciens souvenirs, les murs suintants et la paillasse des Carmes, qui peut savoir...

Ses bonheurs : Bonaparte, bien évidemment, quelle absurdité de croire qu'elle ne s'en soucie pas! Sa panique lors de l'attentat du 3 nivôse suffirait à infirmer une pareille sottise : « C'est contre Bonaparte ! », répétait-elle, saisie. Bien entendu qu'elle y tient. Elle le connaît admirablement, le voit rayonnant, menant de main ferme les rênes d'un pays qui se décomposait et qu'il ranime avec autant d'ardeur que d'intelligence. Elle aime sa position, aussi, pourquoi ne l'aimerait-elle pas ? Elle est réaliste et sait sa place, qui, loin d'être ingrate, ou terne, lui permet de se sentir au mieux avec elle-même. Car elle se tient en mains. Sans armature, d'ailleurs, à quelles dérives n'est-on pas vouée ? Ses enfants, autre source de satisfaction. Eugène, si parfait, et Hortense, si émouvante, si fraîche dans ses longues robes souples, toujours un peu décoiffée, les repentirs détendus par une chevauchée – car elle aime prendre de l'exercice –, ou les joues rosies par une émotion, une confidence, un petit mystère de jeune fille. Et quoi de plus exquis qu'une jeune fille... Le souci de Joséphine, c'est qu'il faudra songer à la marier. Étant qui elle est, compte tenu et de ses qualités personnelles, qu'on cite en exemple à l'envi, et de la situation de son beau-père, les prétendants ne manqueront pas... Car si ses enfants ont perdu leur père si jeunes, horrible souvenir ! le sort a voulu que Bonaparte vienne avantageusement le remplacer...

L'argent, l'éternelle question... De ce côté, aussi, tout va bien, ou presque bien. C'en est fini des conciliabules enjoués avec Mme de Coigny, parce que la situation était si désespérée qu'elle en cessait d'être grave ! « L'avant-veille (du 18 Brumaire), racontera plus tard l'irrésistible amie, Bonaparte n'avait pas un napoléon (!) dans son escarcelle, et même les dettes de Mme Bonaparte étaient immenses, il nous est arrivé plusieurs fois d'en rire, car je n'étais pas beaucoup plus précautionneuse alors, et que même j'avançais à la future impératrice quelques petites sommes que son mari irrité, dès qu'il en avait connaissance, remboursait exactement[1]... » C'était une autre époque, il n'y a pas à dire ! Et aujourd'hui, Joséphine est rassérénée. Elle a bien tenté de continuer un petit commerce de sa façon avec Rouget de l'Isle – l'auteur de

1. In *Journal, op. cit.*, p. 194.

la chanson des *Marseillais* –, une petite pacotille, comme on disait aux îles, des articles de Paris écoulés à la cour d'Espagne, mais cela devenait problématique : il a fallu s'arrêter, et, Dieu merci, Bonaparte a couvert le possible scandale... Décidément, elle n'a pas la bosse des affaires. Les abbayes du Hainaut, non plus, n'ont rien donné : ces spéculations immobilières sont complexes, aléatoires, mieux vaut les laisser à ceux qui s'y entendent. Les Bonaparte, par exemple, que rien n'arrête et à qui tout semble réussir... Quant à elle, elle ne pourrait que s'écrier, avec moquerie, comme plus tard, cette femme d'esprit, sortie en droite ligne du XVIIIe siècle mais égarée dans le nôtre : « L'argent me ruine ! l'argent me ruine ! »...

Les Bonaparte, précisément. Voilà le problème. Les Bonaparte, la Famille. Pour l'instant, on les tient en respect. Mais que de soucis... Joseph, n'en parlons pas : à Mortefontaine, en bonne compagnie, menant grand train, mais sans aucune aptitude aux affaires, quoi qu'il en pense. Lucien, révoqué, parti pour Madrid, une sinécure dorée – ô combien ! –, qu'il a encourue pour prix de ses vilenies et de ses basses intrigues. Mais ni Fouché, que cet éphémère ministre de l'Intérieur haïssait – les Bonaparte ne savent que haïr, la véhémence est le seul mode qu'ils connaissent –, ni elle, qu'il haïssait plus encore, alors qu'elle défendait contre tous sa défunte épouse, Christine Boyer, trop tôt disparue et enterrée dans les larmes, au Plessis-Chamant, ne se sont laissés faire. En un mot comme en cent, fut pris qui croyait prendre... Quant aux sœurs, quoi faire, si ce n'est bonne figure... Mme Bacciochi tient un bureau d'esprit qu'elle pense être un salon, avec raideur et autorité – ils sont tous autoritaires –, elle croit se rallier une société, elle ne rassemble en fait qu'une clientèle, et encore ! Mme Leclerc, belle à ravir, n'est pas meilleure, ses plaisirs, ses succès, ses toilettes et un mari, dont Mme de Coigny a raison de dire qu'il est aussi peu présentable que Murat... Quant à ce dernier, et à Caroline, prudence ! Ces prétoriens dont la rudesse n'a d'égale que l'avidité, qu'inventeraient-ils si Bonaparte ne les tenaient en respect ? Mme Bonaparte la mère, et Louis, voilà les seuls dont on soit sûr, pour le moment, qu'ils ne feront pas problème, quoi qu'ils pensent... Mais, tout de même, quelle famille! Pourquoi devoir, dans les relations les plus naturelles, les plus affectueuses, les plus faciles qui soient, en principe, être toujours sur le qui-vive? Avec eux, tout peut arriver : sarcasmes, perfidies, coups bas, pire encore... Que veulent-ils? Ils sont enrichis, établis, ont de beaux hôtels, d'anciens châteaux – Mortefontaine, Le Plessis-Chamant, Montgobert, maintenant Baillon, que Louis vient d'acquérir –, ils font des affaires, leur frère se trouve au sommet de l'État, un bel avenir les attend, alors, pourquoi tout gâcher par ce mauvais esprit, cette insatisfaction, cette envie perpétuelle qui les ronge...

* * *

En ce bel été 1801, le vrai souci qui occupe Joséphine et qui va lui faire quitter la Malmaison pendant tout le mois de juillet, pour une deuxième cure à Plombières, c'est l'impossibilité où elle se trouve, depuis maintenant plus de cinq ans qu'elle est remariée, de donner à Bonaparte un héritier. Le temps passe et il se pourrait qu'une stérilité définitive la guette. Alors, elle va, une fois encore, essayer de ces eaux qu'on dit réputées pour son cas. Sans grande conviction, peut-être... À Sainte-Hélène, Napoléon laissera entendre que Joséphine n'aurait pas répugné à un quelconque subterfuge pour remédier à leur situation... Mais on recourra à une solution plus satisfaisante et surtout, plus honnête... En attendant, elle continue d'espérer. Est-elle en mesure d'analyser, comme nous le faisons, les raisons de cet empêchement? Il nous paraît quasi-certain que sa détention aux Carmes en est responsable, comme de tant d'autres choses, les plus profondes de sa vie. Joséphine a été sujette, sans doute, à une ménopause précoce, provoquée par les émotions violentes, le dur régime carcéral et les privations qu'elle a subies alors. C'est plausible parce que c'est fréquent : la prison altère ou supprime le cycle féminin, a fortiori dans des conditions aussi dramatiques. Quoiqu'il en soit, Joséphine entend faire ce qu'elle pense être le meilleur pour sortir de l'impasse : prouver sa bonne volonté et gagner du temps.

On part donc pour Plombières, le 7 juillet où l'on séjournera trois semaines. La compagnie, cette fois, est familiale et charmante. Hortense, sa cousine Émilie, Mme de Lavalette, Mme Bonaparte la mère, sont de la partie, ainsi que l'aide de camp Rapp, qui escorte ces dames. À Plombières, on retrouvera la comtesse Alex, Mme de Sourdis, Mme de Talhouët, autres amies chères. L'ambiance est à la gaieté, si on en juge par la lettre collective adressée « aux habitants de Malmaison », qui rend compte du voyage, sous la forme d'un procès-verbal un peu farce, faisant état des maux variés auxquels « l'aimable société » comme dit Hortense, la rédactrice, a été soumise : les plus marquants étant les malaises de Rapp, arrêtant la voiture « à chaque instant pour soulager son petit cœur malade » ainsi que « les épinards accommodés à l'huile de lampe et les asperges rouges fricassées au lait caillé qu'on a réussi à se faire servir dans une méchante auberge de Toul[1] ! » L'accueil enjoué et les illuminations que Plombières réserve à ses illustres curistes font oublier ces désagréments et augurent favorablement de leur séjour qui sera ponctué, en effet, de fêtes, de bals, d'excursions (à Luxeuil, notamment), de promenades, sans oublier les soins habituels. Cependant que le Consul, passé les festivités du 14 juillet, se plaint à sa femme : « Il fait si mauvais temps ici que je suis resté à Paris. La Malmaison sans toi est trop triste[2]... » La tante de Joséphine, veuve depuis un an, son deuxième mari, le marquis de Beauharnais, s'étant éteint le 18 juin 1800, dans son sommeil – après avoir consommé un dessert de fraises qu'il aimait mais qui ne lui réussissait pas ! –, s'est déjà, le croirait-on, remariée avec le chevalier Danès de Montardat, futur maire de Saint-Germain-en-Laye, faisant preuve d'une belle vitalité, car elle mourra l'année suivante ! En témoigne la lettre qu'elle envoie à Plombières, dans laquelle elle rend grâce au bon Eugène qui

1. Lettre du 21 messidor an IX, 10 juillet 1801, in Caroline d'Arjuzon, *Hortense de Beauharnais*, 1897, pp. 148 et suiv.

2. Lettre du 27 messidor, an IX, 16 juillet 1801, in Napoléon, *Lettres d'amour à Joséphine, op. cit.*, p. 155.

est venu dîner chez eux et qui lui a obtenu d'assister en bonne place à la grande parade du Consul. Elle a trouvé celui-ci « un peu maigri », mais elle se déclare ravie de ce que, « malgré [ses] frayeurs », la « fête fût bien ordonnée[1] »...

* * *

Au retour de Joséphine, deux projets importants pour elle prennent corps. Le premier est le réaménagement du château de Saint-Cloud, commandé en septembre par le Consul, ce qui signifie que la Malmaison risque, à brève échéance, de redevenir la demeure particulière qu'elle avait vocation d'être, le Consul désirant une résidence plus prestigieuse pour y recevoir officiellement hors Paris. Le second projet, c'est le mariage d'Hortense.

Si nous en croyons l'intéressée, toujours véridique et diserte quant à sa vie intérieure, la qualité de ses émotions et la teneur de ses sentiments tels qu'elle les analyse dans ses *Mémoires*, son cœur n'a pas encore parlé. Même s'il a battu quelque peu pour le premier aide de camp du Consul, le très aimable (et bientôt général) Duroc. Mais sa mère n'en veut pas. Exit Duroc, donc, qui se consolera en épousant la charmante Nievès de Hervas, l'une de ses compagnes de Saint-Germain. Hortense a beau considérer les prétendants que sa mère lui propose – car ce sont des choses qui se traitent entre mère et fille – aucun de ces jeunes gens de l'ancienne société, Adrien de Mun, Just de Noailles, ou Charles de Gontaut, ne la retient. C'est qu'en fille de sa génération, Hortense désirerait faire un mariage selon son cœur, ou plutôt son imagination. Sa mère, évidemment, ne peut concevoir qu'une union appropriée et avantageuse. Jamais le clivage entre leurs mentalités et leurs tempéraments ne sera aussi net que dans cette circonstance. Essayons de comprendre : Hortense n'est guère pressée de se marier. De plus, elle a conscience d'être un parti intéressant, du fait de la position de ses parents, ce qui la rend circonspecte. Mais elle est une fille trop respectueuse pour ne pas

<hr />

1. Lettre du 3 thermidor, an IX, 22 juillet 1801, A. N. 400 AP 26.

prendre en compte ce qui plaisait au Consul et à sa mère. Et, dans le même temps, elle aimerait – phénomène nouveau ! – trouver le héros de ses rêves… Autant dire la quadrature du cercle ! Comme elle est foncièrement raisonnable autant que sensible, elle finit par accepter l'idée qu'elle pourrait épouser – selon les suggestions de ses parents, qui chargent Bourrienne, le secrétaire du Consul, de lui faire une ouverture dans ce sens –, le jeune frère de son beau-père, Louis Bonaparte.

À vingt-trois ans, Louis, colonel de son régiment de Dragons, est un prétendant non sans valeur ni légitimité. Il est doté d'une chaleur séduisante, d'un fort sens littéraire et d'une indéniable sensibilité. Il adore son frère Napoléon qui a eu pour lui des soins proprement paternels lorsqu'il s'en est chargé à Auxonne. Louis n'avait alors que douze ans, mais il ne saurait oublier la tendresse et la fierté que son aîné montrait envers lui, au moindre de ses progrès, au moindre de ses succès. Le Consul continue de le protéger et lui assurera un avenir brillant. Quant à Joséphine, qui s'en ouvre à Roederer, elle le tient pour « un excellent cœur, un esprit très distingué[1] », et il est, de loin, celui qu'elle préfère des Bonaparte. Si elle mesure les avantages de cette union, il est clair qu'ils sont, de son point de vue, inestimables : le Consul, depuis Marengo – où il s'est exposé personnellement au feu, selon son habitude – est préoccupé par le fait que s'il y avait été tué, ses deux frères Joseph et Lucien eussent tenté de lui succéder aux affaires. Et ni Joseph, ni Lucien, n'eussent été souhaitables, loin s'en faut ! Alors, à défaut d'héritier direct, pourquoi ne pas recourir à un héritier de son choix ? En l'occurrence, Louis. Et si Louis et Hortense s'épousent, leurs enfants constitueront une relève idéale. Pour Joséphine, ce sera faire d'une pierre deux coups : trouver la solution au problème de la succession du Consul, et Louis épousant sa fille, consolider sa propre position auprès de celui-ci, les héritiers futurs devenant ses propres petits-enfants… Pas mal pensé, il faut l'admettre !

---

1. In *Bonaparte me disait… » op. cit.*, p. 49. Il est à noter qu'Hortense, dans ses *Mémoires*, réfute nettement les témoignages abusifs de Bourrienne, qui « recevait des ordres et non des confidences », cependant qu'elle signale l'ambassade officieuse dont il se chargea auprès d'elle.

Hortense et Louis ne sont pas les derniers à le comprendre. Après un temps de réflexion, l'idée se précise. Louis, qui fut, on s'en souvient, très épris d'Émilie de Beauharnais, depuis Mme de Lavalette, accepte la perspective de s'unir à Hortense qui peut devenir une excellente épouse : elle en a l'étoffe. Il va s'efforcer de jouer le jeu, avec chaleur et conviction. Il sera déçu. Car Hortense, elle, se sacrifie, pour faire plaisir aux siens, mais si elle se marie sans amour, elle ne fera guère d'efforts pour sortir de la perfection froide et du sens du devoir dans lesquels elle se mure. Car elle se nourrit de sa bonne conscience et, si elle est malheureuse dans son ménage – autre nouveauté –, elle n'en montrera rien[1]. Elle se réfugiera dans l'amour qu'elle partagera avec son mari pour ses enfants, dans ses amitiés de toujours, notamment pour Adèle Auguié, sa confidente attitrée, et dans la création artistique. Sans oublier, bien sûr, ses devoirs de société – elle n'est pas née Beauharnais pour rien ! –, ni ceux qu'elle rend à son beau-père. Bref, compte tenu de ses aspirations sentimentales et de sa psychologie – à l'opposé de celle de sa mère, ou de ses ancêtres, qui se conformaient et, ensuite, savaient s'arranger du sort qui leur était imparti – Hortense va au-devant d'inextricables complications...

Les 3 et 4 janvier 1802, Louis et Hortense sont unis aux Tuileries. Calmelet et Me Raguideau se sont chargés du contrat notarial, le maire du Ier arrondissement s'est déplacé au Palais pour célébrer le mariage civil, et le légat du Pape, le cardinal Caprara, a donné la bénédiction nuptiale dans l'hôtel de la rue de la Victoire, endroit insolite si l'on y songe, ce qui, au demeurant, ne choque personne. Les Murat, unis civilement depuis le 24 janvier 1800, profitent de la cérémonie pour faire bénir leur couple. La religion sera officiellement rétablie en France dans moins de quatre mois, ceci expliquant cela.

* * *

---

1. Napoléon s'y est longtemps trompé : à Sainte-Hélène, il se redira persuadé « qu'en s'épousant, Louis et Hortense s'aimaient »... Leur engagement, du moins, fut réel.

Cette nouvelle année sera la plus belle du Consulat. À la gloire du chef de guerre victorieux, aux vertus du grand organisateur, Bonaparte peut ajouter désormais le prestige immense du pacificateur. L'enthousiasme et la confiance sont à leur comble lorsqu'est enfin signée, le 25 mars 1802, la paix d'Amiens, avec l'Angleterre, heureux complément de la paix de Lunéville, conclue, l'année précédente, avec les Autrichiens. La prospérité renaît, les voyageurs affluent d'outre-Manche, Paris retrouve son éclat, la société se reforme, les émigrés, amnistiés, se réinserrent en douceur dans le nouveau paysage national. À quoi s'ajoute la réouverture des églises, autre mesure infiniment populaire.

Le dimanche 18 avril 1802, jour de Pâques, Notre-Dame de Paris est rendue officiellement au culte, en grande solennité. C'est un jour de liesse, d'affluence énorme, de pompe digne des fastes de l'Ancien Régime. Qu'on se figure la cathédrale, cachant comme elle peut, sous des tentures, ses statues mutilées et ses piliers endommagés par le vandalisme révolutionnaire, pleine à craquer, attendant, bourdonnante, le long cortège des autorités qui s'avance, spectaculaire. Les voitures à quatre chevaux des conseillers d'État, du corps diplomatique, des ministres, précèdent celles à six chevaux des Consuls Cambacérès et Lebrun, et celle, à huit chevaux, du Premier Consul, dont le départ des Tuileries a été salué par soixante coups de canon. Les généraux de sa Garde et les Mamelucks l'escortent brillamment, cependant qu'un défilé militaire en grande tenue le suit, constitué de hussards, de dragons, de grenadiers, de chasseurs et de soldats d'infanterie, dont quatre bataillons prendront place dans la nef. Le vénérable Mgr de Belloy, sur le parvis, donnant aux arrivants l'encens et l'eau bénite, répond par la dignité de son accueil à l'apparat gouvernemental. À l'intérieur, où se célèbrera la messe, suivie du *Te Deum* de Païsiello, l'assistance est nombreuse, animée, étrangement hétéroclite. Des grands noms de l'ancienne société côtoient d'anciens Conventionnels régicides, dignitaires de la nouvelle... Du moins, l'ancien Oratorien Fouché et l'ancien évêque d'Autun, Talleyrand, n'y sont point dépaysés... Ce qui n'est pas le cas pour nombre d'officiers, républicains endurcis, mettant pour la première fois de leur vie les pieds dans une église! Ils n'y sont venus que sur ordre, en service commandé, mais s'y montrent récalcitrants à souhait. À quoi riment ces mômeries, semblent dire ces vieilles moustaches... Et l'élégante épouse du Consul, depuis sa tribune, que peut-elle ressentir? Son éducation religieuse a été suffisamment solide pour qu'elle sache se comporter dans un lieu saint. Mais il est probable qu'en femme de sa génération et de son milieu – la Constituante éclairée –, elle n'ait guère de sentiment religieux, ou mieux dit, que celui-ci se soit émoussé, si ce n'est éteint, dans les épreuves révolutionnaires... Comme Bonaparte, elle doit penser que la religion est nécessaire à l'ordre social, que le peuple la réclame parce qu'il en a besoin comme de son opium, comme dira si bien Marx, et que la rétablir est un acte politique hautement salutaire... En tout, elle se sent solidaire du Consul et se doit de donner l'exemple : l'assiduité et la bonne tenue à la messe font partie, elles aussi, de la restauration des mœurs, elle n'y faillira pas. Cela dit, les tambours battant aux champs à l'élévation doivent quelque peu la surprendre! Mais ne sont-ils pas le rappel symbolique de l'essence du pouvoir en place... Et qui ne l'empêchent en rien d'apprécier le retour aux rites séculaires et bienfaisants de son enfance, ni d'être émue de retrouver la beauté du cérémonial, la grâce des enfants de chœur en surplis, le fracas saisissant des orgues, la force des chants sous les hautes voûtes gothiques, et les cloches sonnant à la volée, et le parfum de l'encens... Chateaubriand, dans son *Génie du Christianisme* – sur le point de paraître, opportunément – a bien raison d'exalter la première vertu civilisatrice de la religion : cette extraordinaire expression esthétique qu'elle a su faire sienne. Ce qu'en revanche Joséphine est loin de soupçonner, lors de cette significative et superbe cérémonie, voulue comme telle par son mari, c'est ce qui lui arrivera, dans ces mêmes lieux, dans moins de trois années...

* * *

Question : en cet été 1802 qui marque, sans conteste, l'apogée du régime consulaire et l'apogée de son couple, Mme Bonaparte se rend-elle compte de ce qu'inexorablement, son mari marche vers le rétablissement du trône à son seul profit ? Comme son amie Mme de Coigny, perçoit-elle la métamorphose du Consul, le voit-elle « changer sous [leurs] yeux et prendre le visage d'un dieu[1] » ? Évolution progressive, subtile, dont la logique tient au succès toujours grandissant de son action politique, succès qui secrète sa propre dynamique et auquel on s'est si vite accoutumé qu'il ne surprend même plus... Mais Mme Bonaparte est si fine, si prompte à capter toute nouvelle vibration, toute nuance inattendue chez cet époux qu'elle connaît si bien, qu'il serait malvenu de la croire passive et aveugle devant ce qui se prépare. D'autant qu'elle est partie prenante de l'activité incessante du chef de l'État, qu'elle en comprend l'enjeu et qu'elle en accepte les modalités. On l'a bien vu lors du premier voyage officiel du couple consulaire, à Lyon, en début d'année : l'accueil avait été aussi chaleureux de la part des soyeux, dont le régime soutenait hautement l'industrie, que de la part de la population, manifestement enchantée des fêtes, des bals, des illuminations se succédant en leur honneur. Et Mme Bonaparte avait été parfaite en la circonstance : toujours un mot approprié, un sourire, une parole aimable, une attention envers ceux qui la recevaient, la haranguaient, la fêtaient de si bon cœur. Non seulement le Consul en était conscient mais il en était enchanté. Grâce à son épouse, à l'élégante et radieuse présence de celle-ci à son côté, son propre rayonnement s'accroissait, son image, encore empreinte de la rudesse militaire de ses exploits originels, s'adoucissait et s'humanisait. Les effets de sa politique n'en étaient que mieux ressentis : si l'esprit de détermination et l'intelligence de son action le faisaient estimer, la grâce de sa femme, désormais, contribuait à le faire aimer.

---

1. In *Journal, op. cit.*, p. 197.

Évidemment, la compilation malveillante n'a mesuré les succès rencontrés par Joséphine dans sa vie officielle qu'à l'aune de l'hypocrisie, du calcul et de la manigance. Elle ne peut plaire que parce qu'« elle fait semblant de ne pas s'ennuyer », ce qui est, on l'avouera, une analyse un peu courte! Au contraire, c'est à cette faculté de ne jamais montrer de lassitude ou d'ennui que se juge la qualité de sa fonction de représentation. C'est au tact, à la justesse de l'attention et de l'amabilité qui sont siens, que se reconnaît l'aptitude à cette fonction. Et pourtant, que ces fêtes à répétition doivent, à la longue, être fastidieuses! Mais, précisément, le grand art, c'est de ne jamais laisser soupçonner que, pour la dixième fois, on entend la même niaiserie, le même compliment convenu, le même propos platement flatteur, que pour la dixième fois, on félicite la même petite fille enrubannée tournant avec la même maladresse son stupide petit couplet, la voix brisée d'émotion... Le vrai professionnalisme, première des qualités de Mme Bonaparte et plus tard, de l'Impératrice, est là. Et il est inné. Car non seulement, elle collabore intelligemment – et quoi de plus intéressant que ces visites de manufactures, d'ateliers, d'établissements divers, on y apprend sur le terrain, et très vite, tout ce qu'il faut savoir de l'activité industrielle ou commerçante du pays – mais, par son maintien, son obligeance, son sens des êtres, son cœur, tout simplement, elle sait conquérir ceux qui la reçoivent. Et quand on l'a pratiquée un tant soit peu, on comprend qu'il lui serait impensable de ne pas prendre sur elle, en effet, pour honorer tous ceux qui se sont donné tant de mal pour préparer sa venue, ne pas les décevoir, mais, au contraire, tout faire pour leur laisser un souvenir marquant et charmant de sa visite. Talleyrand, juge impitoyable en la matière, le reconnaîtra : Joséphine a toujours été, dans sa vie officielle, un miracle de savoir-vivre, jamais une fausse note, jamais un ridicule. Elle en aurait remontré à bien des têtes couronnées, élevées dans le sérail, elle qui n'avait grandi qu'au fin fond de la baie de Fort-Royal! D'ailleurs Talleyrand remarquait hautement que « les Beauharnais étaient les seuls bien élevés à la Cour impériale »...Dès ses premières armes, Joséphine s'impose comme une irremplaçable souveraine en puissance, servant en cela aussi, les vues de son mari.

Celui-ci est sur le point de prendre de graves décisions. Entraîné par sa réussite, soutenu par sa popularité, il veut conforter son pouvoir, déjà immense, en donnant à celui-ci un ancrage plus profond. Élu pour dix ans, rééligible indéfiniment, pourquoi ne pas, en toute logique, occuper sa fonction à vie ? Qui la lui disputerait ? Ses opposants ? Ne serait-ce pas, précisément, le moyen de les faire taire – Jacobins ou Royalistes – et d'agir, plus encore, dans la ligne qu'il s'est tracée ? Ses conseillers l'y poussent. Alors, par un sénatus-consulte que ratifiera un plébiscite largement approbateur, le 2 août 1802, il devient officiellement « Napoléon Bonaparte, Consul à vie », doté de tous les pouvoirs, y compris celui, exclusif, de l'initiative des lois et celui, rassurant, du choix de son successeur. Une nouvelle Constitution, celle de l'an X, entérine ces dispositions : le Tribunat, aisément frondeur, est réduit à cinquante membres, le Sénat peut, au moyen de sénatus-consultes, compléter à tout moment la législation, le Consul est le seul maître à bord. La Révolution est bel et bien finie. Dix ans et huit jours après la chute de la Monarchie, celle-ci est implicitement rétablie. La France se trouve entre les mains fermes et expertes d'un homme hors du commun. Elle n'a pas l'air de s'en plaindre.

* * *

Joséphine non plus. Elle a passé un agréable printemps. Sa fille Hortense, enceinte dès après ses noces, s'était, au départ de son mari pour une tournée des garnisons suivie d'une saison aux eaux des Pyrénées – il conjugue déjà ses devoirs d'officier et ses exigences de rhumatisant –, installée, radieuse, à la Malmaison. Elle y vivait entourée de ses chères compagnes, toutes engagées ou déjà mariées, certaines d'entre elles se trouvant dans le même intéressant état que le sien : les sœurs Auguié, l'affectueuse Adèle, la jolie Eglé, liée au très viril général Ney, un homme assez ordinaire, à dire vrai, mais toujours transfiguré par l'action guerrière qui est sa vie, sa raison d'être,

232

la douce Émilie, Mme de Lavalette, dont le mari à défaut d'être bel homme est plein d'esprit et d'adresse, la discrète Aimée Leclerc qui a épousé le général Davout, la belle Félicité de Faudoas, qui s'est unie au colonel Savary, ou encore Nievès de Hervas, promise à Duroc. Sans oublier les Junot ou les Murat, jeunes ménages pétulants, bien décidés à faire leur chemin… Bref, la Malmaison aurait été en passe de devenir une véritable pouponnière, si Hortense et son frère n'avaient eu l'heureuse idée de s'adonner aux joies sans mélange de l'art théâtral.

On avait tanné le Consul pour qu'il y fasse construire une salle de comédie. Il s'était exécuté et pour la plus grande joie de cette jeunesse turbulente, un « théâtre portatif » était mis désormais à sa disposition : passée l'inauguration officielle, confiée, le 12 mai, à la troupe des Italiens qui est venue jouer *La Serva padrona* de Païsiello devant une assemblée choisie, ce n'est et ce ne seront, tout l'été, que répétitions, montages, essayages de costumes, bref, mise sur pied par une équipe d'amateurs gais, passionnés et sans complexes, d'une série de représentations dont la première et la plus brillante est celle du *Barbier de Séville* de Beaumarchais avec, dans le rôle de Rosine, Hortense, qu'une grossesse de cinq mois ne prive ni d'allant ni d'esprit. Un triomphe !

Auquel sa mère n'assiste pas car elle a décidé de passer trois semaines, comme l'année précédente, aux eaux de Plombières où elle séjourne à partir de la mi-juin, en compagnie de sa cousine, la comtesse Alex de La Rochefoucauld. Sans résultat. Le venimeux Lucien, une fois de plus, n'avait pas manqué l'occasion de lui être désagréable en persiflant, lors de son départ. « Allons, ma sœur ! Faites-nous un petit Césarion ! avait-il lancé, en public, ce qui trahissait autant d'aigreur envers elle qu'envers le fraternel César, soit dit en passant ! Lucien, épris d'une jolie veuve, Alexandrine de Bleschamps – qu'il tient installée présentement au Plessis-Chamant –, ne va pas tarder, compte tenu de son caractère vindicatif, à s'affronter une nouvelle fois à son frère, peu désireux d'une telle union. Et Lucien, contre toute attente, tiendra bon, choisira la femme qu'il aime contre le frère qu'il jalouse et s'en ira mener, chez le Pape, qui le fera prince de Canino et de

Musignano – en 1814 –, une existence heureuse et opulente, dédiée aux arts, aux joies de l'esprit et à celles de la nombreuse et belle famille qu'il créera... Il est à noter que tous les Bonaparte, dès que le pouvoir cessera, pour une raison ou pour une autre, de les aiguillonner, de mettre en jeu leurs mauvaises passions, s'épanouiront dans des vies de patriciens apaisés, cultivés, bienfaisants. C'est étrange, mais c'est ainsi.

À son retour de Plombières, Joséphine reprend, pour un peu plus d'un mois, ses habitudes à la Malmaison où elle a tout loisir, entre les réceptions ponctuant les nouvelles représentations que donnent ses enfants et les conseils réunis par le Consul, de s'occuper de son jardin. Elle avait écarté les projets par trop classiques de Percier et Fontaine parce qu'elle désirait un jardin à l'anglaise, au goût du jour, assorti de serres chaudes, de volières et de viviers. Elle devra attendre encore quelque temps avant de réaliser son rêve, mais d'ores et déjà, elle correspond avec les botanistes et les pépiniéristes anglais et elle commence, avec amour, avec sérieux, à réunir ses premières collections de plantes rares. Elle est fière d'en faire les honneurs à un visiteur de marque, l'homme politique anglais Fox, qui, comme nombre de ses compatriotes, découvre la France consulaire, accompagné d'une suite élégante, et notamment ses neveux, Lord et Lady Holland. Après avoir assisté à de brillantes festivités dans le sillage de la belle Mme Récamier, chez son ami Ouvrard, au Raincy, ou chez elle, au château de Clichy, Fox se rend à la Malmaison. Il rapportera au comte de la Garde, qui aura le bon goût de les noter, les propos de l'hôtesse des lieux : « Voici l'hortensia qui vient tout nouvellement d'emprunter le nom de ma fille, la soldanelle des Alpes, la violette de Parme, le lis du Nil, la rose de Damiette. Ces conquêtes sur l'Italie et l'Égypte ne feront jamais d'ennemis à Bonaparte ; mais voici ma conquête à moi, ajouta-t-elle en nous montrant son beau jasmin de la Martinique : la graine semée et cultivée par moi me rappelle mon pays, mon enfance et mes parures de jeune fille...[1] » Son

1. In « Une fête chez Mme Récamier en 1802 », extrait de « Fêtes et Souvenirs du Congrès de Vienne « par le comte A. de la Garde, Paris et Leipzig, 1843. *Revue d'Etudes Napoléoniennes*, 1913, I. pp. 259-267.

visiteur n'oublie pas de relever l'expressivité mélodieuse de la voix de Mme Bonaparte, ces inflexions créoles si séduisantes, même à une oreille étrangère, francophile il est vrai, et dont il conservera, autant que des spécimens admirés en sa compagnie, un souvenir charmé.

* * *

C'est à la fin du mois de septembre, peu de temps avant qu'Hortense n'accouche de son premier fils, que le Consul décide de s'installer à Saint-Cloud. Cette belle plaisance royale, construite par Mansart, jouissant d'une admirable situation, au sommet d'un amphithéâtre dominant la Seine, agrémentée de jardins dessinés par Le Nôtre où des jeux d'eaux et une cascade réputés faisaient la joie des visiteurs, avait été essentiellement habitée par Monsieur, frère de Louis XIV, et sa célèbre seconde épouse, la princesse Palatine, dont le franc-parler, l'intelligence dénuée de préjugés, la saine hygiène de vie germanique, autant que la confiance que lui témoignait le Roi-Soleil étaient restés dans les mémoires. Sans compter son admirable talent d'épistolière, en grande partie exercé dans son cabinet préféré, bien calfeutré, orné de ses portraits de famille ainsi que de son médaillier à vingt-six tiroirs, car les collections respectives des deux époux, Monsieur disposant de son « cabinet des bijoux », constituaient une autre curiosité notoire de Saint-Cloud.

Sans oublier, bien sûr, les belles pièces de parade, notamment les trois somptueux salons décorés par Mignard : le petit Salon de Diane et le grand Salon de Mars, encadrant la longue et splendide Galerie d'Apollon dont les vingt-six hautes fenêtres en arcade donnant sur la cour intérieure et les jardins, comme les fresques aux variations innombrables sur un même thème, suscitèrent l'admiration ombrageuse de Louis XIV quand il les découvrit en 1678 : « Je souhaite fort, Madame, dit-il à sa belle-sœur, que les peintures de ma Galerie de Versailles répondent à la beauté de celles-ci... » Marie-Antoinette avait passablement défiguré le caractère classique et un peu austère de l'architecture originale, sans avoir eu grand temps d'en jouir. Mais son souvenir y demeurait : c'est là qu'elle avait passé son dernier séjour à l'air libre, en 1790, sous étroite surveillance. Puis la Révolution avait dévasté Saint-Cloud, en avait dispersé le mobilier, saccagé et morcelé les jardins, transformé le domaine en promenade publique. Les deux Assemblées directoriales avaient siégé, au matin du 19 brumaire, dans l'ancienne Orangerie et dans la Galerie d'Apollon, ce qui, du moins, avait rendu quelque éclat historique au château. Très avili, ce beau lieu avait été restauré sur ordre du Premier Consul, qui, pour lui, éprouvait une prédilection : il avait remembré autant que possible les jardins, repeuplé ceux-ci de statues, remis en état les jeux d'eaux, remeublé les espaces d'apparat, qu'il saura rendre fastueux lorsqu'il deviendra Empereur. Mais d'ores et déjà, Saint-Cloud grâce à lui retrouve une part de son prestige, si ce n'est tout son lustre. La résidence peut faire office de Palais consulaire d'été : sa grande cascade réactivée et son nouveau théâtre, construit au bout de l'ancienne Orangerie, où jouerait Talma, réjouissaient les hôtes et le public, qu'à l'ancienne mode, on invitait à flâner dans le parc, lui offrant des dioramas, des feux d'artifice ou des envols d'aérostats.

Le Consul est trop bon politique pour ne pas mettre en évidence quelques symboles marquants, exprimant aux yeux de tous, à l'intérieur du pays comme à l'extérieur – et Dieu sait qu'il soigne ses relations avec les représentants à Paris des Cours étrangères –, la nature et l'étendue de son nouveau pouvoir. Cela suppose plus de solennité dans les réceptions officielles, celles du Corps diplomatique, en premier lieu, qui, désormais, est présenté à Mme Bonaparte par le ministre des Relations extérieures, le très urbain M. de Talleyrand, ainsi que la constitution, encore bien modeste, d'un appareil de représentation, appelé Cour. Il s'agit de former un début de Maison civile, groupant un gouverneur du Palais – Duroc –, assisté de quatre préfets : MM. de Rémusat, de Luçay, Didelot et Cramayet. Quatre dames du Palais, entourant également, dans les cérémonies ou à son cercle, Mme Bonaparte : Mmes de Rémusat, de Luçay, de Talhouët et de Lauriston. La Maison militaire comprendra quatre généraux, Lannes, Davout, Bessières et Soult, ainsi qu'une dizaine d'aides de camp.

* * *

Ces premières nominations, qui datent du mois de novembre, sont intéressantes car elles illustrent le « système de fusion » cher au Consul, son désir de voir réunis sous son égide, à son service, des tenants de l'ancienne société – les préfets et les dames du Palais – et des hommes sortis du rang, ses officiers. Joséphine, qui, déjà, lors de la première messe dite à la chapelle de Saint-Cloud, le 26 septembre, avait dû prendre le pas sur les deux autres Consuls, n'y joue pas un moindre rôle.

Commence pour elle une nouvelle forme de vie. Dorénavant, elle ne sera quasiment plus jamais seule nulle part. Même si cette première Cour est encore succinte, il faut désormais à l'épouse du Consul savoir la « tenir », pour reprendre l'expression consacrée. L'apprentissage de Mme Bonaparte sera aisé car elle montre les meilleures dispositions du monde à faire ce qu'on attend d'elle.

Elle était depuis Brumaire en relations de société avec une des personnes les plus hautes en couleur de l'Ancien Régime, la vieille marquise de Montesson, épouse morganatique du duc d'Orléans, père de Philippe-Égalité, grand-père du futur Louis-Philippe. De bonne, si ce n'est de grande naissance, cette Bretonne avait épousé, à dix-huit ans, le marquis de Montesson, sexagénaire et fort riche, dont elle s'était rapidement trouvée veuve. Dès qu'elle eut jeté son dévolu sur le « gros duc », comme on l'appelait, en fine stratège elle s'était acheminée vers le mariage morganatique, qu'elle avait obtenu, au grand dam de Versailles, en juillet 1773 – elle avait quarante-six ans – et qui fut célébré à Villers-Cotterêts. Elle devait garder son nom, ne jamais reparaître à la Cour et ne prétendre à aucune prérogative de princesse du sang. Ce à quoi elle s'était conformée scrupuleusement et sans regrets, car elle n'aimait rien tant que sa société particulière, l'art dramatique pratiqué en amateur et les jeunes gens... À quarante-sept ans, elle avait suscité une folle – et durable – passion chez un jeune homme de vingt ans son cadet, le général de Valence, gendre de Mme de Genlis – amie en titre de Philippe-Égalité –, qui avait beau jeu de persifler cette trop séduisante « tantâtre »! Mme de Montesson s'en moquait bien. Elle savait s'entourer, et n'y trouvait aucune peine, son esprit comme ses manières étant d'excellente tenue. Arrêtée sous la Terreur, elle avait traversé l'épreuve sans trop de dommages et menait bon train dans son hôtel de la rue de la Grange-Batelière, ou dans sa maison de Romainville. Liée avec Mme de Beauharnais et faisant montre d'admiration pour le général Bonaparte, celui-ci protégera ses vieux jours en lui obtenant la restitution de la rente que lui avait léguée son défunt et princier mari, en lui enjoignant d'aider au rétablissement du bon ton : chaque mercredi, Mme de Montesson recevait, le temps d'un grand dîner fort prisé. Son enjouement, son esprit autant que sa table lui ralliaient les meilleurs commensaux de la place, à une époque où les maisons dignes de ce nom n'étaient ni bien nombreuses ni bien opulentes. Mme de Montesson – qui devait s'éteindre en 1806 – se plaisait à ranimer ses anciens souvenirs et, volontiers, elle évoquait à l'usage du couple consulaire l'ancienne étiquette bourbonienne. Les conseils durent être bons, car sur cette question, Napoléon saura se démarquer de ses prédécesseurs, séparant d'emblée, dans les règlements de la vie de sa Cour, le domaine de la vie privée de celui de la vie publique, ce que Versailles n'avait jamais pu ou su réaliser. La Cour impériale y gagnera en dignité et les souverains en intimité.

La finesse de Joséphine, et sa naturelle souplesse, sauront parfaitement s'accommoder de ces nouvelles contraintes. Une Maison, c'est un entourage obligé qui ne vous quitte pas. Mieux vaut donc choisir des personnes de bonne compagnie, dont on a jaugé les qualités et l'appartenance. Compte tenu des dispositions du Consul, que l'Empereur accentuera, il est souhaitable que sa femme soit accompagnée de dames tenant quasiment toutes à l'ancienne aristocratie. On conjugue, ce faisant, deux exigences : rallier au nouveau régime la vieille France et se garantir des avidités et des vulgarités des parvenus. C'est aussi le moyen d'obliger des personnes ou des parents ayant eu des revers à la Révolution, aidant ainsi des familles amies ou alliées à conquérir une position lucrative et agréable au sein de la société nouvelle. Le service d'honneur de Joséphine va s'avérer, de ce point de vue, un modèle du genre.

* * *

Si nous prenons les quatre premières dames en place auprès d'elle, et qui le resteront au moins jusqu'au divorce impérial, en décembre 1809, nous voyons que toutes sont bien nées, bien alliées, que leurs maris, pour trois d'entre elles, sont attachés directement au Consul, soit comme préfets du Palais (Luçay, Rémusat), soit comme aide de camp (Lauriston), ou rallié à son régime (Talhouët, qui sera fait comte d'Empire), et qu'elles ont été distinguées en vertu des bonnes manières qui sont les leurs. Mmes de Luçay et de Lauriston sont prévenantes, elles ont bon esprit et témoignent d'une égalité d'humeur hautement appréciable dans la fonction qu'elles occupent. Elles feront peu parler d'elles, assurant avec régularité leur service, qui, à cette époque, s'effectue par tour, d'une semaine pour chacune, successivement. Bref, elles ont le profil idéal de la dame pour accompagner : tact, discrétion, efficacité.

Il n'en est pas de même pour Mme de Talhouët. Si elle a été choisie pour sa beauté, encore que, charitablement, Mme Junot note « qu'elle se rappelait trop qu'elle avait été jolie et pas assez qu'elle ne l'était plus » (!), elle ne brille pas par sa bonté. Elle fait montre d'un ton mordant qui tranche sur l'entourage et déplaît à celui-ci. Mais il y a mieux, et qu'on ignore, c'est qu'elle est un agent royaliste. Au service d'un louche personnage, le comte d'Antraigues, qui depuis Dresde où il est réfugié, collationne et transmet à la Cour de Russie, des rapports effectués sous sa houlette, à Paris, sous forme, entre autres, de *Lettres des Amis*. Ces rapports, qu'en haut lieu on voudrait politiques, ne le sont guère car il ne s'agit, le plus souvent, que de ragots de société, grandement fantaisistes, aisément outranciers, portant sur l'intérieur du Consul, sa famille, sa femme, encore mal connus de leurs ennemis. Mme de Talhouët serait donc l'« Amie de Paris », longtemps confondue avec sa belle-sœur, Victoire du Cheylard, comtesse de la Vieuville, que d'Antraigues avait connue avant la Révolution et dont il utilisait l'identité auprès de ses mandants, car il se plaisait à brouiller les pistes, à amalgamer ses sources comme à réécrire leurs informations[1]. Mme de Talhouët brossera des portraits plus diaboliques que nature du Consul et de Joséphine. « Elle est dans un état de démence dont je ne l'aurais pas crue susceptible, quelque médiocre que je l'aie toujours connue », est-il dit le 11 décembre 1804. Comme c'est vraisemblable ! Mais une notation, plus subtile, de « l'Amie », nous fait dresser l'oreille : « On peut tout lui dire ; il n'y a pas d'exemple qu'elle ait rapporté un mot à son mari. [...] Elle est très donnante (généreuse) en présents à ses anciennes amies[2] ». Cela est juste et avaliserait l'assertion de Joseph Turquan, l'un des biographes les plus hostiles à Joséphine, selon laquelle une des cousines de sa mère (et non une tante), la présidente de Copons del Llor, qu'elle revoie depuis le retour d'émigration de celle-ci, renseignait les Royalistes et servait d'intermédiaire entre Fouché et Mme Bonaparte pour monnayer auprès du ministre des informations privées sur Bonaparte. Ce dernier point nous paraît plus qu'improbable, car Joséphine avait ses « petites entreprises » personnelles et quand elle y renonce, Bonaparte, toujours, et elle le sait, paie et paiera ses dettes. D'autre part, elle est trop solidaire du pouvoir de son mari, et trop prudente, pour se livrer à ce genre d'activités, plus risquées – Bonaparte ne parlant guère – que rentables. Mais que Mme de Copons del Llor ait eu partie liée avec Mme de Talhouët, n'est pas impossible[3]. Bien qu'à notre avis, les dégâts n'aient pas été bien grands, vu l'innocuité et le peu de crédi-

---

1. In Jacques Godechot, *Le comte d'Antraigues*, Fayard, 1986, pp. 222 et suiv.
2. In J. Godechot, *op. cit.*, p. 224.
3. Françoise-Aimée, ou Edmée, Des Vergers de Sanois de Maupertuis, née à la Martinique en 1733, épouse à Paris, en 1777, un veuf, grand seigneur Roussillonnais, le baron Raymond de Copons del Llor, châtelain de multiples lieux, chevalier d'honneur de l'Ordre de Malte, président à mortier du Conseil

bilité des montages opérés par d'Antraigues, que le favori de Louis XVIII, d'Avaray, appelait déjà « la fleur des drôles »... Mais voilà qui prouve, si besoin en était, les désagréments d'une position élevée, l'espionnage auquel on est soumis, les ragots que l'on déclenche, les mécomptes qui en résultent, selon l'intérêt, la médiocrité ou le cynisme de ceux qui les exploitent... Seulement, ne prenons pas le Consul et sa femme pour plus naïfs qu'ils ne sont : en ces temps encore très troublés, ou les oppositions – jacobine et royaliste – se montrent d'autant plus remuantes qu'elles mesurent l'inexorable marche du pouvoir vers toujours plus d'autorité et de popularité, ils savent à quelles attaques et à quelles violences ils s'exposent en permanence. Une police démultipliée et un régime plus absolu les en garantiront bientôt, définitivement penseront-ils...

Quant à la quatrième dame du Palais, Mme de Rémusat, si elle est la plus jeune – elle entre au service de Mme Bonaparte à vingt-deux ans – elle est aussi, et de loin, la plus intéressante. Née Claire, dite Clari, de Vergennes, le grand nom qu'elle porte – celui d'un célèbre ministre de Louis XVI –, valut à sa famille de subir les horreurs révolutionnaires : son père fut guillotiné le 6 thermidor, un jour après Alexandre de Beauharnais. Sa mère, femme d'esprit, qu'elle « avait plus pointu que son nez » lequel était « infini », selon l'incorrigible Frénilly, se trouvait très liée avec la société de Sannois, parmi laquelle Clari et sa sœur Alix avaient grandi. Après s'être réfugiée, sous la Terreur, à Croissy, où elle avait connu Mme de Beauharnais, Mme de Vergennes, ruinée, s'était établie dans une petite maison à Saint-Gratien, dont elle avait été la châtelaine avant la Révolution et où elle voisinait avec la célèbre Mme d'Houdetot. Celle-ci avait

---

souverain du Roussillon, qui meurt en 1787. Elle émigre puis rentre à Paris, en 1800, et renoue avec Joséphine, qui la pensionnera, comme elle continuera de pensionner un Antoine de Copons del Llor, en 1812, date à laquelle sa cousine devait n'être plus de ce monde. Le Président de Copons avait eu deux filles du premier lit, l'une chanoinesse, l'autre depuis, Mme de Réart. Son testament, du 4 juin 1786, nantissait sa seconde épouse ce qui n'empêcha pas un litige entre celle-ci et sa fille mariée. (Communication de Mariel Gouyon Guillaume).

enchanté Rousseau dans sa jeunesse et elle poursuivait depuis des lustres, dans son charmant ermitage de Sannois, une étrange idylle conjugale à trois, entre son mari et le poète Saint-Lambert. Ce qui faisait dire à Chateaubriand, lors d'une visite en cette année 1802, que le temps finit toujours par transformer les illégitimités en légitimités! La joviale Mme d'Houdetot avait pour belle-sœur l'une des douairières du faubourg Saint-Germain, Mme de La Briche, dont la compagnie très choisie villégiaturait dans son château du Marais, près de Dourdan. Sa fille Caroline était promise à l'un des jeunes gens les plus séduisants de son temps, Mathieu Molé, héritier d'une riche famille magistrale qui, lui, accueillait dans sa belle terre de Champlâtreux les Vergennes, les Lamoignon, les La Briche, les d'Houdetot, les Frénilly, les Damas, les Vintimille, sans compter Chateaubriand, son meilleur ami-ennemi, bref, tout ce que la société intelligente, décimée et ruinée par les événements, comptait encore de personnes du bel air. Mathieu deviendra le protégé de Napoléon avant de finir sa belle carrière politique comme président du Conseil de Louis-Philippe[1].

Clari était une agréable petite brune que son esprit de sérieux et sa solide culture faisaient remarquer de tous. Extrêmement douée et intelligente, les épreuves qui avaient déchiré son enfance – elle est contemporaine d'Eugène et d'Hortense –, autant que la forte personnalité de sa mère l'avaient rendue réservée, sagace, posée, un peu douloureuse. Talleyrand, qui l'appréciera grandement, a laissé une jolie esquisse d'elle où il est dit qu'elle a « beaucoup d'idées, une perception vive, une imagination mobile, une sensibilité exquise, une bienveillance constante »… Elle a aussi une belle plume, admirablement précise et pénétrante. On la sent formée aux bons auteurs et aux classiques, qu'elle continuera de pratiquer durant sa trop brève existence. Elle a épousé Augustin de Rémusat, de seize ans son aîné, « doux, modeste, poli, réservé, avec l'attitude d'une petite fortune sans un grand

---

1. Notons que Mathieu Molé, pour les mêmes raisons que Joséphine, s'empêchait de rire, ce qui donnait encore plus de gravité à son beau visage allongé et à son grand regard noir.

nom », comme le note Frénilly, un homme fiable et de bonne composition s'il n'a pas le brio de sa femme. Ils formeront un excellent ménage, partageant tout, les joies que leur donnera leur fils aîné Charles, né en 1797 – le futur académicien –, et les soins que requiert leur cadet, Albert, venu au monde en 1801, « noué », comme on disait alors, c'est-à-dire attardé et contrefait. Sa sœur, Alix, pleine d'originalité et de talents, a épousé le général de Nansouty, neveu de Mme de Montesson. Aux deux sœurs et à leurs maris, l'Empire vaudra de belles positions, et quelles qu'aient été leurs réticences envers un régime qui, sur sa fin, marchait au désastre, ce que leurs esprits avertis discernaient parfaitement, à la Restauration, ils encourront pas mal d'inimitiés. Quoiqu'il en soit, Mme de Rémusat, disparue en 1821, demeurera comme l'une des mémorialistes notables du temps, parce qu'à la qualité du regard qui est le sien, à l'excellence de sa situation pour l'exercer, elle ajoute une distance critique de bon aloi devant un absolutisme grandissant dont elle mesure, au fil des années, les redoutables effets. Son enthousiasme pour le Consul, qui n'est pas de courtisanerie loin s'en faut, se muera en aversion raisonnée envers un Empereur que plus rien, après son apothéose de Tilsitt en 1807, n'arrêtera dans sa fatale fuite en avant.

Son témoignage sur la vie du Palais, à ses débuts, est irremplaçable. Il est même le plus crédible, parce que le plus profond et le plus honnête, encore que les catégories de la portraitiste soient aux antipodes de celles de son sujet. Mme de Rémusat, qui le voit de si près, se montre réticente envers le couple consulaire sur tout ce qui touche à son pragmatisme, qui la choque – elle est encore naïve ! –, et sur des traits de caractère qu'elle ne peut concevoir dans une relation conjugale : l'autorité impatiente du mari, la jalousie chronique de la femme. Question de texture et de génération : le clivage n'est pas encore politique mais du même ordre que celui qui existe entre Hortense et sa mère. Cela posé, il est très éclairant de pénétrer, à sa suite, dans l'intimité des vies qui nous intéressent.

* * *

Comme lorsqu'elle décrit le voyage officiel qu'elle effectue avec le Consul et sa femme, dans les provinces du Nord et de Belgique, en 1803. *A posteriori*, elle nous aide à reconstituer le précédent déplacement, en Normandie, dont elle n'était pas, mais qui est de la même eau...

Celui-là s'était déroulé du 29 octobre au 14 novembre 1802, et nous en percevons l'écho à travers les lettres qu'Eugène adressait ponctuellement à sa sœur, récemment accouchée, le 10 octobre au soir, d'un petit garçon qui fera les délices de sa famille, et qui, en attendant ses relevailles, suivait les siens par la pensée.

Ils avaient commencé par faire étape à Évreux puis, après un détour par Ivry-la-Bataille, s'étaient dirigés sur Rouen. « Le Premier Consul a été reçu avec une joie bien vraie, une allégresse inconcevable. On a tiré un feu d'artifice. La ville était illuminée et partout on voyait des transparens. [...] Maman a un peu mal à la tête. Je me porte à merveille. Bonjour à Louis, embrasse pour moi ton petit enfant. », écrit Eugène à sa sœur, le 30 octobre. Le surlendemain, il lui raconte le grand bal de la veille, donné pour eux au Théâtre : « La foule était immense et l'on n'a pu danser qu'après le départ de Bonaparte », les aides de camp ne s'en privant pas, comme on pense. Le lendemain matin, le couple consulaire s'en allait visiter des manufactures[1]. Eugène ne signale pas le petit incident survenu à la cathédrale, lorsque l'archevêque, Mgr de Cambacérès, frère du Consul, n'offre ni la patène ni l'eau bénite au chef de l'État, qui ne manquera pas de s'en plaindre... On les recevra pareillement au Havre, d'où Joséphine, profitant d'une occasion de courrier, écrit à sa mère, pour insister auprès d'elle : « Vendez votre habitation de la Martinique et venez acheter une propriété en France. Vous devez désirer de vivre maintenant avec vos enfants [...] Je vous ai mandé l'heureux accouchement d'Hortense : il y a trois semaines qu'elle nous a donné un gros garçon. Bonaparte le fera baptiser à son retour à Paris. Il en est le parrain et moi la marraine : il s'appellera Napoléon. [...] Je vous

1. A. N. 400 AP 28.

annonce avec plaisir que ce mariage est très heureux et qu'ils s'aiment beaucoup. » Elle insiste aussi pour que Mme de la Pagerie lui envoie « les arbres et les graines qu'[elle lui] demande, » de toutes les espèces possibles, même celles qui viennent dans les bois[1]. » Le jeune Jérôme se trouvant aux Îles elle le recommande à sa mère, cependant qu'elle pense à Pauline et Leclerc, partis avec un corps expéditionnaire pour Saint-Domingue, où les attend une catastrophique épidémie de fièvre jaune : Pauline en reviendra seule, et avant la fin de l'année, on aura appris la mort de son mari. Ce qui réjouit Joséphine, c'est qu'un de ses cousins le fils aîné de son oncle Robert-Marguerite, vient d'entrer dans l'armée, sous la protection du Consul[2]. Toujours aussi famille, Joséphine s'épanouit au sein d'une situation harmonieuse et privilégiée, heureuse que les siens y soient assurés d'une place et d'un avenir.

Le troisième voyage consulaire sera plus long et plus brillant que les deux précédents. Plus important aussi, car les hostilités ont repris avec l'Angleterre. Celle-ci, n'évacuant pas l'île de Malte, le Consul a provoqué la rupture, en invectivant l'ambassadeur d'Angleterre, Lord Withworth, lors de la réception du corps diplomatique au complet, chez Joséphine, le dimanche 13 mars. Depuis lors, d'énormes travaux occupent les ports français et quelques villes belges. Manifestement, la tension monte : Boulogne, où se trouve Eugène, en avant-garde, est canonnée. « Nous n'avons eu ici qu'une fête, écrit-il à Hortense, et ce sont les Anglais qui l'ont donnée... »

La suite consulaire quitte Saint-Cloud, le 24 juin. Les Rémusat et Mme de Talhouët sont du voyage. On commence par s'arrêter à Mortefontaine, où un incident, désagréable mais révélateur, gâche la réception. Au moment de passer à table, en cortège comme c'était l'usage, Joseph, le maître de maison, entend le mener en donnant la main à sa mère. Le

---

1. In *Correspondance, op. cit.*, pp. 130 et suiv.
2. Il s'agit de Charles-Marie-Robert-Rose-Anne, né le 31 décembre 1782, à Fort-Royal. Bientôt sous-lieutenant aux grenadiers de la Garde consulaire, il deviendra lieutenant dans la Garde impériale. Retourné à la Martinique en 1806, il épousera l'année suivante Joséphine de Soudon de Rivecourt (1793-1852) d'une famille créole liée à la sienne, et, devenu aveugle, en 1832, il mourra à Paris, le 6 mai 1849.

Consul s'insurge contre un cérémonial qui lui ôte la préséance. Joseph lui tient tête. On quitte le salon, Joseph avec sa mère, suivi de Lucien avec Joséphine, ce que voyant, Napoléon bondit, se saisit du bras de sa femme, bouscule tout le monde, entre le premier à la salle à manger et ordonne à Mme de Rémusat, fort gênée au demeurant d'être distinguée en cette circonstance, de se placer près de lui à table. Tête de l'assemblée! Mme Bonaparte la mère se trouve humiliée dans sa propre famille, Joseph, bafoué par son cadet, Mme Joseph, reléguée en bout de table, alors que jusqu'à preuve du contraire, elle est chez elle... Car c'est là que le bât blesse : où qu'il se transporte, fût-ce chez les Bonaparte, le Consul a rang de chef d'État et entend ne pas y déroger. Il n'est pas disposé à céder. Les Bonaparte non plus. D'autant que, nous l'avons noté, Joséphine, aux côtés de son mari, bénéficie du même protocole! On verra bientôt les pittoresques conséquences de cette charmante ambiance familiale...

Dès Amiens, les arcs de triomphe et les guirlandes signalent l'enthousiasme des populations. Joséphine en est émue aux larmes. À Arras, Lille et Dunkerque, c'est le même accueil délirant. Pendant six semaines, dans les dix-sept départements traversés, dans les quatre-vingts villes visitées, ce sera partout la même ferveur! Joséphine connaîtra Bruges et ses canaux tranquilles, Gand et sa magnifique cathédrale, Anvers, qui, en leur honneur sortira son géant attitré, puis Malines et Bruxelles, où l'on séjournera une semaine, où le Consul Lebrun et les ministres les rejoignent, où les fêtes succèdent aux fêtes, à tel point qu'Eugène qui a partie liée avec Savary et Lauriston, autres fins compères, peut écrire à Hortense : « Toutes les nuits nous dansons, tous les jours nous montons à cheval et tu vois cependant que cette vie active ne m'empêche ni de penser à toi, ni de te le prouver...[1] » Fêtes, bals, illuminations, feux d'artifice, mais aussi cérémonies magnifiques, comme celle qu'offre la collégiale Sainte-Gudule, préparée avec le cardinal Caprara, légat du Pape, qui accompagne Bonaparte – ce qui est du meilleur

1. A N 400 AP 28, Lettre du 28 juillet 1803.

effet –, et dont le clergé au grand complet attend le héros sur le parvis, devant le portail central, cependant que celui-ci est entré par une petite porte latérale, dite de Charles Quint, tenant à commémorer son prédécesseur, reçu en son temps avec la même pompe! Et ce sont aussi des revues militaires, pendant lesquelles le général Bonaparte exerce sa puissante séduction, sachant parler aux soldats, les connaissant tous, reconnaissant ceux avec qui il a partagé ses faits d'armes, les laissant toujours extasiés de cette proximité... Irrésistible Bonaparte! Irrésistible Joséphine, aussi, toujours dispose, toujours élégante – son mari lui en avait donné les moyens, en spécifiant qu'il la voulait éblouissante –, toujours charmante avec tous : « Elle laissa des souvenirs de sa bonté et de sa grâce que quinze ans après je n'ai point trouvés effacés », constatera Mme de Rémusat, ravie, néanmoins, au terme de ce périple endiablé, de retrouver Paris et sa petite maisonnée[1].

Une anxiété familiale, toutefois, pendant ce voyage : trois petits Tascher, Stéphanie, dont nous nous souvenons que Joséphine avait été sa marraine aux Îles en 1788, et ses frères Louis et Sainte-Rose, ont été pris en mer, au large de Brest, et sont prisonniers en Angleterre, à Portsmouth. « Bonaparte a promis à Maman qu'elle [Stéphanie] serait à Paris dans huit jours » écrit le brave Eugène à sa sœur, le 12 juillet, en demandant à celle-ci de prévenir Tascher l'aîné[2]. Le pouvoir est une bien belle chose : sur intervention du Consul, les petits Tascher sont libérés et arrivent à Calais, le 18 août 1803. D'eux aussi, Joséphine va s'occuper activement.

* * *

1. In *Mémoires de Mme de Rémusat*, 1802-1808, Paris, 1880, I, p. 255.
2. A N 400 AP 28. Stéphanie de Tascher (1788-1832) épousera le prince d'Arenberg en 1808, puis, en 1817, le comte de Chaumont-Quitry (1787-1851). Ses frères Henri, dit l'Amour (1785-1816), Louis, dit Fanfan (1787-1861), et Louis-Robert-Nicolas-Rose, dit Sainte-Rose, et dans son enfance Yéyé (1792-1823) serviront comme leur aîné dans l'armée, feront de belles carrières et de bons mariages. Louis, l'ex-Fanfan, deviendra, sous le Second Empire, sénateur et grand-maître de la Maison de l'Impératrice Eugénie, le fils d'Hortense entretenant les mêmes fidélités familiales que sa mère et sa grand-mère.

Jusqu'au printemps 1804, la vie de la Cour consulaire se poursuit avec régularité. Mme de Rémusat nous en indique le rythme habituel : soit à Saint-Cloud, soit aux Tuileries, « le matin, vers huit heures, Bonaparte quittait le lit de sa femme pour se rendre dans son cabinet ; à Paris, il redescendait chez elle pour déjeuner ; à Saint-Cloud, il déjeunait seul, et souvent sur la terrasse qui se trouvait de plain-pied avec ce cabinet. Pendant ce déjeuner, il recevait des artistes, des comédiens. Il causait alors volontiers et avec assez de bonhomie. Ensuite il travaillait aux affaires publiques jusqu'à six heures. Madame Bonaparte demeurait chez elle, recevant durant toute la matinée un nombre infini de visites, des femmes surtout, soit celles dont les maris tenaient au gouvernement, soit celles qu'on appelait de l'Ancien Régime, qui ne voulaient point avoir, ou paraître avoir, de relations avec le Premier Consul, mais qui sollicitaient par sa femme des radiations ou des restitutions. Madame Bonaparte accueillait tout le monde avec une grâce charmante. Les pétitions remises s'égaraient bien ensuite quelquefois, mais on lui en rapportait d'autres, et elle ne paraissait jamais se lasser d'écouter. À six heures, à Paris, on dînait ; à Saint-Cloud, on s'allait promener, le consul seul en calèche avec sa femme, nous dans d'autres voitures[1]. » Après le dîner, le Service d'honneur était appelé au salon, où le Consul s'attardait peu, retournant travailler, recevant quelque audience, ou quelque ministre particulièrement. Il se couchait de bonne heure. Joséphine, qui aimait à veiller, devait interrompre son jeu, si son mari la faisait demander. Une fois par mois, un grand dîner d'apparat réunissait dans la Galerie de Diane, aux Tuileries, les personnalités marquantes du moment : les dames, sur ordre, s'y présentaient très parées. Pour le reste, Mme Bonaparte accompagnait son mari au spectacle ainsi que dans toute visite officielle où il la requérait, comme par exemple, le 6 octobre, aux chantiers des constructions navales des Invalides. Elle assurait, de plus, les réceptions du Corps diplomatique.

---

1. *Mémoires, op. cit.,* I, pp. 183 et suiv.

Dans son intérieur, il est aisé de mesurer grâce à Mme de Rémusat qui le découvre, éberluée, à quel point la formidable personnalité du Consul est écrasante. Le petit général Vendémiaire dont nous avons suivi l'évolution est devenu un homme charismatique, sûr de lui – sauf devant les assemblées et les femmes de haute naissance et de beaucoup d'esprit, qui lui font invariablement perdre ses moyens –, un homme qui n'obéit qu'à sa propre loi et, somme toute, fait figure de tyran domestique. Ce qui n'empêche pas la séduction : la rareté de son sourire rend celui-ci irrésistible, son foudroyant regard gris-bleu (si Mme de Rémusat le dit, nous pouvons la croire) peut se voiler de mélancolie, il est susceptible d'attentions délicates, de gestes tendres, surtout envers Joséphine, mais « la précipitation avec laquelle il fait toute chose », cette notoire nervosité qui ne fera que s'accentuer avec les années, le rend difficile en tout : voilà un homme plus diligemment servi que quiconque et qui, cependant, n'est jamais satisfait, s'irrite de façon intempestive au moindre retard, au moindre obstacle... Quel impatient et quel autoritaire ! Quel caractériel, dirions-nous aujourd'hui... Ses gestes sont courts et cassants, de même que sa manière de dire et de prononcer. Il manque « d'éducation et de formes » et, quels que soient son charme, sa valeur, sa grandeur, il se rend redoutable par la violence à laquelle il se livre dès qu'il estime sa volonté contrecarrée ou, simplement, mal comprise[1].

D'où l'influence apaisante de Joséphine, qui sait depuis toujours le calmer, le flatter, le rassurer, le distraire. Et qui devient indispensable à ce moment de leur existence, si tendue parce que si active. Voici comment Mme de Rémusat voit Mme Bonaparte à cette époque : « [...] Sans être précisément jolie, toute sa personne possédait un charme particulier. Il y avait de la finesse et de l'accord dans ses traits ; son regard était doux ; sa bouche, fort petite, cachait habilement de mauvaises dents ; son teint un peu brun se dissimulait à l'aide du rouge et du blanc qu'elle employait habilement ; sa taille était parfaite, tous ses membres souples et délicats ; le

1. In *Mémoires, op. cit.*, I, pp. 100 et suiv.

moindre de ses mouvements était aisé et élégant. [...] Elle se mettait avec un goût extrême, embellissait ce qu'elle portait ; et avec ces avantages et la recherche constante de sa parure, elle a toujours trouvé le moyen de n'être point effacée par la beauté et la jeunesse d'un si grand nombre de femmes dont elle s'est entourée[1]. » Mme de Rémusat insiste sur les autres composantes intangibles de Joséphine : son « extrême bonté », son égalité d'humeur, sa bienveillance, son oubli facile des injures. Mais elle souligne aussi ses manques dont le principal, à ses yeux, est que, faute de « gravité dans les sentiments, et d'élévation d'âme, elle a préféré exercer sur son mari le charme de ses agréments à l'empire de quelques vertus », sans oublier ce trait hautement réprouvé, cette habitude du mensonge que tous deux employaient habilement tour à tour[2]. Dieu ! Que la sage et vertueuse Mme de Rémusat eût été une piètre Consulesse ! Qu'est-ce que ces scrupules de rectitude peuvent avoir à faire avec la politique du Consul ! Pour lui, la fin justifie les moyens. Peu importe que ses colères soient feintes – car, en bon Latin, il est un comédien de premier ordre, un parfait simulateur quand il le faut –, si le résultat qu'il en escompte lui advient et s'avère justifié au regard de la remise en train du pays ! Quant à Joséphine, elle n'est pas sa femme par hasard ! Solidaire, assortie, complice. « Elle ne le jugeait que dans ce qui la regardait personnellement, et, sur tout le reste, respectait ce qu'il avait appelé lui-même l'entraînement de la Destinée », note encore sa dame du Palais. Mais précisément, si elle est une collaboratrice de premier ordre, c'est parce qu'elle est agissante et sans états d'âme, pour peu qu'elle y trouve son compte, mais surtout, elle est dénuée d'esprit d'intrigue, ce qui est aussi rare que précieux. Et puis, que croit-on ! Joséphine admire son mari.

Ce que Mme de Rémusat analyse fort bien en nous le révélant – là, il ne s'agit ni de ragots, ni de perfidies ou vengeances de rivales –, c'est la disposition ombrageuse de Joséphine envers son mari. Celui-ci tient à elle, le lui prouve

---

1. In *Mémoires, op. cit.*, I, pp. 139-140.
2. *Ibid.*, p. 141.

et néanmoins, il commence à regarder certaines actrices ou cantatrices de renom. Ce ne sont que des passades, des engouements aussi vite oubliés qu'assouvis – et il en sera ainsi jusqu'à sa liaison avec la touchante comtesse Walewska –, autant de fantaisies sans portée, où le jeu et la vanité ont leur part, car, bien entendu, il éprouve le besoin de s'en vanter...

Mme de Rémusat s'inquiète à bon droit de ce que Mme Bonaparte, montrant par trop sa suspicion et son irritation, en un mot, sa jalousie, ne finisse par lasser son mari : « Il me fut facile de voir promptement que, si Bonaparte aimait sa femme, c'est que sa douceur accoutumée lui donnait du repos, et qu'elle perdrait son empire en l'agitant[1] ». D'autant, soyons juste, qu'il ne persistera jamais dans aucune de ses multiples aventures si celle-ci fait trop souffrir Joséphine. Il y met un terme aussitôt, apaise sa femme, sèche ses larmes. Et recommence. Il est curieux, toutefois, qu'avec l'esprit de conduite qui est le sien, Joséphine se soit sentie dépossédée, menacée même par des écarts qui ne pouvaient être dangereux pour elle. Mais il est vrai aussi qu'elle discernait les manœuvres des Bonaparte, Mme de Rémusat l'atteste, les manigances de Murat et de sa femme, qui, comme le fera Duroc par la suite, n'hésitaient pas à se transformer en pourvoyeurs de jeunes beautés susceptibles d'enflammer leur chef de clan. Car, dès cette époque, ne nous y trompons pas, la guerre entre les Bonaparte et les Beauharnais est déclarée.

Si le Consul n'a qu'à se louer des Beauharnais, en revanche, il a quelque raison d'être mécontent de sa famille qu'agite un certain nombre de tensions. Lucien est sur le point de rompre avec lui, au profit de la femme qu'il aime, Alexandrine de Bleschamps, et il est soutenu par leur mère. Jérôme s'est marié intempestivement à Baltimore avec la fille d'un riche négociant, Betzy Patterson, sans en référer à son frère, qui le somme de rentrer en Europe, afin d'aviser, mais surtout de casser cette union dont il ne veut rien savoir. Joseph rumine, à sa manière doucereuse, Dieu sait quelles idées critiques envers son pouvoir par trop personnel. Louis concocte, avec

---

1. In *Mémoires, op. cit.*, I, p. 191.

l'aigreur qui lui est propre, de sourdes rancœurs qu'ont attisée une virulente campagne déclenchée par la première grossesse d'Hortense : les journaux anglais ont insinué que l'enfant à naître était celui du Consul! Le Consul et Louis ont vigoureusement démenti et protégé la malheureuse Hortense mais Louis, dorénavant, concentre sa noire humeur sur Joséphine : il aime Hortense, il aime son enfant, mais il veut les soustraire à la pernicieuse influence de cette femme perdue! Et il en veut à son frère d'avoir des visées sur son fils, pour des raisons politiques. Il n'a pas l'intention de le tolérer! Du moins les sœurs sont-elles plus dociles : Pauline vient de se remarier à Mortefontaine avec celui que lui a choisi le Consul, un Romain francophile dont la famille est plus riche qu'ancienne, le prince Camille Borghese. Ce qui permet à l'insolente de se gausser de ses sœurs en déclarant, avec le mauvais ton qui la signale partout où elle passe : « Ces canailles ont épousé, l'une, un fils de cabaretier, l'autre, un marqueur de paume, il n'y a que moi d'honnêtement mariée dans la famille! » Caroline et Élisa semblent satisfaites de leur établissement parisien, opulent, prometteur, et toutes les trois sont d'accord sur un point : évincer « la Vieille », ne pas perdre une occasion de rappeler à leur frère qu'un héritier est nécessaire à un Consul à vie et qu'avec Joséphine, il n'en aura pas. Il n'a pas besoin qu'on le lui rappelle. Et il a ses idées sur la question.

* * *

Et ces idées s'articulent autour du même thème, du même casse-tête : quand rétablir effectivement le régime monarchique en France? Car les apparences républicaines, pour préservées qu'elles demeurent, ne trompent plus personne. À part quelques extrémistes, Jacobins et Royalistes, qui ne désarment pas et sont prêts à tout pour l'éliminer, le pays semble désireux de voir le Consul achever son œuvre de redressement, si bénéfique, si prodigieuse, si éclatante, par une stabilisation solennelle de son statut. Un nouveau changement constitutionnel en sa faveur ne serait que bienvenu et il le sait. Mais quand?

Un vaste complot royaliste, fomenté grâce à ses bases arrières en Angleterre et qui vise à l'assassiner, va lui en fournir l'occasion. Dès le 15 janvier, Pichegru, un ancien général de la Convention ayant soutenu l'opposition royaliste contre le Directoire, est arrivé clandestinement à Paris. Il appuie le chouan Cadoudal, que tous appellent par son prénom, Georges, mandaté par le comte d'Artois, depuis Londres, et qui s'entoure d'affidés aussi déterminés que courageux. Parmi eux, un certain nombre d'officiers hostiles et rivaux du Consul, dont le général Moreau, qui tient son prestige et sa popularité de ses victoires en Belgique, sous la Convention, en Bavière sous le Directoire et, en 1800, à Hohenlinden, où il conduisit les Autrichiens à signer la paix de Lunéville – comme Lannes, il mourra invaincu –, et qui poursuit Bonaparte d'une haine qu'attisent sa femme et sa belle-mère, deux créoles ennemies de Joséphine et dotées d'un caractère vindicatif. Moreau n'a pas l'étoffe de sa gloire, mais sa virulence est grande, comme son insolence : Aimée de Coigny raconte l'avoir vu, dans les jardins des Tuileries, fumer ostensiblement son cigare au moment même où se déroulait le *Te Deum* du 18 avril 1802, à Notre-Dame… S'il se récusera finalement, il n'en est pas moins partie prenante du complot. Pour l'heure, il se terre chez lui, à Grosbois.

La police du Premier Consul est active et bien informée. Bientôt le complot est éventé et Paris en état de siège. Il s'agit de mettre la main sur les principaux conjurés. Bonaparte prend la décision, décision grave compte tenu de l'émoi qu'elle peut susciter parmi la population, d'arrêter Moreau. Puis c'est Pichegru qui est neutralisé, rue de Chabanais. Comme on connaît son énergie, on l'emprisonne en le surveillant de près. La veille de son procès, on le retrouva pendu dans sa cellule. Suicide ? Assassinat ? L'opinion penchera pour la seconde hypothèse. C'est au tour du marquis de Rivière et des frères Polignac, représentants du comte d'Artois, d'être arrêtés. Et enfin, le 9 mars, rue de Buci, après une violente altercation qui coûtera la vie à l'un des inspecteurs chargés de le maîtriser, Georges est pris. La poursuite a été rude, les esprits sont échauffés, Bonaparte excédé. Il est décidé à en finir avec ce fanatisme. Il lui faut faire un exemple qui mette un terme aux agissements de cette poignée de furieux. On apprend, en interrogeant Georges, qu'un prince était attendu à Paris pour déterminer l'attaque contre le Consul. Quel prince ?

Tout bien considéré, il s'avère que ce pourrait être le duc d'Enghien, petit-fils du prince de Condé – le vieux chef de l'Armée des Princes –, fils du duc de Bourbon, qui réside à Ettenheim, au pays de Bade, non loin de la frontière française. C'est un jeune homme vif et courageux, plein d'honneur, toujours prêt à se battre, mais qui, s'il conspire, n'a rien à voir avec les menées de son cousin Artois – car les Bourbons ne le cèdent en rien aux Bonaparte en matière d'inimitiés familiales – et qui pense surtout à ses amours avec la princesse Charlotte de Rohan, qu'il a épousée secrètement. Mais c'est un prince du sang. Et Paris décide de se saisir de lui. Au mépris du droit des gens, sur un territoire étranger, le duc d'Enghien est arrêté par le général Ordener, le 15 mars 1804, conduit à Strasbourg puis au fort de Vincennes où il arrive le 20 mars. Armand de Caulaincourt a été chargé par le Consul – qui s'est entouré d'un conseil réunissant Cambacérès, Lebrun, et ses ministres – d'avertir le Margrave de Bade. Le duc d'Enghien arrêté, allait-on le juger ? Le confronter aux conjurés, à Georges ? Malgré ses véhémentes protestations et sa demande de voir le Consul, le jeune prince est passé par les armes dans les fossés de Vincennes, la nuit même de son arrivée. L'émotion est énorme. L'Europe entière réagit, et plus encore Paris. Les conséquences de cet acte seront à ce point immenses qu'à Sainte-Hélène encore, à l'article de la mort, Napoléon souhaitera rajouter un codicille à son testament, s'en expliquant une ultime fois.

Que s'est-il passé ? Le Consul était décidé à frapper. Talleyrand l'y incitait. Qui s'y opposa ? Cambacérès et Lebrun, sûrement. Les autres approuvèrent l'arrestation et la perspective d'un jugement. Qui pensait que l'assassinat serait consommé si vite ? En tout cas le zèle de la commission militaire constituée à Vincennes sous les ordres du général Hulin, assisté de Savary et de Murat, mit, semble-t-il, le Consul dans l'embarras. « C'est plus qu'un crime, c'est une faute ! » dira le pénétrant Fouché. Il ne restait à Bonaparte qu'à l'assumer et s'en servir comme d'un tremplin. Ce qu'il fait.

Hautement, imperturbablement, il revendique l'assassinat du duc d'Enghien. Il fallait désamorcer, une fois pour toutes, ces attentats et ces complots. L'Europe entière et ses ennemis, désormais, ont compris. D'autant mieux que le Consul est résolu, dans la foulée de cet émoi général, à asseoir de façon éclatante, intangible, sa légitime autorité. Il est décidé à fonder l'Empire. Tout va très vite. Le vendredi 18 mai 1804, 28 floréal an XII, le sénatus-consulte instaurant la dignité impériale est voté par le Sénat. « Le Gouvernement de la République est confié à un empereur qui prend le titre d'Empereur des Français... Napoléon Bonaparte, Premier Consul actuel de la République est Empereur des Français. » La dignité impériale est héréditaire, dans la descendance directe de Napoléon, ou à défaut parmi ses fils adoptifs, fils ou petits-fils de ses frères, à l'exclusion de Lucien et de Jérôme que des mariages inégaux ont brouillé avec lui. Joseph n'a que des filles. Le 7 avril précédent, le Consul et Joséphine sont allés chez Hortense pour lui annoncer – Louis était absent – que leur fils serait adopté et deviendrait l'héritier désigné de son beau-père. Sentant les réticences possibles de Louis, le Consul, excédé, s'était écrié : « Je ferai une loi qui me rendra au moins maître de ma famille ! ».

Nous y voilà. Devant l'Europe médusée il vient de se rendre, au moins, maître de son pays, quoi qu'en pense sa déconcertante famille ! Napoléon, puisqu'il nous faut désormais l'appeler par son prénom, a consommé sa fulgurante élévation. À lui le pouvoir suprême, ses grandeurs et ses servitudes, sa gloire et ses charges, sa griserie et ses tortures, et sa fatalité qui isole... Mais Napoléon n'est pas seul. À ses côtés, qui partagera un lustre durant les fastes et les cruautés de l'Épopée qui s'ouvre à eux, Joséphine. Joséphine, Impératrice des Français.

Chapitre IV

L'Impératrice et Reine couronnée
(18 MAI 1804 - 14 DÉCEMBRE 1809)

*Joséphine occupa sans faire rire
un trône où la fille des Césars
passa sans aucun titre de gloire…*

TALLEYRAND

Cette élévation à la dignité impériale est accueillie par Joséphine le plus naturellement du monde. Et pour cause, elle se trouvait au cœur de ce qui se préparait. Elle a suivi de près les soubresauts de l'affaire du duc d'Enghien. Elle a été témoin de la détermination de son mari qui n'avait pas manqué de lui annoncer ses décisions – l'arrestation de Moreau puis celle du prince – et si elle s'en était émue, si elle avait mesuré la gravité des impressions autour d'elle, si elle craignait pour Bonaparte les retombées d'un acte irréversible, elle savait aussi qu'elle n'y pouvait rien. On a beaucoup dit, puis écrit, qu'elle s'était entremise en faveur du jeune Bourbon, qu'elle s'était traînée aux pieds du Consul implorant miséricorde… C'est faux. Elle connaissait trop bien celui-ci pour ignorer qu'en matière de haute politique – « Ma politique ! », mot sacramentel, selon Mme de Rémusat – il était inflexible. Mais elle avait convaincu son entourage, à commencer par sa dame du Palais, qu'elle allait lui parler, qu'elle lui avait parlé.

Elle n'en avait rien fait[1]. Prudente et inquiète, elle avait attendu. Et lorsque sa fille l'avait rejointe à la Malmaison, le 21 mars, elles n'avaient pu que se désoler devant le fait accompli. Comme tout le monde.

Puis Bonaparte avait décidé de se faire Empereur. Il s'en était expliqué devant elle et les Rémusat et recommencera avec effusion car c'est son thème favori : mieux Empereur que Dictateur (comme l'auraient souhaité les Jacobins). Pourquoi ? Parce que les Français aiment la monarchie et « qu'on se légitime en se plaçant sur un terrain connu ». D'ailleurs, entre Consul à vie, avec choix de sa descendance, et Empereur, avec choix de sa descendance, il y a peu de différence. Ce qui existait de fait, hier, existe de droit, aujourd'hui. Avant, son Gouvernement était frugal et tonique. Désormais, il sera plus opulent, pour être plus respecté, mais tout aussi tonique. Le peuple et l'armée idolâtraient le général Bonaparte. Ils continueront. Les forces vives du pays, reconstituées patiemment, le soutenaient, elles le soutiendront. Une large part de l'ancienne société qu'on a apaisée grâce au retour des émigrés, aussi. Bientôt, Bonaparte en est sûr, on la verra désirer entrer à sa Cour. Car il veut une Cour digne de ce nom, plus éclatante, plus représentative de son autorité politique, d'une mixité expressive, mêlant anciennes et nouvelles élites, civils et militaires. Les Jacobins plient déjà devant un ordre et une prospérité renaissants dont ils ne seront pas les derniers à profiter. Quant aux minorités opposantes – une poignée de Républicains purs et durs et ces intellectuels libéraux qu'il appelle des « idéologues », façon Mme de Staël ou Benjamin Constant –, on les tiendra en lisières. Ne parlons plus des activistes assassins... Bref, libéré du péril mortel auquel était soumise sa personne, il va désormais gouverner comme il l'entend et appliquer résolument « sa » politique, son « système », comme il dit. Qu'est-ce qui change ?

---

1. À Sainte-Hélène, le 14 mars 1821, Napoléon dira au général Bertrand : « On a dit qu'elle a parlé en faveur du duc d'Enghien. Cela est faux. Elle pleura avec tout le monde, disant qu'elle m'avait parlé ; dans le fait, elle ne m'en parla jamais. » Comme d'habitude, nous nous fions à sa parole, que confirme Hortense dans ses *Mémoires*.

La forme, pour commencer. Ou le style, comme on voudra. Dès le dîner, à Saint-Cloud, qui suit l'annonce du sénatus-consulte du 18 mai 1804, le premier dîner du règne, chacun peut s'en rendre compte. Duroc a exliqué aux participants les effets protocolaires du changement constitutionnel : Bonaparte devenu Empereur, Joséphine Impératrice, doivent être traités de « Majesté », les Consuls Cambacérès et Lebrun sont faits grands dignitaires de l'Empire, le premier, Archichancelier, le second, Architrésorier, avec traitement de « Monseigneur », comme les Maréchaux incessamment nommés, alors que les ministres recevront de l'« Excellence ». Joseph et Louis Bonaparte deviennent princes français, eux aussi dignitaires, Joseph, Grand Électeur, et Louis, Connétable, leurs femmes, Julie et Hortense, devenant princesses, tous avec traitement d'« Altesse impériale ». Voilà, c'est simple. Comme le dira Napoléon : « On m'appelle Sire, on me donne de la Majesté impériale, sans que personne, dans ma maison, ait seulement eu l'idée que j'étais devenu, ou que je me croyais un autre homme. Tous ces titres-là font partie d'un système ; et voilà pourquoi ils sont nécessaires[1]. » Ce n'est qu'un nouveau code auquel on devra s'habituer. Simple, en effet.

Ce qui l'est moins, c'est la vanité des êtres et, en l'occurrence, la vanité des Bonaparte. Assistent au dîner, en plus des souverains, des Joseph et des Louis, Eugène, les Murat, les Bacciochi, ainsi que Cambacérès, Lebrun, Duroc et les « ministres de la maison » (les préfets du Palais) comme dit Mme de Rémusat, présente aux côtés de son mari, et qui a peint la scène. Si Napoléon est radieux et joue à merveille son nouveau rôle, se plaisant à donner à chacun son titre, si Joséphine est exquise d'aisance et de naturel, si Eugène est égal à lui-même, enjoué et affable, si Julie et Hortense ont un maintien serein et modeste, si Louis et Joseph font meilleur visage que Murat, pourtant promu maréchal, Caroline et Élisa sont atterrées ! Quoi ! Hortense, Julie, ces pièces rapportées, ces étrangères, princesses ! Et elles, le sang de l'Empereur,

---

1. À Roederer, in *Bonaparte me disait...*, *op. cit.*, p. 110.

rien ! Pas le moindre titre, pas la plus petite distinction ! Élisa, blême d'indignation se montre plus revêche et plus hautaine encore qu'à l'ordinaire. Quant à Caroline, moins maîtresse d'elle-même, elle boit coup sur coup de grands verres d'eau pour calmer les pleurs de rage qui l'étouffent... Mme de Rémusat demeure interdite de « dégoût devant cette jeune et jolie figure contractée par les émotions d'une si sèche passion[1] ». Il y a de quoi.

Le lendemain, l'heureux Empereur déchantera. Lors du dîner familial, auquel n'assiste pas la dame du Palais mais que lui conte Joséphine, Caroline fera à son frère une scène d'une telle violence qu'elle en aura une syncope. Mais elle arrivera à ses fins et obtiendra, pour elle et ses sœurs, le même titre et le même traitement que les princesses Louis et Joseph. Plus qu'agacé, Napoléon aura un mot qui fera le tour des salons : « À vous entendre, Mesdames, ne croirait-on pas que je vous ai fait tort de l'héritage du feu Roi notre père ! » Cette âpreté, ce manque de tempérance, cette inélégance foncière sont plus qu'anecdotiques : ils contiennent en germe – dans la droite ligne de l'incident de Mortefontaine – l'échec de la future politique impériale lorsqu'elle misera sur cette parentèle avide et médiocre plutôt que sur la compétence des authentiques serviteurs de l'État. Il est révélateur que dès le premier jour du règne, notons-le, Caroline ait montré sa vraie nature.

* * *

Face à ces agissements, les Beauharnais jouent sur du velours. Parce qu'ils ne demandent rien, parce qu'ils sont agréables à Napoléon, Joséphine par sa douceur – les meilleurs témoins notent que plus les Bonaparte vitupèrent Joséphine, plus l'Empereur est aimable avec elle –, les enfants par leur indéfectible obéissance. Cela dit, la nouvelle position de Joséphine ne va qu'attiser la critique et la rivalité à son endroit.

---

1. In *Mémoires, op. cit.*, I, pp. 394 et suiv. Caroline, née en 1782, a vingt-deux ans, un an de plus qu'Hortense, un an de moins qu'Eugène.

Cette nouvelle position, quelle est-elle ? Dans un premier temps, elle ne paraît pas différente de la précédente, mis à part ce titre étrange et neuf d'« Impératrice » qui lui échoit, ce traitement de « Majesté », un peu irréel, factice, mais auquel il n'est pas question de se soustraire. Joséphine, nous commençons à la connaître, épouse parfaitement la situation. Comme celui qu'elle continue d'appeler Bonaparte, elle ne se sent pas essentiellement transformée par ce changement de statut et il est tout à son honneur qu'avec tact et bon goût, elle sache demeurer égale à elle-même, sans s'imaginer – elle n'est pas une Bonaparte ! – que ce titre et cette prééminence protocolaire lui donnent une quelconque supériorité sur autrui. Elle ne saurait encourir le ridicule des parvenus, surtout quand celui-ci devient une imposture.

Elle est à ce point elle-même qu'elle commet, en ce début d'été 1804, la faute – relevée par Mme de Rémusat – de témoigner véhémentement sa jalousie à son mari, pour une de ses habituelles passades : mal lui en prend, car cette fois, Napoléon s'insurge contre cette inquisition domestique et le lui fait savoir brutalement. Si cela doit continuer, il est décidé au divorce ! Il ne supportera pas plus longtemps cette entrave à sa liberté… ! Puis, comme d'habitude, il se ravise, il se calme, il l'apaise, tout en se promettant de profiter du renouveau qu'impliquera dans leurs vies un cérémonial plus contraignant, pour commencer à prendre ses quartiers d'indépendance. Leur intimité conjugale n'en sera pas autrement compromise. Et avec humour, il fait remarquer à Hortense dont le mari est atteint de la même « maladie », que « Louis aurait été fort heureux avec l'Impératrice. L'un aurait fait garder la porte et l'autre, la fenêtre ! » Toujours est-il que ses enfants et son entourage proche essaient de raisonner Joséphine, qui s'efforcera à plus de sérénité, sans toujours y parvenir. Pourquoi ? Parce qu'avec ce nouveau régime, ce règne qui, elle le sent, peut devenir de plus en plus autocratique, elle redoute ce qui a corrompu le règne des Bourbons : l'empire des favorites. C'est une crainte qu'elle pourrait s'épargner.

* * *

Au moment où Napoléon s'apprête à aller inspecter les chantiers de Boulogne – toujours en vue d'un possible débarquement en Angleterre – et les ports du Nord, et Joséphine à passer un mois aux eaux d'Aix-la-Chapelle où il la rejoindra pour un périple sur les bords du Rhin qui sera leur premier voyage officiel impérial – mais le quatrième fait ensemble –, la Cour prend forme : sous la direction de Napoléon, s'élabore la future étiquette et l'Empereur a déjà procédé à plusieurs nominations, le 20 juin, pour constituer les Maisons honorifiques. De plus, le 12 juin, le Conseil d'État a considéré l'éventualité d'une cérémonie de couronnement. Napoléon, même s'il garde ses habitudes personnelles de frugalité et de simplicité, commence, c'est clair, à s'identifier à son titre et à sa fonction, à sa responsabilité de chef suprême. Il est convaincu que pour asseoir son pouvoir, pour que celui-ci acquière une crédibilité indiscutable, il lui faut le mettre en scène de façon éclatante et solennelle. Non seulement, il lui faut s'imposer aux Français – qui, dans leur ensemble, lui sont favorables – mais aux Cours étrangères, autrement réticentes, sans parler, bien entendu, de l'éternelle ennemie, l'Angleterre. Cet homme qui s'est fait seul, qui a gagné ses titres de gloire sur les champs de bataille à la tête d'armées républicaines, qui s'est illustré ensuite en ajoutant le génie ordonnateur au génie militaire, s'il veut régner en plus de gouverner, il doit le faire en monarque resplendissant, universellement respecté et, si possible, craint.

D'où ce désir d'une étiquette aussi stricte que détaillée, qui définisse, encadre, codifie la relation qu'on entretiendra avec son trône, le degré de déférence qu'on devra à sa personne, la distance exacte qu'il entend mettre entre lui, ce qu'il incarne, et le monde extérieur, dignitaires, ministres, courtisans, anciens compagnons d'armes, serviteurs et sujets confondus. Il a pris conseil auprès de Mme de Montesson, de Mme Campan et surtout de M. de Talleyrand, son ministre des Relations Extérieures, dont le flegme, l'intelligence des affaires, la finesse d'esprit et le légendaire savoir-vivre lui sont plus que jamais d'appréciables recours. L'antique noblesse, comme dirait Hortense, de ce grand seigneur en impose à tous. Il n'y a personne, autour de lui, qui n'ait en tête la célèbre et cinglante répartie de son ancêtre Adalbert de Périgord à Hugues Capet : « Qui t'a fait comte ? – Qui t'a fait roi ? » Elle suffit à le situer. En gentilhomme de la vieille roche, Talleyrand sait son Versailles et il a la confiance de Napoléon. Nul doute que ses avis n'aient été très judicieux.

Napoléon entend se donner les moyens de ressusciter les formes pompeuses de la monarchie, en les rénovant. L'apparat qu'il commandera lors des cérémonies et de la représentation de Cour sera inoubliable, son protocole complexe et impeccable – confié au comte de Ségur, fils du Maréchal, ministre de la Guerre de Louis XVI, qu'on appellera, en raison de sa charge, « Ségur-cérémonies » –, et la composition de sa Cour impressionnante de variété, à défaut d'homogénéité. Car elle exprime la tentative de fusion sociale voulue fortement par le Consul et elle s'efforce d'amalgamer les militaires, la Noblesse d'Ancien Régime ralliée et la nouvelle Noblesse – qui n'apparaîtra qu'en 1808 – mais qui, déjà, compte ses notables, ses commis de l'État, ses illustrations diverses. Les Maisons honorifiques des souverains et des princes seront savamment composées – là encore, le panachage obligé étant un signe d'identité du règne –, et les dignitaires incités à mener un train opulent, car tous doivent se persuader qu'ils incarnent, à la place qui est la leur, un reflet parcellaire de la puissance impériale, à laquelle ils doivent faire honneur et auxquels il n'est pas question qu'ils dérogent.

* * *

Tous, à commencer par l'Impératrice. Solidaire de son impétueux époux – dont le caractère ne va pas s'adoucir au fil des années –, elle va tenir son rang à la perfection. Ce qu'il attend d'elle, elle va le lui donner. Ô combien ! Elle occupe une place dont le symbole ne lui échappe pas, car contrairement à ce que voudrait accréditer ses détracteurs, elle n'est dotée d'aucune cécité politique rédhibitoire, loin de là. Elle ne s'y prendra nullement au sérieux, mais elle accomplira sérieusement la fonction dont elle s'assortit, ce devoir de représentation que son mari lui assigne. Ce qui signifie qu'elle sera plus qu'une comparse, une figurante anodine – comme le voudrait Frédéric Masson qui déclare froidement que « tout en elle est obscur, médiocre et vil, hormis ce qui n'est point elle-même, [...] hormis l'homme qui l'a menée d'échelon en échelon à ce prodigieux sommet[1] » (!) –, mais bel et bien une émanation du règne impérial, l'incarnation féminine des valeurs de la souveraineté retrouvée dans ce qu'elle a de plus exquis : l'élégance, la grâce, le goût, le sens des autres, l'obligeance envers tous, ce qu'on appelle à juste titre « une mémoire de princesse » et le don de la bienfaisance. Bref, le rayonnement prodigieux de Joséphine, l'une des souveraines les plus aimées et les plus marquantes que nous ayons eues – bien que son règne n'ait duré que cinq ans et sept mois ! –, nous le devrons à ses grandes qualités personnelles autant qu'à son appartenance, son éducation, son professionnalisme, si on nous passe le terme, cette assiduité qui la caractérise et que rien ne prendra en défaut.

Ce qu'il faut dire, c'est que l'Empire, si bref mais si intense, accentuera ses qualités, comme il accentuera ses défauts. Ils sont ceux que nous lui connaissons : Mlle de la Pagerie savait son maintien et sa sociabilité, la vicomtesse de Beauharnais était ombrageuse, ne gérait pas ses comptes, connaissait son terrain politique, Mme Bonaparte se montrait aussi agissante qu'éclatante aux côtés du Consul. Et cela continuera. À cette différence près, qu'étant placée là où elle se trouve désormais, on l'admirera, l'enviera, la scrutera, ne lui faisant grâce de rien. Et les inévitables ragots, le mauvais esprit – surtout dans ce milieu sans aménité qu'est le Palais –, les rivalités s'exaleront à son endroit, grossissant à loisir le moindre incident, le moindre propos, fussent-ils sans portée, les interprétant avec l'éternelle sottise et l'éternelle méchanceté inhérentes à ces petits mondes fermés sur eux-mêmes, ces microcosmes étouffants et venimeux que sont les Cours.

Grâce aux moyens que lui donnera Napoléon, Joséphine s'accomplira magnifiquement dans son rôle d'Impératrice des

---

1. In *Joséphine, Impératrice et Reine*, Albin Michel, 1898-1919, p. 216.

Français. On dirait aujourd'hui qu'elle a su devenir la vitrine du règne, une remarquable experte en « relations publiques », la propagandiste la plus efficace de l'Empire. Elle tiendra, de plus, comme il sied à toute femme proche du pouvoir, le ministère officieux de la bienfaisance, de l'action sociale, corrigeant en cela la brutalité des temps, et, enfin, elle saura protéger son domaine réservé, se consacrer à ce qu'elle aime, embellissant et enrichissant ce qui n'est qu'à elle : sa consubstancielle Malmaison, ses collections botaniques, zoologiques ou artistiques, y engloutissant une fortune. Tout cela, au sein d'une existence météorique et haletante, avec pour toile de fond l'Europe à feu et à sang, l'intranquillité générale à laquelle répond, en contrepoint, l'inquiétude intime, cette éternelle ombre au tableau qu'est la menace du divorce, le désir obsessionnel de Napoléon de disposer d'un héritier par qui fonder sa propre dynastie.

* * *

Lorsqu'elle part pour Aix-la-Chapelle, dans les derniers jours de juillet, Joséphine est déjà entourée d'une suite qui signale son rang. Sa Maison, récemment constituée, n'est pas encore complète mais on y compte déjà les pièces maîtresses que sont ses quatre Grands Officiers et les principales de ses Dames pour accompagner.

À tout seigneur, tout honneur, dans l'ordre hiérarchique nous trouvons son Grand aumônier. C'est Mgr de Rohan, ancien archevêque de Cambrai et frère cadet du cardinal de l'affaire du Collier, de célèbre et néfaste mémoire. Cet homme sans éclat, portant l'un des noms les plus prestigieux de la vieille France (« Roi ne puis, prince ne daigne, Rohan suis »), mourra dans sa charge, sous la seconde Impératrice, en 1813. Il illustre la politique des grandes familles féodales envers le nouveau régime : autant que faire se peut, l'un de leurs membres s'y rallie afin de désamorcer tout risque éventuel d'ostracisme ou de représailles financières. Ce sera le cas des Luynes, des la Rochefoucauld, des Montmorency, des Galard de Béarn ou des Mortemart.

Le Premier chambellan a été recruté par Joséphine dans son entourage immédiat puisqu'il n'est autre que le général de Nansouty, brillant cavalier et mari d'Alix de Vergennes, la jeune sœur de Mme de Rémusat. Il sera entouré de quatre chambellans ordinaires, MM. d'Aubusson de la Feuillade, de Galard de Béarn, de Courtemer et de Grave, ce dernier comte du Saint-Empire et, comme les autres, de très vieille maison. À quoi s'ajoute M. de Beaumont, chambellan exclusivement chargé d'introduire les ambassadeurs.

Le Grand écuyer a été choisi parmi les amis d'Alexandre de Beauharnais – ce qui hérisse Frédéric Masson! – et lui aussi porte un vieux nom puisqu'il s'agit de Louis-Auguste Jouvenel de Harville des Ursins, dit M. d'Harville qui, ayant poursuivi sa carrière d'officier après la Révolution était devenu sénateur en 1802. Relativement âgé, il quittera son service en 1806, gardant son traitement, et sera remplacé par le général Ordener. Chargés de l'escorte de l'Impératrice, les écuyers dits cavalcadours, comme leur chef, sont des militaires bon teint : le colonel de Fouler et le général de Bonardy, bientôt remplacé par M. de Corbineau – celui des trois frères qui sera tué à Eylau –, auxquels se joindront MM. d'Audenarde et de Berckheim.

Quant à la Dame d'honneur, quatrième haut poste dans la Maison de l'Impératrice, elle est le personnage clé du nouvel entourage de celle-ci – l'élément masculin étant d'apparat, il est moins présent dans sa vie personnelle –, aussi comprend-on qu'elle ait été distinguée pour ses attaches avec Joséphine. C'est même une vieille connaissance, puisqu'il s'agit de la comtesse Alex de La Rochefoucauld, cousine germaine d'Alexandre de Beauharnais – rappelons qu'elle est née Adélaïde-Marie-Françoise Pyvart de Chastullé, comme la mère d'Alexandre, d'une riche famille, implantée à Saint-Domingue, alliée maintes fois aux Hardouineau et aux Beauharnais – et qu'elle est liée à Joséphine depuis l'époque de la Constituante. Elle défrayait alors, par ses succès de société – elle tenait un brillant salon rue de Clichy – et ses succès amoureux – auprès de Victor de Broglie, entre autres, la petite chronique des Sabran et des Salm-Kyrbourg. De six ans plus jeune que sa cousine, elle était mariée, depuis 1788, à Alexandre François de La Rochefoucauld, cadet du duc de La Rochefoucauld-Liancourt, devenu septième duc de La Rochefoucauld après le massacre de son cousin, à Gisors, en 1792, et que l'époque retiendra comme un grand philanthrope. Lieutenant-colonel dans les armées de La Fayette, le mari de la comtesse Alex était devenu préfet de la Seine-et-Marne en 1800 – après que Joséphine a obtenu sa radiation car il avait émigré – puis il avait embrassé la carrière diplomatique qui l'avait mené en Saxe, en 1802, et le conduira bientôt à Vienne, puis en Hollande, avant qu'il ne devienne Pair de France pendant les Cent Jours, puis, de nouveau, à l'avènement de la monarchie de Juillet, en 1831.

La comtesse Alex avait gardé de sa jeunesse folâtre un esprit vif, piquant, enjoué – typique de l'aristocratie éclairée liée à la Constituante – assorti d'une liberté de ton et de jugement que partagent aussi bien d'autres femmes de sa génération, issues de ce même milieu : Aimée de Coigny, sa cousine la marquise de Coigny – épouse du fils aîné du chef de la famille, le duc de Coigny –, Mme de Flahaut (ou plutôt, désormais Mme de Souza) ou Mme de Custine, que nous citons à dessein, parce que toutes ont été liées à Joséphine et le demeurent, sinon Mme de Custine, du moins sa mère. Il est évident que pour ces grandes dames brillantes, spirituelles, formées à la pensée critique des Lumières, qui ont frondé avec entrain l'ancienne Cour, que la Révolution dont elles ont applaudi les débuts a ruinées, et qui ont admiré l'œuvre du Consul, ce trône de fortune et cette nouvelle Cour n'apparaissent que comme un simulacre. Ce style « mi-théâtral mi-camarade », comme le définit Aimée de Coigny, ces militaires empanachés et leurs petites épouses craintives, cette ronde de parvenus mal décrassés, de péronelles et d'intrigantes uniquement occupées à capter un regard du Maître, cette foire aux vanités dénuée de la sophistication versaillaise, constituent, pour elles, un spectacle d'une médiocrité délectable... Elles continueront leurs relations de société avec Joséphine, la voyant le matin ou lors de ces déjeuners de dames que « l'Impératrice Beauharnais », comme dit Frénilly, se plaît à perpétuer parce qu'elle aime leur esprit tonique et divertissant mais elles ne paraîtront que peu à la Cour impériale où, du reste, elles seront mal reçues. Napoléon, on le sait, s'effarouchait, à bon droit, de l'esprit du faubourg Saint-Germain – car l'esprit et la pensée ne se jugulent pas, quels que soient les régimes –, et devant elles, par contrecoup, il se montrait plus brutal encore que nature. À Aimée de Coigny, il demandera si elle « aime toujours autant les hommes »! (elle avait eu deux maris et de nombreuses liaisons), ce à quoi elle rétorquera : « Oui, Sire, surtout quand ils sont bien élevés! » et à sa cousine, il lancera un agressif : « Comment va la langue? » Avec la Dame d'honneur de l'Impératrice, dès qu'il sentira poindre la critique, il aura, en substance mais de façon plus feutrée, le même type de relations. Toujours sur le fil du rasoir, à la limite d'une rupture que tous deux évitaient néanmoins, lui, par sens politique et elle, par besoin économique. Jeu de dupes inhérent à la courtisanerie instituée, dont Napoléon, homme et monarque confondus, paiera un jour, et au prix fort, l'inévitable rançon… À qui la faute?

Pour l'heure, Mme de La Rochefoucauld plaît à Napoléon parce qu'elle est « légère, sèche et incapable d'intrigue », nous dit Mme de Rémusat, qui ne l'aime pas et la juge comme elle juge Joséphine – pour les mêmes raisons –, qui l'égratigne au passage lorsqu'elle la signale comme « gaie, nullement méchante, hardie comme les femmes mal faites qui ont eu quelques succès malgré leur difformité…[1] » Car Mme de La Rochefoucauld avait été ravissante bien que de petite taille et contrefaite, ce que manifestement ses amis retenaient moins – c'était, de plus, un fait d'époque, dû à l'absence de correction orthopédique dans l'enfance – que ses beaux yeux bleus et ses sourcils noirs. L'ancienne « petite déesse Frivolité » s'était acheté une conduite avec les épreuves – séparée de son mari émigré, elle avait passé les années difficiles recluse dans

---

1. In *Mémoires, op. cit.*, II, p. 38. La remarque ne manque pas de sel quand on sait que Mme de Nansouty, sœur de la mémorialiste, était elle-même un peu contrefaite! Mme de La Rochefoucauld apparaît dans le tableau de David représentant le Sacre, comme la Dame qui soutient le manteau de l'Impératrice sur son avant-bras droit. À ses côtés, l'assistant, plus grande, Mme de Lavalette.

son petit château de Mello, près de Chantilly –, et elle ne pouvait qu'être enchantée de cette nouvelle situation à la fois agréable, lucrative et honorable auprès de Joséphine. Celle-ci avait toute confiance en elle et recourait souvent à ses bons offices, comme en témoigne sa correspondance avec ses deux enfants. Elle mariera avantageusement sa fille Adèle, en avril 1809, avec le prince Aldobrandini, cadet de Camille Borghese, et la dotera généreusement. Cela dit, Mme de La Rochefoucauld profitera du divorce impérial pour quitter une place qui, avec les années, avait perdu de son agrément sinon de son intérêt.

À la Dame d'honneur, s'adjoignent la Dame d'atours et les Dames du Palais. La première, en vertu des mêmes critères qui guident Joséphine – vieille société et liens de famille –, est sa nièce, Émilie de Beauharnais. Mme de Lavalette, que nous connaissons déjà et dont il n'y a rien à dire, si ce n'est qu'elle est douce, agréable, discrète et peu efficiente. Ce dont on se douterait : Joséphine s'occupe fort bien elle-même de ses atours ! Les dames du Palais sont, en plus des quatre dames consulaires, une dizaine d'autres – leur nombre ira croissant, au fil des quatre vagues de nominations –, parmi lesquelles des femmes de militaires, compagnons d'armes de Bonaparte, Mmes Ney, Savary, ou Lannes, à quoi s'ajoutent Mme Duchâtel et Mme de Vaudey, vite écartées en raison de leurs liaisons avec l'Empereur, ainsi que d'autres dames liées à l'ancienne société : Mmes de Colbert, de Walsh-Serrant, d'Arberg, de Ségur, de Turenne, de Montalivet, de Bouillé, de Vaux, de Marescot, que nous retrouverons.

À ce Service d'honneur, il convient d'ajouter le Service intérieur, qui comprend la Chambre, la Livrée, la Bouche, l'Écurie, ainsi que tous les postes annexes de médecin, de Secrétaire des Commandements – confié à un vieil ami de Fontainebleau, Deschamps –, de lectrice, de coiffeur, bref, environ soixante-dix employés subalternes que surveille l'Intendant. Parmi ce nombreux personnel, retenons, pour le moment, un nom, celui de Mlle Avrillion, l'une des femmes de chambre de Joséphine – qui, après le divorce, deviendra la première d'entre elles –, une fort bonne fille, extrêmement dévouée à sa maîtresse, sachant beaucoup de choses de l'intimité de celle-ci, ayant bon esprit et bonne mémoire, et qui a laissé de précieux *Souvenirs*, dont Hortense a accrédité la véracité. Leur « teinturier » fut Villemarest – et, s'ils ne brillent pas par leur altitude métaphysique, ils sont de bonne tenue, de juste proximité et relèvent d'une authentique sincérité de cœur. Nous rendrons la parole à leur auteur souvent pillée, ou citée à tort et à travers.

Cette première Maison, on le voit, est d'une tonalité aristocratique majeure, ce qui ne nous étonnera guère : c'était le vœu de Napoléon et le bain ambiant de Joséphine. L'opinion lui en saura gré et ne s'y trompera pas[1]. D'emblée, la Cour impériale, à travers la personne de l'Impératrice, son origine, ses inclinations personnelles et familiales, est dotée de ses lettres de noblesse, de son label de civilité – si le nom ne prouve rien, du moins est-il une garantie de bon ton, dans une société encore traumatisée par les bouleversements révolutionnaires – et promet, en tout cas de ce côté, de s'éviter les excès et les vulgarités provenant d'élévations trop subites, mal comprises, inconsidérément surestimées.

* * *

Du séjour aux eaux d'Aix-la-Chapelle, il n'y a pas grand-chose à dire, si ce n'est que le voyage a été pénible, les routes difficultueuses – on passe par Liège et l'on doit traverser la Meuse en barque –, les logements inconfortables – Napoléon avait fait acheter la maison où logeait Joséphine, pour qu'elle y fût « chez elle » mais elle doit se réfugier à la préfecture – et les eaux sulfureuses, peu efficaces. Mlle Avrillion note « l'enthousiasme que fit éclater la présence de l'Impératrice par-

---

1. À la différence de Frédéric Masson qui, dans son *Joséphine, Impératrice et Reine* (*op. cit.*, pp. 126 et suiv.) vilipende les choix de notre héroïne et particulièrement celui de Mme de La Rochefoucauld. Prise « sur son nom » en vertu d'« une vague parenté », animée « de rancœurs et vengeances de bossue » (!), se faisant bien payer – ce qui est vrai – sans accomplir sa tâche – ce qui est faux. Bref, un régal de fiel et de mauvaise foi, ignorant la teneur du lien entre les deux cousines englobées dans la même haine réductrice.

tout où elle passa : on aurait dit, à l'accueil qu'elle recevait, que tout le monde la connaissait ; il est vrai que sa réputation de bonté l'avait précédée...[1]» Cet accueil chaleureux, les illuminations, les réjouissances organisées en son honneur ainsi que la beauté verdoyante des environs corrigent cependant la monotonie de la cure. Un fait notable, toutefois : lorsque l'Empereur arrive, le 2 septembre, une cérémonie a lieu à la Cathédrale – élevée sur l'ancien palais de Charlemagne, qui y est enterré – où déjà, les reliques de l'Empereur d'Occident avaient été montrées à Joséphine. Le chapitre de la Ville donne à l'Impératrice un morceau de la vraie Croix que Charlemagne portait sur lui comme un talisman, à quoi on ajoute un fragment d'os du bras du héros ainsi que plusieurs autres petites reliques significatives. Napoléon se réclamant de Charlemagne, son modèle, le mythe fondateur de son règne, l'inspirateur de sa vision politique impériale et européenne, la référence invoquée en vue de son prochain sacre, dut être impressionné par cette intense confrontation avec son alter-ego, dont il pouvait, *in situ*, invoquer l'intercession propitiatoire. À quoi pensait-il lorsqu'on lui présenta la couronne, l'épée, le sceptre, la main de justice, le globe et les éperons d'or, tous attributs impériaux de son prédécesseur ?

Les souverains se rendent ensuite à Cologne et à Coblence, puis en longeant le Rhin, pour Napoléon, et en le remontant sur le yacht du prince de Nassau, pour Joséphine, ils séjournent à Mayence – a-t-on une pensée pour Beauharnais qui paya de sa vie son échec devant cette ville ? – où l'on reçoit les Électeurs germaniques : le Prince-archevêque de Ratisbonne, futur Prince-primat de la Confédération, Charles Théodore de Dalberg, grand prélat des Lumières, admirateur de Napoléon, désireux de son soutien pour moderniser et fortifier les petits États occidentaux contre les appétits prussien et autrichien, et l'Électeur de Bade, représentant précisément l'un d'entre eux, les autres étant la Bavière et le Wurtemberg. Joséphine noue une amitié réelle avec le prince de Dalberg, qui ne se démentira pas. Malheureusement, une nouvelle

---

1. Cf. *Mémoires de Mlle Avrillion*, Mercure de France, 1969, p. 65.

tracasserie domestique se met à la traverse et l'émeut au point de gâcher quelque peu ce joli périple. Il s'agit cette fois d'une intrigue amoureuse entre Napoléon et une récente Dame du Palais, la belle et pernicieuse Mme de Vaudey, qui sera congédiée le 29 octobre suivant. Ni élégance ni discrétion dans tout cela. Chez l'Empereur, un caprice de plus, et pour sa femme, une inutile et supplémentaire fausse alerte. Il y en aura d'autres...

* * *

Par Nancy et Châlons, Joséphine regagne Saint-Cloud, seule, juste à temps pour assister aux couches d'Hortense, le 11 octobre. Deuxième gros garçon, appelé Napoléon-Louis, après Napoléon-Charles, premier prince français inscrit au registre d'état-civil, et qui rend mère et grand-mère heureuses. Cette naissance, confirmant en quelque sorte la précédente, apparaît comme un gage supplémentaire de stabilité non seulement de l'Empire, puisqu'elle offre un second héritier potentiel à Napoléon, mais de l'équilibre du couple impérial. Celui-ci en a besoin car une offensive particulièrement violente ne tarde pas à l'ébranler. Elle émane, ce qui ne surprendra personne, des Bonaparte.

Le 3 novembre, Napoléon prend connaissance d'un projet de rapport au Sénat, rédigé par Roederer, sur la question de l'hérédité. Roederer, de plus en plus lié à Joseph Bonaparte, s'est efforcé de défendre les chances de celui-ci, que la formule employée dans le sénatus-consulte établissant l'Empire ignorait au profit de l'adoption, par l'Empereur, d'un héritier dans la descendance de Louis. Roederer s'en explique le lendemain avec Napoléon. Leur longue conversation, transcrite par lui, est renseignante au plus haut point sur les intentions de Napoléon. « Joseph n'est pas destiné à régner [...] Je n'ai jamais entendu que mes frères dussent être les héritiers naturels du pouvoir : je les ai considérés comme des hommes propres à préserver le pouvoir de tomber, à la première vacance, dans une minorité. Ce n'est qu'à ce titre-là qu'ils sont appelés par le sénatus-consulte. L'hérédité pour réussir doit passer à des enfants nés au sein de la grandeur.[1] » Suit l'évocation d'une discussion récente qu'il a eue avec Joseph à propos du couronnement : « [...] Qu'il ose me dire que ce couronnement est contraire à ses intérêts, qu'il tend à donner aux enfants de Louis des titres de préférence sur les siens, qu'il préjudicie aux droits de ses enfants, en ce qu'il fait les enfants de Louis petits-fils d'une impératrice, tandis que les siens seront fils d'une bourgeoise ; qu'il me parle de ses droits et de ses intérêts, à moi, et devant son frère même, comme pour éveiller sa jalousie et ses prétentions, c'est me blesser dans mon endroit sensible[2]. » Il est plus que blessé, il est ulcéré ! Au point de s'échauffer : « Ils sont jaloux de ma femme, d'Eugène, d'Hortense, de tout ce qui m'entoure. Eh bien ! ma femme a des diamants et des dettes, voilà tout ; Eugène n'a pas 20 000 livres de rente. J'aime ces enfants-là parce qu'ils sont toujours empressés à me plaire. [...] Si pendant que je suis au Conseil, Hortense demandait à me voir, je sortirais pour la recevoir. Si Mme Murat me demandait, je ne sortirais pas. [...] Ma femme est une bonne femme qui ne leur fait point de mal. Elle se contente de faire un peu l'Impératrice, d'avoir des diamants, de belles robes, les misères de son âge. Je ne l'ai jamais aimée en aveugle. Si je la fais Impératrice, c'est par justice. Je suis surtout un homme juste. Si j'avais été jeté dans une prison, au lieu de monter au trône, elle aurait partagé mes malheurs. Il est juste qu'elle participe à ma grandeur. Elle est toujours en butte à leurs persécutions. Dernièrement, elle s'est humiliée jusqu'à s'excuser devant Joseph. Oui, elle sera couronnée ! Elle sera couronnée, dût-il m'en coûter 200 000 hommes![3] » Ulcéré, mais lucide, et on ne peut plus déterminé !

Échec aux Bonaparte ! Une fois de plus, les Beauharnais ont gagné la partie, simplement en étant eux-mêmes. Ils n'ont pas de meilleurs atouts que leur excellence et leur harmonie. Face à eux, la Famille, constamment agitée de mauvaises passions, se divise et montre son vrai visage. Chez les Bonaparte, ni

---

1. *Op. cit.*, pp. 106 et suiv.
2. *Ibid.*
3. *Ibid.*

altitude naturelle, ni fermeté politique, comme chez Napoléon, ni acceptation souple ni bonne grâce comme chez Joséphine, ni modestie ni loyauté comme chez Hortense et Eugène. Rien que rancœur et âcreté. Et ils ne désarmeront pas. Létizia, Lucien et Jérôme se sont exclus d'eux-mêmes de ce qui s'annonce mais les autres sont décidés à faire feu des quatre fers pour empêcher l'inacceptable : la consécration de Joséphine.

Car désormais, il faut se préparer pour la grande cérémonie que Napoléon appelle un « couronnement » mais qui prendra une dimension autrement profonde et symbolique puisque le couronnement se doublera d'un sacre, par le Pape en personne. Pie VII, reconnaissant à Napoléon du rétablissement de la religion, en 1802, a accepté de venir à Paris sanctifier cet acte solennel dont la date est repoussée à plusieurs reprises. Finalement, le Pontife arrivera à Fontainebleau le 25 novembre et le grand jour est fixé au 2 décembre. Il n'est question que d'en mettre au point le cérémonial et d'en définir les ultimes modalités.

Un conseil réuni par Napoléon le 17 novembre a failli tourner au drame : la Famille, toujours elle, a tenté une offensive désespérée contre Joséphine. La violence de l'empoignade a été telle que Joseph a donné sa démission : il lui faudra dix jours pour la reprendre! Et ce n'est pas fini : les trois sœurs se rebiffent déclarant hautement ne pas vouloir « soutenir le manteau » de l'Impératrice, à Notre-Dame, ainsi qu'il est prévu pour les cinq princesses impériales. L'Empereur a dû changer l'antique formulation de « porter la queue » en « soutenir le manteau » pour signifier qu'il ne s'agit pas d'une traîne royale mais bien du manteau impérial, symbole même de son pouvoir. Rien n'y fait. Elles n'accepteront qu'à condition que leurs propres traînes soient portées par le premier officier de leurs Maisons! On voit jusqu'où peut aller le mélange détonnant de vanité et d'arrogance qui les caractérise! Et Dieu sait quelle mauvaise grâce elles y mettront, le moment venu, mauvaise grâce qui sera remarquée et qui n'embellira ni leur image, ni leur mémoire…

Mais cette acidité et cette médiocrité n'entameront pas la belle humeur des souverains, non plus que celle des Parisiens qui s'affairent, s'activent et bruissent comme au sein d'une vaste ruche pour préparer l'événement : on dirait que la population de la capitale a doublé, remarque Mme de Rémusat… Rien ne les distraira de leur joie. Car, bien évidemment, tous se réjouissent de renouer avec une grande tradition qui enchante les yeux et l'âme. Qu'y a-t-il de plus merveilleux et de plus magnifique qu'un couronnement ? Qu'y a-t-il de plus beau que cette féérie rassemblant un peuple autour de ses monarques, le temps d'une journée plus mémorable qu'aucune autre, le temps d'un rêve grandiose et partagé ?

LE TRIOMPHE DE JOSÉPHINE

Et ce jour d'apothéose arrive enfin ! Grand jour, s'il en fut ! Qui occupe notre imaginaire depuis près de deux siècles comme un acmé de notre histoire, l'un de ses moments les plus significatifs et les plus réussis. Sans doute le devons-nous à la personnalité charismatique de son inventeur qui s'entendait à frapper les esprits et sut trouver les moyens de son désir, de sa vision. Nous le devons aussi au peintre David qui immortalisa la scène, si soigneusement composée. Peut-on rêver plus belle image du couple que cet Empereur couronnant sa femme ? Ce nouveau Charlemagne, s'il est le chef du peuple et un guerrier, est aussi un homme dont la compagne atteste l'humanité, corrige l'incomplétude. La présence de cette délicieuse Impératrice, la plus féminine des femmes aux côtés du plus masculin des hommes, est non seulement un facteur d'élégance mais d'achèvement et de plénitude, ce dont la cérémonie se trouve rehaussée. Comme le règne. Car ce jour-là, Napoléon et Joséphine entrent dans la Légende et ils y entrent ensemble.

Comment les choses se passent-elles ? Napoléon a souhaité rééditer le Magne qui a été sacré quatre fois : à Reims, à Noyon (Roi des Francs), à Pavie (Roi des Lombards) et à Rome (Empereur d'Occident). Il lui a emprunté son rite, ses honneurs et ornements : le sceptre, la main de justice, l'épée, le globe, le manteau, la couronne et l'anneau. Seuls ces trois derniers sont attribués à l'Impératrice. Il a orchestré une cérémonie en quatre temps bien distincts : le Sacre (les onctions), le Couronnement, l'Intronisation et le Serment constitutionnel. Rien n'a été laissé au hasard, ni la mise au point de chaque détail significatif (il a longuement discuté avec le Pape sur le fait de se couronner lui-même, ce qui ne pouvait s'improviser, ainsi que sur la communion, qu'il a finalement évitée par peur d'un empoisonnement), ni les préparatifs des costumes et du décor, ni les évolutions de chacun, selon son rang, dans la cathédrale, pour lesquelles il a été procédé à des répétitions au moyen de figurines et d'une maquette proposées par Isabey.

Le jour venu, le ciel est bleu et il fait un froid si intense que longtemps les dames (décolletées) de la suite impériale évoqueront « un froid comme le jour du Sacre ». Personne n'a beaucoup dormi la nuit précédente : les dames ont commencé à se faire coiffer dès avant l'aube… Et chacun revêt sa tenue d'apparat – l'Empereur n'a pas lésiné sur la dépense – dont la beauté et la magnificence demeureront inoubliables. Ces habits de cérémonie ont été dessinés par Isabey : pour les dames, une robe de satin brodé d'or et d'argent, à manches longues, agrémentée d'un « bas de robe », c'est-à-dire une traîne attachée à la taille, ainsi que de la ravissante « chérusque » de blonde chenillée, l'ancien col « à la Cyrus », adaptée sur le tour du décolleté carré. Diadèmes et parures de diamants rehaussent le tout. Les hommes portent l'habit de velours brodé d'or ou d'argent sur les coutures, assorti d'un manteau court et d'un chapeau de feutre noir orné de plumes. Princes, princesses, dignitaires et leur suite ont noble allure…

Seuls les souverains revêtiront leurs habits de cérémonie à l'Archevêché, avant d'entrer dans la cathédrale. Pour s'y rendre, Joséphine porte une robe à manches longues, en satin blanc, semée d'abeilles d'or et brodée d'or et d'argent. Sur le corsage à chérusque et les manches, un semis de diamants. Son bas de robe est de velours blanc brodé d'or. Souliers et gants, eux aussi, blancs, brodés d'or. Elle est coiffée en chignon torsadé et « petites boucles à la Louis XIV » selon Mme de Rémusat, portant un diadème – dont elle changera à l'Archevêché – de perles fines et de diamants. Son collier et ses boucles d'oreille sont de pierres gravées entourées de brillants[1]. Mme de Rémusat, comme tous, en témoignent : jamais elle n'a été plus fraîche ni plus jolie, « elle paraît avoir vingt-cinq ans », ce qui est admirable car elle en a largement quinze de plus ! Cette magicienne a sans doute savamment préparé son effet... Il est impensable, la connaissant, qu'elle n'ait pas tout mis en œuvre pour être à la hauteur de la situation !

À dix heures le cortège s'ébranle avec majesté. Des salves de canon marquent son départ des Tuileries. On est loin du cortège du 30 nivôse an VIII, où des fiacres maquillés transportaient Bonaparte et son gouvernement du Luxembourg à l'ancien château royal ! Cinq ans, même pas ! Et maintenant, ce sont de belles et hautes berlines et des carrosses à six chevaux qui véhiculent ministres et dignitaires, précédant le carrosse impérial construit pour la circonstance. L'Empereur y a pris place, au fond à droite, Joséphine à sa gauche, Louis et Joseph face à eux. Napoléon arbore à sa toque de velours noir le plus beau diamant connu, le Régent (136 carats !) que les Parisiens distingueront à travers les huit glaces de la voiture, surmontée d'une couronne que soutiennent quatre aigles. Elle est tirée par huit chevaux isabelle aux queues nattées, menés chacun par un homme à pied, cependant que le cocher Germain, emperruqué et vêtu aux couleurs de la livrée, tient les guides.

Avec la lenteur et la solennité qui s'imposent, le cortège se met en marche : il traversera le Carrousel puis, par la rue Saint-Nicaise, de tragique mémoire –, la rue Saint-Honoré, le Pont Neuf, le quai des Orfèvres, il atteindra le parvis de la cathédrale, dégagé pour la cérémonie, et par la rue du Cloître, rejoindra l'Archevêché, près de deux heures plus tard. En tête,

---

1. Nous empruntons à Frédéric Masson ces détails, en supprimant le coût de chaque élément des parures. En tout, selon Masson, le Sacre aura coûté environ 10 millions de francs au Trésor, 1 million à l'État, près de 2 millions à la Ville de Paris, sans compter les à-côtés ...

une brillante cavalcade menée par le spectaculaire maréchal Murat escorté de son état-major de Gouverneur militaire de Paris, suivi de quatre escadrons de carabiniers, autant de cuirassiers, de chasseurs de la Garde ainsi que des Mamelucks. Viennent ensuite les hérauts d'armes, en dalmatiques violettes, précédant les Grands Officiers de l'Empire, les ministres, les Grands Officiers de la Couronne, les grands dignitaires et les princesses. Après le défilé des militaires puis des onze voitures à six chevaux, que suivent chacune trois laquais portant la livrée de l'Empereur, un hiatus... Puis la cavalcade impériale, puis le carrosse doré avançant majestueusement sous le soleil d'hiver... Malgré le temps, cinq cent mille spectateurs (selon Masson) se sont pressés sur le parcours, contenus par une double haie de fantassins : le cortège est splendide et les dédommage du froid coupant. Il n'y manque pas la musique, précédant chaque corps de troupes...

À l'Archevêché, les souverains revêtent leurs grands costumes. Napoléon se pare de la couronne laurée, Joséphine d'un diadème d'améthystes. On leur assujettit leurs lourds manteaux de velours de soie pourpre doublés d'hermine, longs chacun de plus de cinq mètres. Il est midi dix. Le Grand Maître des cérémonies, M. de Ségur frappe le sol de sa canne d'ébène. Le spectacle peut commencer.

À pied, le cortège se dirige vers la cathédrale. Se succèdent, dans cet ordre, les huissiers, les hérauts d'armes, les pages, les aides des cérémonies, le Grand Maître des cérémonies, le maréchal Sérurier portant le coussin destiné à recevoir l'anneau de l'Impératrice, le maréchal Moncey portant la corbeille dans quoi on posera le manteau, le maréchal Murat portant sur un coussin la couronne. Puis l'Impératrice, escortée de son Premier écuyer et de son Premier chambellan, les cinq princesses soutenant son manteau, suivies de la Dame d'honneur et de la Dame d'atours, puis de six dames du Palais. À son arrivée, elle reçoit l'eau bénite du cardinal Cambacérès, elle est encensée, et sous un dais porté par des chanoines, elle se dirige vers le chœur où l'Empereur la rejoint, après avoir été béni par le vieux Mgr de Belloy (fait cardinal pour l'occasion) et encensé. Il est précédé des honneurs de Charlemagne, puis des siens, l'anneau et le globe, portés par les Maréchaux. Il tient le sceptre et la main de justice. Les princes soutiennent son manteau. Vingt-six Grands Officiers de la Couronne, marchant quatre par quatre, le suivent. Les honneurs sont déposés sur l'autel.

Le Pape, les autorités cléricales, les milliers d'invités que contient à peine la cathédrale et qui, tous, attendent depuis un long temps, sont éblouis par l'apparat exceptionnel et la beauté de cette procession d'entrée. Beauté des souverains, elle, si gracieuse malgré la pourpre, lui, semblant « une médaille à l'antique », comme le note l'assemblée en général et Mme de Rémusat en particulier, tous deux sereins, dignes, d'une majesté que rehausse la profusion de l'or et des diamants. Beauté de l'ordre parfait dans lequel s'accomplissent les gestes rituels du cérémonial. Beauté de la musique qui accompagne somptueusement ce grand moment. Cela a commencé avec la *Marche* que Le Sueur a écrite pour cette entrée solennelle et dont il dirige l'exécution, à la tête de ses trois cents musiciens, marche éclatante et vigoureuse, conçue pour être reprise éventuellement aussi longtemps que dure la procession. De même, il a composé trois motets, dont le *Tu es Petrus* qu'on chantera au moment de la prière du Pape. Laïs, le premier chanteur, Kreutzer et Baillot les premiers violonistes ainsi que les chœurs de l'Académie impériale ont été requis. Scindés en plusieurs groupes, chœurs, orchestres et fanfares se répondent sous les voûtes, en un puissant effet de stéréophonie enveloppant l'assemblée de vibrations sublimes, inoubliables. Paisiello, le musicien préféré de Napoléon, est l'auteur de la *Messe* et du *Te Deum* qui suivront, écrits pour deux orchestres et deux chœurs. Quant au *Vivat* de Nicolas Roze, vif, nerveux, brillant, il constituera une ponctuation irrésistible au *Vivat Imperator* sacramentel, soulevant l'assistance à un tel point qu'il accédera au répertoire habituel des cérémonies impériales[1]...

---

1. Grâce au professeur Jean Mongrédien, l'essentiel de la musique du Sacre a été retrouvé. Sous l'égide de la Fondation Napoléon, le Festival de la Chaise-Dieu l'a restituée, de 1993 à 1995. Moments intenses : pour la première fois depuis le 2 décembre 1804, nous pouvions entendre ce qu'avaient entendu Napoléon et Joséphine ! (La Chaise-Dieu a édité l'enregistrement d'août 1995.)

Le Pape procède au Sacre, c'est-à-dire à l'onction des souverains : à l'autel, une touche de la sainte huile au front et à l'intérieur de chacune des paumes. Consécration religieuse du couple impérial qui lui confère l'inviolabilité.

Joséphine a eu l'habileté – croit-elle – de faire bénir son union avec Napoléon par le cardinal Fesch, la veille au soir : elle est en règle avec l'Église[1]. La messe papale se déroulera comme il se doit sans que les souverains communient. Au Graduel, le Pape bénit les ornements impériaux.

Deuxième temps : le Couronnement. Napoléon se saisit de la couronne, se la pose sur le front : son geste prémédité est politique, et le Pape (Chiaramonti), saint homme dont la mansuétude envers celui qui va devenir son geôlier (de 1809 à 1814) ne se démentira pas, acquiesce. Napoléon ne tient pas son pouvoir du Saint Père, mais de lui-même. Jamais il n'a été plus convaincant, plus hardi, plus impérial qu'en cette seconde. Ensuite, moment divin pour elle, pour ses enfants, pour ceux qui l'aiment, il couronne Joséphine : elle fait l'admiration générale par la grâce, la simplicité, la dignité avec lesquelles elle s'avance vers l'autel, l'élégance avec laquelle elle s'agenouille. « Elle satisfit tous les regards », commente sobrement Mme de Rémusat. Mais, sur son coussin de velours bleu, piqueté d'abeilles d'or, le col incliné cependant que Napoléon, lentement, tendrement, dépose sur son chef une couronne que le Pape lui souhaite « de gloire et de justice » en attendant « la couronne du règne éternel », à quoi peut-elle songer... ?

Troisième temps : l'Intronisation des souverains par le Pape qui va les bénir et les introniser, c'est-à-dire, les reconnaître sur le trône. Encore faut-il pouvoir y arriver! Car l'Empereur et l'Impératrice doivent descendre la nef jusqu'à

---

1. Bien qu'elle ait gardé par-devers elle l'attestation de son mariage religieux, signée par Fesch, sans jamais vouloir s'en désaisir, Napoléon réussira à faire annuler celui-ci par l'Officialité de Paris, puis l'Officialité métropolitaine, les 10 et 11 janvier 1810. Commentaire d'Aimée de Coigny : « L'Impératrice Joséphine crut bien l'attraper (la veille du Sacre) [...] mais Mme de Beauharnais aurait dû mieux le connaître : l'impérial Scapin, bon canoniste, fit prévoir par l'oncle Fesch quelque cas d'annulation... » (*Journal, op. cit.*, p. 215) De fait, l'absence de témoins.

l'estrade sur laquelle sont placés les deux trônes, celui de l'Impératrice légèrement en contrebas de celui de l'Empereur. Il leur faut, pour y accéder, gravir vingt-quatre marches, ce qui est une épreuve vu le poids des manteaux. C'est au moment précis où Joséphine pose le pied sur la première marche que les trois sœurs Bonaparte – qui ont dû se concerter – cessent de soutenir la traîne : Joséphine, déséquilibrée, manque de tomber à la renverse. Ce que voyant, Napoléon les tance vertement, en corse, à haute voix. Les traîtresses qui voulaient créer l'incident et ridiculiser leur belle-sœur sont, en bonne justice, marquées publiquement... Elles obtempèrent et l'Impératrice peut monter les degrés. Le Pape rejoint le couple impérial et le bénit, lui debout, eux assis. Il procède à la reconnaissance. Le Pontife se retourne vers l'assistance et s'écrie : « *Vivat Imperator in aeternum*! » Une ovation triomphale emplit la basilique cependant qu'éclate le *Vivat* de l'abbé Roze, dont le final laissé aux cuivres et au roulement des tambours bouleverse tout le monde...

Le Pape retourne à l'autel et poursuit sa messe. À l'Offertoire, il reçoit les présents mystiques des souverains : le vase, le pain et le cierge d'or, de l'Empereur, un pain en argent serti de vingt-quatre napoléons d'or, de l'Impératrice. Il lit le dernier Évangile, puis se met en retrait.

Suit le quatrième et dernier temps : le serment constitutionnel. Moment politique qui ne concerne que le seul Empereur et son peuple. Napoléon renouvelle la promesse de « maintenir l'intégrité du territoire de la République, de respecter et de faire respecter les lois du Concordat et la liberté des cultes ; de respecter et de faire respecter l'égalité des droits, la liberté politique et civile, l'irrévocabilité des ventes de biens nationaux ; de ne lever aucun impôt, de n'établir aucune taxe qu'en vertu de la loi ; de maintenir l'institution de la Légion d'Honneur ; de gouverner dans la seule vue de l'intérêt, du bonheur et de la gloire du peuple français ». Alors, le chef des hérauts d'armes crie la formule sacramentelle : « Le très glorieux et très auguste empereur Napoléon, empereur des Français, est couronné et intronisé. Vive l'Empereur! » Suit la lecture de l'indulgence plénière accordée aux assistants, puis le magnifique *Te Deum* de Paisiello, cantique d'action de grâces, particulièrement bienvenu...

La cérémonie a duré quelque trois heures. Joséphine, Impératrice des Français, pourrait dire comme son mari, à leur retour à l'Archevêché, alors qu'on les défait de leurs manteaux : « Ah ! Je respire ! » Mais elle ne dit rien. Napoléon est radieux, confondant de naturel et de lucidité. « Si notre père nous voyait ! » a-t-il murmuré à ses frères, au moment de son intronisation... Mais Joséphine, a-t-elle pensé à Mme de la Pagerie dont la sobriété se fût peut-être effarouchée de ce grand spectacle... ? Est-elle soulagée que tout se soit si admirablement passé ? Est-elle encore émue de tant de beauté, de tant de grandeur, de tant de faste ? Est-elle consciente que le plus dur n'est pas tant de monter si haut, que de s'y maintenir ?

La journée n'est pas finie. Après avoir reçu les hommages et les compliments de leurs proches, les souverains rentrent aux Tuileries, aux flambeaux, parmi la liesse de la ville et ses illuminations. L'Empereur est gai : il dîne en tête à tête avec l'Impératrice, lui demandant de garder sa couronne parce qu'il la trouve ravissante ainsi. L'auguste souverain peut être heureux : il est grisé d'encens et de vivats, il vient de réussir sa plus belle mise en scène, il a fait aussi bien que Charlemagne, sinon mieux ! Quant à Joséphine, universellement reconnue désormais dans son éminente position, elle a été parfaite une fois de plus, elle a été l'enchantement de cette extraordinaire journée. Epuisante journée, car, comme le dit Mlle Avrillion qui est allée se mettre au lit sans demander son reste : « Ce que je sais, c'est que le soir, l'Impératrice était excédée (éreintée) mais enfin, elle était Impératrice couronnée ! »

* * *

La présence du Pape à Paris, où il séjournera jusqu'au 4 avril suivant, installé au Pavillon de Flore réaménagé pour lui, sera prétexte au prolongement des réjouissances du Sacre (on devrait dire Sacre et Couronnement, mais le peuple et la

Cour n'ont retenu, d'emblée, que le premier terme), réjouissances qui se traduisent par de multiples divertissements offerts à la population – spectacles de pantomimes, de ballets, d'escamoteurs, jeux de bagues ou mâts de cocagne –, laquelle, malgré ses habitudes d'incrédulité, se familiarise avec ce Pontife si bienveillant dont le porte-croix monté sur sa mule, et qui le précède partout, enchante les enfants...

Quant au Palais, il n'est pas en reste, et va de fête en fête : le 5 décembre a lieu au Champ-de-Mars, la solennelle remise des aigles à l'armée et à la Garde nationale. L'affluence est d'autant plus grande que la Cour au complet a revêtu les mêmes costumes que le jour du Sacre. Malheureusement la pluie battante interrompt la cérémonie qui se déroulait en plein air. À la suite de l'Impératrice, les princesses se retirent, sauf Caroline, fortement enceinte, dont l'endurance est admirée. Le soir, un grand dîner est donné aux Tuileries, dans la Galerie de Diane. Onze jours plus tard, l'Hôtel de Ville reçoit les souverains et offre en leur honneur un bal de sept cents personnes. Opportunément la Cour se mêle à la Ville. Le soir, l'Empereur et l'Impératrice se montrent au balcon. Puis ce sont les Généraux qui reçoivent, le 26 décembre, au Théâtre olympique : un vaudeville suit un grand banquet. Puis, les Maréchaux qui donnent, le 7 janvier 1805, à l'Opéra, un bal pour l'Impératrice. Rien de plus brillant : le bal est ouvert par quatre couples jeunes et élégants : Louis et Caroline, Murat et Hortense, Berthier et la maréchale Bernadotte, Ney et la générale Duroc.

Les fêtes du Sacre s'achèveront, à la veille du départ du Pape et de celui du couple impérial se rendant à Milan – où Napoléon ceindra la couronne de fer que les Lombards sont venus lui proposer et qu'il a acceptée le 17 mars – par une ultime cérémonie en grande pompe, à Saint-Cloud : le baptême du second fils d'Hortense.

C'est un baptême de Dauphin : le Pape officie en personne, ce qui est exceptionnel, entouré d'un cérémonial impressionnant : Napoléon a fait reconstituer, comme à Versailles, le « Salon du Lit » (dans la chambre bleue de l'Impératrice) où l'enfant est présenté sous un dais. Napoléon est son parrain. Letizia Bonaparte, désignée comme marraine, s'est enfin décidée à revenir d'Italie pour l'occasion : elle a reçu le titre de « Son Altesse impériale Mère de Sa Majesté l'Empereur », communément abrégé en « Madame Mère » et, quoiqu'elle désapprouve l'excès d'apprêt et de luxe dont s'entoure son fils, elle tiendra sèchement mais dignement son rang. La présentation du petit prince faite par l'Impératrice sa grand-mère, on s'achemine en cortège jusqu'à la chapelle, le cortège de Joséphine, composé de toute sa Maison, en tête, puis celui de Napoléon qui, avec sa mère, porte son filleul, les maréchales Bernadotte, Bessières, Mortier et Davoust soutenant le manteau de l'enfant, suivies de Mme de Boubers, sa gouvernante et du prince Napoléon-Charles – que tous appellent déjà « Monsieur Petit Chou » – puis Mme de Bouillé portant la salière, Mme de Montalivet, le crémeau, la maréchale Lannes, le cierge, Mme de Sérent la serviette, Mme Savary, l'aiguière et Mme de Talhouët, le bassin... Il n'a pas manqué, en contrepoint à ce bel apparat, une touche de petitesse humaine : Caroline a fait, inévitablement, une scène à Hortense, parce que son frère n'a pas voulu qu'on baptisât en même temps la fille qu'elle venait de mettre au monde... Le Pape retiré, un grand dîner est donné, que préside le couple impérial, suivi d'une mémorable représentation d'« Athalie », avec les meilleurs acteurs du temps : Talma, dont on sait combien Napoléon l'appréciait, Saint-Prix, Mlle Raucourt et Mlle Duchesnois. La soirée se clôt par un feu d'artifice de Ruggieri.

* * *

Est-il besoin de le souligner, depuis le Sacre, une nouvelle vie a commencé pour Joséphine. Une vie de représentation perpétuelle, soumise à la loi inflexible d'une étiquette régentant désormais les décors, les costumes et les comportements de chacun au sein de ce grand théâtre qu'est devenue, en si peu de temps, la Cour impériale. Cette nouvelle règle de vie, aussi minutieuse que stérile, quelle est-elle? Et comment, dans cet éternel, ce pompeux ballet aux figures imposées, l'Impératrice réussit-elle à demeurer la femme exquise que nous connaissons tout en devenant la souveraine de qualité que nul n'oubliera ?

UNE SOUVERAINE EMBLÉMATIQUE

Contrairement à l'approche habituelle qui ne considère le faste impérial qu'avec béatitude, qui se délecte avec une détaillomanie suspecte de la forme au détriment du fond, qui, en substance, tombe dans le panneau érigé sciemment par Napoléon pour juguler ses courtisans et éblouir son peuple, nous ne sommes pas dupe. Pas plus dupe que l'Empereur, qui met en place un système dont nous avons dit en quoi il l'estimait profitable, et qui s'y conforme car l'exemple doit venir d'en haut, avec cependant certaines restrictions, comme par exemple, la raréfaction des grands banquets parce qu'il avoue être incapable de les subir, lui qui ne reste que dix minutes à table... Pas plus dupe que l'Impératrice, toujours réceptive aux intentions de son mari, les devançant et les accomplissant avec une inaltérable « complaisance » comme il dit en lui rendant hommage, sa grande vertu étant de jouer le jeu du mieux qu'elle peut, sans jamais se prendre au mirage qu'il implique et de se plier aux exigences de sa position sans jamais se plaindre ni regimber. Bienséante lucidité du couple impérial, indéfectible complicité, aussi, qui ne date pas d'hier et qui explique leur extraordinaire aisance à tous deux et leur endurance, au sein d'une vie si radicalement différente de celle qu'ils ont menée jusqu'alors ! C'est tout simple : ce que Napoléon veut, Joséphine s'y soumet de la meilleure grâce du monde. Et elle y a du mérite !

Être Impératrice couronnée, cela signifie quoi ? Essentiellement, se tenir aux côtés de l'Empereur, comme son épouse, représentant et incarnant une parcelle de la majesté dont il s'est investi, représentant et incarnant comme son ambassadrice intime, la nature et l'altitude de son pouvoir. Souveraine couronnée et sacrée – comme seule le fut avant elle, Marie de Médicis – Joséphine Impératrice n'a aucune prérogative politique – n'étant pas mère d'un héritier dynastique, elle ne saurait devenir un jour Régente –, mais quand elle apparaît, où qu'elle apparaisse, elle symbolise le règne. Sa grande force, son intelligence c'est d'en être consciente, de tenir admirablement un rang dont elle ne peut déroger, sans pour autant se croire différente de ce qu'elle est parce que, désormais, sa position éminente est solennellement reconnue en toute circonstance : Joséphine ne joue pas à l'Impératrice, elle n'en tire aucune gloire de vanité, elle se contente de remplir au mieux sa fonction (le « job », comme dit la Couronne britannique !) à laquelle elle imprime sa marque personnelle d'élégance, d'urbanité et de naturelle dignité. D'emblée, elle sait trouver le ton juste, son maintien l'aidant en toute occasion de sa vie officielle et son amabilité comme sa grâce – celles que nous lui connaissons depuis toujours – faisant le reste...

Car où qu'elle aille désormais, elle a droit aux mêmes honneurs civils et militaires que Napoléon, à l'exception de la remise des clefs à l'arrivée dans les Bonnes villes et de ce qui a trait au mot d'ordre militaire. Lorsqu'elle entre dans une place de guerre, par exemple, nous dit Frédéric Masson, « la garnison entière prend les armes ; la cavalerie va au-devant d'elle à une demi-lieue, les trompettes sonnent la marche ; les officiers et les étendards saluent ; de l'infanterie, une moitié est en bataille sur le glacis, l'autre forme la haie ; les officiers et les drapeaux saluent, les sous-officiers et les soldats présentent les armes ; les tambours battent aux champs et l'artillerie de la place tire trois salves... Parcourt-elle la ville ? à son passage les postes présentent les armes et les tambours battent aux champs. Part-elle ? les mêmes honneurs qu'à l'arrivée[1] ». Même traitement dans les ports.

Lorsqu'elle voyage, elle a droit à une double escorte, de gendarmerie et de cavalerie. Préfet, sous-préfet ou maire l'attendent à la lisière de leur département, arrondissement ou commune. Branle des cloches et curé en habits sacerdotaux

---

1. *Op. cit.*, pp. 219-220.

avec tout son clergé sur le parvis de son église lorsqu'elle passe devant. Quand elle habite une de ses résidences, elle bénéficie d'un piquet de seize hommes, et trompette, pour ses promenades. Rentre-t-elle à Paris ? « Canon pour annoncer son arrivée, et tous les corps constitués venant lui présenter des félicitations et des hommages qu'elle reçoit assise sur le trône, entourée de toute sa Maison[1]. » Son carrosse de gala attelle, comme l'Empereur, à huit chevaux. Ses officiers et ses gens portent les couleurs de ceux de l'Empereur.

À la Cour, nul ne peut être reçu sans lui avoir été présenté. Lors des cérémonies, des fêtes, des bals, des banquets ou des Cercles, grands et petits, sa place éminente est marquée, elle trône ou préside aux côtés de l'Empereur qui n'aime pas à se séparer d'elle, sauf pour les actes purement politiques ou militaires. Le même intangible protocole la distingue et l'enserre comme un carcan.

Comme l'intangible décorum dans lequel elle évolue. Car aux Tuileries ou dans quelque résidence impériale que ce soit, la disposition de son Appartement d'honneur et celle de son Appartement intérieur est toujours la même. Du moins est-ce un élément de stabilité dans une vie de nomadisme obligé, car durant les cinq années de son règne actif, Joséphine résidera – par périodes – douze mois à Paris, treize mois à Saint-Cloud, huit mois à Malmaison, trois mois et demi à Fontainebleau, un mois à Rambouillet. Deux années se passeront en multiples voyages et en trois saisons d'eaux...

L'Appartement d'honneur se compose d'une Antichambre et de trois Salons successifs, le dernier étant celui dit de l'Impératrice. L'Antichambre est garnie de banquettes en velours d'Utrecht. Elle est gardée par un portier d'appartement en habit de drap vert à brandebourgs, nanti d'une hallebarde dont il frappe le sol à l'entrée des souverains, des princesses et des grands dignitaires. La Livrée, en alerte, se précipite pour dérouler sous les pas de l'Impératrice ou de toute princesse impériale, le traditionnel tapis (est-il rouge ?) et former la haie... Le Premier Salon est meublé de pliants

---

1. *Op. cit.*, pp 219-220.

dorés tapissés en Beauvais. S'y tiennent de charmants petits pages en habit vert galonné, dont la principale activité est de porter les messages d'étiquette et, à l'occasion, d'escorter l'Impératrice jusqu'à sa voiture. Lorsqu'elle revient à la nuit, ils la reçoivent flambeaux de cire blanche à la main. Ce salon, version réduite et militarisée de l'ancien Œil-de-Bœuf, est très animé, bruissant de caquets et d'intrigues car il y passe beaucoup de monde : officiers de la Maison d'honneur qui ne sont pas de service, officiers des princes et des princesses, personnes attendant une audience, sans compter les subalternes... De là, on accède au Salon de Service, dont la porte est gardée par un huissier et qui comporte un mobilier en tapisserie de Beauvais, chaises pour les princesses et tabourets pour les dames de qualité. Y officie le chambellan de jour, en habit rouge, sa clef de vermeil au côté, accueillant ceux qui s'y tiennent de droit : les officiers de la Maison de l'Impératrice, sa Dame d'honneur – qui y fait la loi – sa Dame d'atours, ses dames du Palais, son Chevalier d'honneur, son Premier écuyer – le seul à y pénétrer botté, en habit bleu ciel brodé d'argent –, ses chambellans, mais aussi les officiers et aides de camp de l'Empereur en service, les princes et les princesses, les Grands Officiers de la Couronne et les femmes des grands officiers de l'Empire. La liste est exclusive. Masson fait remarquer que Mme de Talleyrand ne pourrait y pénétrer comme femme du Grand Chambellan de l'Empereur mais comme femme de son ministre des Relations extérieures : « On ne raisonne point, c'est l'étiquette. » Mais si on raisonne, il apparaît que cet excès dans la subtilité de la hiérarchie, donc de l'exclusion, est non seulement absurde mais pernicieux. Il aiguise les rivalités inhérentes à ce nouveau ghetto, où l'étroitesse du rite finit par entraîner l'étroitesse des mentalités.

Du Salon de Service, on accède enfin au Saint des Saints, le Salon de l'Impératrice, dans lequel on ne pénètre que sur ordre de la souveraine, à l'exception des princesses, de la Dame d'honneur et de la Dame d'atours. Un huissier ouvre la porte, à deux battants pour les Altesses impériales, un chambellan introduit la personne annoncée. Le mobilier est en tapisserie des Gobelins. Les fauteuils impériaux s'assortissent de chaises et tabourets règlementaires. Une table recouverte de velours vert brodé d'or est disposée les jours de serments. Aux Tuileries, on utilisera, en le rafraîchissant, l'ancien salon jaune de Joséphine, situé au rez-de-chaussée. C'est là qu'elle reçoit ses visiteurs, ceux qui ont des lettres d'audience et ceux qu'elle désire voir. Mais à tout moment, nous l'avons noté, Hortense, Caroline ou Mme de La Rochefoucauld peuvent entrer... L'Impératrice n'est jamais seule.

Pas même dans ses Appartements intérieurs qui se composent d'une chambre à coucher, d'une bibliothèque, d'un cabinet de toilette, d'une salle de bains et d'une arrière-pièce. Ils sont gardés par les Dames d'annonce, que Mme de La Rochefoucauld appelle drôlement les « Femmes rouges » – à cause de la couleur de leur robe – et Napoléon, les « huissiers femelles ». On n'y entre que sur un ordre spécial de l'Impératrice, ou librement pour la Dame d'honneur et la Dame d'atours. N'y sont admis que les officiers de service, les femmes de la Maison et les dames présentées à la Cour. Aux Tuileries, s'y adjoint un Salon des Marchands spécialement réservé aux fournisseurs de l'Impératrice qui, on le sait, s'intéresse de très près à leurs nouveautés et les reçoit le matin, sans qu'ils aient à passer par l'Appartement d'honneur.

* * *

La grandeur a ses contraintes, comme on voit ! Pour résister à cette existence dénuée de toute improvisation, pour surmonter la pression de ce déferlement de cérémonies, de cortèges, de bals, de voyages qui ne souffrent de sa part, aucun répit, aucune incartade au protocole cependant qu'elle focalise tous les regards, Joséphine dispose de deux armes absolues. D'une part, la qualité du dialogue qu'elle entretient avec elle-même et qui lui permet d'apparaître dans tout son éclat, et d'autre part, sa profonde et parfaite sociabilité, ce facteur humain qui la distingue. Deux atouts qu'elle exploite sans réserve, qui feront d'elle une souveraine exemplaire.

D'abord, le dialogue avec soi-même. Il est le secret ressort de toute féminité rayonnante et Joséphine, qui le pratique depuis la rue Chantereine, aurait garde désormais de l'abandonner. Pourquoi ? Parce qu'elle puise sa force au constant ressourcement que lui valent les moments bénis de son intimité, ceux que Napoléon, avec sagacité, a entendu préserver autant que faire se pouvait. Ce sont ses nuits, courtes à vrai dire, car elle aime veiller, prolonger sa partie de tric-trac (son jeu préféré) ou sa conversation, et la plus grande part de ses matinées, consacrées aux soins de sa personne. Sans cette pause réparatrice, Joséphine ne saurait accomplir ce miracle permanent de paraître au mieux d'elle-même, surclassant toujours tout ce qui l'entoure… Miracle permanent dû au maintien vigilant de son apparence. Toute sa vie, Joséphine s'est fardée, parée, préparée avec art, pour vivre en parfaite adéquation avec l'image idéale qu'elle avait d'elle-même, avec celle qu'elle souhaitait offrir aux autres. Devenue Impératrice à plus de quarante ans et sans être en rien une beauté, entourée d'un essaim de jeunes personnes attrayantes, elle réussit non seulement à ne pas être éclipsée par elles, mais à incarner un absolu de féminité, à s'imposer, tant à la Cour qu'à la société, comme une sorte de divinité de l'élégance et du goût, le luxe devenant entre ses mains expertes une catégorie de raffinement, de civilité, et donc de civilisation.

Napoléon y est très sensible. « Elle était l'art et les grâces » sera son leitmotiv jusqu'à sa mort. Et en connaisseur, il appréciait l'art autant que la manière de Joséphine à sa toilette, cet art du masque et de la mise en scène de soi, cette manière assurée, indétectable, d'y parvenir. À tel point qu'il venait souvent la surprendre dans son intimité, au milieu de ses femmes, cependant que Duplan, son coiffeur, ou Tobias Koën, son pédicure, officiaient, intervenant, critiquant, admirant, bouleversant sans vergogne écrin et chiffons… Il ne se lassera jamais de ce spectacle délicieux entre tous. Ce qui ne peut qu'encourager Joséphine dans cette voie, car s'il la veut resplendissante, il lui donne les moyens de l'être : Joséphine, le plus beau fleuron de la Cour, l'inspiratrice de la mode, la restauratrice du goût et de l'art de vivre, est, bien entendu, une femme éminemment douée pour cela mais aussi une femme qui dépense sur ordre, en ne se privant de rien pour rayonner et régner dans un domaine qui lui est exclusif. Il faudra attendre l'Impératrice Eugénie pour retrouver, chez une souveraine, une telle primauté.

En instituant sa Cour, Napoléon a souhaité « faire travailler », comme on dit alors, et il y réussit. Sa grande popularité, à Paris, tiendra à ce redoublement d'activité que connaissent grâce à lui la petite industrie et l'artisanat : non seulement l'ébénisterie, l'orfèvrerie, les métiers d'art, mais tout ce qui touche au vêtement et à la parure : « la sellerie, la gaze, la plumasserie, la pelleterie, la broderie, le bijou, la boucle, la chaîne de montre, le bouton, la perle, les paillettes, la tabatière, le jais, la passementerie qui occupent tant de bras et mille autres articles qu'on croyait perdus pour la fabrique de Paris sont plus demandés, plus chers et se font mieux que jamais », écrit alors *La Gazette de France*[1]. Sans parler des couturiers, dont le célèbre Leroy, ou des joailliers, dont les non moins célèbres Foncier ou Nitot, qui font des fortunes mais qui, surtout, sur l'impulsion de Napoléon et en vertu du goût de Joséphine, donnent à Paris son statut irremplaçable et longtemps irremplacé de capitale du luxe et de la haute couture.

Car il ne suffit pas de passer des heures entre les mains de son coiffeur, ni d'avoir les plus riches habits de Cour non plus que le plus bel écrin du monde, pour être une Impératrice élégante. Il faut aussi du maintien, de la grâce, mais surtout, il faut du goût, ce sens du beau mêlé à l'intuition aiguë de ce qui convient, de ce qui rehausse, de ce qui exprime en les révélant les grâces de la nature tout en escamotant ses imperfections, de ce qui crée un style inimitable... Et si l'Impératrice fait l'unanimité – déclenchant admiration et envie –, si c'est elle qu'on regarde et non la qualité de ses ornements ou la quantité de ses diamants, c'est qu'en ce domaine, nous l'aurons compris, elle se révèle infaillible...

---

1. In *Dictionnaire Napoléon, op. cit.*, p. 545.

Évidemment, elle y dépense beaucoup de temps et d'argent, dépassant toujours, pour ses atours et son écrin, le budget de « Toilette » pourtant généreux que lui alloue Napoléon. Son tort est de ne jamais résister à la tentation, d'accueillir trop bien les marchands de mode, de fondre devant toute nouveauté exquise, de ne pas savoir, ou ne pas vouloir compter – ô fille de Joseph Gaspard ! –, et, au-delà, de ne pas l'avouer. Les dettes s'accumulent, et l'anxiété avec elles, et un beau jour, il faut bien avoir recours au tout-puissant seigneur et maître. Celui-ci entre en fureur puis, devant les larmes, la soumission et les promesses d'amendement, il paie. Et elle recommence. Même processus, on le remarquera, que pour les passades du mari : comme si Joséphine, inconsciemment, opposait une chose à l'autre. Napoléon s'en plaindra (« Elle ne sollicitait pas d'argent, mais me faisait des millions de dettes », autre leitmotiv), pourtant il passe l'éponge. S'il est irrité de ce désordre bien éloigné de sa nature, il n'en aime pas moins Joséphine et la connaît trop bien pour ne pas savoir à quoi s'attendre. Comme dans tout vrai couple bronzé par la patine de l'habitude, il finit par accepter les défauts de sa femme et vivre avec eux. D'ailleurs, qu'eût-il fait d'une Impératrice sage, économe, sans cette séduction ensorcelante et les petites roueries dont elle s'assortit, une Impératrice incolore, bien ennuyeuse et bien vertueuse…? On aura la réponse en 1810, et plus encore en 1814… L'idéal, dira-t-on, eût-été une Joséphine sans dettes. Certes, mais nul n'est parfait…

Au lieu de lui jeter la pierre, admettons que ce sens de la parure pour être coûteux n'en demeure pas moins créateur d'une mode et d'un style qui symboliseront l'Empire : ces décors à la solennité admirable dans quoi évoluent des femmes parées à l'image de la plus emblématique d'entre elles, l'Impératrice, sont un cliché esthétique qui survit aux milliers de cadavres jonchant l'Europe. Et pour cause…

Comme sous le Consulat, Joséphine sait imposer ce qui lui va si bien et met en valeur sa gestuelle déliée et sa sveltesse, cette robe-fourreau à la ligne épurée, à la taille courte, au décolleté carré, qui s'agrémente, à la Cour, du bas de robe assujetti à la taille – la robe de Cour est dite « ronde » – et dont la hauteur des broderies est codifiée – elle ne doit pas dépasser quatre pouces, sauf pour les princesses qui font ce qu'elles veulent –, ainsi que de la ravissante chérusque de blonde que nous saluons comme un coup de génie de sa part ! Si les mousselines brodées en semis, la gaze et le tulle lamé argent ont sa préférence, de plus en plus, sur ordre de l'Empereur, les textiles lourds – spécialité lyonnaise – l'emportent : satins, soies et velours, que celui-ci soit uni ou cannelé. L'Impératrice utilisera ces derniers pour ses rédingotes ou ses juives, ainsi que, doublés d'hermine, pour les *winchouras* à la polonaise que la guerre en Europe orientale mettra à la mode.

Joséphine éprouve une prédilection pour le blanc dont elle marie à loisir les brillances, les matités ou les irisations. Elle l'utilise dans sa vie intime, non seulement bien sûr pour son trousseau de linge fin – percale, batiste ou mousseline –, mais pour ses peignoirs et ses robes du matin en cachemire. Sa garde-robe, ses « atours », dont il est procédé deux fois l'an à la « réforme », c'est-à-dire à l'épuration au profit non seulement de son personnel féminin mais des princesses, est inépuisable. Frédéric Masson et la compilation malveillante après lui, se sont délectés des chiffres atteints lors du dernier inventaire pratiqué en 1809 où l'on dénombre : « 379 pièces de dentelles – dont elle donnera 72 – 49 grands habits de Cour – dont elle donnera 16 –, 676 robes, tuniques ou juives d'étoffe – dont elle donnera 361 –, 202 robes d'été, 60 châles en cachemire, 785 paires de souliers, en tissu le plus souvent, se détériorant à la première promenade – dont elle donnera l'intégralité –, 500 chemises de jour, dont elle changeait jusqu'à trois fois la journée, selon les circonstances, pour n'évoquer que l'essentiel[1] ! » Que veut-on, Joséphine, aussi, faisait travailler, et qui plus est, elle était généreuse.

Quant à son écrin, il est si riche et si varié qu'on se perd à vouloir l'inventorier[2]... Outre les bijoux de la Couronne,

---

1. *Op. cit.*, pp. 35 et suiv.
2. L'inventaire après décès compte 160 articles, dont bon nombre décrit une parure complète : bandeau, peigne, collier, bracelets, boucles d'oreilles, plaque de ceinture...

qu'elle abandonnera lors du divorce, elle dispose de ses propres parures – de perles fines, avec diadème en perles, de rubis, d'émeraudes, d'opales, de turquoises, de saphirs d'Orient, de chrysocale entourée de brillants –, sans parler du collier du Sacre qu'Hortense réussira à vendre au Roi de Bavière, de ses parures de diamants – les plus belles, les plus travaillées par elle, remontées, modifiées, améliorées sans cesse – rachetées par le Tsar Alexandre à Eugène, ses améthystes et ses camées – dont elle avait la passion depuis la campagne d'Italie –, son talisman de Charlemagne – deux gros saphirs en cabochon enserrant un morceau de la Sainte Croix – ou les « brignolettes » de Marie-Antoinette... C'est un rêve, une caverne d'Ali Baba, une émanation sortie en droite ligne des *Mille et une nuits*...! Quelle femme n'éprouverait un vertige – de complicité à tout le moins – devant cet amour superlatif du beau! La profusion des atours et de l'écrin de Joséphine exprime sans doute sa revanche sur la paillasse des Carmes et les rigueurs républicaines – souvenons-nous de l'anneau d'or et du petit saphir de ses secondes noces –, mais du moins montre-t-elle en la matière une audace, un courage, un désir hors du commun. N'est pas Joséphine qui veut!

* * *

Deuxième point fort de l'Impératrice, sa sociabilité. Joséphine, nous l'avons répété à satiété, vient de la vieille société du XVIIIe siècle, dont le savoir-vivre est un chef-d'œuvre fondé sur l'art et le goût d'être ensemble. Pourquoi eût-il fallu qu'elle l'abandonnât dès lors qu'elle montait sur un trône? Joséphine est, de plus, une femme normale. Sa circonstance est exceptionnelle, comme son mari, mais est-ce une raison pour qu'elle se transforme radicalement, qu'elle force sa nature? Non. Joséphine a parfaitement réussi aux côtés du Consul, elle persiste dans son être, ses catégories, son équilibre foncier, aux côtés de l'Empereur. Dans son intimité, si relative désormais, elle continue d'être une femme chaleureuse, au caractère facile, aux manières douces, qui aime à être entourée, qui entretient ses fidélités de société, qui soutient sa parentèle, qui est adorée de ses domestiques, qui parle à ses femmes de chambre, ce dont on lui fait un crime, mais où a-t-on vu que dans l'ancienne aristocratie, les serviteurs ne faisaient point partie de la famille ? Il n'y a que les parvenus qui croient se grandir en étant hautains et durs envers leurs domestiques. Et Joséphine n'est point une parvenue. Elle possède ce tact fin, cette exquise éducation qui lui donnent tant d'aisance, aisance qu'elle communique à son entourage : sa Maison lui est une sorte de famille d'élection, dont elle est le centre et qui se ressent de sa personnalité harmonieuse. Elle est louée de son égalité d'humeur autant que de sa bonté envers ceux qui, à tous les échelons, la servent. Comme Hortense, elle est attentive à ne pas séparer les ménages, à régler les petits conflits, à mettre beaucoup de suavité dans ses commandements. Tout l'inverse de son mari, en somme !

Et dans sa vie officielle, elle conjugue admirablement la sérénité digne d'une souveraine et l'irremplaçable aura d'une dame de qualité, ayant le sens des êtres, le don du contact, faisant preuve d'une légendaire affabilité, d'une authentique bienveillance, sachant partout où elle passe laisser une marque de son intérêt et la trace de son charme. Si elle se fait aimer de tous, n'y voyons aucun artifice de sa part, comme le voudraient ses détracteurs : Joséphine sait ce qu'elle symbolise, elle sait qu'elle sert son mari, probablement sert-elle aussi son image, mais elle est si naturellement urbaine et gracieuse – d'une grâce « à la française », ce qui change de tant de souveraines étrangères détestées ! – qu'elle en devient inoubliable. D'autant que sa mémoire la sert, qu'elle reconnaît les gens, pas seulement les gens de son monde ou les notables, et qu'elle les traite comme Napoléon traite ses soldats, avec la même qualité de proximité et d'écoute. Pendant plusieurs générations, combien de familles conserveront pieusement, comme une relique, un souvenir, un bijou, un bibelot offert par l'Impératrice... Impératrice, mais accessible, présente, humaine...

Et si nous la regardons évoluer, au fil des quelque temps les plus marquants de cette course folle qu'est la vie de son couple pendant ces cinq années, nous reconnaîtrons que cette humanité est peut-être la part la plus belle de son action d'Impératrice, non seulement vis-à-vis de Napoléon, mais au sein d'un régime qui ne va pas tarder, à la reprise de la guerre continentale, à révéler sa face cachée.

LA FÊTE, LA GUERRE ET LES LARMES...

Ce sont les voyages officiels du couple impérial qui sont, à nos yeux, les plus renseignants sur l'Impératrice parce qu'elle y est suivie de témoins auxquels nous nous fions, aptes à restituer son comportement, tant public qu'intime. Comme aussi les lettres de ses proches, à commencer par l'Empereur quand il se sépare d'elle au moment d'entrer en campagne, la laissant à l'arrière, à Strasbourg ou à Mayence, par exemple. Et nous allons mesurer, grâce à eux, qu'au fur et à mesure que se déroule l'Epopée, fête permanente, fête obligée sur fond de guerre – l'Empereur vainquant successivement l'Autriche, la Prusse et la Russie, jusqu'à ce que la roue tourne – Joséphine, sans jamais cesser de tenir son rang, souffre et souffrira de plus en plus de ce que sa couronne impériale, pour enviable qu'elle paraisse, comporte décidément plus d'épines que de roses...

Son premier voyage avec l'Empereur, après le Sacre, va les mener à Milan, où Napoléon va être couronné Roi des Lombards. Joséphine ne recevra le titre de Reine que par courtoisie et, cette fois, elle assistera à la cérémonie de la tribune. Ce qu'elle ignore, lorsque la suite impériale quitte Fontainebleau le 2 avril 1805, c'est que le 7 juin suivant, son fils Eugène sera désigné par Napoléon pour administrer ce nouveau royaume, avec le titre de « Vice-Roi », ou super-préfet si l'on préfère. Ce sera, pour les trois Beauharnais, le premier grand déchirement, que leurs lettres exprimeront sans relâche. Car la brillante élévation d'Eugène signifiera une douloureuse séparation d'avec les siens. Néanmoins celui-ci s'efforcera de faire de son mieux à la place qui lui est assignée et qui ne sera pas une sinécure, loin s'en faudra.

Mlle Avrillion étant du voyage, c'est un bonheur que de suivre son émerveillement – le point de vue de Bécassine est si rafraîchissant! – devant toute chose : la diligence des trois services successifs de l'Empereur, par exemple, qui rendent le parcours aussi aisé que rapide, le premier service précédant le couple impérial et préparant son arrivée à chaque relai, le deuxième y séjournant avec lui et le servant, le troisième lui succèdant quand il reprend la route. C'est, par la Bourgogne et Lyon, une descente triomphale : « Arcs de triomphe, discours, harangues, compliments, un vrai déluge! » commente la bonne Avrillion[1]. À Lyon, où l'on séjourne à l'Archevêché, chez l'oncle Fesch, Primat des Gaules, ce ne sont que devises, transparents, illuminations et ovations... L'Impératrice assiste à la messe pascale, à Saint-Jean, en manteau de pourpre, son trône étant placé sous un dais. Partout, l'Empereur est acclamé, partout, l'Impératrice est fêtée : « Elle charma par sa grâce enchanteresse, par l'à-propos des choses obligeantes qu'elle savait si bien dire, toutes les personnes qui eurent l'honneur de l'approcher ; enfin, elle fut ce qu'elle était toujours », commente notre témoin. Par la vallée de la Maurienne et le Mont-Cenis – qu'on monte à dos de mulets et les dames, en chaises à porteurs, la brave Avrillion mourant perpétuellement de peur qu'il arrive quelque chose au coffre à bijoux de l'Impératrice dont elle est responsable et qu'elle voit partir sur le dos d'un bon Savoyard ignorant « combien de millions valait la charge qu'il portait! » – on arrive à Turin. Pour s'installer au château de Stupinigi, dans les collines près de Moncalieri, ancienne plaisance des Savoie, datant de Charles Emmanuel III, dont les fresques et le beau parc atténuent sans doute le désagrément de n'être pas en ville : le Pape les y ayant précédés, les souverains français, ainsi que le seul Eugène, iront le saluer et dîner avec lui.

Mlle Avrillion, dont les franches indignations ne sont pas le trait de caractère le moins sympathique, s'insurge contre les économies préconisées par Duroc, le Grand maréchal du Palais, qui rationne l'office et, plus particulièrement, le café

---

1. In *Mémoires, op. cit.*, pp. 85 à 124, consacrées à ce voyage, dont nous extrayons toutes nos citations.

du personnel impérial! Son intervention auprès de Joséphine, répercutée à qui de droit – que l'histoire met en joie! – fera révoquer cet ordre absurde : un Empereur qui dépense des millions pour son seul Sacre et qui gratte sur de si petites choses, où a-t-on vu cela? Elle ne se privera pas de souligner, à plusieurs reprises, en les opposant, la dureté et la parcimonie de Napoléon envers ses gens et l'affabilité doublée de petites attentions – et gratifications – de Joséphine, envers les siens. Différence de nature, d'éducation et d'usages...

Sur la route de Turin à Milan, l'Empereur fait un détour par Alexandrie afin d'offrir à Joséphine un spectacle de choix : sur le site même de Marengo, une reconstitution de la bataille, Eugène commandant sous les ordres de l'Empereur, qui, pour l'occasion, a revêtu sa tenue d'alors, un peu râpée et dont les « broderies sont devenues rouges ». C'est peu après que Napoléon retrouve son plus jeune frère, Jérôme, et le convainc de renoncer à son épouse américaine au profit d'une brillante destinée à son service...

La réception à Milan se fait avec tout l'apparat voulu. Le 26 mai a lieu le couronnement au Duomo. Magnifique cérémonie, où l'on sait que Napoléon, rééditant son geste parisien, se ceint de la couronne de fer et s'écrie : « Dieu me l'a donnée, gare à qui la touche! » Avrillion se délecte de la bonhomie de l'Empereur, dans la chambre de l'Impératrice, à son retour de la cathédrale : c'est elle qui nous décrit la gaieté de Napoléon – qui, décidément aime se couronner! – et la manière très personnelle dont il l'exprime, cette propension à pincer et taper son entourage, lui faisant d'autant plus mal qu'il est de belle humeur! On sait que Joséphine n'était pas épargnée et qu'elle le remettait à sa place d'un inutile « Finis, mais finis donc, Bonaparte! » Avrillion, la pauvre, aura la joue marquée par le pinçon impérial pendant plusieurs jours. Nous avons du mal à nous expliquer ces façons détestables – un peu de sadisme dans une pulsion, toute infantile, d'agressivité? – il n'empêche qu'elles sont attestées et confineront bientôt à la manie, au tic irrépressible.

En contrepoint aux fêtes succédant aux fêtes, comme à l'ordinaire, comme lors du précédent séjour, plus brillantes encore, plus parées – n'a-t-on pas composé pour l'Impératrice un Service d'honneur milanais comprenant les plus belles dames de l'aristocratie ralliée... –, notre témoin observe de près la teneur du lien conjugal des souverains. Il est solide, fait d'osmose et de complicité avec, cependant, ses discordances, douloureuses pour Joséphine quand il s'agit des inclinations – toujours passagères mais toujours indiscrètes – de son mari. Lectrices, cantatrices, peu importe, mais pourquoi Napoléon éprouve-t-il le besoin de s'en vanter, si ce n'est pour se dédouaner, tant d'années après, encore et toujours, de la première et terrible blessure infligée à sa folle passion de jeune époux... Cet esprit de vengeance à petit feu, donne, en tout cas, de vrais résultats : à chaque fois, la malheureuse Impératrice s'y laisse prendre. D'autant que les agissements sournois de certaines femmes de la Cour, attisant par leurs ragots son éternelle inquiétude, ne peuvent qu'aggraver la situation. Un point sur lequel Mlle Avrillion nous offre une notation pleine de justesse : Joséphine qu'on dit facilement indiscrète et qui l'est pour les petites choses de la vie parce qu'elle est « expansive » (le mot est de Mme de Rémusat), demeure « impénétrable » sur tout ce que l'Empereur lui confie d'important. Les espions parisiens du comte d'Antraigues le savaient déjà.

Deux belles excursions marqueront ce séjour italien : la première, que Joséphine fait seule, aux rives du lac de Côme, la patrie des deux Pline, puis à celles du lac Majeur, d'où elle visite les îles Borromées, excursion ravissante et empreinte de gaieté, comme si la compagnie se sentait plus libre quand l'Empereur n'y est pas... Après un retour à Milan, le couple impérial prend le chemin de Bologne, où l'accueil est enthousiaste, et, par Parme et Plaisance, descend à Gênes. Site magnifique, installation prestigieuse au palais Doria – où Napoléon dort dans le lit de Charles-Quint –, dans le délire des illuminations des fêtes et des honneurs. Rien n'est beau comme la fête marine donnée dans une des belles rades de Méditerranée, devant cet amphithéâtre cerné par les Apennins, sous la splendeur du ciel caniculaire de juillet! Avrillion s'en régale, comme elle se délecte des oranges – hors saison, mais meilleures que ce qu'on en connaissait à Paris ! – et des clovisses qu'elle découvre, émerveillée, comme elle a découvert la mer. Malheureusement, l'Empereur interrompt cet idyllique séjour et, le 6 juillet, il prend la décision de rentrer toutes affaires cessantes. Joséphine l'accompagne dans un véritable marathon : on couvre la distance entre Turin et Fontainebleau en 85 heures, un record pour l'époque ! Là, rien ne les attend. Le concierge, un ancien de l'armée d'Égypte, sauve la situation en improvisant un dîner de côtelettes de mouton... Cette situation d'urgence réjouit les souverains qui, à l'instar des grands de ce monde, ne sont jamais plus heureux que lorsqu'ils transgressent l'étiquette et abandonnent la routine du protocole, fût-ce au prix d'un dîner succint ou de l'absence de linge frais...

* * *

Quand les souverains s'absentent de nouveau, à l'automne 1805, ce deuxième voyage marque, pour Joséphine, un tournant significatif : les temps, déjà, ont changé et la guerre succède aux fêtes et aux réjouissances. Sa reprise va colorer le paysage intérieur de l'Impératrice d'une anxiété diffuse mais tenace car, désormais, et jusqu'à sa mort, elle ne se dissociera plus des préoccupations de l'Empereur, victoires et défaites confondues.

Depuis la rupture de la paix d'Amiens, l'Angleterre incitait ses alliés continentaux à nouer une nouvelle coalition contre la France. L'Autriche et la Russie – la Prusse demeurant neutre – inquiètes des récentes annexions de l'Empereur des Français en Italie du Nord autant que de son activité au camp de Boulogne où, durant le mois d'août 1805 – cependant que Joséphine se repose à Plombières –, il concentre deux cent mille hommes, ne tardent plus à s'allier. Mais quand les Autrichiens envahissent la Bavière – amie de la France –, ils ne peuvent prévoir les réflexes foudroyants de Napoléon. En vingt jours, celui-ci déplace sa Grande Armée des côtes de la Manche aux rives du Rhin et cependant qu'elle déferle sur l'Allemagne, il part pour Strasbourg, à l'aube du

24 septembre, en compagnie de Joséphine, qu'il y laisse pour aller se mettre à la tête de ses hommes.

La rapidité de ses mouvements autant que la mobilité de ses plans feront de cette campagne une campagne heureuse comme on disait, une campagne victorieuse, la plus courte et la plus brillante qu'il ait jamais menée. En deux mois, tout sera joué : il aura vaincu et l'Europe changera de visage. La vie des Beauharnais aussi.

Comme par enchantement, Napoléon est redevenu un chef de guerre incomparable qui s'expose à la tête de ses hommes, qui partage leurs bivouacs – dont il aime la rude authenticité –, qui rédige ses énergiques bulletins, qui, sans relâche, sur le terrain, avec une célérité et une souplesse prodigieuses, exerce un commandement charismatique fait de science, d'imagination, d'anticipation, de ruse, de logique, et, par ses coups d'audace, réussit à contrecarrer, à défaire quand ce n'est à anéantir, les armées ennemies... Si la guerre est son élément, s'il s'y exprime et s'y déploie comme une réincarnation du dieu Mars, Napoléon est suffisamment humain pour mesurer, par-delà les contraintes de sa politique et les exigences renouvelées de son action militaire, à quel point la guerre est terrible. Et il est à même de ménager Joséphine, de la rassurer, de la guider dans ses agissements. Car, bien entendu, Joséphine ne peut oublier ce qu'elle représente et elle s'efforce de garder un visage imperturbable, quelles que soient ses alarmes, tout comme elle continue de tenir sa Cour où qu'elle se trouve, recevant, ou allant visiter – comme cela va être le cas – les souverains des Cours alliées. Si l'Impératrice remplit parfaitement sa fonction, la femme bien née qu'elle est aussi se doit de soutenir le combat de son mari, d'en attendre sereinement l'issue, de ravaler son tourment, et de se mettre, le moment venu, au service des blessés, des prisonniers, car le soin aux victimes et aux vaincus continuera d'être le mot d'ordre d'une société qui n'a – Dieu merci ! – pas encore abandonné son code chevaleresque, pas encore appris cette horreur, ce dévoiement qu'est la haine de l'ennemi... Cela suppose pour elle, et ses pareilles, beaucoup de maintien, une grande patience, une vraie acceptation de la cruauté des temps. Car enfin, elle ne cessera de trembler pour l'Empereur, pour son fils, pour ceux et celles de son entourage qui peuvent être, à tout moment, frappés et qu'il lui faudra pleurer ou consoler...

Attendant de retrouver l'Empereur – ce qu'elle fera le dernier jour de décembre, à Munich, après qu'il ait signé le 26, la paix de Presbourg – Joséphine séjourne deux mois dans la capitale alsacienne. Elle est installée, avec une partie de sa Maison honorifique, dans le splendide palais épiscopal, le palais des Rohan – celui-là même où la jeune archiduchesse Marie-Antoinette, devenue Dauphine de France, avait passé sa première nuit en territoire français –, confortablement installée, Napoléon ayant fait réaménager ces opulents bâtiments du siècle précédent par l'architecte Fontaine. Prenant du côté de sa Cour d'honneur, sur la place de la cathédrale et donnant, à l'arrière sur les berges paisibles de l'Ill, avec une différence de niveau entre ses deux orientations, le palais des Rohan offre à Joséphine un appartement de quatorze pièces, au premier étage, ses sept Salons d'honneur se trouvant de plain-pied sur la Cour avant. De ce séjour, nous savons relativement peu de choses, nos témoins préférés nous faisant défaut : Mme de Rémusat est restée à Paris, seul son mari faisant le voyage et demeurant aux côtés de Joséphine – il est Premier chambellan de l'Empereur et, vu son âge, il ne peut combattre, aussi est-il chargé de superviser la Maison de l'Impératrice –, et Mlle Avrillion qui, elle, est présente ne nous dit rien de ces deux mois alsaciens, que partage un temps M. de Talleyrand.

Deux faits marquants dans cette vie tranquille qu'anime essentiellement l'arrivée des courriers et que Joséphine consacre à quelques promenades alentour et à beaucoup de lectures. En premier lieu, une cérémonie d'initiation maçonnique destinée aux Dames de sa Maison, organisée par la Ville et à laquelle assistent Talleyrand et le secrétaire d'État Maret, le futur duc de Bassano, dont Talleyrand disait allègrement : « Il y a quelqu'un de plus bête que M. Maret, c'est le duc de Bassano! »... Il a été commenté, à l'époque, que Joséphine n'avait pas eu besoin d'être initiée, ayant été reçue dans la Loge féminine de Mme de Dietrich, épouse du maire de Strasbourg – guillotiné sous la Terreur – du temps que Beauharnais y résidait, commandant l'Armée du Rhin. En toute logique, car les Beauharnais, comme la majorité de l'aristocratie gagnée aux Lumières et la plupart des souverains européens de la fin du XVIIIe siècle, étaient maçons, la plupart des Bonaparte le devenant, Napoléon ayant eu très tôt le désir de protéger, de fortifier – et de rallier – la puissante société secrète promotrice de la Raison et du Progrès. Eugène, membre et Vénérable d'honneur de la Loge Saint-Eugène, venait d'être incité par lui à se mettre à la tête de la maçonnerie de son vice-royaume.

L'autre événement notable est la création de *La Vestale*, opéra de Spontini, un compositeur napolitain protégé par Napoléon et nommé « compositeur de l'Impératrice », qu'elle fait venir auprès d'elle. Sur un livret d'Étienne de Jouy, Spontini y met en scène une vestale déchirée entre son amour pour un valeureux général et son état de prêtresse vouée à la chasteté. La grande liturgie antique qui en compose le fond reproduit, en vérité, le faste impérial : Napoléon a trouvé en Spontini le rénovateur talentueux d'un genre qui stagnait, doublé d'un habile propagandiste de son régime. *La Vestale* connaîtra un triomphe et deviendra l'opéra du règne par excellence. Dédié à Joséphine, évidemment.

Dans son beau palais, Joséphine ne paraît pas douter des succès de l'Empereur. Celui-ci ne cesse de lui adresser de charmantes petites lettres, émaillées de mots rassurants. Dès le 2 octobre : « Je suis en bonne position et je t'aime[1]. » Il s'arrête à Ludwigsburg, près de Stuttgart, où se trouve la Cour du Wurtemberg et lui demande de faire envoyer une corbeille de noces à la jeune épouse du fils de l'Électeur. Il la prévient gentiment, sachant qu'il va engager les opérations pour passer le Danube : « Tu seras mon amie, cinq ou six jours sans avoir de mes nouvelles, ne t'en inquiète pas [...] » Peine perdue ! Elle s'inquiètera. D'Augsbourg, le 11 octobre : « Les événements se succèdent avec rapidité. J'ai envoyé en France

---

1. Nous extrayons nos citations de l'édition Tulard, *op. cit.*

quatre mille prisonniers… » Le lendemain : « L'ennemi est battu, a perdu la tête, et tout m'annonce la plus heureuse campagne… » Et toujours « Je t'embrasse et je t'aime ». Ou encore, le 2 novembre, de Haag : « Mes affaires vont de manière satisfaisante ; mes ennemis doivent avoir plus de souci que moi. » Sans conteste ! Il a réussi à envelopper Ulm qui tombe, descend le Danube, prend Vienne et le 15 novembre, écrit à sa femme : « Je n'ai pas encore vu la ville de jour. Je l'ai parcourue la nuit. Demain, je reçois les notables et les corps. Presque toutes mes troupes sont au-delà du Danube à la poursuite des Russes. Adieu, ma Joséphine ; du moment que cela sera possible, je te ferai venir. Mille choses aimables partout. » Cette dernière formule, habituelle sous sa plume, signifiant que ce couple est un vrai couple.

Dès lors, Joséphine peut se préparer à le rejoindre, ainsi qu'en reçoit l'ordre son Chevalier d'honneur et Premier écuyer, M. d'Harville : elle sait qu'elle doit s'arrêter à Carlsruhe, à la Cour de Bade puis à Stuttgart, à celle de l'Électeur de Wurtemberg : « L'on te doit tout et tu ne dois rien que par honnêteté » (politesse) lui recommande son mari, qui ajoute, toujours aussi bon metteur en scène : « Organise la toilette de ton intérieur, fais venir deux demoiselles d'annonce, cela a bon air. » Joséphine sera reçue plus qu'aimablement dans ces Cours alliées et francophiles, où châteaux et plaisances s'appellent volontiers « La Favorite » ou « Monrepos », elle y sera fêtée et y remportera les succès qu'on imagine. Margraves et Margravines, Électeurs et Électrices, princes et princesses, tous ressentiront son charme exceptionnel, son exquise bien qu'impériale présence…

À Munich, où elle arrive le 4 décembre, elle reçoit la nouvelle de la bataille des Trois Empereurs, survenue le 2 – date anniversaire du Sacre –, bataille époustouflante où Napoléon poursuivant les Russes et les Autrichiens en Moravie, les contraint de se battre comme il l'entend, où il l'entend – sur le plateau de Pratzen, près d'un petit village nommé Austerlitz – en manœuvrant avec une habileté diabolique : Pratzen est cerné de marais (gelés) au sud, d'une étroite vallée à l'ouest. Piège où se prennent ses ennemis : il affaiblit volontairement sa droite, confiée à Davout, qui tiendra bon, lance son centre, Bernadotte et Soult, à l'assaut du plateau, cependant qu'il anéantit la gauche ennemie, puis, avec Murat et Lannes, enfonce sa droite. Plus de vingt mille tués parmi les Austro-Russes, deux mille chez les Français. Récit à Joséphine, daté du 3 : « J'ai battu l'armée russe et autrichienne. Je suis un peu fatigué, j'ai bivouaqué huit jours en plein air, par des nuits assez fraîches. Je couche ce soir dans le château du prince Kaunitz où je vais dormir deux ou trois heures. L'armée russe est non seulement battue mais détruite. Je t'embrasse. » Il s'est, à tout moment, exposé et quand elle recevra la nouvelle, à Paris, le 10 décembre, Hortense en pleurera : « Il a commandé en personne, il a battu complètement les deux empereurs ! » s'écrie-t-elle en riant au travers de ses larmes. Elle a fait venir Mme de Rémusat immédiatement au reçu du courrier, celle-ci tremblant pour son beau-frère Nansouty...[1] Sobrement, le 5, Napoléon avouera à Joséphine : « La bataille d'Austerlitz (il écrit Osterlitz) est la plus belle de toutes celles que j'ai données. Quarante-cinq drapeaux, plus de cent cinquante pièces de canon, les étendards de la garde de Russie, vingt généraux, et trente mille prisonniers, plus de vingt mille tués, spectacle horrible ! » Il est vrai qu'on a du mal à se représenter une pareille boucherie. Mais la gloire est belle ! Et déterminante puisqu'elle va changer la donne de l'échiquier européen.

Les réjouissances sont grandes à Munich, où l'Impératrice charme l'Électeur de Bavière, sa famille et sa Cour. « Daignez du haut de vos grandeurs vous occuper un peu de vos esclaves », ironise gentiment Napoléon! De fait, le séjour de l'Impératrice pendant tout ce mois de décembre, à la Cour des Wittelsbach – Napoléon n'y arrivera que le 31 –, préparera le terrain pour l'événement qu'on ne tardera pas à y célébrer : le mariage d'Eugène.

Une folie! Une précipitation à ne pas croire! Le futur est prévenu au dernier moment, doit se rendre en hâte aux ordres de l'Empereur sans que sa sœur puisse venir de Paris,

---

1. In *Lettres de Mme de Rémusat*, 1804-1814, Paris, 1881. I, pp. 388-389.

ce qui sera pour tous les deux un crève-cœur – d'autant qu'Eugène, retenu à Lyon pour son service, n'avait pu, en son temps, assister au mariage d'Hortense et s'en était désolé! –, bref, c'est une véritable panique, que corrigent deux choses : Joséphine retrouve son fils bien-aimé dont elle supportait mal de l'avoir laissé à Milan (« Je gémis toujours d'être séparée de toi, et mes yeux sont toujours remplis de larmes, toutes les fois que je pense à toi ou qu'on me parle de toi... »), et la princesse qui lui est destinée, Auguste, est belle et bonne comme un ange. Joséphine est heureuse de ce mariage – elle a même fait sacrifier ses moustaches au pauvre Eugène, à son arrivée, tant elle voulait qu'il fît bonne impression! –, Hortense, désespérée d'avoir été retenue à Paris par son mari ; quant à Eugène, il vient de recevoir un véritable trésor, qui fera le bonheur de sa vie : une épouse et une belle-famille d'une grande qualité, malgré les réticences premières de son beau-père, qui ajouteront à sa force d'âme pendant tout l'Empire, et au-delà, lui apporteront soutien, richesse et rayonnement ainsi qu'à sa belle descendance.

* * *

Le traité conclu à Presbourg – ou Bratislava – avec les Autrichiens ôtait à ceux-ci la Vénétie, l'Istrie, la Dalmatie, le Tyrol et le Trentin. Cette rupture d'équilibre allait entraîner la disparition du Saint Empire romain germanique : le 12 juillet 1806, sous l'égide du vainqueur, naît la Confédération du Rhin qui regroupe seize états désireux de s'associer, de se développer en se modernisant face aux puissances hégémoniques que demeurent la Prusse et l'Autriche. C'est principalement le pays de Bade qui devient un grand-duché, la Bavière et le Wurtemberg qui, s'accroissant des dépouilles de l'Autriche, sont élevés au rang de royaumes, à quoi s'ajoutent treize autres principautés, dont celle du prince de Dalberg, souverain de Francfort, fait Prince-primat et le grand-duché de Berg, octroyé à Murat.

Durant le premier semestre de l'année 1806, Napoléon redistribue un certain nombre de territoires à différents membres de sa famille : Eugène est confirmé dans sa vice-royauté qui s'agrandit de la Vénétie, avec la perspective de régner un jour sur les états qu'il administre, le traité de Presbourg stipulant que les couronnes française et lombarde demeureront séparées. Son adoption – comme celle de sa sœur – par l'Empereur, à la veille de son mariage, a rendu possible cette éventualité et elle a satisfait son beau-père désireux d'une souveraineté pour sa fille Auguste. Murat est doté, nous l'avons dit, d'un fief dont l'exiguïté est loin de le combler. Élisa qui, depuis mars 1805, disposait de Piombino, dont elle était princesse héréditaire, reçoit la principauté de Lucques. Joseph est fait Roi de Naples, la partie continentale de l'ancien royaume des Deux-Siciles, dont l'alliance avec le vaincu a consacré l'amputation. Enfin, Louis est envoyé régner sur la Hollande après que des notables francophiles sont venus l'en solliciter à Paris.

Si Joséphine ne peut s'affliger de voir s'éloigner d'elle quelques Bonaparte haineux, si elle peut se féliciter à bon droit du sort réservé à ses deux enfants qui ne saurait que conforter sa propre position, elle ressent douloureusement leur séparation forcée à tous trois. C'est là le paradoxe des Beauharnais : ils ne demandent rien, ils reçoivent beaucoup mais ces grandeurs et ces prospérités sont loin de les consoler de ce dont elles les privent et qui leur importe plus que tout, la douceur et le bonheur d'être ensemble.

De plus, Joséphine a des raisons d'être inquiète pour sa fille dont le ménage se détériore, qui a l'élégance quelque peu stoïque de n'en rien dire mais qui maigrit à vue d'œil et ne trouve plus goût à la vie que dans l'amour qui l'attache à ses deux enfants, ses amitiés indéfectibles pour son frère ou sa confidente, Adèle Auguié, et le sens de ses devoirs. La sensible, la douce, la sociable Hortense vit comme une recluse, subissant les noires humeurs de son mari, que son corps de rhumatisant trahit, torture – et non une maladie vénérienne, comme le suggère la compilation malveillante, toujours avide de bassesse un peu trouble – qui, surtout, ne sait souffrir qu'en faisant souffrir son entourage… Hortense a très peu vu sa mère l'année précédente – leurs saisons d'eaux les ayant entraînées l'une dans les Vosges, et l'autre aux boues de Saint-Amand, en Hainaut – et elle ne lui a sans doute rien confié de ses mécomptes conjugaux. Encore moins du sentiment secret qui commence à occuper son cœur, sentiment sans espoir pour un jeune officier d'état-major attaché à Murat. Il s'agit de Charles de Flahaut, fils de Mme de Souza et de Talleyrand, aussi aimable et élégant qu'il est brave – il a fait ses premières armes à Marengo, à l'âge de quinze ans – et qui, comme Eugène, comme son père avant lui, réussit aussi bien à la guerre qu'à la Ville. Il ne rencontre point de cruelle et jouit, présentement, des faveurs de Caroline qui, ironie du sort, s'épanche auprès d'Hortense! Bref, c'est la mort dans l'âme et le cœur bien lourd que la pauvre Hortense s'en va, à la mi-juin, régner sur les Bataves. Joséphine ne peut s'en réjouir : elle lui avoue son chagrin, avec les mots simples mais vrais qui sont les siens : « Comment n'en pas avoir d'être séparée d'une fille comme toi, tendre, douce et aimable, qui faisait le charme de ma vie? »

Quant aux Bonaparte, elle demeure courtoise envers eux – comme en témoigne sa petite lettre à Elisa, annonçant à celle-ci son nouvel apanage – mais aussi, vigilante. Elle a déjoué les manœuvres des Murat et, l'été précédent, s'en est ouverte dans ses lettres, à Eugène. Comme toute la Famille, les Murat avaient mal accueilli la nomination d'Eugène à Milan et ne l'en avaient pas même félicité : « Murat fait toujours le courtisan ; sa femme a été malade, il y paraît car elle est bien changée ; elle a conservé cet air qu'elle appelle dignité (que je nomme, moi, composé) qui ne lui réussit pas du tout. Tout ce monde-là a bien tort de ne pas nous aimer. S'ils voulaient être de bonnes gens, ils n'auraient pas de meilleurs amis que nous », lui disait-elle. Un mois plus tard, elle récidivait, décrivant à son fils les agissements du couple auprès de Napoléon au camp de Boulogne, Caroline en revenant « triomphante, ayant, à ce qu'elle dit, obtenu de l'Empereur tout ce qu'elle désirait ». Joséphine ajoutait : « [...] mon opinion est tellement arrêtée sur eux qu'ils ne peuvent plus être dangereux pour moi. Une seule crainte pourrait m'agiter : ce serait leurs intrigues contre mes enfants si nous avions le malheur de perdre l'Empereur[1]. » On n'est pas plus clairvoyante! Et Eugène doit se dire, comme nous, qu'une Impératrice avertie en vaut deux…

Une autre élévation échoit aux Beauharnais, due à ce nouveau contexte politique, c'est le mariage de la parente de Joséphine, Stéphanie de Beauharnais, avec le prince héréditaire de Bade. Cette petite-fille de la comtesse Fanny, par son fils aîné, élevée chez Mme Campan et qu'il ne faut pas confondre avec la cousine germaine et filleule de Joséphine, Stéphanie Tascher, plus âgée qu'elle d'un an, est offerte par Napoléon pour remplacer la princesse Auguste de Bavière, promise à cette alliance depuis longtemps. Napoléon dédommage l'héritier du grand-duché en le faisant entrer dans sa famille, puisqu'à l'instar d'Eugène et d'Hortense, il adopte la charmante Stéphanie. L'entourage dira qu'il a éprouvé pour cette jolie blonde aux yeux bleus et au charme piquant, une inclination passagère. Le mariage est célébré les 7 et 8 avril 1806, aux Tuileries, en grand apparat. L'Impératrice sert de mère à sa cousine et l'Empereur dote sa fille adoptive somptueusement, sans oublier de lui offrir une parure de diamants et un trousseau choisi par Joséphine qui, comme la corbeille d'Auguste précédemment, ne peut être, ainsi que le signale Mlle Avrillon que « du meilleur goût et de la plus rare élégance ». Ce ménage sera plus solide qu'heureux. Stéphanie sera mal acceptée par sa belle-famille, au point qu'elle aurait été la mère du malheureux Gaspard Hauser, seul héritier mâle du couple princier, subtilisé enfant et grandi dans un cachot. Son mari se révèlera, à la chute de l'Empire, solidaire de sa femme mais il mourra avant l'heure. Resteront à Stéphanie trois filles qui, toutes, feront de brillants mariages[2]. Au fil du

---

1. In *Correspondance, op. cit.*, 6 août et 2 septembre 1805.

2. Stéphanie de Beauharnais (1789-1860), adoptée le 2 mars 1806, par Napoléon, mariée le 7 avril 1806 à Charles-Louis-Frédéric de Bade (1786-1818). Ses filles, Louise (1811-1854), Joséphine (1813-1900) et Marie (1817-1888) épousent respectivement le prince Wasa de Suède, le prince héréditaire de Hohenzollern-Sigmaringen et le marquis de Douglas, fils du duc de Hamilton. De cette dernière alliance, descend S. A. S. le prince Rainier III, prince souverain de Monaco, dont le Musée historique est riche en souvenirs napoléoniens venant notamment de la grande-duchesse Stéphanie (comme probablement le prénom de sa fille, la princesse cadette).

temps et des épreuves, Hortense et Stéphanie deviendront les plus constantes et les plus proches des amies et, à la différence de sa cousine disparue précocement, la grande-duchesse verra le fils de celle-ci devenir le second Empereur des Français et ranimer le palais des Tuileries, lui redonnant un lustre digne des fastes de ce Premier Empire qu'elle avait connus de façon si éphémère mais si mémorable.

* * *

Un an après leur départ pour Strasbourg, à un jour près, les souverains quittent Saint-Cloud. Le schéma est le même : l'Empereur repart en campagne, contre la Prusse cette fois-ci, campagne dont on ne sait, au Palais, si elle sera active ou seulement d'intimidation. Comme il l'avait fait à l'automne précédent, Napoléon installe Joséphine à Mayence, d'où elle suivra le déroulement des opérations, attendant qu'il la fasse venir auprès de lui. Ce qu'ils ne peuvent prévoir ni l'un ni l'autre, c'est que la campagne se prolongera et qu'elle se déroulera en deux temps – en Saxe, contre la Prusse, puis en Pologne, contre les Russes – et qu'elle les tiendra séparés pendant dix mois. Dix longs mois qui marqueront plus qu'une césure dans leur vie conjugale.

À Mayence où elle arrive le 28 septembre et où Napoléon la laisse le 1er octobre, Joséphine demeurera jusqu'à la mi-janvier 1807, installée dans le château des Électeurs – datant du XVIIe siècle – où elle se trouve relativement à l'étroit, puisque lorsque la rejoignent, à sa demande, Hortense et Stéphanie princesse de Bade, elle ne peut garder auprès d'elle que sa jeune nièce – âgée de dix-sept ans – et doit loger en ville sa fille, le fils aîné de celle-ci ainsi qu'une partie de sa Maison honorifique. Lorsqu'elle devra donner quelques bals, ils auront lieu dans le grand Salon d'attente du rez-de-chaussée, ses appartements étant situés au premier étage. Nous empruntons ces détails à Mlle Avrillion dont personne ne s'est avisé qu'elle a confondu en les amalgamant les deux séjours de Joséphine à Mayence, le premier, très bref, on s'en souvient, dans la foulée des eaux prises à Aix-la-Chapelle.

Dans cette ville « assez belle mais triste », ville de garnison, dont la population ne parle pas français, le séjour sera moins brillant que la première fois.

Il sera même un peu morose : en proie à une sorte de pressentiment, à moins que ce ne soit l'incertitude où tous se trouvent de l'avenir proche et qui leur pèse, Joséphine pleure et son entourage s'emploie à la distraire. L'Empereur en est conscient, qui se réjouit de la présence d'Hortense, de son petit garçon, ce « Petit Chou » qui fait les délices de sa famille – et de Napoléon lui-même – par sa précocité, sa vivacité et sa tendresse, et de celle de Stéphanie dont le mari va participer à la guerre : « Je ne sais pas pourquoi tu pleures », écrit-il à sa femme, le 5 octobre, « le courage et la gaieté, voilà la recette »… Comme pendant la précédente campagne, il prend soin d'informer Joséphine, essayant de la rassurer, de lui insuffler un peu de son entrain pourtant si communicatif : en pure perte.

Les Prussiens, qui avaient rompu leur neutralité pour s'allier secrètement aux Russes, avaient refusé d'obtempérer aux désirs de Napoléon de fonder une Confédération du nord de l'Allemagne dont ils eussent pris la tête et qui eût fait pendant à la Confédération du Rhin. Ayant concentré leurs troupes en Saxe, ils sont décidés à y affronter Napoléon. Ils vont y être écrasés. Le 15 octobre, d'Iéna, Napoléon écrit à Joséphine : « J'ai remporté hier une grande bataille. » Il en a remporté deux, simultanément : il a, lui-même, pris le plateau qui domine Iéna, défaisant l'un des chefs Prussiens, le prince de Hohenlohe, cependant que Davout, à Auerstaedt, a contraint l'ennemi à reculer, Murat le poursuivant et l'acculant à la reddition. Pour la Prusse, les pertes sont immenses, le désastre total. Le duc de Brunswick est tué, ainsi que l'un des princes de la famille royale, le prince Louis-Ferdinand, « l'Achille prussien ». Il est mort à Saafeld, après une résistance acharnée, seul contre trois hussards de Lannes, l'épée à la main, s'écriant, en français : « Est-ce possible ! » Son frère, le prince Auguste, sera fait prisonnier, à Prentzlow, par les dragons de Beaumont. Le roi Frédéric-Guillaume, que Napoléon juge « très borné », a près de lui, le soutenant, la reine Louise, aussi courageuse et énergique qu'elle est belle et accomplie : incarnant le parti patriote, l'âme de la Prusse combattante, elle va devenir l'héroïne nationale, une légende et un mythe pour son pays vaincu. Elle n'a pas craint d'accompagner son époux au plus près des combats mais la mort dans l'âme, elle doit fuir, talonnée par les Français et se réfugier à Mémel. Son courage qui lui vaudra, en plus de l'admiration de son peuple, celle de l'Europe entière y compris de la France chevaleresque, sera tourné en dérision, dans quelques-uns de ses bulletins, par Napoléon. C'est un tort de sa part et une inélégance. Qu'il eût pu s'épargner : la Prusse était réduite à la moitié de son territoire, elle était occupée, humiliée, accablée d'une indemnité de guerre astronomique – Blücher s'en souviendra en 1815! – et il ne lui restait qu'un peu de la fierté que lui insufflait sa reine... Mme de La Rochefoucauld critiquera l'attitude de Napoléon et il lui en tiendra rigueur. Que veut-on : il était invincible sur le champ de bataille, mais guère magnanime[1]. Il essaiera de se rattraper à Tilsitt : la reine Louise, elle, essaiera d'y faire bonne figure. Sans résultat : « Tout cela ne vaut pas ma Joséphine! » concluera l'impitoyable vainqueur... Certes. Il n'aime que les femmes douces et soumises. Mais il en faut pour tous les goûts...

Sa Joséphine, en attendant, fait beaucoup d'efforts pour tenir sa Cour. Elle se promet d'aller visiter son ami le Prince-primat à Francfort, elle reçoit régulièrement la princesse de Nassau et sa fille, ainsi que d'autres princes allemands des pays occupés venant lui demander sa protection. Elle reçoit aussi les officiers vaincus de Hesse-Cassel, qu'elle traite avec sa bonne grâce habituelle et qu'elle réconforte cependant qu'Hortense fait porter des secours aux milliers de prisonniers défilant chaque jour sous ses fenêtres : « Ils étaient malheureux, ils devenaient des Français pour moi! » L'Impératrice

---

1. Il est conscient, toutefois, même s'il les traite d'intrigues que ces critiques féminines peuvent lui faire du tort. Joséphine, elle-même, « paraît fâchée du mal qu'[il dit] des femmes », entendons la reine Louise, à quoi il répond par un geste politique, et qu'il exploite largement à son profit, celui d'accorder à la princesse de Hatzfelt la grâce de son mari, gouverneur de Berlin, opposant à l'occupant français.

donne quelques bals où se rendent des jeunes gens de grandes familles, ralliés par M. de Montmorency-Laval et se constituant en Gardes d'honneur. L'un d'entre eux, Auguste de Rouillé, d'une vieille maison du Hainaut, contera à sa mère qu'il a dansé avec la reine Hortense, lui apprenant une figure qu'elle ne connaissait pas et que celle-ci, gracieusement, a décidé de baptiser cette nouvelle figure « la Rouillé[1] ». Hortense, qui danse, mais qui, surtout, tremble pour Flahaut et pense à lui en rencontrant un de ses cousins, La Bédoyère, que désormais elle protégera... « Je suis bien aise de te savoir avec Hortense et Stéphanie et en grande compagnie », écrit Napoléon à sa femme, alors qu'il est sur le point de s'installer à Potsdam. Peu après, il s'étonne : « Talleyrand arrive et me dit, mon amie, que tu ne fais que pleurer. Que veux-tu donc ? Tu as ta fille, tes petits-enfants et de bonnes nouvelles : voilà bien les moyens d'être contente et heureuse. » Oui, mais... Que les arrières de la guerre sont peu réjouissants! Que les anxiétés sont éprouvantes pour toutes ces femmes qui ne reçoivent des courriers que sporadiquement et qui ne vivent que dans cette attente! Quel triste spectacle que ces défilés de vaincus dont la vie s'arrête et de vainqueurs dont nul ne sait s'ils seront encore vivants dans un mois...

Le tourment de Joséphine s'accroît de ce que, malheureusement, elle ne peut rejoindre Napoléon à Berlin, comme elle semble le souhaiter. La campagne va se prolonger. Il le lui annonce le 27 novembre : « Je vais faire un tour en Pologne. » Joséphine n'ira jamais en Pologne, malgré les promesses de l'Empereur : « Il faut cependant te calmer. Je t'ai écrit que j'étais en Pologne, que, lorsque les quartiers d'hiver seraient assis, tu pourrais venir. Il faut donc attendre quelques jours. Plus l'on est grand et moins l'on doit avoir de volonté : l'on dépend des événements et des circonstances. » La paix conclue avec la Saxe – devenue un royaume –, Napoléon ne songe qu'au moyen de poursuivre les Russes à partir de cette Pologne, précisément, qu'il découvre et où il s'établit. Dès le

---

1. *Une épistolière en Hainaut, Angélique de Rouillé*, Société des Bibliophiles Belges, sous la direction d'Armand Louant, Mons, 1970, pp. 124-125.

début du mois de janvier 1807, il est formel : il fait trop froid, les distances sont trop considérables pour que l'Impératrice songe désormais à le rejoindre : « Mayence est trop triste, Paris te réclame, vas-y », lui écrit-il de Varsovie, le 8 janvier. Ce ton s'explique par le fait que, malgré ses puissantes affaires, l'Empereur vient de nouer une idylle. Une idylle beaucoup plus durable, profonde et déterminante qu'il ne peut le penser lorsqu'il s'éprend d'une délicieuse jeune Polonaise, la comtesse Walewska. Car cette touchante jeune femme, après Éléonore de La Plaigne – une de ses précédentes liaisons – le rendra père. Un monde s'ouvrira à lui : infirmant certaines allégations de Joséphine, Mme Walewska, parce qu'elle lui est exclusivement attachée, lui donnera la certitude absolue qu'il peut avoir un héritier naturel, un héritier de son sang. Son paysage intérieur s'en éclairera : le moment venu, et ce moment viendra bientôt, il se décidera à fonder sa propre dynastie. Et les jours de Joséphine, Impératrice des Français, seront comptés.

Ses lettres à sa femme, à ce moment, reprennent la même antienne : qu'elle soit gaie, heureuse, qu'elle anime Paris, il l'aime, qu'elle ne doute ni de lui ni de ses sentiments : « Fais à Paris la représentation convenable, et surtout sois contente. » Comme à son ordinaire, Joséphine se soumet, rentre à Paris, mais elle n'en est pas plus gaie pour autant.

Car la guerre est cruelle... Et les temps sont durs : « Mon amie, il y a eu hier une grande bataille. La victoire m'est restée, mais j'ai perdu bien du monde. La perte de l'ennemi, qui est plus considérable, ne me console pas », lui écrit Napoléon, le 9 février, au lendemain d'Eylau : vingt-cinq mille Russes et dix-huit mille Français gisent dans la neige ensanglantée, parmi lesquels l'écuyer de Joséphine, M. de Corbineau. Napoléon lui-même sera écœuré de cette hécatombe. « L'on souffre et l'âme est oppressée de voir tant de victimes » commente-t-il encore à Joséphine. Le comble, c'est que cette boucherie n'a pas été décisive, et Napoléon n'a pas encore vaincu les Russes. Quand et où cela s'arrêtera-t-il ?

* * *

L'une des qualités de Joséphine, c'est son réalisme, son intelligence des situations. Partenaire indéfectible de son mari, désireuse aussi de lui complaire, elle reprend donc, en ce début d'année 1807 – l'Empereur ne rentrera qu'à la fin juillet – sa vie de Cour, se suffisant des nouvelles qu'il lui fait tenir avec régularité. Il a pris ses quartiers à Osterode, attendant le printemps pour relancer son attaque mais il préfère bientôt s'installer au château de Finckenstein, construit par un gouverneur de Frédéric II en Prusse orientale, d'où il est à même de se rapprocher du théâtre des opérations situé non loin de Kœnigsberg. Mme Walewska l'accompagne. Le 14 juin, il remportera la bataille de Friedland, attaquant les Russes de flanc et les repoussant au-delà du Niemen : le Tsar n'attendra pas plus longtemps pour traiter et se réunira à son adversaire pour l'importante rencontre de Tilsitt. Mais d'ici-là, un terrible deuil va frapper Napoléon et sa famille.

Dans la nuit du 4 au 5 mai 1807, le prince royal de Hollande, fils aîné d'Hortense et de Louis, meurt du croup – la diphtérie – après une très courte et très violente maladie qu'on a cru une rougeole et qui s'est muée en fièvre accompagnée d'étouffements. L'enfant n'avait pas cinq ans. Il était adoré de ses parents, de sa famille en général – Bonaparte et Beauharnais – et de l'Empereur en particulier, qui se reconnaissait en lui, qui raffolait de son esprit de répartie, de sa présence charmante, de sa nature affectueuse et enjouée. Cet irrésistible « Petit Chou », qui appelait Napoléon « oncle Bibiche », comme il nommait des « bibiches » tout ce qui lui plaisait et spécialement les gazelles de la Malmaison auxquelles son oncle, devant lui, donnait de son tabac, cet amour d'enfant est mort dans d'abominables étouffements, lucide jusqu'au bout et consolateur envers sa mère, qui ne l'avait pas quitté une seconde[1]. Hortense est effondrée, au point d'en être prostrée, comme paralysée de douleur, se laissant guider comme un enfant obéissant mais inerte, insensible. État inquiétant et qui se prolongera jusqu'à ce que viennent les larmes libératrices…

---

1. Nous nous permettons de renvoyer à notre ouvrage sur *La Reine Hortense*, Lattès, 1992.

Dès qu'elle sera avertie, Joséphine réagira en mère responsable et, immédiatement, prendra ses dispositions pour aller soutenir sa fille à La Haye. Auparavant, l'Impératrice aura alerté Napoléon, à Finckenstein, et, prudente, se sera couverte en haut-lieu pour quitter Paris sans permission expresse de son souverain de mari. Celui-ci approuvera la décision de sa femme, et comme elle, il souffrira de cette perte – cet enfant était son héritier virtuel et il l'aimait – mais il se dominera et raisonnera tout le monde avec un calme admirable : il faut modérer sa douleur, Hortense a un autre fils, elle est jeune, elle est entourée, elle se remettra. Sachant l'émotivité de sa belle-fille, il incite Joséphine à tout faire pour l'apaiser. Et la jeune femme demeurant accablée, il lui enjoindra de se reprendre et de venir auprès d'eux, au sortir de l'été, retrouver une existence normale, ce qu'elle fera.

À Laeken, au château du Lac, comme disent les Français, dans les environs de Bruxelles, la mère et la fille se rejoignent : Joséphine a beaucoup d'égards pour Hortense qui, peu à peu, sous cette emprise, renaît à la conscience. Son mari est terrassé, lui aussi, et ce deuil les rapproche. Toute la famille, il faut le dire, se comporte convenablement en la circonstance car tous aimaient cet enfant, tous ressentent la douleur des parents et tous sentent combien Hortense est menacée. Eugène se montrera merveilleux de proximité, de compréhension et de tendresse envers sa sœur. D'autant qu'Auguste met au monde leur premier enfant, une petite fille dénommée Joséphine. Hortense partira pour les eaux des Pyrénées où son mari la rejoindra. À force d'attentions, de soins, de distractions, de solitude protégée au sein de paysages magnifiques, Hortense retrouvera son équilibre. Et bientôt sera conçu le futur Napoléon III, le troisième fils du couple, ce petit « Oui-Oui » qui les consolera tous, et qu'aimera particulièrement sa grand-mère…

* * *

C'est à Tilsitt, au début du mois de juillet qu'a lieu la rencontre entre le tsar Alexandre et Napoléon, à laquelle se joindra le roi de Prusse. Rencontre décisive, ponctuée d'un traité de paix signé le 7 et ratifié le 9, réglant le sort de l'Europe telle qu'elle apparaît désormais. Là est le point culminant de la carrière de Napoléon, l'apogée de son règne. En moins de deux ans et trois campagnes, il a vaincu successivement l'Autriche, la Prusse et la Russie. Il est en mesure de présider à la réorganisation d'une Europe telle qu'il la veut, une Europe majoritairement napoléonienne. Douze ans après, le petit général Vendémiaire peut, à bon droit, se croire devenu un nouveau Charlemagne…

La Prusse, grande vaincue de cette quatrième coalition, est démembrée. Ses possessions occidentales vont constituer un nouveau royaume, le royaume de Westphalie, dont la capitale sera Cassel et sur lequel règnera Jérôme Bonaparte que, pour l'occasion, on mariera à la fille du roi de Wurtemberg, la princesse Catherine. Les possessions prussiennes en Pologne sont confiées au nouveau roi de Saxe, sous le nom de grand-duché de Varsovie. Ne reste de l'ancien royaume du grand Frédéric que le Brandebourg, la Poméranie et la Silésie. La Confédération du Rhin s'en trouve confirmée et agrandie de la Westphalie et du grand-duché de Varsovie (ou Pologne, bien que le nom n'apparaisse pas). L'Autriche y a perdu toute influence. Les Pays-Bas, ou royaume de Hollande continuent d'être régis par Louis et le royaume d'Italie (Lombardie-Vénétie) par Eugène. Le Piémont, longtemps occupé, est incorporé à la France, ainsi que Gênes, cependant que Naples continue d'être confié à Joseph. La Belgique et Genève sont toujours occupées militairement par les Français.

Cette nouvelle alliance fait bloc contre l'ennemie héréditaire, l'Angleterre, point fondamental aux yeux de Napoléon et qu'il va renforcer d'une décision à laquelle il associe le Tsar et le roi de Prusse, celle d'instituer le Blocus continental. Il s'agit de couper Londres de ses marchés européens en lui interdisant tout commerce avec eux, en bloquant les détroits, en empêchant les navires neutres d'aborder les ports anglais. Vaste programme ! Virulente riposte à la suprématie maritime de la perfide Albion, suprématie définitivement établie le 21 octobre 1805, au sud-ouest de l'Espagne, lors de la bataille de Trafalgar, où le Vice-amiral Nelson avait perdu la vie mais remporté la victoire : il avait même anéanti la flotte franco-espagnole. En France, à peine le savait-on, le désastre naval ayant été maquillé en destruction due à la tempête (!) et, surtout, occulté par la victoire d'Austerlitz. Les conséquences économiques de ce Blocus seront graves et ses conséquences politiques, plus graves encore. Pour pouvoir l'appliquer, il faudra à Napoléon contrôler toutes les côtes européennes, donc soumettre les pays hostiles, voire les annexer : le Portugal, Parme et l'Étrurie (la Toscane), sans compter les États du Pape ou l'Espagne… Autant dire la quadrature du cercle ! C'est là une fausse bonne idée par excellence, un piège qui ne va pas tarder à se refermer sur son inventeur. Non seulement Napoléon ne réussira jamais à vaincre l'Angleterre, mais c'est l'Angleterre qui le vaincra.

Pour l'heure, le canon s'est enfin tu. Après le grand bouleversement sanglant qui l'a agitée pendant tant d'années, l'Europe continentale connaît un répit lui permettant de panser ses blessures, de retrouver ses forces, sa prospérité, sa stabilité, en s'accoutumant à la nouvelle règle du jeu qui vient de naître au milieu du Niemen, sur un étrange et fastueux radeau où vainqueur et vaincu, après s'être saignés à blanc, se sont donnés une accolade pacificatrice, inespérée. Alexandre a cédé au charisme et au brio de l'impulsif Napoléon. Il est séduit, rasséréné. L'Empereur des Français, lui, est radieux, triomphant. Quant à l'Europe, elle respire… Hélas ! Tilsitt ne sera qu'un beau rêve, un déjeuner de soleil ! Grisé de succès et de puissance, Napoléon remettra tout en cause avec l'affaire d'Espagne, déclenchée pour soumettre le Portugal, allié aux Anglais. En moins d'un an, le bel équilibre de Tilsitt sera rompu : turbulence irrépressible de Napoléon, vertige de convoitise, fuite en avant inéluctable… Comment l'expliquer ? Quoi qu'il en soit, l'engrenage fatal est en marche, donnant pleinement raison à celui qui prédisait alors, qui prédisait déjà, sinistre mais véridique Cassandre, que c'était là « le commencement de la fin »…

Comment Joséphine vit-elle ces quelques mois problématiques ? Elle n'ignore rien de ce que nous résumons si brièmement car elle est trop haut placée pour n'être pas bien informée, trop familière de la chose politique depuis trop longtemps pour n'être pas passionnée par elle et, de plus, elle est entourée de bons esprits, clairvoyants, sagaces – les Rémusat, Talleyrand, ses enfants, ses amies les plus intelligentes – qui, au fil des événements, si rapides fussent-ils, font leurs analyses et légitimement, s'inquiètent… Et cependant, la façade de Joséphine demeure imperturbable, sa solidarité avec Napoléon intacte, sa vie de Cour, plus que jamais fastueuse et solennelle. Elle préside aux habituelles réjouissances obligées, cercles, bals, concerts, réceptions diplomatiques et cérémonies. Avec, en prime, quelques séjours en grand apparat à Rambouillet et à Fontainebleau, assortis de chasses et de spectacles, et quelques beaux mariages, comme celui de Jérôme et de la princesse Catherine (les 22 et 23 août 1807), qui s'en vont régner à Cassel, ou celui de Stéphanie Tascher de la Pagerie, sa jeune cousine et filleule, dont le père, Robert-Marguerite, baron Tascher, se fût sans doute réjoui s'il eût été encore de ce monde, car sa fille était élevée au rang de princesse de l'Empire et elle épousait, avec la protection de l'Empereur, le prince d'Arenberg, un des plus beaux noms du Saint-Empire (les 31 janvier et 1er février 1808). Mariages somptueux, mariages d'apparat, mariages obligés… Le premier sera difficultueux en raison de la dissipation et des désordres du mari que compenseront la qualité exceptionnelle de son épouse – elle le prouvera, à la chute du régime, en se montrant solidaire envers Jérôme qui ne le méritait guère –, et le second, désastreux, en raison de la mauvaise volonté de la jeune femme, enfant gâtée rétive, entêtée, et qui se remariera dès qu'elle le pourra avec l'homme de son choix, le comte de Chaumont-Quitry, attaché à la Maison de sa cousine.

Si elle fait bon visage et grande parure, l'Impératrice est consciente, déjà, non seulement des menaces qui pèsent sur l'Europe mais de celles qui pèsent sur sa couronne. Dès son retour de Tilsitt, l'Empereur a évoqué l'éventualité du divorce. Il y pense. Dans un an, il y sera résolu. Il lui en coûtera encore une année avant de passer à l'acte. D'ici là, avec son habileté et son esprit de conduite coutumiers, Joséphine aura eu le temps de s'y préparer, nous verrons comment. Quel que soit son ennui, et son souci, au sein d'une vie de plus en plus contrainte dont la vanité devient criante, l'Impératrice continue de tenir impeccablement son rang.

* * *

Observons-la, lors des deux derniers voyages officiels qu'elle fait en compagnie de Napoléon. Le premier a lieu au printemps 1808, lors de ce qu'on a appelé l'entrevue de Bayonne. Son armée ayant pris pied en Espagne, pays allié, afin d'aller soumettre les Portugais, profitant de divisions intestines au sein de la famille royale, Napoléon s'entremet, attire à lui le roi Charles IV et son fils, le prince des Asturies (le futur Ferdinand VII), les réunit à Bayonne, obtient leur abdication à tous deux, les constituent ses prisonniers et substitue à ces Bourbons d'Espagne son frère Joseph. C'est tout simple! Napoléon pense s'être assuré à bon compte d'un territoire stratégiquement vital pour déjouer les menées anglaises dans le sud de l'Europe. Oui, mais...C'est compter sans l'Espagne elle-même, l'Espagne profonde, qui réagira avec violence et opiniâtreté à cette mainmise pour le moins désinvolte.

Cette réaction à l'irruption française prendra la forme d'une nouvelle guerre, une guerre de partisans, la « guerilla » (la petite guerre) féroce, inextinguible : « les forêts s'armèrent, les buissons devinrent ennemis », comme l'écrira Chateaubriand. Le soulèvement national contre les Français affaiblira leur armée – en détruisant son mythe d'invincibilité – et donnera le signal d'une agitation contagieuse atteignant tous les pays fraîchement conquis mais non soumis, sapant les fondements du fragile édifice napoléonien, trop récent et trop artificiel pour pouvoir résister longtemps. Ce que voyant, défections, retournements d'alliances et nouvelles coalitions ne tarderont pas à renaître chez les alliés d'hier...

* * *

Joséphine rejoint Bordeaux le 10 avril 1808. Si elle s'apprête à y faire la figuration élégante qu'elle doit à Napoléon et à ceux qui l'accueillent, si elle demeure toujours aussi urbaine et souriante, le cœur n'y est plus. Elle a confié à son entourage – dont Mlle Avrillion – combien « les nuages funestes » (expression de la bonne demoiselle) qu'elle entrevoyait lui semblaient menaçants : car la décision d'attirer à Bayonne les souverains espagnols, jointe au bref d'excommunication que le Pape avait lancé, au même moment, contre son époux, lui paraissaient de mauvais augure. Un ciel d'orage voile le clair soleil de Tilsitt... La joie de découvrir Bordeaux, son opulence, sa brillante société, n'estompe en rien « l'amertume de ses prévisions[1] ». Mme de la Tour du Pin, sœur par son père de Fanny Dillon que Joséphine protège, et qui, à ce titre, essaie d'obtenir une place pour son mari, s'oblige à venir le soir à son cercle et témoigne de ce que l'Impératrice est préoccupée, son cercle morose et son horaire fixé militairement. Seule, l'annonce des couches heureuses de sa fille, survenues le 20 avril, peut la réjouir... Au bout d'un mois, Napoléon la requiert à Marracq, incommode petit château des environs de Bayonne. La suite de l'Impératrice est réduite, malgré cela, une partie de ses dames doivent loger en ville. Les mouches sont envahissantes, les distractions rares, ce qu'on voit de la famille royale espagnole produit un effet délétère dû à sa médiocrité si ce n'est à son ridicule et la seule ressource pour conjurer les interminables soirées est de s'asseoir à une table de jeu... Un début d'incendie met quelque animation dans cet insipide séjour landais et une nouvelle intrigue amoureuse de l'Empereur – une offensive de séduction menée par une lectrice de Joséphine, téléguidée par la mère de la jeune fille, ce qui les fera renvoyer toutes deux – défraie la petite chronique un peu languissante, ces derniers temps, du Salon de service.

Un peu languissante, qui sait ? À plusieurs reprises, il a été question du divorce impérial et Joséphine s'en est immédia-

---

1. In *Mémoires, op. cit.*, Ch. XIX, pp. 160 et suiv. En moins d'un an, les souverains espagnols seront détrônés puis détenus en France, les États du Pape annexés, celui-ci enlevé et emprisonné jusqu'en 1814.

tement ouverte à son fils, lequel, toujours de bon conseil, l'a incitée fermement à se soumettre le moment venu s'il s'agit de raison d'État, à garantir son douaire et à persuader l'Empereur que rien ne sera changé dans leur attitude à tous trois : dévouement et loyauté. Très bonne ligne de conduite, dont les Beauharnais ne s'écarteront pas. À Fontainebleau, au mois de novembre précédent, lors d'un séjour de chasse – Joséphine a-t-elle évoqué la vicomtesse de Beauharnais, chevauchant jadis, dans la mouvance des Huë et des Montmorin? –, Fouché lui a fait une ouverture, démentie immédiatement par Napoléon. Néanmoins, Fouché n'a cessé depuis lors de faire état dans ses rapports de police quotidiens – qui sont autant de manipulations possibles de sa part – des deux courants qui, selon lui, agitent sourdement l'opinion : celui des partisans du divorce (on parle de « dissolution du mariage ») qui regroupe autour du clan Bonaparte les ambitieux et les courtisans, arguant de ce que l'Empereur tout-puissant doit fonder sa dynastie, et celui des opposants, très nombreux dans le peuple qui adore Joséphine et la considère, non seulement comme sa bonne Impératrice, mais comme « le talisman de l'Empereur », sa bonne fée, sa bonne étoile. Joséphine a de quoi s'inquiéter et méditer...

Avant de quitter Marracq, le 22 juillet, du moins est-elle rassurée quant au sort d'Eugène : Joseph ayant été fait roi d'Espagne, c'est Murat qui prendra sa place sur le trône de Naples. De Milan, Eugène s'était alarmé, écrivant à sa sœur, « du bruit qui courait à Bayonne » et qui « le destinait au royaume de Naples ». « Dieu me garde de cette galère! » ajoutait-il[1]. Les Murat, au contraire, convoitaient la couronne fermée. Les voilà donc au comble de la félicité! Que de chemin, pour eux aussi, depuis le dîner du 28 floréal, à Saint-Cloud! Talleyrand a raison de noter, avec la pertinence qui le signale toujours, qu'« ils [les Bonaparte] s'abusaient assez pour croire qu'imiter puérilement les rois dont ils prenaient les trônes était une manière de leur succéder ». Les voir à l'œuvre sera délectable... Notons, une fois encore, la différence fonda-

---

1. A. N. 400 AP, 28. Lettre du 23 juin 1808.

mentale entre les Beauharnais qui servent l'Empire et ceux des Bonaparte qui s'en servent.

Napoléon et Joséphine rentreront dans la capitale en prenant le chemin des écoliers : Pau, et le château où naquit le Vert Galant, Tarbes et Auch, puis Toulouse, la ville rose où l'on séjourne à peine, puis Bordeaux à nouveau – où l'accueil est sensiblement refroidi et où l'on reçoit la nouvelle de la défaite de Bailen – puis Rochefort, La Rochelle, la Vendée, et Nantes – où l'accueil, là, est chaleureux – et les bords de la Loire... La douceur angevine corrige-t-elle la mauvaise impression générale, le goût de gâchis de ce curieux séjour aux portes de l'Espagne qui préfigure tant de difficultés à venir ? Qui peut le dire...

* * *

Les récents agissements de Napoléon ayant quelque peu intrigué ses partenaires, celui-ci se doit de les rassurer. Il fait mieux : il les réunit en congrès, à Erfurt, à la fin du mois de septembre où, durant une quinzaine de jours, il offre à ce parterre de souverains, de ministres et d'ambassadeurs empressés autour de lui, une étonnante comédie de sa façon, au propre et au figuré ! Ce ne sont que représentations de nos classiques (Corneille, Racine, Voltaire) où s'illustrent Talma et Mlle Raucourt, excursions et pèlerinages (à Iéna), bals (« L'Empereur – Alexandre – a beaucoup dansé, mais moi, non : quarante ans sont quarante ans », écrit-il à Joséphine !) et brillants colloques. Mais ce génial metteur en scène de sa propre gloire aura beau déployer tous ses fastes, il ne réussira pas à désarmer les réticences du Tsar dont la nature ondoyante se dérobera avec l'affabilité et le charme qui la caractérisent. Alexandre, prévenu par Talleyrand – qui connaît son Bonaparte comme personne –, ne se laissera pas prendre aux lénifiantes promesses de Napoléon et, en sous-main, il encouragera une nouvelle coalition fomentée par l'Autriche soutenue par les Anglais, convaincue de ce que la diversion espagnole ne peut que lui être favorable. En avril 1809, elle envahit une nouvelle fois la Bavière ainsi que le grand-duché de Varsovie. Les hostilités reprennent.

Napoléon fait face. Toutes affaires cessantes, il décide de partir pour Strasbourg. L'Impératrice, à qui il écrivait il y a trois mois : « Je vois, mon amie, que tu es triste et as l'inquiétude très noire. L'Autriche ne me fera pas la guerre ; si elle me la fait, j'ai cent cinquante mille hommes en Autriche, et autant sur le Rhin, et quatre cent mille Allemands pour lui répondre. La Russie ne se séparera pas de moi. L'on est fou à Paris, tout marche bien[1] », demande à le suivre. Il répond « entendu », et en une demi-nuit, tout est prêt. Le 13 avril 1809, à l'aube, les souverains quittent leur résidence provisoire de l'Élysée et, d'une traite, se rendent dans la capitale alsacienne. Ce sera leur dernier voyage ensemble.

Si l'on peut dire, car à peine arrivés, ils se séparent. Napoléon est tendu. Il entreprend une campagne qui, pour être victorieuse, n'en sera pas moins dure, sanglante. Et Joséphine, reprenant ses habitudes au palais des Rohan, passera un mois et demi dans les affres de l'attente. En vertu d'une solidarité familiale toujours prompte à rendre les bons procédés, la princesse de Bade viendra lui tenir compagnie, partager ses alarmes, les atténuer à force d'esprit et de soins affectueux. L'Empereur écrit brièvement ou fait écrire par le fidèle Méneval, et quand les nouvelles sont bonnes, Joséphine les communique à son entourage. Indiscrétion ? Que non pas ! Dans l'épreuve, on se resserre et on s'épaule : toujours, quelle que soit la difficulté ambiante, Napoléon essaie de rassurer Joséphine, qui, à son tour, rassure autour d'elle, sachant pertinemment que dans une Cour où l'on ne vit que de rumeurs, le plus souvent destructrices et mal fondées, il est infiniment plus sage et plus sain de distribuer les quelques nouvelles autorisées et positives dont on détient la primeur. Elle a toujours agi ainsi avec ses enfants : ne trahissant aucun secret mais suppléant aux silences ou aux falsifications de la propagande, faisant confiance à leur sagacité et à leur pondération pour qu'ils les utilisent au mieux, voire qu'ils les taisent, ce qu'ils n'ont jamais manqué de faire.

---

1. In Tulard, *op. cit.*, Lettre du 9 janvier 1809.

Après la bataille des « cinq jours » (Eckmuhl) qui, grâce à Davout, lui ouvre la route du Danube, Napoléon va réussir à prendre Vienne. À Ratisbonne, une balle perdue le blesse au pied, talon ? orteil ? on en discute encore, mais d'après ce qu'il écrit à Joséphine, « elle a à peine rasé le tendon d'Achille » et, somme toute, constitue un incident bénin qui cependant affole les entourages. Joséphine peut se rassurer, aussi, quant au sort de son fils, qui, cette fois, participe à la guerre – commençant par un arrêt sur l'Izonso, mais se rattrapant très vite – et qui rejoint son beau-père, fort satisfait de lui, à Schönbrunn, le 27 mai. Pauvre Eugène! Si scrupuleux et si brave! Ce premier échec le crucifiait. Désormais, il va faire merveille, poursuivant ses actions jusqu'en Hongrie. Napoléon doit affronter à nouveau le passage du Danube, au-delà de Vienne, rendu impossible par la résistance autrichienne : c'est la bataille d'Essling qui permet, les 21 et 22 mai, l'occupation de l'île de Lobau. Le valeureux Lannes y a les deux jambes emportées par un boulet : il mourra des suites de ses blessures, à la grande douleur de Napoléon qui savait démêler, par-delà le franc-parler du vieux compagnon d'Italie et d'Égypte, la loyauté, l'excellence et surtout l'intelligence du meilleur de ses maréchaux, mort invaincu. Le 5 juillet débute la « grande bataille », l'une des plus rudes : Wagram. Deux jours de combats acharnés. La gauche française est enfoncée. Napoléon rassemble son artillerie au centre et parvient à crever les rangs autrichiens. Mais ni sa cavalerie, ni son infanterie ne sont en état de poursuivre l'ennemi qui se retire sans être détruit. L'Autriche traitera le 14 octobre et devra abandonner Salzbourg (à la Bavière), la Galicie (au grand-duché de Varsovie), la Carniole, la Carinthie et Trieste (futures Provinces Illyriennes) à la France, ouvrant à celle-ci l'Adriatique.

À Strasbourg, Joséphine a tenté, sans succès, de voir à son auberge la maréchale Lannes, partie en hâte vers l'Autriche à l'annonce de la blessure de son mari : elle devra s'arrêter en chemin, à l'annonce de la mort de celui-ci, survenue le 31 mai, dix jours après qu'il eût été blessé. Quel crève-cœur, ces braves qu'on pleure, ces blessés qui refluent et qu'on aide si on le peut, ces familles affligées qu'il faut consoler... La victoire, désormais, a un goût bien amer.

Pour se changer les idées, Joséphine décide de prendre ses quartiers à Plombières. Napoléon l'y incitait. Hortense qui avait rejoint sa mère et sa cousine, à Strasbourg, accompagnée de ses enfants, s'était permis une petite escapade à Bade, dans la seconde quinzaine de mai. Elle en a reçu une mercuriale de son beau-père : comment a-t-elle pu songer à quitter le territoire français avec les deux princes impériaux ! L'injonction est valable pour Joséphine. Ces dames iront donc dans la cité vosgienne, où Joséphine séjournera deux mois, Hortense s'y attardant après son départ. « Je vois ce voyage avec plaisir, parce qu'il te fera du bien », lui écrit Napoléon qui conclut sa lettre par « Adieu, mon amie, tu connais mes sentiments pour Joséphine, ils sont invariables[1]. » Il est sincère. Mme Walewska est à ses côtés, à Vienne, où sera conçu le futur comte Walewski. Et le traité qui se prépare avec l'empereur d'Autriche lui ouvre la perspective d'une alliance avec une archiduchesse, donc il va devoir divorcer très prochainement. Que sait, que devine Joséphine, de ces dispositions ? Est-elle plus inquiète de cette jeune présence dans la vie de son mari, d'une autre étoffe et d'une autre nature que celles qui, habituellement, défilent dans l'alcôve impériale, que de l'incertitude où celui-ci la maintient quant au divorce ?

Ce qui apparaîtra très tôt, c'est que Mme Walewska n'est pas une intrigante, elle n'aspire à aucun rôle politique et si elle a cru, ou ses amis autour d'elle, qu'elle pourrait avoir quelque influence sur Napoléon – pour rendre à la Pologne son indépendance –, elle y a échoué. Les Beauharnais ne pourront qu'éprouver de la sympathie pour cette charmante femme, que son désintéressement, sa sincérité de cœur, sa fidélité, sa discrétion situent très haut et très à part dans la chronique impériale : plus tard, elle sera bien accueillie à la Malmaison.

La vie paisible, et surtout plus détendue, dans la petite ville d'eaux réussit à Joséphine : ces promenades dans les val-

---

1. In Tulard, *op. cit.*, Lettre du 19 juin 1809.

lons vosgiens, ces crépuscules d'été dans la fraîcheur de la profonde forêt, cette société choisie et soudée autour d'elle, sa fille, sa nièce Stéphanie, ses petits-enfants, quelques présences agréables, comme celle du vieux chevalier de Boufflers et de sa femme, la mère de Delphine de Sabran, marquise de Custine, ou la duchesse de Coigny, née d'Andlau « dont la gaieté et l'esprit n'ont pas vieilli » comme l'écrit Hortense à son frère, sont bienfaisants. À tel point que Mlle Avrillion nous dit que l'Impératrice « tout entière à elle-même » reprend bon aspect, ce dont, à distance, Napoléon ne manque pas de la féliciter.

* * *

Le retour de Napoléon est rude : arrivé le 26 octobre à Fontainebleau, un peu avant Joséphine, celle-ci doit essuyer une scène violente. La mauvaise humeur de son mari étant sans doute directement proportionnelle à la mauvaise conscience, à la tension intérieure de celui-ci. Le sort de Joséphine est décidé. Il l'est depuis pas mal de temps. Mais l'heure du passage à l'acte a sonné et, bien entendu, il en coûte à Napoléon qui l'exprime à sa façon, brutale et ambivalente, car, ne nous y trompons pas, il tient à Joséphine. À notre avis, c'est un soulagement pour elle : mieux vaut enfin une explication franche suivie de vraies décisions, que ces flottements, ce cortège de rumeurs et de supputations assorties de leur inévitable charge de sournoiserie, de méchanceté – celle de Pauline, par exemple, qui sciemment, organise au Palais des réceptions bruyantes dont elle a soin d'écarter sa belle-sœur, tout en ne lui laissant rien ignorer de ce qu'elle trame si ostensiblement! –, bref, tout vaut mieux que cette atmosphère méphitique...

S'il y a crise, et scènes, et larmes – des deux côtés –, soigneusement relayées par *Le Moniteur* (le journal officiel du régime), c'est, que le couple impérial vit cette décision dans une émotion intense, dans une authentique et douloureuse crispation, mais aussi qu'il est conscient que c'est l'attitude la plus adéquate, celle qui fera le mieux l'adhésion autour de son étrange séparation. Car enfin, l'Empereur et il le sait, ne peut rien reprocher à Joséphine. S'il se sépare d'elle, c'est le plus lucidement du monde. Sa volonté est politique – comme tout, chez lui –, elle est dictée par ce qu'il appelle la raison d'État : se remarier, avec la fille ou la sœur d'un des souverains européens, grande-duchesse russe ou archiduchesse autrichienne – et donner à son trône l'héritier qui le perpétuera. Il lui en coûte d'autant plus qu'il aime réellement Joséphine, qu'elle est une excellente souveraine, qu'elle a su, comme lui, se montrer ce que nous appellerions une grande communicatrice, soignant admirablement son image, celle de son mari, celle du principe monarchique. Symbolique, quand il le fallait, incarnant la dignité impériale dans tout son apprêt et sa magie, et, en même temps, présente, accessible, secourable au peuple, capable de susciter l'identification à sa belle personne, la sympathie et la gratitude. Alors oui, c'est déchirant d'en arriver là. C'est pathétique, et l'on pleure…

Joséphine pleure. Mais elle négocie. Selon son code de conduite, elle assure son sort futur en n'omettant pas de faire valoir sa bonne grâce à s'incliner, non plus que l'ampleur de son « sacrifice ». Elle a raison. Napoléon la répudie par calcul, un calcul faux, car pour imposer, vu l'âge qu'il a, l'héritier à son trône, il faut une habitude séculaire de la Régence, et celle-ci – toujours dangereuse par sa fragilité – n'a de chance de réussir que si tous sont convaincus de son bien-fondé et de sa légitimité, ce qui ne saurait être le cas pour un Empire aussi récent, tout entier construit par un seul homme, aux immenses qualités certes, mais qui précisément sont uniques et circonscrites à sa personne. Ce calcul, obsédant chez lui depuis des années, est, de plus, cruel et injuste envers Joséphine qui, en retour, mérite des compensations. Elle les aura. Napoléon va la combler, comme aucune reine de France répudiée n'a été comblée avant elle. Tout ce qui lui importe, elle l'obtiendra, l'Empereur ne demandant qu'à adoucir son sort. Le plus essentiel, ne pas quitter la France. Ensuite, elle s'en ouvre immédiatement à Mlle Avrillion : « Il m'a dit qu'il serait toujours le même pour mes enfants, qu'il viendrait souvent me voir dans ma retraite. Il permet que j'habite la Malmaison ; il veut que je continue à jouir de la plus grande considération et que j'aie à disposer d'un revenu considérable[1]. » Il tiendra parole sur tous les points. De même qu'elle acceptera, avec une facilité dénuée d'arrière-pensées, une loyauté scrupuleuse et une gratitude bien sentie, sa nouvelle position. L'allégeance des Beauharnais à l'Empereur ne se démentira pas, non plus que la protection affectueuse qu'il continuera de leur accorder. On peut toujours pleurer, c'est fort bien joué !

* * *

Jusqu'au dernier jour, l'Impératrice des Français qui va devenir désormais « l'Impératrice Joséphine » – pour la distinguer de celle qui suivra –, assume sa tâche de représentation. Elle ne se dispense de rien. Courageusement, elle affronte la Ville – qui lui est favorable et compatissante – et la Cour – qui, dans la mouvance Bonaparte, se réjouit un peu hâtivement de la voir écartée –, la tête haute, le port élégant malgré une douleur qu'elle n'essaie pas de dissimuler et dont nous trouvons qu'elle est même de bon aloi. Le 1er décembre 1809, elle donne une fête à la Malmaison, pour l'anniversaire du Sacre, en présence des souverains allemands venus à Paris pour célébrer la paix avec l'Autriche, dont les rois de Saxe et de Wurtemberg. Le 3, elle assiste à Notre-Dame au *Te Deum*, en grand apparat, auquel elle se rend en voiture séparée. Le 4, il y a grande revue aux Tuileries, suivie d'un banquet à l'Hôtel

---

1. In *Mémoires, op. cit.*, p. 215. Il y a eu une scène entre les époux, à Fontainebleau, le 26 octobre, et probablement, lors de la définition des modalités, aux Tuileries, le 30 novembre. Le lendemain, Joséphine a les yeux gonflés à son réveil et s'explique auprès de Mlle Avrillion. Pas plus que Jean Tulard, nous ne croyons à la scène hystérique que rapporte le préfet Bausset, au cours de laquelle, Joséphine, soi-disant évanouie, lui aurait murmuré : « Vous me serrez trop fort ! », largement exploitée par la Légende noire. Joséphine n'avait pas besoin de recourir à de tels subterfuges : elle était en position de force pour négocier et non en position de faiblesse même si elle apparaît comme une victime, et justement à cause de cela. Mlle Avrillion, dont le teinturier est moins excessivement romantique que celui de Bausset (Balzac), fait état d'une rumeur de crise de nerfs et d'un évanouissement, auxquels elle n'a pas assisté, survenus la veille des explications circonstanciées et satisfaites de Joséphine.

de Ville. Le 11, elle se rend à la fête que donne Berthier à Grosbois et rentre en compagnie de l'Empereur. Le 13 au soir, elle tient son dernier cercle de Cour, aux Tuileries. L'affluence est nombreuse, Joséphine, impeccable. Le futur chancelier Pasquier note : « Il n'appartient qu'aux femmes de surmonter les difficultés d'une pareille situation, mais je doute qu'on en pût trouver une seconde capable de s'en tirer avec une grâce et une mesure aussi parfaites ; la contenance de Napoléon fut moins bonne que celle de sa victime[1]. » Le jeudi 14 décembre au soir, enfin, a lieu dans le grand cabinet des Tuileries, la cérémonie de dissolution du mariage par consentement mutuel.

Spectacle organisé par Napoléon, avec toute la solennité et l'émotion requises, auquel sera donné tout le retentissement voulu. Y assistent Cambacérès, Regnault de Saint-Jean d'Angély, les Bonaparte et les trois Beauharnais. Les discours sont beaux et poignants, dignes d'une tragédie à l'antique. Tite et Bérénice s'arrachent l'un à l'autre dans l'affliction, mesurant la grandeur de leur sacrifice… Joséphine ne peut lire son texte. Aux premiers mots, la voix brisée, elle tend sa feuille à Regnault qui s'exécute à sa place. Devant tant de douleur et tant de dignité, personne, dans l'assistance, n'ose persifler. Dans son ensemble, la Cour est consternée et admirative : Joséphine fait une sortie magnifique, elle force le respect.

Quant à Napoléon, ses larmes coulent. « Cela nous plaît à nous autres femmes, écrit Mme de Rémusat à son mari, les larmes des hommes et surtout des rois ne manquent guère leur effet et vous le savez bien, Messieurs[2] ! » Le lendemain, Eugène, dont le maintien est aussi parfait qu'on peut l'attendre, déclare devant le Sénat qui adopte le sénatus-consulte de la dissolution du mariage civil : « Les larmes qu'a coûtées cette résolution à l'Empereur suffisent à la gloire de ma mère… » Laissons-lui ce mot de la fin.

L'Impératrice Joséphine jouit d'une éminente position, d'un grand état et d'une aura immense. Elle est admirable-

---

1. In *Mémoires, op. cit.*, I, p. 371.
2. In *Lettres, op. cit.*, II, p. 283.

ment nantie, sûre de l'affection d'un ex-époux auquel tant d'intérêts l'attachent et qu'elle continuera de servir, car dans la nouvelle existence qui s'ouvre à elle, elle conserve son titre et une Maison honorifique sans les rigides astreintes de son ancienne fonction. Elle va pouvoir vivre selon ses catégories, son rythme, son gôut et ses choix de société. Surtout, elle dispose d'un paradis sur terre, son domaine, son territoire sacré, où elle s'épanouira, s'accomplira dans un registre différent, que commandent son âge, son expérience et sa maturité. Après la servitude, voici venu, pour elle, le temps de la plénitude.

CHAPITRE V

L'Impératrice Joséphine
(14 DÉCEMBRE 1809 - 29 MAI 1814)

Les arts et la botanique seront
mes occupations...

JOSÉPHINE à son fils Eugène
(19 novembre 1810)

Lorsque le 15 décembre, en début d'après-midi, l'Impératrice Joséphine quitte définitivement les Tuileries, l'Empereur, pour marquer l'événement, part séjourner à Trianon. Et dès le lendemain, il lui fera une visite à la Malmaison où elle s'est installée, chez elle désormais, puisqu'elle vient d'en recevoir la propriété. Pendant les premiers moments qui suivent son déménagement, elle semble être sous le choc, étourdie de la soudaineté de ce changement radical – tout s'est décidé et exécuté en un mois et demi ! –, brutalité et précipitation à l'image d'un règne qui se militarise grandement, à l'image des cinq années haletantes qu'elle vient de vivre. Si Joséphine souffre, ce qui est incontestable, ne colorons pas cet épisode de pathos sentimentaliste. Quoi que son destin contienne toujours d'à-coups et de surprises, Mlle Avrillion, qui ne quitte plus sa maîtresse, le constate : « elle souffrit dans sa vanité blessée, mais elle supporta son malheur avec courage et ne changea rien à ses habitudes[1]. » Traduisons : Joséphine,

1. In *Mémoires, op. cit.*, pp. 219 et suiv.

égale à elle-même, se maintient et s'adapte au nouvel ordre des choses. C'est aussi bien dans sa nature que dans les intentions de l'Empereur.

Il est dur de s'arracher à son ancienne position. Mais à bien y regarder, que quitte-t-elle ? Un mari, son souverain. Le souverain se métamorphose en autocrate et le mari est décidé à se montrer aussi accommodant que possible. Elle saura complaire aux deux. Leurs relations s'espaceront, elles n'en demeureront pas moins excellentes – sauf quand il faudra, une nouvelle fois, éponger les dettes, mais c'est une routine ! – et leur complicité intacte. Par sa finesse et son habileté, Joséphine saura ne pas heurter Napoléon et obtenir de lui qu'il la protège, ce qu'il aurait garde de ne plus faire. Elle continuera de s'associer à sa fortune, elle se réjouira de son succès conjugal et paternel, comme, le moment venu, elle ressentira fortement ses échecs et sa chute. C'est que leur couple est trop ancien et trop profond pour n'être pas d'une fibre indestructible. Avec doigté, Joséphine saura préserver cet acquit.

Que quitte-t-elle ? Un palais qu'elle n'aimait pas, des résidences impériales toutes égales, impersonnelles bien que fastueuses où elle menait une vie harassante – avec l'âge, cette hypocondriaque devenait migraineuse –, une Cour brillante mais chaque jour plus irrespirable et une belle-famille acharnée à lui nuire… C'est peut-être là, en ces premiers temps à la Malmaison, que le bât blesse le plus, mais si Joséphine peut imaginer la malignité du contentement des Bonaparte, elle peut se dire aussi qu'il ne sera pas de longue durée. Le jour de Noël, elle dînera, en compagnie d'Hortense, avec Napoléon à Trianon et, sans doute, sera-t-il évoqué le mariage avec l'archiduchesse Marie-Louise. Le 2 janvier, Joséphine fera venir auprès d'elle Mme de Metternich, l'épouse de l'ambassadeur d'Autriche, et lui fera savoir qu'elle est favorable à cette solution. Trois mois plus tard, exactement, la France aura une nouvelle Impératrice, celle-là même que souhaitait Joséphine. Et pour les Bonaparte, il est clair que cette souveraine née aux marches d'un trône sera bien plus à redouter que l'obligeante Beauharnais. Pourquoi ? Parce qu'elle isolera plus encore leur chef de clan, alors que la précédente ne cessait d'exercer sur lui une influence pacifiante y compris à leur endroit, ce qu'ils ont toujours été incapables d'admettre. Et Joséphine réussira ce tour de force de n'être jamais plus présente qu'éloignée... Son rayonnement continuera d'agir, à tel point que la jeune Marie-Louise – qui pourrait être sa fille – ne cachera pas sa jalousie envers elle. Quant à l'Empereur, mis à part la question des dettes, il n'aura qu'à se féliciter des Beauharnais alors que sa propre famille, dont l'incompétence le justifie, encourra toutes ses sévérités.

Napoléon perdra beaucoup en se séparant de celle qui faisait le charme de sa vie intérieure, comme on disait à l'époque. Désormais, il est seul. Fort heureux dans son second ménage, avec une femme naïve, tendre, soumise, dont l'alliance l'enorgueillit – il peut évoquer feu son oncle Louis XVI ! – et qui lui donne ce dont il rêve, un héritier... Mais quoi ? Où est le regard complice, où est l'osmose, où est le sortilège de se savoir compris sans avoir besoin de s'expliquer ? Où est cette vertu d'apaisement, de frein parfois, que seule Joséphine savait lui prodiguer parce qu'à elle, il ne pouvait rien cacher, non tant de ce qu'il faisait que de ce qu'il était... Le divorce aura d'évidentes répercussions sur sa psychologie comme il aura des répercussions sur l'opinion. Chateaubriand l'exprimera avec l'altitude de pensée et de plume qui sont siennes, en disant qu'« avec sa première femme, la vertu de l'onction divine sembla se retirer du triomphateur[1] ». Le peuple, à sa manière, ne dira pas autre chose : Joséphine écartée, Napoléon perdra sa bonne étoile, celle qui depuis toujours lui portait chance. Et plénitude, car la masculinité toute de force et de volonté de puissance, sans le soutien et le correctif de la féminité bien tempérée est aride, dérisoire. Le guerrier tombé en saura un jour quelque chose...

Quant à la Cour, plus caporalisée que jamais, Joséphine peut-elle la regretter ? L'atmosphère y avait changé depuis la création, il y a un an, de la noblesse d'Empire, alors que

---

1. In *Mémoires d'Outre-Tombe, op. cit.*, II, p. 406.

distinctions, titres et apanages pleuvaient sur ces « maréchaux et généraux fiers et enflés de leur gloire » que stigmatisait déjà Eugène – en 1807, dans une lettre à sa sœur – ajoutant judicieusement « à peine en laissent-ils au génie qui les a dirigés ». Sans oublier les absurdités d'une étiquette « faisant crever de dépit vingt personnes et plus! » qui conduit, désormais, les gens de bonne compagnie à ne paraître aux Tuileries qu'obligés par leur charge ou leur intérêt[1]. Et le plus dur, note Hortense, c'est qu'il y « faut parler à tout le monde », dissimuler sentiments et ressentiments, gommant ce qui fait le sel de la relation humaine : l'esprit, le naturel, la gaieté, les affinités électives. Non, Joséphine ne peut regretter ce microcosme où les arrivistes et les fourbes prennent le pas sur les gens de bien, où, sous une discipline de fer et un vernis d'ostentation, les chamarrures ne cachent trop souvent que rancœurs, rivalités et manigances... Mieux vaut une société plus resserrée mais choisie que cet éternel grand spectacle rutilant, sans aménité, qu'un rituel monotone et inflexible rend caricatural, étrangement dévitalisé.

* * *

En échange, que lui est-il alloué? Pour commencer, une position éminente puisqu'elle demeure « Impératrice et Reine couronnée », assortie d'une Maison honorifique réduite mais décantée : ne restent près d'elle que celles et ceux qui le choisissent, notable nuance. Assortie aussi d'un douaire considérable même si elle est incapable – nous la connaissons! – de s'en suffire : deux millions annuels sur le Trésor de l'État, à quoi Napoléon ajoute un million sur le Trésor de la Couronne. Ce qui lui permettra de vivre avec opulence – elle ne réduira pas ses atours et rétablira les gages de son Service, que Napoléon avait prévu de restreindre – ainsi que de poursuivre ses œuvres de bienfaisance, nécessaire assise de sa grande popularité, à quoi elle tient. Car si Joséphine est bonne, plus encore elle est agissante, ses moyens le lui per-

---

1. AN 400 AP 28. Lettre du 1er septembre 1807.

mettant, et consciente de ce que ce rôle la garantit contre ce qu'elle redoute le plus, l'oubli. Elle donnait, dira Napoléon, à Sainte-Hélène, mais « elle puisait dans le sac ! » Vrai. Mais qui tenait le sac ? Et, révérence parler, de quoi l'emplissait-on ? L'un et l'autre se montraient dépensiers, lui, par calcul politique, elle, par tempérament, chacun sachant y trouver son compte et en accroître son prestige ou sa réputation. D'ailleurs, sans le faste de l'Empereur, sans l'élégante profusion de Joséphine, qu'eût-été la fin de l'Empire ? Une triste dictature militaire, célébrée par une Cour de prétoriens et de parvenus enivrés de richesses aussi mal acquises que mal employées… Nous sommes redevables à l'un de son altitude, à l'autre de son goût, de ce qu'il n'en ait pas été ainsi et de ce qu'un patrimoine admirable, grâce à eux, nous ait été légué.

À preuve, la Malmaison, la résidence principale de Joséphine désormais. Depuis longtemps, elle l'embellissait sans avoir le loisir d'en profiter. C'est maintenant qu'elle va en faire son royaume, y consacrant le meilleur de ses forces, de son sens esthétique, de son raffinement, de son exigence de luxe et de perfection. La collectionneuse qui sommeillait en elle va y donner sa pleine mesure. Peu présente pendant ces cinq dernières années, elle y a fait beaucoup travailler et l'heure est enfin venue pour elle de s'y poser et de s'y reposer, comme dans un havre, le port dont elle a rêvé toute sa vie. En plus de ce domaine, l'Empereur lui assigne l'Élysée – qu'il lui échangera bientôt contre Laeken, aux portes de Bruxelles, en raison d'une promiscuité parisienne que ne tolèrera pas l'ombrageuse petite Habsbourg – sans compter l'apanage de Navarre – fief érigé en duché, comportant château, terres et bois situés non loin d'Évreux, en Normandie. Joséphine complètera ce patrimoine par l'acquisition du château de Prégny, aux environs immédiats de Genève, dont elle s'éprendra le temps d'un voyage, le temps d'un caprice.

Son intention est de « vivre dans la retraite », en alternant séjours aux eaux et voyages l'été, et résidence à la Malmaison – occasionnellement à Navarre – à la mauvaise saison. Vie de châtelaine à l'ancienne manière, avec les attributs, la Liste civile et les quelques devoirs que commandent son rang. Elle se consacrera aux « arts et à la botanique », comme elle l'écrit à Eugène, à sa société, à sa parentèle, à ses enfants. De quoi emplir la vie d'une femme qui touche bientôt à la cinquantaine... Elle y réussira, et cette retraite s'avérera intelligente, bienséante et non dénuée d'agrément.

UNE RETRAITE BIENSÉANTE

Ce qui distingue Joséphine, nous le savons depuis longtemps, c'est son goût de la société. En femme du XVIIIe siècle, elle ne saurait vivre seule. Elle aime la convivialité, elle a besoin de réunir autour d'elle, chaque jour si elle le peut, à ses déjeuners, à ses dîners, à ses concerts, pour une promenade ou une excursion, les personnes qui l'amusent, l'informent, lui plaisent, lui sont utiles, auxquelles elle peut être utile. Où qu'elle soit, elle reçoit, elle est entourée, elle évolue au milieu d'un entourage nombreux, varié, animé – sans compter la domesticité –, à la manière créole qui est, bien sûr, la manière de la vieille France amplifiée par la générosité patriarcale des Îles, dont elle ne s'est jamais départie. Joséphine aime les êtres – elle l'a montré pendant son activité impériale –, c'est un don, une vocation, une exigence vitale de sa nature, comme elle aime les enfants, les animaux et les plantes. Et non seulement elle les aime, mais elle sait les traiter, les faire s'épanouir comme elle-même irradie à leur contact. Désormais, la Malmaison va vivre de cette sociabilité, accueillant visiteurs, amis, familiers ou protégés, tous attirés, tous séduits par cette incomparable, cette infatigable hôtesse qu'est Joséphine. Sa société, toutefois, sera mixte, parce qu'à demeure elle est entourée de son Service d'honneur, une Maison bien composée et qui lui convient parce qu'elle lui ressemble.

C'est essentiel, car si au Palais les disparités humaines et sociales se fondaient dans la masse et dans le mouvement perpétuel qu'imposait le règne, désormais la moindre dimension des lieux et la disparition de toute théâtralité falsificatrice impliquent des présences compatibles, harmonieuses. Si

Joséphine possède un caractère facile et des manières exquises, elle n'aime ni l'affrontement ni les éclats – et Dieu seul sait ce qu'il a dû lui en coûter d'avoir à supporter tant d'années durant la brusquerie de son mari ! –, son aptitude à éviter les conflits étant l'un des secrets de son équilibre, à moins qu'elle n'en soit l'émanation... Toujours est-il que sa suite, prenant son service par quartiers, par roulement, fait figure d'emblée non de camarilla mais d'entourage amical. Le bon ton et le bon esprit de Joséphine ont désamorcé tout risque de voir naître dans cette seconde Cour, un petit foyer d'intrigue ou de mécontentement, en contrepoint à la Cour impériale.

Il a bien fallu trancher dans le vif : la grande Cour, autour de l'Empereur et de la future Impératrice, a priorité pour rassembler le nec plus ultra, car on se doute bien que l'Empereur va épouser une princesse de haut parage. Qui plus est, mais c'est la loi du genre, la courtisanerie ne voyant que son intérêt qui est d'être au plus près du Maître, tout ce qui vit de prébendes et de charges n'a aucune envie de quitter les Tuileries pour Malmaison. Les défections sont nombreuses. Mais Joséphine est réaliste et, compte tenu de son expérience, elle ne peut guère s'en étonner. Églé Ney, par exemple, élevée avec Hortense chez sa tante Campan et que l'Empire a faite maréchale et, plus récemment, duchesse d'Elchingen – une de ces duchesses à plumes comme les appellera la Restauration, puisque ce sont les armes héraldiques qu'elles emploient –, aurait, semble-t-il, contre l'avis de son mari, voulu suivre Joséphine. Elle ne le fera pas. Idem de Mmes Savary, Maret, Junot, autres duchesses récentes, jolies, folles de parure et de prétention. On s'en passera... Mme de La Rochefoucauld, Dame d'honneur précédente, se retire avec, semble-t-il, l'idée de garder sa fonction auprès de la future souveraine mais Napoléon n'y tient pas. Elle reviendra cependant voir sa cousine, contrairement aux allégations de Masson[1]. Elle sera remplacée avantageusement par Mme d'Arberg, une grande et belle femme un peu forte en âge, ce qui commande le res-

---

1. Voir la *Correspondance* d'Annette de Mackau, 1967, p. 347.

pect autour d'elle, et très attachée à Joséphine. Son urbanité est à la mesure de sa haute naissance : née à Mons, princesse de Stolberg, elle appartient à ces familles princières du Saint-Empire fixées dans les Pays-Bas autrichiens – le vieux Hainaut, en l'occurrence – qui, comme les Arenberg, les Ligne, les Croy ou les Chimay, rayonnent sur l'Europe depuis le XVe siècle. En son temps, elle a été Dame de la Gouvernante, l'archiduchesse Marie-Christine, sœur de Marie-Antoinette, dont le mari a construit Laeken. Elle a pour sœurs la duchesse de Berwick ainsi que la comtesse d'Albany. Celle-ci, veuve depuis 1788 de Charles-Edouard Stuart (le dernier des Princes-prétendants à la couronne des Trois-Royaumes), tient à Florence un salon célèbre dans l'Europe entière et compte parmi ses amis la comtesse Fanny, Mme de Staël, Chateaubriand, Mme Récamier ou la duchesse de Devonshire.

Des Dames du palais de l'époque consulaire ne demeure que Mme de Rémusat, la plus ancienne, donc, auprès de Joséphine, toujours aussi sagace et attentive, qui cependant aurait souhaité être promue Dame d'honneur à la faveur du divorce. Son mari reste auprès de l'Empereur, dont il est Premier chambellan et surintendant des spectacles. Mme de Walsh-Serrant lui demeure fidèle aussi, passant ses temps de repos dans son beau domaine angevin où le couple impérial a été reçu à son retour de Bayonne. Son esprit et ses bonnes qualités la distinguent, tout comme Mme d'Audenarde, de la vieille maison des Lalaing du Hainaut, mère de celui que Napoléon appelait « Mon bel écuyer », et qui entre alors au service de Joséphine, comme Mme de Vieilcastel, nièce de Mirabeau, jeune et bonne personne, ainsi que Mme de Lastic, elle aussi portant un vieux nom. Les époux de ces deux dernières dames entrent avec elles comme chambellans, ce qui simplifiera les arrangements de service. Mmes de Turenne et de Ségur sont encore présentes les premiers temps, auxquelles on adjoindra bientôt la jeune et charmante Annette de Mackau, qui épousera en 1812 le général Watier de Saint-Alphonse, et que Joséphine avait appréciée lors de son dernier séjour à Plombières, Annette accompagnant son amie de collège, la princesse héréditaire de Bade, Stéphanie, dont elle était Dame et avec laquelle elle restera très liée. Ses talents de musicienne autant que sa jolie présence – qui charmait Joséphine, toujours désireuse de s'entourer de jeunes personnes – égaieront le cénacle. Comme Stéphanie, Annette de Mackau verra le règne du fils d'Hortense : elle en verra même la chute puisqu'elle mourra au moment de Sedan. Elle aura vu aussi un des cousins de son père, le comte de Bombelles, devenir en 1834, le troisième époux de Marie-Louise, à Parme, elle qui avait assisté au premier mariage de celle-ci, dans le Salon carré du Louvre...

À cet aréopage de femmes de qualité dont la naissance, les alliances, les manières, le ton semblent d'un salon du Faubourg Saint-Germain – ce qui révulse Frédéric Masson ! – s'assortit le service masculin de Joséphine : son Premier aumônier est Mgr de Barral, archevêque de Tours, frère du vicomte de Barral qui a épousé la fille cadette de la comtesse Fanny, Anne de Beauharnais. Nomination qui ne peut surprendre mais signale la fidélité à la parentèle typique de la vieille aristocratie.

Viennent ensuite le Chevalier d'honneur, ou Premier chambellan, M. de Beaumont, attaché à Joséphine depuis longtemps puisqu'il était son introducteur des ambassadeurs, quinquagénaire se pliant de bonne grâce aux farces de la jeunesse et dont tout le monde apprécie le caractère facile et l'excellent ton. Auprès de lui, MM. de Vieilcastel, de Lastic, de Montholon, de Turpin de Crissé qui répond au charmant prénom de Lancelot et dont les talents de dessinateur et de peintre laisseront d'opportuns témoignages des voyages de la suite impériale et le feront inspecteur général des Musées sous la Restauration. M. de Monaco dirige l'Écurie, aidé de trois autres écuyers : MM. de Pourtalès, de Chaumont-Quitry et d'Andlau, de vieille souche alsacienne. L'Intendant général est M. Pierlot, succédant à M. Ballouhey, et qui sera remplacé par M. de Montlivault, plus apprécié du personnel parce que moins parcimonieux. C'est peut-être le poste le plus périlleux de la Cour impériale, toujours pris entre deux feux d'égale intensité : la volonté de dépense de Joséphine, la volonté d'économie de Napoléon... Guerre qui ne cessera que faute de combattants!

Quant au Service intérieur, il est toujours constitué d'environ soixante-dix personnes, placées sous la coupe de l'Intendant et qui se répartissent les places à la Bouche, à la Livrée, au Culte, au service de Santé, à celui de la Chambre (où préside, pas peu fière de sa promotion, Mlle Avrillion) que complète celui de la Musique, ainsi que la lectrice, Mlle Gazzani. Sans oublier l'intangible Secrétaire des commandements, M. Deschamps.

* * *

Un des traits sympathiques de Joséphine, c'est sa fidélité de cœur. Un des avantages de sa vie nouvelle, c'est que libérée des contraintes du trône, et plus encore, de la détaillomanie sourcilleuse de son mari, elle va pouvoir librement recevoir ceux qui ne pouvaient l'approcher pendant ces dernières années, et notamment Mme Tallien, à qui elle devait tant, comme on s'en souviendra. Napoléon, et ce n'est pas à mettre à son actif, avait interdit à Joséphine, dès qu'il était arrivé aux affaires, de revoir l'amie des jours difficiles sous prétexte qu'elle manquait aux bonnes mœurs. Remariée depuis 1805 avec Joseph de Caraman qui, à la faveur de son héritage maternel, devient prince de Chimay – une des principautés les plus anciennes et les plus prestigieuses du vieux Hainaut –, la belle Thérèse, procréatrice invétérée et sans complexes, mène une vie aussi opulente que paisible, partagée entre son hôtel parisien de la rue de Babylone et Chimay. Il est à l'honneur de Joséphine de l'accueillir dès le mois de janvier 1810. Joséphine n'a rien oublié, elle est la marraine de sa fille Rose-Thermidor qui deviendra comtesse de Narbonne-Pelet, elle conserve des liens avec ses anciennes amies « rescapées de Thermidor » dont bon nombre ont été sauvées par Thérèse : Aimée de Coigny, la marquise de Laage de Volude, la princesse de Monaco, la marquise de la Tour du Pin... Que les femmes savent être courageuses, et solidaires! Joséphine tranche sur la frilosité, la cuistrerie ambiante, celle qui fait dire un jour à un bien-pensant s'offusquant de rencontrer la princesse de Chimay : « C'est Madame Tallien ! » Celle-ci lui rétorque tranquillement : « Oui ! Je fus Madame Tallien et c'est même sous ce nom que j'eus le bonheur de vous sauver la vie ! » Bonne répartie... Elle mourra à Chimay en 1835, ayant gagné en embonpoint ce qu'elle avait perdu en exubérance mais toujours aussi bonne et aimée des siens.

Parmi les visites que reçoit Joséphine dès son divorce, retenons-en deux parce qu'elles sont significatives, moins de l'époque que de l'ambivalence de la nature humaine. La première est d'une petite fille, sa filleule, qui accompagne, le 6 janvier, Mme de Lavalette et sa tante la comtesse d'Esdouhard. Elles viennent déjeuner auprès d'une femme à peine remise de ce que tous ressentent comme une sorte de cataclysme. L'apparition de celle-ci, vêtue d'une « superbe robe mauve brodée de perles » qui rehausse la tristesse de son visage, éblouit l'enfant. Le prince Eugène est présent, plein d'entrain comme à son ordinaire, ainsi que Mme de Rémusat qui explique bientôt que l'Empereur est attendu. Surcroît d'éblouissement de la petite fille : « Dès que l'on aperçut la voiture de l'Empereur, l'Impératrice s'avança pour le recevoir. Les anciens époux ne s'embrassèrent pas, mais l'Empereur offrant sa main à l'Impératrice la conduisit jusqu'au salon où il ne cessa de la regarder avec un intérêt affectueux[1]. » Jamais Valérie Masuyer n'oubliera cette journée. Présentée à Napoléon, elle fut si rougissante qu'il lui dit : « Voici de bien belles couleurs, mademoiselle Masuyer ! » Et il lui demande gentiment de venir souvent rendre visite à sa marraine. Valérie n'oubliera jamais non plus son allégeance au couple – si l'on peut dire – impérial. Elle deviendra Dame de la princesse Amélie de Hohenzollern-Sigmaringen (on se souvient

---

1. In *Mémoires de Valérie Masuyer*, Paris, Plon 1937, p. 11. La famille d'Esdouhard connaissait Joséphine depuis l'époque de Panthemont, Félix d'Esdouhard accompagnant Louis de Joron pour recevoir la plainte de la vicomtesse de Beauharnais contre son mari, le 8 décembre 1783. Son fils Jean fut le parrain de Valérie, comme Joséphine fut sa marraine, le 6 janvier 1798, à Notre-Dame de l'Assomption, rue Saint-Honoré.

que son frère, le prince de Salm-Kyrbourg monta dans la charrette avec Alexandre de Beauharnais) puis celle de la reine Hortense qu'elle ne quittera plus et à laquelle elle fermera les yeux. Loyauté, dévouement, fidélité, l'intelligente Masuyer ne faillira pas à son serment et elle laissera, de plus, un précieux témoignage sur ceux qu'elle aima et servit du meilleur de son être.

L'autre visite, dans ce même temps mais à une date non précisée, est faite par une des ces étrangères que draine à Paris la récente célébration de la paix avec l'Autriche. Dans la mouvance de son souverain, le roi de Saxe, la comtesse de Kielmannsegge est présentée aux Tuileries. Riche héritière, en délicatesse avec son mari, un Hanovrien anti-Français, elle joue la carte française à fond et, pour mieux arranger ses affaires, se fait recevoir en audience par Napoléon, dont il semble qu'elle ait eu avec lui une courte liaison. Allégeance immédiate et fervente au règne et à son souverain. Seulement Mme de Kielmannsegge est de la race des intrigantes, des aventurières, des femmes bruyantes, brouillonnes, tranchant de tout, s'introduisant là où il ne faut pas, toujours désireuse de jouer un rôle... Elle se lie à Savary – plat courtisan et policier zélé, détesté de la bonne compagnie – devient son indicatrice, en vertu de son « amitié » pour la duchesse de Courlande qui la fait pénétrer dans le cercle de Talleyrand d'où elle est vite écartée, son jeu étant dévoilé. L'ennui avec ce genre de femmes, c'est que faute de pouvoir agir elles aiment écrire, se mettant elles-mêmes à la place qu'elles estiment mériter. Celle-ci a laissé des *Mémoires,* tissu de ragots – venant de Savary – montés avec une totale absence de scrupules mais portés au pinacle depuis leur publication parce que leur auteur voue un culte absolu et définitif à l'Empereur. Sur Hortense, elle écrit des inconvenances, si peu crédibles qu'on en reste pantois! On comprend qu'Hortense, dans son exil d'Augsbourg, lui ait fermé sa porte. Quant à Joséphine, qu'elle voit de loin, à la Cour, dans les jours qui précèdent le divorce et qu'elle va visiter à la Malmaison, à part les notations de toilette très détaillées et de propos sans portée, tout ce qu'elle en retient, c'est qu'« elle entretenait une liaison secrète, comme elle en avait du reste l'habitude, avec l'un des plus jeunes chambellans de sa maison, M. de Guspin Érissé (sic)[1]! » Inutile de dire que la compilation malveillante s'est emparée du ragot et, depuis, en fait ses choux gras! Pensez donc! Si Mme Bonaparte a eu une liaison, avant Brumaire, aucune raison pour qu'elle ne continue pas toute sa vie, à preuve, ce comte de Turpin de Crissé qui la suit partout et qu'elle mariera bientôt, comble de la noirceur...! Et sur la foi d'un racontar, venant d'une femme médiocre malgré son nom et sa fortune, mais une femme sanctifiée par les faveurs qu'elle avait reçues du Maître, cette allégation suffit à balayer ce qu'on sait – ou devrait savoir – de toute une vie, celle de Joséphine, dont la logique interne, la cohésion et la transparence ne sont pourtant plus sujettes à caution à l'époque en question... Voilà comment on écrit l'Histoire, petite ou grande, les dégâts étant les mêmes quand, toujours, on préfère la facilité et le fantasme à l'analyse rationnelle. Bien évidemment, Joséphine a abandonné depuis longtemps toute préoccupation de cet ordre, il n'est, pour s'en convaincre, que de réfléchir cinq secondes à ce que signifient dans sa vie la parure et les collections multiples : autant de substituts à un renoncement d'une autre nature...

Pour en revenir à la délatrice, une justice immanente aura raison d'elle – comme de ses pareilles qui, toutes, dans l'ensemble, vieillissent mal – car elle continuera de s'agiter, en pure perte, perdra sa fortune, sa position, sa réputation, sera reléguée, partout chassée – du fait de son éternel mauvais esprit – et finira dans une solitude assez pitoyable, vouée, depuis 1821, à son deuil éternel. Entre le dévoiement de l'une et la rectitude de l'autre, qui pense-t-on que nous préférions de ces deux visiteuses de la première heure?

* * *

Si Joséphine est en butte au voyeurisme et à l'envie, c'est parce qu'elle demeure emblématique, y compris dans cette

---

1. In *Mémoires*, 1928, I, p. 67.

nouvelle position apparemment si peu enviable qui est la sienne, mais dont son élégance l'aide à se tirer – comme disait l'aimable Pasquier – du mieux du monde. Car elle maintient non seulement ses habitudes, comme l'a souligné Mlle Avrillion, mais son esprit de conduite. Et si elle continue de mener en la renouvelant et en l'amplifiant sa vie de société, son œcuménisme fait d'elle, plus que jamais, l'agent de cette fusion sociale à quoi rêvait le Premier Consul et qu'essaie d'imposer l'Empereur – à quel prix ! –, Joséphine y réussissant parce que précisément elle n'impose rien. Dans sa seule mouvance, en vertu de son charisme, se produit le miracle : des personnes qui, à la ville, se tourneraient le dos, se parlent et s'acceptent. Les grandes dames ruinées du faubourg Saint-Germain et les jeunes femmes, amies d'Hortense, toutes mariées à des dignitaires ou à des maréchaux couverts d'or, peuvent, à la table ou dans le salon de l'Impératrice, se découvrir et s'apprécier par-delà les clivages de génération, d'appartenance, de ton, de fortune. Seules la parfaite éducation et la finesse de Joséphine, agissant comme un philtre infaillible, déjouent écueils et disparités. Grande vertu civilisatrice, que nous soulignons car non seulement elle n'a pas été reconnue, mais au contraire, on a voulu la réduire à l'innocuité d'une mondanité sans objet quand elle n'était pas politiquement incorrecte, comme nous dirions aujourd'hui ! Cette ci-devant bornée, poussant famille et amis dans le seul but de les placer, aux frais de l'État, là où ils n'auraient jamais dû être, distribuant pensions et protection à tout va, comment l'Empereur pouvait-il être assez faible ou aveugle, pour tolérer cela ! Nous n'inventons rien.

Nous pensons qu'au contraire, c'est grâce aux grandes qualités d'urbanité de sa première femme – car la seconde en sera totalement dépourvue, mais elle était si jeune, il est vrai ! – que le tissu social retrouve une partie de son équilibre et sa souplesse. Joséphine contribue grandement à rallier au règne les anciennes élites cependant que Napoléon fait émerger les nouvelles, celles du mérite et du talent, chacun des deux souverains appréciant, d'ailleurs, les deux appartenances. Mais sans la médiation de Joséphine, médiation qui se perpétuera jusqu'à sa mort, la seule autorité n'eût pas suffi à opérer ce tour de force. Napoléon contraignait quand Joséphine persuadait. Là encore, chacun des deux complétait l'autre. Il ne leur a manqué que du temps pour réaliser pleinement la grande harmonisation à laquelle ils étaient, l'un et l'autre, si attachés.

Car Joséphine aime recevoir mais, de plus, elle aime protéger, parrainer, doter, pensionner. Cela satisfait sa bienveillance naturelle toujours expansive, toujours alerte mais aussi son désir de laisser sa marque autour d'elle. Car chez elle, la générosité prend des allures de ministère et d'apostolat. Voyons comment elle se distribue.

En premier lieu, et depuis longtemps, Joséphine aide sa parentèle et ses amis. Rien que de très normal, c'est ne pas le faire qui serait ressenti par son ancienne caste comme malséant. Et il vrai que sa parentèle bénéficie de sa protection et que, plus Joséphine est devenue influente, plus cette protection s'est étendue et accentuée. Rien de comparable, toutefois, à l'irrésistible ascension des Bonaparte. Son oncle Robert-Marguerite peut, grâce à elle, finir ses jours à Paris, dans l'hôtel de la rue de la Victoire, il a reçu la Légion d'honneur – rien d'extravagant à cela, il avait, en son temps, bien servi son pays – et lorsqu'il meurt en 1806, Joséphine le fait enterrer dans l'église de Rueil où elle lui commande un tombeau, n'ignorant peut-être pas qu'un jour elle le rejoindra dans ces mêmes lieux. Des nombreux enfants Tascher, elle prend en charge quatre des garçons, qu'elle fait venir auprès d'elle et qui embrassent la carrière des armes : l'aîné repartira, à la mort de son père, pour la Martinique où il reprendra sa place dans la Colonie en se mariant avec une Soudon de Rivecourt, des trois autres, deux feront un brillant mariage, Henri, dit l'Amour, épousant Marcelle Clary, nièce de Julie Bonaparte, particulièrement bien dotée, Louis, dit Fanfan, épousant la nièce et héritière du prince de Dalberg, Prince-primat et grand ami de Joséphine, la princesse de la Leyen. Sous le Second Empire, il sera fait sénateur et Grand-maître de la Maison de l'Impératrice Eugénie. Quant au cadet, Sainte-Rose, asthmatique dans son enfance, Joséphine surveille sa scolarité en pension et le place, comme les autres, à l'armée. Et nous nous souvenons que la fille de Robert-Marguerite, Stéphanie, a été somptueusement mariée par Napoléon au prince d'Arenberg. Il n'a tenu qu'à elle que son mariage échoue et elle refera sa vie, nous l'avons signalé, avec le comte de Chaumont-Quitry.

Joséphine pensionne ses vieilles parentes désargentées, la tante Rosette ou une tante Ursuline à Bordeaux, ce qui est la moindre des choses dans sa situation, mais aussi, elle suit les nouvelles générations et, par exemple, fait élever chez Mme Campan les deux petites Sainte-Catherine d'Audiffredi, Alix, née en 1798, et Joséphine, née en 1806, dont la mère, née Des Vergers de Sannois, sa cousine germaine, a entouré la vieillesse de Mme de la Pagerie. Elle ne saurait oublier les Beauharnais : elle dote une fille illégitime d'Alexandre, elle obtient pour sa belle-sœur remariée au « nègre » Castaing, une sinécure dans la Meuse, et le premier mari de celle-ci, l'ex-Constituant, Beauharnais « sans amendement », remarié lui à une chanoinesse allemande – dont il aura une fille, homonyme d'Hortense – représente l'Empire en Étrurie puis à Madrid au moment de l'affaire de Bayonne[1]. Il vivra jusqu'à un très grand âge et Hortense lui demeurera très attachée. La comtesse Fanny, qui mourra en 1813, commence à radoter et aux dires de sa petite-fille, la princesse héréditaire de Bade, Stéphanie, ses lettres deviennent illisibles tant elle y colle de petits morceaux de papier, comme autant de corrections et de repentirs ! Toujours écrivassière… Joséphine la fait pensionner sur la Cassette de l'Empereur : 24 000 francs par an, montant du traitement que reçoit son fils Claude, père de Stéphanie, fait sénateur et comte de l'Empire. N'oublions pas Émilie, mariée à Lavalette et Dame d'atours de sa tante. Si elle n'est pas aussi bien nantie que Stéphanie, elle s'inscrira dans l'Histoire, comme une

---

1. Une maladresse de sa part entraînera sa disgrâce. Il se retirera à la Ferté-Beauharnais. Cf. en annexe, dans la liste récapitulative, à l'article Beauharnais, les bâtards d'Alexandre.

héroïne de l'amour conjugal, se sacrifiant pour sauver son mari du peloton d'exécution, y réussissant mais perdant la raison dans cette tragédie...

L'Impératrice à la retraite n'interrompt en rien ses subventions et son action de bienfaisance. Elle jouissait d'une Cassette à cet effet dont le montant s'accroît de 155 000 francs en 1809 à 200 000 francs l'année de sa mort[1]. Elle répartit ses dons selon trois registres : les « secours », accordés sur pétition, entendons ponctuellement, les « bienfaits », distribués en petites sommes aux pauvres et les « pensions », allant aux infirmes, aux orphelins, aux veuves d'officiers, à ses anciennes connaissances tombées dans la gêne, par la force des choses à des personnes de l'ancienne société ruinées par la Révolution. En un temps où n'existait pas de Sécurité sociale, ces nombreuses bonnes œuvres avaient leur prix ! Sans compter la création de lits dans un certain nombre d'hospices dont Sainte-Périne, où s'éteindra Barras en 1829 : encore une de ces ironies de l'Histoire, dont nous ne pouvons dire qu'elle nous afflige ! L'Impératrice, qui agissait avec l'assentiment de l'Empereur, aimait son rôle de souveraine bienfaitrice. Il se trouve qu'elle méritait par son attention, sa bonne grâce, sa disponibilité au malheur des autres, le surnom de « Dame de bonté ». Il n'était pas usurpé, loin s'en faut ! Comme plus tard sa fille Hortense, en exil, vendant la grande parure de saphirs de sa mère à la duchesse d'Orléans, future reine Marie-Amélie, dont le mari, le futur Louis-Philippe l'achète en disant : « Souvenons-nous que nous avons été malheureux ! », Joséphine n'oubliait jamais, malgré ses superbes collections, ses riches atours et les quatre-vingts personnes de sa suite, qu'en son temps, elle avait été malheureuse...

Un dernier point à mettre au compte de la fidélité du cœur, c'est l'action, discrète mais efficace, des Beauharnais en faveur de la mémoire d'Alexandre. On sait qu'il avait été guillotiné le 5 Thermidor, Barrière du Trône renversé, place de la Nation actuelle, et que son corps, comme ceux de tous

---

1. In *Le Souvenir Napoléonien*, n° 336, juillet 1984, consacré à « L'Impératrice Joséphine » par le docteur Guy Godlewski.

les suppliciés des derniers mois de la Terreur, avait été déposé, de nuit, dans le jardin à l'abandon d'un ancien couvent de Picpus, servant de charnier depuis le 26 prairial an II (14 juin 1794). On dépouillait les corps sanglants et mutilés et on les entassait dans deux grandes fosses, sur quoi on versait de la chaux ou brûlait du genièvre. Des fournées de parlementaires, de gens de Finance, d'aristocrates, les Carmélites de Compiègne, les plus grands noms de France gisaient là, sans sépulture : Noailles, Montmorency-Laval, Rohan, La Rochefoucauld, Sainte-Amaranthe, Beauharnais, mille trois cent six corps... C'est la princesse Amélie de Hohenzollern qui, par piété fraternelle, retrouve le sinistre jardin, l'achète et le fait enclore, dès novembre 1796. En 1802, la marquise de Montagu rentre d'émigration : son grand-oncle, le maréchal duc de Mouchy, sa grand-tante la maréchale, sa grand-mère la maréchale de Noailles, sa mère la duchesse d'Ayen et sa sœur la vicomtesse de Noailles ont été guillotinés – les trois dernières, ensemble – et reposent à Picpus. Avec son autre sœur, Mme de La Fayette – épouse du héros des Deux-Mondes – elle lance une souscription pour acheter le monastère avoisinant. Beaucoup de familles intéressées deviennent copropriétaires du lieu, l'ouvrent sur l'enclos de la princesse Amélie, et ainsi se fonde un cimetière privé à l'usage des parents des guillotinés, jouxtant les fosses de ceux-ci. Dont Eugène de Beauharnais, bien sûr, grâce à la position duquel tout se fait dans la discrétion mais avec l'approbation tacite de Fouché et de Napoléon. L'enclos de Picpus, avec sa chapelle et son cimetière – où les descendants continuent d'être enterrés, comme La Fayette, la bannière étoilée sur sa tombe – vit toujours, lieu de mémoire intensément sobre, émouvant, où sous un gazon anodin qu'ombragent des arbres de haut jet, reposent André Chénier, le prince de Salm ou le vicomte de Beauharnais, inoubliables victimes d'une Terreur inepte. Grâce à Eugène, un service annuel les y célébrait, qui se perpétue aujourd'hui.

* * *

La vie de Joséphine est mue désormais par trois lignes de force, trois composantes majeures de sa personnalité : sa sociabilité brillante, sa bienfaisance active, que nous venons d'évoquer et, bien sûr, l'efficience avec laquelle elle dirige la Malmaison qu'elle ne quittera plus, sauf pour quatre séjours à Navarre et quelques voyages. Mais avant qu'elle ne s'y installe définitivement, à partir du printemps 1810, elle passe le mois de février à l'Élysée et, la perspective du remariage de Napoléon se rapprochant – il aura lieu les 1er et 2 avril –, elle doit s'éloigner de Paris, sa présence dans la capitale en fête n'étant ni souhaitée ni souhaitable. Transition difficile pour elle que ce premier trimestre suivant son divorce... Elle séjournera un mois et demi en Normandie, dans son nouveau fief de Navarre et, enfin seulement, elle retrouvera sa chère Malmaison.

S'ajoute au déplaisir de voyager et de résider à la campagne l'hiver, ce qui n'était pas dans les usages, la contrariété qu'entraîne l'annulation de son mariage religieux. Nous nous souvenons qu'il avait été célébré la veille du Sacre, par le cardinal Fesch et sans témoin. Napoléon, sur les conseils de son oncle, obtient l'annulation de l'Officialité de Paris, puis celle de l'Officialité métropolitaine, les 10 et 11 janvier 1810, sans passer par Rome. Ce qui se conçoit, le Pape étant son prisonnier! Celui-ci se déclare « affligé » d'une annulation qu'il estime non canonique, comme son Sacré Collège. Les cardinaux, présents à Paris pour le mariage impérial, se divisent : treize d'entre eux refusent d'y assister, arguant de la non validité de l'annulation, quatorze autres obtempèrent. Les réfractaires, dits désormais « les cardinaux noirs », seront exilés par Napoléon, ce qui lui fera grand tort et prolongera une situation conflictuelle qui ne peut, à terme, que déboucher sur l'opposition de plus en plus structurée d'une partie non négligeable de l'opinion. De fait, cet acte arbitraire fortifiera la Congrégation, une société secrète très agissante, dont on sait qu'un jour elle gouvernera le royaume à travers son influence sans partage sur Charles X.

On conçoit la contrariété de Joséphine. L'autocratie de Napoléon commence à lui créer tant d'inimitiés que le moment venu, il ne pourra plus retourner la situation à son profit : Joséphine ne sera plus là pour le voir, mais elle l'aura pressenti. Seul le Saint-Père conservera sa mansuétude envers son geôlier, jusqu'à la mort de celui-ci et au-delà. Il est vrai que Pie VII était exceptionnel de bénignité. Ne disait-il pas, parlant de Talleyrand, vénal sans doute mais dont la compétence, le charme et l'esprit étaient incomparables : « M. de Talleyrand! Ah! Ah! Dieu ait son âme, mais moi, je l'aime beaucoup[1]! » Envers un ancien évêque qui avait, au début de la Révolution, bradé les biens du Clergé, qui s'était ensuite marié, sur ordre il est vrai, et qui, comme le dit finement son amie Aimée de Coigny, n'était « devenu si riche que pour avoir toujours vendu ceux qui l'achetaient » (!), reconnaissons que l'indulgence pontificale était inépuisable...

C'est donc le 29 mars 1810 que Joséphine prend le chemin de ce qui ressemble à un exil. Mauvaise surprise que Navarre! Tout sauf un beau château, loin s'en faut! En vérité, il est même inhabitable. Si le domaine est vaste et opulent – il s'agit d'une ancienne possession de la maison de Navarre acquise à la faveur des troubles de la guerre de Cent Ans, par Jeanne de France, comtesse d'Évreux et reine de Navarre, passée à la maison de Bouillon –, le château est délabré, démeublé, et pour comble d'inconfort, d'une humidité insupportable, dans la proximité d'un vallon inondé six mois par an. En plus, il est très laid : démoli en 1834, les gravures nous le représentent comme un bâtiment pataud, construit sur un plan carré – par Hardouin-Mansart, de 1679 à 1686 – et coiffé d'un dôme disproportionné qui l'alourdit encore en l'écrasant. On comprend que les gens du cru l'appellent « la Marmite »! Il est flanqué d'un satellite parfaitement disparate, un petit château édifié en 1749 pour recevoir Louis XV et Mme de Pompadour : ce sera le logement d'Eugène. La demeure principale est mal distribuée autour d'un vaste espace central – sous le dôme –, sur quoi ouvrent quatre vestibules! Le reste à l'avenant... En plus, à la mauvaise saison, il est inhospitalier parce que mal chauffé ou plutôt, inchauf-

1. In *Mémoires de Talleyrand*, Plon, 1982, p. 288.

fable, et sa nouvelle propriétaire y dépensera à cet effet des fortunes, en pure perte. Mal commode, aussi, trop petit pour accueillir une Impératrice-Reine et sa suite, la première fût-elle répudiée et la seconde, succincte…

Mais Joséphine fait contre mauvaise fortune bon cœur comme à l'ordinaire, et avec son réalisme coutumier elle pare au plus pressé : elle fait venir des convois de meubles que s'arrachent ses gens et parvient à établir un semblant d'installation, un semblant de vie normale. Après avoir songé à reconstruire, elle commande les travaux de restauration et d'aménagement. Seul lui plaît le parc, dessiné originellement par Le Nôtre mais qui s'est accru d'un jardin à l'anglaise comme elle les aime, agrémenté de fabriques, de rocailles et de gloriettes. Elle aime aussi la puissante verdure des bois alentour, vigueur régénérante qui fait oublier le ciel équivoque et les chemins détrempés… Mais tout de même, peut-elle ne pas ressentir l'ingratitude de cette relégation, qui commence précisément le jour où la jeune Marie-Louise fait son entrée dans Paris, une entrée digne d'un conte de fées… ?

Ses enfants, requis par les fêtes à la Cour, sont peu là. Hortense est contrainte de repartir une ultime fois pour son triste royaume, auprès de son triste mari, dernière étape d'un long calvaire qui prendra fin bientôt, mais où, pour l'heure, elle risque sa santé et son équilibre… Et Joséphine s'en émeut, d'autant que les mécomptes conjugaux de sa fille s'assortissent de mécomptes politiques : l'Empereur ne cache plus son mécontentement à l'égard de son frère Louis, menant son royaume en dépit du bon sens, prenant fait et cause pour les Hollandais – alors qu'il n'est qu'un préfet couronné – et, surtout, se révélant incapable d'endiguer la contrebande entre les côtes Bataves et l'Angleterre. Essentielle au maintien du Blocus, la Hollande échappe au contrôle napoléonien et l'Empereur a menacé crûment Louis « de la manger », c'est-à-dire de l'occuper militairement et de l'annexer, ce qui ne va pas manquer de se produire, en effet !

Eugène fait des sauts en Normandie, aussi souvent qu'il le peut et réconforte la petite société impériale quelque peu recluse et transie. Un malentendu donne lieu à une reprise de la correspondance entre Napoléon et Joséphine. Le 19 avril, désireuse, les beaux jours venant, de retourner chez elle en Île-de-France, incertaine des dispositions de Napoléon à son endroit – elle lui avait fait passer un message verbal par Eugène –, elle prend sa plus belle plume pour lui écrire et se mettre à ses ordres, entendons lui faire clarifier sa situation. C'est au souverain qu'elle s'adresse, dans un style protocolaire impeccable :

« Sire, je reçois par mon fils l'assurance que Votre Majesté consent à mon retour à Malmaison, et qu'elle veut bien m'accorder les avances que je lui ai demandées pour rendre habitable le château de Navarre. Cette double faveur, Sire, dissipe en grande partie les inquiétudes et même les craintes que le long silence de Votre Majesté m'avaient inspirées. [...] Je ferai sans cesse des vœux pour que Votre Majesté soit heureuse, peut-être même en ferai-je pour la revoir ; mais que Votre Majesté en soit convaincue, je respecterai toujours sa nouvelle situation, je la respecterai en silence, confiante dans les sentiments qu'elle me portait autrefois. Je n'en provoquerai aucune preuve nouvelle, j'attendrai tout de sa justice et de son cœur. »

Et ainsi de suite... Longue supplique dont l'élégante humilité met chacun à sa place : elle se tiendra coite, mais qu'on la laisse revenir chez elle[1].

Ce n'est pas le souverain, c'est le mari qui répond. Aussitôt, et de sa main :

« Mon amie, je reçois ta lettre du 19 avril, elle est d'un mauvais style. Je suis toujours le même, mes pareils ne changent jamais. Je ne sais ce qu'Eugène a pu te dire, je ne t'ai pas écrit parce que tu ne l'as pas fait et que j'ai désiré tout ce qui peut t'être agréable. Je vois avec plaisir que tu ailles à Malmaison et que tu sois contente, mais je le serai de recevoir de tes nouvelles et de te donner des miennes. Je n'en dis pas davantage jusqu'à ce que tu aies comparé cette lettre et la tienne et, après cela, je te laisse juge qui est meilleur et plus ami de toi ou de moi.

Adieu, mon amie, porte-toi bien et sois juste pour toi et pour moi[2]. »

---

1. In *Correspondance, op. cit.*, pp. 255-256.
2. In *Tulard, op. cit.*, Lettre de Compiègne, du 22 avril 1810.

Réponse exultante de Joséphine :

« Mille, mille tendres remerciements de ne m'avoir pas oubliée. Mon fils vient de m'apporter ta lettre. Avec quelle ardeur je l'ai lue, et cependant j'y ai mis bien du temps, car il n'y a pas un mot qui ne m'ait fait pleurer. Mais ces larmes étaient bien douces ! J'ai retrouvé mon cœur tout entier, et tel qu'il sera toujours : il y a des sentiments qui sont la vie même et qui ne peuvent finir qu'avec elle. [...] »

Avouons qu'ils sont touchants ! Leur complicité est intacte. Déjà, en janvier, Napoléon terminait un petit billet à Joséphine par : « tu sais combien je t'aime », il récidivait en février, et cette fois-ci, c'est elle qui conclut sa missive par « je te remercie aussi tendrement que je t'aimerai toujours[1] ».

On mesure à quel point le temps a fait son œuvre, à quel point un couple comme le leur est soudé d'affection, d'attention, d'interaction indissolubles. Que l'un appelle au secours, immédiatement l'autre répond...

Quel oxygène pour Joséphine ! Pour mieux en être pénétrés, sachons qu'à l'époque, dans ce contexte, tout sujet dépendait du bon vouloir du souverain : déplaire, être oublié, être éloigné – « encourir ses quarante lieues », comme on disait – ou être exilé signifiait une perte de son identité sociale. Mme de Staël ou Mme Récamier en sauront quelque chose ! L'ostracisme est tel que l'amitié même se retire et, à force de solitude, on risque la mort. Joséphine ne risque rien. Son souverain la protège et son mari n'a que de bons sentiments à son égard. Elle est ravie. Les fêtes sont passées et jusqu'à la prochaine fois – les couches de la nouvelle Impératrice, dans moins d'un an – elle peut regagner ses pénates. « Les courtisans qui n'avaient pu aller à Navarre, lieu d'exil, revinrent à la Malmaison comme autrefois », constate benoîtement Avrillion. Ce ne sont pas les courtisans qui font le sel de la Malmaison. Joséphine le sait bien... En tout cas, la vraie vie peut reprendre...

---

1. In *Correspondance, op. cit.*, p. 257.

Retrouver Malmaison est une fête. La retrouver au printemps, plus encore. C'est l'époque bénie des jardiniers et des châtelains, l'époque des plus belles floraisons, de l'épanouissement des roseraies, des jolis ciels légers empreints de ces demi-teintes délicatement contrastées qui font le charme de l'Île-de-France, des promenades sous les ombrages ou sur de tranquilles pièces d'eau que troublent à peine les évolutions de volatiles exotiques... Époque où les visiteurs et les hôtes se succèdent, jouissant de l'esprit des lieux quand, à la faveur d'un effet de lumière ou du subtil dialogue entre une harpe et un piano-forte, le long crépuscule parfumé s'anime de vibrations exquises, de sensations rares et choisies, démultipliant le plaisir d'être ensemble...

La demeure est sans cesse améliorée, embellie pour que sa châtelaine s'y sente au mieux. On redécore, on enjolive cet écrin délicieux où tout est à la mesure de l'usage qu'on veut en faire : un lieu d'accueil, de bien-être, d'élégance, que les grands de ce monde, et les autres, ne peuvent découvrir sans en garder un indélébile souvenir. Tous les témoignages, qui sont légion sur cette période, l'attestent, qu'ils soient de bonne foi ou plus ambigus — surtout de la part des dames — teintés d'envie ou d'agacement devant cette réussite : une femme dans son cadre, parfaitement harmonisés l'un à l'autre. Nous avons dit que dès le Consulat, dès son acquisition, Joséphine avait conçu la Malmaison comme son territoire, son pré carré, son personnel chef-d'œuvre toujours perfectible, son Graal, son Éden. L'un de ses regrets, durant sa vie au Palais, c'est qu'elle ne pouvait y séjourner aussi souvent qu'elle l'aurait souhaité : elle continuait d'y ordonner des travaux et des plantations qu'elle souffrait de ne pas mieux accompagner. C'est que Joséphine, fille de sa mère, malgré sa manière douce, mène sa barque d'une main ferme, une main de fer dans un gant de soie. Maîtresse d'habitation aux Îles comme Mme de la Pagerie, elle n'eût pas agi autrement qu'elle le fait aujourd'hui, faste en moins, cela va sans dire. Car elle gère tout un monde, humain, animal, végétal, artistique, et elle le gère avec sûreté, faisant preuve d'un esprit de suite intangible. Elle sait ce qu'elle veut et révèle autant de ténacité que d'habileté pour l'obtenir. En quinze années, elle a réussi à faire de ce qui n'était au départ qu'un modeste château en piètre état, assorti d'une soixantaine d'hectares et de quelques vignes, un vaste domaine, célèbre dans l'Europe entière pour son luxe raffiné et ses collections, un domaine de 726 hectares dont une centaine pour le seul parc enclos. Acte de volonté, de persévérance, miracle de goût, de sagacité, que cette aptitude à bonifier et embellir, à rendre éclatant, unique, un terrain originel quelconque. Comme sa personne, si on y réfléchit... Magicienne inlassable, experte Joséphine... Comment s'y est-elle prise ?

Patiemment, depuis Brumaire, elle a acquis – grâce à Napoléon qui payait, ne l'oublions pas, et soutenait ses efforts – des terres, des bois, jusqu'au petit château voisin de Bois-Préau qu'elle n'a pu acheter qu'en 1810, repoussant toujours les limites de son territoire vers Rueil, Buzenval, Saint-Cucufa ou La Jonchère. Patiemment, elle a fait dégager les perspectives qui semblaient l'étendre encore : en couronnait l'horizon, l'aqueduc de Marly, par exemple, dont elle disait qu'il « était une galanterie que lui avait faite Louis XIV » ! Art du trompe-l'œil, ou plutôt, gestion adroite du terrain, de son relief, de sa valeur paysagère.

Car le plus dur n'a pas été le réaménagement de la maison, mais la création du parc. Dès le début, elle s'est heurtée à l'architecte Fontaine qui, on s'en souvient, restaurait le château, parce qu'il ne comprenait pas ce qu'elle souhaitait : un parc à l'anglaise, aux allées sinueuses, aux rivières serpentantes parmi les gazons, aux vues savamment orchestrées, aux ponctuations significatives et convenues : fabriques, kiosques, grottes et rocailles, petits temples, petits ponts, petites îles artificielles, cet arsenal de « niaiseries » que persiflait le néoclassique Fontaine. Elle se séparera de lui, en essaiera un autre, un Lyonnais dénommé Morel, qui lui construira une laiterie, une vacherie et une maison du pâtre, le tout au bord de l'étang de Saint-Cucufa, à l'extrême sud de la propriété, ainsi qu'un châlet suisse (on ne sait pas très bien où), bref, un modèle réduit du Hameau de Trianon, si prisé des femmes de sa génération : Joséphine vantera le beurre de Malmaison et la crème dont elle n'aura jamais manqué d'agrémenter ses déjeuners du matin! Elle se séparera de Morel, âgé et d'un caractère difficile, pour engager Berthault, en 1805, qui, enfin, s'adaptera aux données de base : le goût de la propriétaire, d'une part, les contraintes et les ressources du terrain d'autre part. Comme tout a disparu à la mort de Joséphine, force nous est de nous reporter aux aquarelles de l'époque, celles de Garneray entre autres, pour reconstituer son paradis végétal. Une authentique merveille! Car elle a réussi à créer une triple œuvre d'art : un jardin expérimental, un jardin de prestige et un jardin d'agrément.

Cependant que le parc s'agrandit et prend forme, cependant que s'édifie la grande serre chaude qui deviendra l'une des attractions du domaine, que se distribuent les bâtiments spécialisés, orangerie, bergerie, faisanderie, ménagerie, et que, peu à peu, naissent temples, fabriques, ponts et fontaine, agrémentant le plaisir de la promenade, Joséphine constitue son jardin botanique. Ce jardin expérimental reflète deux des particularités de sa propriétaire : d'une part, son goût pour la nature tropicale dans laquelle elle a grandi, nature exubérante et généreuse dont elle aime la vitalité, la liberté, et qu'elle essaie d'acclimater sous le ciel tempéré de l'Île-de-France ; d'autre part, son sens des sciences naturelles, des expérimentations et des techniques, sens très développé chez les femmes de sa génération et de son milieu, que l'esprit des Lumières porte plus généralement au réalisme qu'à la spéculation intellectuelle ou à la rêverie sentimentale.

Cette inclination pour la botanique, Joséphine ne cesse toute sa vie de l'approfondir, de l'étayer de lectures et d'études, de la mettre en pratique inlassablement, malgré les échecs et les accidents inévitables en un temps où les voyages sont lents et les recours technologiques balbutiants. Mais le soin et l'observation patiente y suppléent... Moins en femme savante qu'en vrai connaisseur, Joséphine peut dialoguer avec les spécialistes du Jardin des Plantes et du Muséum, encourant leur estime quand ce n'est leur admiration. Elle sait aussi s'entourer. Et, compte tenu de sa position d'épouse du chef de l'État, qu'elle ne se prive pas de faire valoir quand il le faut, elle met à contribution les meilleurs botanistes de son temps. Successivement, travailleront pour elle Brisseau de Mirbel, son Intendant des jardins durant trois ans, Ventenat, de l'Institut qui laissera une description du « Jardin de la Malmaison » (1803-1805), Bonpland, un ami d'Alexandre de Humboldt avec lequel il était allé visiter les « régions équi-noxiales », qui continuera le travail de Ventenat dans sa « Description des plantes rares que l'on cultive à Navarre et à Malmaison » (1812-1817), travail que complètera, enfin, l'aquarelliste Redouté, dont les albums les plus célèbres demeurent « Les Liliacées » (1802-1816) comprenant 486 planches, et ses « Roses », édité de 1817 à 1821, dans la mouvance du mécénat exercé à son endroit par Joséphine.

Dès 1799, Joséphine a commencé ses collections de plantes et d'arbustes exotiques : elle requiert du futur duc de Dantzig, le général Lefebvre, quelques-uns des magnolias de son jardin. Elle demande instamment à Mme de la Pagerie de lui envoyer « arbres et graines » de la Martinique, « de toutes les espèces possibles, même celles qui viennent dans les bois »... Elle entreprend une correspondance avec les pépi-niéristes anglais Lee et Kennedy, établis à Hammersmith, près de Londres qui, pendant des années, seront ses fournisseurs. Son intérêt est si fort qu'elle n'hésite pas à recourir aux représentants du gouvernement lorsqu'ils sont nommés dans des régions qui l'intéressent : l'Amérique septentrionale – parce que le climat présente des similitudes avec celui de l'Europe –, l'Angleterre, le Levant ou la Provence. À Brune, futur maréchal d'Empire, ambassadeur à Constantinople, elle demande « des cerises de Cerasontes, des glands du chêne Velani et des noisettes de Constantinople[1] ». Elle suit de près les expéditions dans les terres australes, comme l'expédition Baudin (1800-1803), dont elle sera l'une des bénéficiaires au retour de celle-ci.

---

1. In *Correspondance, op. cit.*, Lettres au comte Otto, au citoyen Cazeaux, au préfet Thibaudeau, à Roederer, à Brune, à Soult (frère du maréchal), à Lee et Kennedy...

En véritable fervente, Joséphine pratique l'échange avec ses confrères. Elle collectionne dans un but précis, qu'elle avoue en mars 1804, au préfet Thibaudeau : « Je désire que la Malmaison offre bientôt un modèle de bonne culture et qu'elle devienne une source de richesse pour les départements [...] Je veux que dans dix ans, chaque département possède une collection de plantes précieuses sorties de mes pépinières[1]. » Cette générosité didactique ne peut qu'être appréciée du Consul et de ses concitoyens.

De fait, ce jardin expérimental sera l'un des plus beaux qui puisse se visiter en France et à l'époque qui nous occupe, il sera l'une des plus grandes fiertés de Joséphine, l'une de ses activités les plus absorbantes. Elle sera heureuse de réunir dans sa grande serre chaude (construite par Thibault et Vignon en 1804-1805), monumentale verrière de 50 mètres de long, aménagée en hauteurs successives et agrémentée d'un salon tropical fastueux où se délassent ses hôtes, la plus belle variété de bruyères du Cap, ses pivoines de Chine, ses dalhias à fleurs doubles, ses tangérines ou des amaryllis rouges portant son nom...

Comme aussi la « Joséphinia imperatricis » d'Australie ou la « Lapageria Rosea », une liane andine nommée par deux botanistes espagnols et qui deviendra la fleur nationale du Chili. Sans compter sa collection de roses : plus de 250 espèces ou variétés, dont les plus marquantes sont la « Rouge formidable », la « Belle Hébé », la « Cuisse-de-nymphe-émue », la « Parure des vierges » ou le « Rire niais » (!). On admire son Eucalyptus d'Australie, son Phormium Tenax ou lin de Nouvelle-Zélande, dont elle fera une mode, comme ses magnolias, celui du Yulan ou le magnolia à fleurs pourpres dont elle offrira un specimen aux Chateaubriand pour leur ermitage de la Vallée-aux-Loups. Les cerisiers à fruits noirs de Sainte-Lucie voisinent avec les hêtres pourpres ou les acacias roses, se mêlant aux traditionnels et somptueux platanes, marronniers, charmes, saules et peupliers d'Italie, sans oublier le cèdre planté par elle pour célébrer la victoire de Marengo...

---

1. In *Correspondance*, *op. cit.*, p. 142.

Cette richesse et cette rareté rendent son parc prestigieux. Joséphine fait elle-même les honneurs de sa collection botanique, détaillant chaque nom, chaque provenance, chaque particularité de ses merveilles. Elle les aime, les connaît, les surveille en personne, s'en inquiète si elle doit s'absenter... Bref, elle ne joue pas à la jardinière, elle est une hôtesse hautement férue de sa spécialité. Son goût et ses moyens lui permettent de mettre en valeur ses possessions comme personne au monde : le charme de la grande visite, c'est bien sûr l'élégance avec laquelle est disposé cet environnement. La fontaine de Neptune, le temple de l'Amour, le châlet suisse, la volière à lanternon, les fabriques et les statues qui ponctuent le parc, sont un enchantement pour les yeux et pour l'âme. Jardin de prestige, le parc de la Malmaison mérite sa célébrité et nul n'en est plus fier que Napoléon car, en cela aussi, Joséphine exprime et rehausse le règne.

Quant à l'agrément, il provient de cet aménagement de la nature si harmonieux et si souple malgré son artificialité concertée, tout entier reflet et émanation de sa propriétaire. Ce jardin est celui du multiple plaisir, car c'est un lieu complet. À l'intérêt des collections botaniques, s'ajoute la séduction vivante, mobile des collections zoologiques : la faisanderie regorge de faisans dorés de la Chine et de paons, la ménagerie d'animaux inconnus en Europe, dont la plupart ont été importés d'Afrique, d'Amérique ou d'Australie, comme les fameux cygnes noirs. Ils vivent en liberté, comme les canards de la Caroline, de la Chine ou de Barbarie, comme les gazelles, ou sont parqués à leur aise comme les kangourous ou les zèbres. Sans parler des casoars et des singes...[1] Sans oublier, non plus les mérinos, importés d'Espagne dont le troupeau modèle comprend 403 brebis et 115 béliers en 1807 et s'accroît jusqu'à 2 167 têtes en 1812 ! On conçoit l'étonnement, le ravissement des contemporains de l'Impératrice...

---

[1]. Nous nous référons aux ouvrages de B. Chevallier, *Malmaison, château et domaine, des origines à 1904, op. cit.*, à *Parcs et Jardins sous le Premier Empire* de Marie-Blanche d'Arneville, Tallandier 1981, et au catalogue d'une exposition consacrée à « L'Impératrice Joséphine et les sciences naturelles », au Musée de Malmaison en 1997.

Les collections d'art de la maîtresse des lieux ne sont pas en reste : si elle aime rassembler, elle aime montrer ce qu'elle rassemble et, à cet effet, elle commande à Berthauld une galerie, dans le prolongement de son salon de musique qui, terminée en 1808, accueille peintures, sculptures et objets d'art. Plus tard, elle les répartira entre sa demeure principale et Bois-Préau. Il s'agit là encore d'un très bel ensemble mais plus classique, plus convenu, témoignant du goût de Joséphine qu'elle a fin et précis, certes, mais témoignant surtout des immenses moyens qui sont les siens et des conseils avisés dont elle a su s'entourer. Car si la botanique et la zoologie sont, chez elle, de précoces et authentiques passions étayées sur de vraies connaissances, il est clair que ses collections d'art font partie de son « standing » comme diraient les Anglo-Saxons, nécessaire attribut de son rang, signature de son éminente position. Cela dit, elles n'en ont pas moins d'agrément à ses yeux, car Joséphine aime le beau et sait faire partager cet amour sans quoi elle ne saurait vivre. Il est plus sympathique, toutefois, de la voir transgresser le Blocus, sacro-saint système de son mari, pour acquérir un arbrisseau austral ou un oignon de tulipe inédit, que de suivre ses rafles dans les collections nationales des musées, à son seul usage. Ces musées étant, il est vrai, constitués eux-mêmes du fruit des pillages successifs des armées françaises partout où elles passaient.

Avec la complicité de Vivant Denon ou d'Alexandre Lenoir, et suivant les incitations de Constantin, son expert, Joséphine réunira un bien joli catalogue. Les peintures compteront trois cent soixante articles à sa mort, majoritairement de l'École française contemporaine, appelée aussi « École Troubadour » parce qu'elle illustre de façon anecdotique des événements historiques marquants, empruntés la plupart du temps au Moyen Âge que le pré-Romantisme découvre, ou plutôt, réinvente avec enthousiasme. C'est *Charles VII, écrivant ses adieux à Agnès Sorel, Marie Stuart recevant sa sentence de mort* ou *Valentine de Milan pleurant la mort de son époux*, entre autres vignettes au sentimentalisme un peu facile, dont beaucoup ont échu, après la mort de Joséphine, à Hortense qui les appréciait grandement. À ces peintres mineurs mais en vogue – Fleury-Richard, Coupin de la Couperie ou Bergeret –, il convient d'ajouter quelques grands comme Claude dit le Lorrain dont l'Impératrice arbore cinq beaux tableaux, ou ses *Têtes de Turcs* ou encore ses portraits officiels dus à Gros, Gérard, Isabey ou Prud'hon qui l'a merveilleusement représentée, et flattée, à tel point qu'elle se plaisait à souligner quand elle en faisait les honneurs, que ses œuvres étaient « plus d'un ami que d'un peintre » !

Joséphine possède quatre Rembrandt, quelques Téniers dont *Les Arquebusiers*, deux Poussin, des Van Dyck, un bon choix de peinture italienne, des tableaux de l'École flamande et hollandaise, tableaux de fleurs notamment, sans compter les aquarelles de Redouté qu'elle réserve pour sa chambre à coucher. Dispersée à sa mort, cette collection se répartira entre le musée de l'Ermitage à Saint-Pétersbourg et Arenenberg, le petit château d'Hortense aux bords du lac de Constance où celle-ci vivra en exil. Quelques œuvres reviendront dans leur galerie d'origine, au Musée de Malmaison[1].

La sculpture est essentiellement représentée par Canova, dont Joséphine possède cinq copies et trois œuvres originales, encore mourra-t-elle sans avoir reçu la dernière. Il s'agit des *Trois Grâces*, s'ajoutant à la *Danseuse* et à un *Pâris*. Elle y adjoindra des Bosio et des Chinard, des Chaudet et des Cartellier, tous travaillant pour la famille impériale. Elle y adjoindra surtout une superbe collection d'antiques, provenant, nous l'avons dit, des prises de guerre de son mari, mais aussi de présents. Ce goût pour le marbre et l'albâtre, comme celui des vases grecs, dits alors « étrusques », est très spectaculaire et, là encore, la Malmaison fait les délices de ses visiteurs : les deux cent cinquante vases antiques sont présentés tant dans la Grande Galerie que dans la galerie de la serre chaude. On imagine sans peine le panachage de plaisirs esthétiques offerts à l'hôte, la gamme de sensations délectables

---

1. In Chevallier, *op. cit.*, En 1814, sur 450 œuvres, on dénombre 325 peintures, 125 dessins, miniatures, émaux et tableaux de porcelaine, desquels 130 tableaux de l'École Française, 110 de l'École italienne, 76 de l'École flamande et hollandaise, 8 espagnols et 2 allemands.

qu'il ne pouvait manquer d'éprouver devant tant de beautés végétales et minérales mêlées…

À quoi correspond cette activité de collectionneur ? Instinct de possession, d'accumulation compensant le dénuement des jours difficiles ? Passion jamais assouvie et qui satisfait le sens du beau, comme un éternel ressourcement ? Générosité foncière et didactique de qui s'approprie pour montrer et, par là même, éduquer, donner une impulsion culturelle au moyen d'un mécénat toujours actif ? Canalisation des forces et de l'énergie la plus intime au service d'une œuvre qui, peut-être, ou peut-être pas, vous survivra ? Le jardin a disparu, la ménagerie aussi, les collections ont été dispersées, mais la trace demeure. Celle d'une Joséphine efficiente et admirable en ce sens que là aussi, elle exerça une souveraineté émérite. Que nous sommes loin de « la courtisane la plus richement entretenue » de l'État, comme le voudrait Frédéric Masson, loin de « l'oiseau des Îles » à la cervelle réduite, uniquement occupée de colifichets et de chiffons, comme le veut la compilation malveillante, toujours incapables hélas ! d'appréhender Joséphine dans sa grande dimension. Cet accomplissement du goût et de la féminité triomphante – rien de plus féminin que la Malmaison ! – eut, du moins, pour premier et plus grand admirateur, Napoléon lui-même. Ce qu'on oublie trop souvent et qui réconforte !

* * *

On comprend que, de ce monde enchanté, Joséphine n'ait guère envie de s'extraire. Elle le fait désormais à contrecœur, par nécessité, le temps de quelques séjours aux eaux, voyages ou pauses à Navarre, toujours désireuse de rejoindre l'endroit au monde qu'elle préfère parce qu'il est à son image, en parfaite adéquation avec le plus profond d'elle-même, parce qu'il lui est devenu consubstanciel. Et cependant, à la mi-juin 1810, nous allons la suivre, en Savoie, où elle va prendre ses quartiers d'été, ainsi qu'au long d'un périple à travers un pays qu'elle ne connaît pas, la Suisse.

Le 13 juin, Napoléon lui fait une longue visite. Ils évoquent très sérieusement un problème qu'il leur faut résoudre : la situation d'Hortense. Voici les faits : Hortense, repartie pour la Hollande, souffrait la male mort sous le joug de Louis, de plus en plus sombre et inquisitorial. Elle était en train de mourir de consomption et tous, autour d'elle, à commencer par sa mère, s'inquiétaient de son état. Sa mère a auprès d'elle le plus jeune de ses deux fils, Louis-Napoléon. À la fin du mois de mai, Hortense s'éloigne du Palais royal d'Amsterdam et, sous couvert de sa mauvaise santé, s'en va passer une semaine au château du Loo, dans la campagne d'Apeldoorn. Les médecins la trouvant plus mal, l'encouragent à aller prendre les eaux de Plombières. Le 1er juin, elle est en France. Hors des griffes de Louis, de nouveau sous la juridiction et la protection directe de l'Empereur. Installée dans les Vosges, elle attend de savoir ce qu'on décidera pour elle en haut-lieu.

« Je lui ai parlé de ta position, lui écrit Joséphine, le lendemain de son entrevue avec Napoléon, il m'a écoutée avec intérêt. Il est d'avis que tu ne retournes plus en Hollande, le Roi ne s'étant pas conduit comme il aurait dû le faire ; ta santé et la démarche que tu as faite [retourner en Hollande] étaient un sacrifice [...] L'avis de l'Empereur est donc que tu prennes les eaux le temps nécessaire, qu'ensuite tu écrives à ton mari que l'avis des médecins est que tu habites un climat chaud pendant quelque temps, qu'en conséquence tu vas en Italie près de ton frère. Quant à ton fils, l'Empereur donnera ordre qu'il ne sorte pas de France[1]. » Tous redoutent un éclat de la part de Louis, un éclat qui atteindrait la pauvre Hortense. Il va faire mieux : le 1er juillet, il abdique ! C'est un coup de théâtre inouï, la première des grandes défections de la parentèle de l'Empereur. Louis abandonne la Hollande, ayant nommé Hortense – qui est à Plombières – Régente, laissant derrière lui, sans ressources, son fils aîné qui n'a pas

---

1. Lettre du 14 juin 1810. In *Correspondance, op. cit.*, pp. 262-263.

encore six ans! « Ce nouveau coup de folie » de Louis, selon la formule de Napoléon, change tout. Après avoir pris les eaux de Toeplitz en Bohême, Louis va s'enterrer en Autriche sans plus de cérémonies : sa famille mettra du temps à le retrouver. Quant à Hortense, l'Empereur règle son sort : il l'émancipe, la fait officiellement « Reine Hortense » et envoie Lauriston, son aide de camp, qui a toute la confiance des Beauharnais, rechercher son aîné, Napoléon-Louis, qui sera installé à Saint-Cloud, dans l'ancien Pavillon de Breteuil, réaménagé pour lui et son cadet. Tous sont placés, désormais, sous la coupe bienveillante du souverain. Rassurée, Hortense se repose et se reprend. Elle envisage d'aller, plus avant dans l'été, rejoindre sa mère aux eaux d'Aix-en-Savoie. Elle a près d'elle la spirituelle et très amicale Mme de Souza. Ce qui signifie, en clair, que Flahaut n'est pas loin : de fait, il soigne à Plombières les séquelles d'une blessure reçue pendant la dernière campagne d'Allemagne. Ce qui signifie, aussi, qu'une nouvelle vie commence pour Hortense et que l'aimable Flahaut y jouera un rôle central. Un nouveau couple se fait, avec la bénédiction des deux mères, Joséphine et Mme de Souza, fort satisfaites de se dire que ce lien va guérir Hortense et qu'enfin, la malheureuse jeune femme retrouvera son sourire et sa joie de vivre. À notre avis, elles sont femmes à se féliciter de ce retournement de situation, non tant par attendrissement sentimental – Flahaut est encore très lié à une comtesse Potocka et, de toutes façons, son sentiment pour Hortense ne sera jamais passionné –, que par réalisme. La situation impossible d'Hortense et de Louis s'est enfin dénouée. La crise est finie. Hortense en sort avec les honneurs et la protection napoléonienne. Une présence masculine agréable et attentive est ce qui convient dorénavant à sa vie personnelle. À condition d'être discrets vis-à-vis de la société en général, et de la Cour en particulier, comme tout désormais se passera dans le même entourage, ce qui va faciliter leurs arrangements, Hortense et Flahaut vont pouvoir couler des jours heureux. Ils n'y manqueront pas.

* * *

C'est vraiment l'été de toutes les émotions! Après ce coup de théâtre dans la vie d'Hortense, voici que Joséphine, installée à Aix, étroitement comme toujours, dans la maison Dommanget située près des Thermes, heureuse cependant de découvrir le site charmant d'Aix, la beauté des cimes savoyardes, et les promenades alentour toujours pittoresques et attrayantes, commence à ressentir les effets bénéfiques de ces vacances avant l'heure qu'était le séjour aux eaux. Société réduite – elle est accompagnée de Mme d'Audenarde, d'Annette de Mackau, plus tard de Mme de Rémusat ainsi que de MM. de Turpin et de Pourtalès –, présence discrète, elle voyage sous pseudonyme, vie naturelle dénuée de protocole, mais baignée de grand air et de soins, elle redevient florissante. Ses excursions l'enchantent. Le 26 juillet, on décide de traverser le lac du Bourget pour aller visiter l'abbaye de Hautecombe, ancienne nécropole des ducs et des rois de Savoie, dont les ruines gothiques surplombant le lac sont particulièrement attirantes. Une vaste grange batelière, vestige cistercien intact – il l'est toujours – accueille les touristes au débarcadère. De là ils se rendent à la fontaine intermittente, autre attraction du lieu. Journée délicieuse. Mais au retour, comme c'est souvent le cas sur les lacs de montagne, une tempête se lève soudain. Joséphine garde son sang-froid et fait immédiatement décrocher la toile placée à l'arrière de l'embarcation, destinée à protéger sa petite suite du soleil. Affolement sur la rive proche, où les habitants d'Aix assistent à la scène : la barque en détresse, Mlle de Mackau recommandant son âme à Dieu, Mme de Rémusat ayant une attaque de nerfs, Lancelot de Turpin et Fritz de Pourtalès, les seuls qui sachent nager, tenant chacun une main de l'Impératrice, prêts à se jeter à l'eau et à la maintenir fermement jusqu'à la berge… Tout finira bien et l'on abordera sans plus de dommages, rejoignant les Aixois désolés et attendris. Napoléon aura un commentaire parfait : « J'ai vu avec peine le danger que tu as couru, écrira-t-il à Joséphine. Pour une habitante d'au-delà de l'Océan, mourir dans un lac, c'eût été fatalité! »

Il n'était pas en peine lui-même d'émotions fortes : un horrible drame venait d'endeuiller Paris. Lors d'un bal à l'ambassade d'Autriche, le 1er juillet, auquel le prince de Schwarzenberg avait convié deux mille personnes en plus de la Cour et des souverains, la salle de bal et la galerie construite pour l'occasion dans le jardin avaient pris feu. Panique sans nom! Jeunes femmes endiamantées et couronnées de fleurs s'enfuyant de tous côtés, hurlements des brûlés, évacuation difficultueuse des blessés chez Mme de Regnault de Saint-Jean d'Angely, voisine immédiate, recherches éperdues de ceux qui étaient séparés, fumées étouffantes dans la nuit... Après avoir mis Marie-Louise à l'abri, Napoléon était revenu sur place pour diriger les opérations et aider aux secours, aux côtés du malheureux hôte, dont la belle-sœur, la princesse de Schwarzenberg, avait péri. Ainsi que la princesse de la Leyen, mère de la jeune femme du cousin Tascher de Joséphine. Sans compter les autres victimes et les nombreux blessés qui allaient mourir dans d'intolérables souffrances. À Aix, ç'avait été la consternation. Mme de Rémusat, sans nouvelles de sa sœur, Mme de Nansouty, présente au bal, sortie indemne du sinistre, avait vécu dans les affres...

Joséphine coule les jours paisibles d'août, en compagnie de sa fille qui occupe la délicieuse maison Chevalley, la plus belle d'Aix, située sur la hauteur et jouissant d'une vue superbe sur la Dent du Chat et le lac en contrebas... Flahaut a rejoint la petite société qui s'adonne aux joies habituelles de l'endroit : matinées paresseuses et soins aux thermes, longues promenades autour du lac, voire jusqu'à Chambéry, soirées douces à la fraîche, sous la tonnelle du jardin devenue salon de verdure. On y commente les nouvelles, on y fait des lectures à haute voix, des parties musicales. Hortense compose de délicieuses romances, Flahaut a une très belle voix. Joséphine s'adonne à ses patiences ou joue au tric-trac... Y a-t-il un billard? Toutes ces dames y excellent et s'y détendent en sortant de table. Dîners sans apprêt mais empreints de bonne humeur, de convivialité intelligente. À la mi-juillet, Joséphine a fait un saut à Genève, pour embrasser Eugène et Auguste qui s'y sont arrêtés sur la route du retour en Lombardie. Elle y reverra bientôt Eugène. Ira-t-elle les rejoindre à Milan, comme ils le souhaitent? Découvrira-t-elle ses deux petites filles? Elle y songe... Elle sait à n'en pas douter que la nouvelle Impératrice est grosse. Elle était bien informée, comme toujours, puisqu'elle mentionnait dans une de ses lettres antérieures « un retard de six jours » (!) chez Marie-Louise, induisant la promesse d'un état intéressant... Ce qui veut dire, si elle calcule bien, qu'elle devra s'éloigner de Paris en fin d'hiver prochain. Alors, quoi décider? Voyager, comme elle en a envie, à travers les Alpes suisses, descendre ensuite s'établir auprès de son fils, à Milan? Sa suite n'y tient pas du tout : ce serait un exil abominable, une séparation intolérable pour ceux et celles dont les conjoints ne pourraient suivre... Aller à Navarre? L'été s'avance et elle hésite. Elle séjourne de nouveau au Sécheron, aux portes de Genève, sur les bords de ce Léman qui lui plaît tant qu'elle aimerait y acquérir une propriété – ce sera Prégny-la-Tour –, et elle est ravie de s'établir à l'hôtel d'Angleterre, chez les Dejean – un point de chute obligé du grand Tour européen, comme l'hôtel de l'Europe, place Bellecour, à Lyon –, d'où elle rayonnera pour accomplir une série de « courses », comme on disait, d'excursions périphériques.

Durant tout le mois de septembre, elle visitera Chamouny (Chamonix), montera à la Mer de Glace, dont la vogue s'établissait : deux célébrités du temps, Mme Récamier et Mme de Staël, la Belle des Belles et la baronne des baronnes, l'y avaient précédée, au prix de coups de soleil sur les bras... Joséphine sera plus prudente. Elle est escortée d'une caravane de quatre-vingts personnes, guides compris, et l'excursion sera fort réussie, malgré une descente par le Montenvers longue et éprouvante. Elle se rendra à Neufchâtel, dans le fief familial de son écuyer Frédéric de Pourtalès, puis au Saut du Doubs, puis à Berne où elle séjournera une semaine, poussant jusqu'à Interlaken, passant une journée sur la Jungfrau, qu'elle trouvera si jolie qu'elle y enverra la bonne Avrillion : celle-ci s'était sacrifiée pour soigner le petit chien favori de l'Impératrice, Askim – qui mourra bientôt –, et Joséphine, pour la récompenser, mettra à sa disposition une voiture et une escorte...

Joséphine ne manquera pas de parcourir les bords du Léman, de Thonon à Évian sur la rive sud, de Montreux à Lausanne sur la rive nord, en visitant au passage les châteaux très spectaculaires de Chillon et de Vufflens – en arrière de Morges – où la conversation du propriétaire, bon botaniste, la retiendra plus que les chauves-souris hantant la vieille tour haute de 50 mètres, construite disait-on par la reine Berthe, dont le fantôme revenait régulièrement. Nous empruntons, bien entendu, ces détails à Mlle Avrillion qui, ayant résidé à Vufflens dans sa jeunesse, avait eu à cœur d'y amener son Impératrice. Celle-ci en aura été enchantée, semble-t-il. Et fort loquace, ce qui ne fut pas le cas pendant son arrêt à Lausanne, Mme de Staël ayant désiré lui être présentée, ce que Joséphine s'était bien gardée d'accepter. « Dans le premier ouvrage qu'elle publiera, elle ne manquerait pas de rapporter notre entretien, et Dieu sait combien elle me ferait dire de choses auxquelles je n'ai jamais pensé », explique-t-elle à Mlle Avrillion[1]. Bien lui en prit : c'était le moment où l'Empereur allait jeter au feu les épreuves de *De l'Allemagne* et vouer aux gémonies, en la reléguant dans son lointain Coppet, la turbulente femme de lettres…

Les longues marches, le grand air, le divertissement qu'apporte la découverte de paysages, de sites et de mœurs nouveaux rendent Joséphine, aux dires de Mme de Rémusat, « belle et grasse ». Nul doute que les eaux d'Aix et les randonnées helvétiques ne lui aient réussi… Néanmoins l'arrière-saison approchant, il lui faut prendre une décision sur le lieu où elle ira s'établir pendant l'hiver. Le 14 septembre, l'Empereur lui a fait part de la grossesse de l'Impératrice Marie-Louise. C'est donc à lui qu'elle s'adresse, le 27 septembre, lui demandant ce qu'elle doit faire. Le ton qu'elle adopte est si naturel qu'il nous offre un parfait condensé de la teneur de leur relation :

« […] Plus j'approche de l'époque que j'avais fixée pour le terme de mon voyage, plus je suis incertaine de ce que je dois

---

1. In *Mémoires, op. cit.,* pp. 254 et suiv.

faire. Bonaparte, tu m'as promis de ne pas m'abandonner. Voici une circonstance où j'ai bien besoin de tes conseils. Je n'ai que toi dans le monde, tu es mon seul ami, parle-moi donc franchement. Puis-je retourner à Paris, ou dois-je rester ici ? Sûrement, j'aimerais mieux me rapprocher de toi, surtout si j'avais l'espérance de te voir. Mais si cette espérance ne m'est pas permise, quel serait mon rôle tout cet hiver ? »

Elle s'explique longuement sur les différentes possibilités et conclut :

« Décide donc ce que je dois faire et, si tu ne peux pas m'écrire, charge la Reine [Hortense] de me faire connaître tes intentions. Ah ! je t'en conjure, ne refuse pas de me guider. Conseille ta pauvre Joséphine ; ce sera une preuve d'amitié et tu la consoleras de tous ses sacrifices[1]. »

Peut-on être plus charmante, plus habile, plus pleinement égale à soi-même ? Évidemment, Napoléon lui laissera le choix entre Milan et Navarre, pour l'hiver, « après cela, ajoute-t-il, j'approuve tout ce que tu feras, car je ne te veux gêner en rien[2] ». La perspective d'aller à Milan affole tellement son entourage que Joséphine en tient compte. Elle est courageuse : elle choisit Navarre.

* * *

Mlle Avrillion nous renseigne sur la façon dont la Maison de Joséphine accueille cette décision : « Aussitôt que Sa Majesté nous eut fait savoir la nouvelle dont le courrier était porteur, qu'enfin nous allions revenir en France, ce fut dans toute la Maison une joie, un délire dont rien ne saurait donner une idée ; sans exagération, nous étions comme des fous[3]. » Mieux vaut aller se geler, en société réduite, en Normandie – à portée du courrier, des visites, des échos parisiens – qu'au sein d'une Cour raffinée, confortable et hautement amicale, mais en terre étrangère ! Ils sont ainsi...

---

1. In *Correspondance, op. cit.*, pp. 274-275.
2. In Tulard, *op. cit.*, p. 390.
3. In *Mémoires, op. cit.*, p. 263.

Les quatre mois qu'ils passent à Navarre – du 23 novembre 1810 au 1er avril 1811 – s'avèrent, contre toute attente, agréables parce que paisibles et harmonieux. Si le domaine ressemble encore à un chantier envahi par les corps de métiers, à tel point que Joséphine fera demander par Hortense à l'Empereur qu'il lui nomme une sorte de surveillant-maître d'œuvre pour diriger les ouvriers, le château est meublé, et l'Impératrice, qui est frileuse, s'efforce de le faire chauffer convenablement. Comme on s'attendait au pire, à cause de l'humidité, on est heureusement surpris, quand le ciel s'éclaire, que paraît un rayon de soleil, de la beauté des prairies et de leur verdure, même en hiver. Mme de Rémusat qui prendra son service à cheval sur les mois de janvier et de février, témoignera dans les lettres qu'elle écrira à son mari, de ce que les lilas et les jacinthes embaument sous ses fenêtres ouvertes!

Mais ce qui rend ce séjour aimable, c'est la régularité de la vie autour de l'Impératrice et la cohésion de la petite société qui l'accompagne. Elle a pris ses précautions : en plus des membres présents de son Service – Mmes d'Arberg et d'Audenarde, les Vieilcastel, MM. de Monaco, de Turpin, de Pourtalès, ainsi que Deschamps, admis au salon et Bonpland, elle a fait venir auprès d'elle plusieurs jeunes filles musiciennes comme elle les aime : deux petites Castellane désargentées, sortant de chez Mme Campan – désormais, surintendante d'Ecouen –, une demoiselle Ducrest, et sa mère, qu'elle a connues en Suisse – qui laissera des Mémoires peu véridiques – ainsi que Mlle Deslieux, autre musicienne confirmée, sans oublier Annette de Mackau. À quoi se joignent de nombreux visiteurs, dont Stéphanie de Tascher princesse d'Arenberg, le cardinal Caprara, Hortense quand elle le peut et, plus tard, Eugène.

La vie de société commence avec le déjeuner du matin, à onze heures, et la matinée se prolonge jusqu'à quatre heures. Chacun est libre alors jusqu'au dîner – toujours d'apparat – peu après six heures, puis on passe au salon pour le reste de la soirée. « On dessine et l'on travaille (ouvrages de dames) le matin, pendant la lecture ; on se visite après, jusqu'au dîner, ou bien on vient t'écrire dans sa chambre, comme je le fais. À six heures, on se sépare, car il faut toujours un peu de toilette; le soir, on joue et on fait de la musique »… Mme de Rémusat relatant ces journées, dont la douceur ritualisée est plus d'un couvent que d'une Cour, se félicite de ce rythme équilibré et bienfaisant : « Le temps passe ici d'une singulière manière; on est toujours ensemble, on ne fait pas grand-chose, on ne cause guère, et pourtant on ne s'ennuie pas… » Elle remarque que « l'Impératrice est fort bien entourée; la société est douce et bonne comme elle, et la ville d'Évreux n'est pas sans ressources… » De fait, Clari a jeté son dévolu sur l'évêque, M. Bourlier, aussi lié qu'elle à Talleyrand, à tel point qu'il descend chez lui lorsqu'il vient à Paris. « C'est un homme de quatre-vingts ans, aimable, gai, fort instruit et qui cause de tout[1]. » Tout pour lui plaire! Elle aime, pendant le jeu du soir, faire avec lui « une bonne petite conversation », car elle est couche-tôt, à l'inverse de Joséphine, et celle-ci, à Navarre, lui laisse la bride sur le cou : Mme de Rémusat peut, sans inconvénient, se retirer de bonne heure. Service et protocole sont assouplis, comme on le voit, et chacun y gagne en confort.

L'Impératrice fortifie sa santé grâce à ses longues promenades à pied. Mais comme la pluie rend souvent les chemins impraticables, elle décide d'imposer le port des sabots! Et voilà la compagnie féminine, en sabots, ce qui amuse grandement notre Mlle Avrillion… Une Cour en sabots! Où avait-on vu cela? Joséphine a raison, réaliste comme toujours, efficace avant tout…

Puis viennent les grands froids, réjouissant la jeunesse qui patine sur les étangs gelés. Les dames se font pousser dans des fauteuils par les messieurs, et voici la luge réinventée sur la glace de la pièce d'eau du château! Pour ajouter à ces parties de plaisir, l'Impératrice a même fait venir l'un des traineaux de Malmaison. La malheureuse Mlle Avrillion qui est grande, forte et assez pleutre, se laisse convaincre, après moult atermoiement, de goûter à ces délices : Fritz de Pourtalès et

---

1. In *Lettres, op. cit.*, II, pp. 393 à 405.

Lancelot de Turpin l'arriment à un fauteuil et lui font traverser le bassin « à une vitesse vertigineuse ». Au retour, pour éviter une collision avec le traîneau des Dames du Service, ils la dévient, toujours à grande vitesse, vers « un chemin qui n'était pas frayé »… Bilan : une double fracture ouverte à la jambe gauche aggravée d'une luxation! Hauts cris de la demoiselle, qu'on escorte, dans le même engin de malheur, jusqu'au château. Alertée, la bonne Joséphine ne sait que faire pour adoucir le sort de sa femme de chambre : la fracture est réduite par le docteur Horau, assisté de Turpin et de Bonpland – un botaniste qui avait étudié la chirurgie! – le tout sans anesthésie, mais avec succès. La pauvre Avrillion, qui a beaucoup souffert, est maintenant reléguée dans sa chambre, souffrance morale encore plus intolérable! Joséphine lui rend visite chaque jour, lui envoie des douceurs, se procure une invention récente, un lit mécanique articulé qui permettra plus de confort et des soins plus faciles à l'accidentée, et autorise la présence d'une parente lui tenant compagnie. Elle la fera revenir à la Malmaison, au printemps, dans un landeau doux et bien suspendu, conduit à la Daumont, avec toutes les précautions voulues pour éviter les chocs. Elle l'établira à Bois-Préau, pour qu'Avrillion soit installée au rez-de-chaussée, comme le stipulait Horau. Bref, nous avons là, à la faveur de cet accident domestique, un aperçu de la manière de Joséphine envers ses gens. Le plus joli, c'est qu'Avrillion – qui adore sa maîtresse, il est vrai – constate que la présence de celle-ci, dans les premiers moments qui suivirent la blessure, suspendait la douleur, « comme s'il y avait, dit-elle, dans la bonté un magnétisme capable d'amortir les souffrances les plus aiguës[1] ».

Mutatis mutandis, Napoléon en savait quelque chose…

* * *

Même si son séjour est discret, car Joséphine, toujours circonspecte, sait qu'une trop grande popularité déplairait à l'Empereur, elle ne peut échapper à quelques festivités locales

---

1. In *Mémoires, op. cit.*, p. 267.

auxquelles on lui sait gré de participer. Trois réjouissances publiques, au moins, marqueront cet hiver à Navarre : un dîner donné à Évreux par le préfet de l'Eure, M. de Chambaudoin, lors du Carnaval, auquel l'Impératrice est conviée. Deux cent cinquante personnes sont invitées dans les salons de la Préfecture. Joséphine attelle à huit chevaux, elle est reçue avec les honneurs militaires et préside la soirée, qui se prolongera par un bal. En retour, le Lundi gras, elle recevra une centaine de notables : « On a dansé dans le salon et soupé dans la rotonde, écrit-elle à sa fille, et pour une très petite ville la réunion était assez brillante. » Le 19 mars, jour de la Saint-Joseph, sa fête, une délégation de demoiselles d'Évreux vient la féliciter : un beau déjeuner réunit la compagnie, la ville et les villages alentour illuminent en son honneur. Remarquons que c'était renouer avec les usages de l'Ancien Régime, où la fête du châtelain ou de la châtelaine était une journée chômée, journée de liesse assortie de spectacles, de compliments rimés, de petits présents, de déjeuner et bal champêtres réunissant toute la communauté villageoise… Enfin, la nouvelle de la naissance du Roi de Rome – survenue le 20 mars – est saluée par une nouvelle fête : un bal magnifique est donné par la première Impératrice pour complimenter la seconde. Navarre est en beauté car Joséphine, faisant bien les choses, entend ressusciter pour l'occasion le faste des Tuileries. Un parquet est spécialement installé dans la salle à danser, l'Impératrice reçoit en habit de Cour lamé argent et en diadème, flanquée de sa Maison honorifique, elle fait le tour des salons, elle préside l'une des tables de trente couverts réservées aux dames pour le souper qui suit, Mme d'Arberg et Mme de Ségur présidant les autres. Sera servi un second souper pour les messieurs. On ne se séparera qu'à l'aube, comme il se doit pour tout bal digne de ce nom… À l'image de la joie sincère de Joséphine, tous les témoins l'attestent, à l'image de son élégance morale, l'événement si marquant, si désiré par Napoléon, l'événement en vue duquel elle a quitté son trône, est, par elle, célébré hautement. Elle entend signifier que pour elle aussi, il est chargé de plénitude et d'espérance. Solidaire du règne, et maintenant, de la dynastie…

Eugène n'a pas manqué de venir animer la société de Navarre et lui insuffler un peu de la gaieté débridée qu'il sait entretenir partout où il passe. Ce ne sont que charades, divertissements, petits concerts, parties de plaisir... L'Empereur, dans sa lettre à Joséphine la remerciant de ses compliments, commente la naissance en ces termes : « Mon fils est gros et très bien portant. J'espère qu'il viendra à bien. Il a ma poitrine, ma bouche et mes yeux. J'espère qu'il remplira sa destinée[1]. » Il ajoute être très content d'Eugène... Sur cette bonne lancée, Joséphine peut quitter Navarre en toute bonne conscience et retrouver sa chère Malmaison. « Ce fut avec une joie d'enfant qu'elle revit ses serres, ses fleurs, les jardins qu'elle avait créés, qu'elle aimait avec une sorte de passion, et qui lui rappelaient tant de souvenirs », commente Mlle Avrillion. Mme de Rémusat, plus profonde, note que, dès lors, Joséphine « préfère ses goûts à ses souvenirs ». Cela nous paraît résumer parfaitement sa situation.

* * *

La vie reprend dans la grâce du printemps, avec son cortège de plaisirs, de visites et de retrouvailles. Elle durera jusqu'à la mi-juillet, quand l'Impératrice décide de retourner à Navarre où elle restera tout le mois d'août, réceptive à la splendeur végétale qu'elle a entrepris de discipliner et qui déjà, sous sa main, prend forme. Une seule ombre au tableau : elle s'est encore endettée, car Navarre est un gouffre. Napoléon congédiera M. de Monaco, le Premier écuyer, qu'il estime trop dépenser et dont les comptes, au demeurant, sont peu clairs. Il dépêchera à Joséphine le compétent Mollien qui remettra de l'ordre dans ses affaires : en fin d'année, elle se trouvera, de nouveau, au net. Elle essaiera d'être vigilante car elle sait parfaitement dépendre non seulement juridiquement mais économiquement de Napoléon. Dans sa situation, outrepasser certaines limites serait désormais dangereux.

---

1. In Tulard, *op. cit.*, p. 395.

L'automne venant, Joséphine argue de certains malaises dont des bourdonnements d'oreilles, pour ne pas s'acheminer vers Milan où Eugène et Auguste la réclament. Ils ont eu la joie de voir naître leur premier fils, le 9 décembre précédent, naissance dont Auguste s'est relevée avec quelque difficulté. Mais une nouvelle grossesse s'annonce et Joséphine promet de venir, le moment venu, assister aux couches de sa belle-fille, ce qu'elle fera. D'ici-là, elle s'adonne aux joies que seule la Malmaison sait lui prodiguer. Sa vie y est équilibrée, régulière, épanouissante. Les témoins sont unanimes, l'Impératrice Joséphine est en beauté. Elle prend même de l'embonpoint, l'habituel *forty-fatty* des Anglais (l'embonpoint de la quarantaine) et Mlle Avrillion nous confie que, pour la première fois, sa maîtresse lui demande de placer de légères baleines dans ses corsets afin de dissimuler ces nouvelles rondeurs... Très attentive à demeurer élégante, Joséphine ne saurait se laisser aller. Jamais aucun excès chez elle, jamais aucune transgression qui compromette son équilibre. Elle demeure aussi frugale et sobre qu'elle l'a toujours été, quoique sa table soit exquise et ses menus recherchés. Elle dispose d'un excellent glacier qui, sans doute, inventa la célèbre « coupe Malmaison[1] »... La femme de son concierge, Anglaise de naissance, la fournit en fromages de Chester très réussis ainsi qu'en « mouffines », comme dirait Mlle Avrillion, succulents et méconnus des Français. Dans ce domaine comme dans d'autres, le souci de Joséphine est d'atteindre au comble de la qualité et de satisfaire ses nombreux hôtes par la délicatesse, la rareté, le soin de son accueil. Sa grande réputation tient au moins autant à l'art du détail dont elle a le secret qu'à la richesse de son train de maison.

En ces derniers moments paisibles de l'Empire, Joséphine connaît des joies domestiques. Quelques mariages se font

---

1. Un jour, au palais de Buckingham, son chef servit à la reine Mary, grand-mère de l'actuelle souveraine, une « coupe Montreuil » (vanille et pêches). La reine envoya un petit mot pour dire qu'il s'agissait d'une « coupe Malmaison » et non d'une « coupe Montreuil ». Réponse du chef : une « coupe Malmaison » est faite de glace à la vanille et de raisins. De bonne grâce, la reine Mary s'avoua vaincue !

autour d'elle, sous son égide et avec sa tangible protection. En novembre 1811, c'est Fritz de Pourtalès, son écuyer, appartenant à une opulente famille suisse et protestante qui épouse Louise de Castellane dont le vieux nom est la seule richesse : l'Impératrice lui offre une dot de 100 000 francs et son trousseau. En janvier 1812, c'est la charmante Annette de Mackau qu'on marie au général Watier de Saint-Alphonse, protégé de l'Empereur : Joséphine la traite avec la même générosité que Louise de Castellane. En avril, c'est Mlle Avrillion qui convole, ayant rencontré l'âme sœur en la personne d'un veuf, Antoine Florimond Bourgillon : Joséphine lui assigne une pension annuelle, à vie, de 3 000 francs ainsi que 6 000 francs de dot et un trousseau. L'année suivante, ce sera le tour de Lancelot de Turpin, épousant Adèle de Lesparda. Joséphine aime ces jeunes ménages au bonheur desquels elle contribue. Car insensiblement, elle entre dans des habitudes de douairière...

Comme elle entre dans des habitudes de grand-mère. Elle a commencé tôt avec les enfants d'Hortense et, sur ce terrain, elle est inlassable de patience et de ravissement – gâtant inconsidérément ses petits-fils – ses lettres à sa fille en témoignent. Elle fond au moindre mot d'enfant, se montre aussi attentive qu'émerveillée. C'est le futur Napoléon III, le petit « Oui-Oui », qui a sa préférence. Gracieux et subtil, le petit garçon lui ressemble, il est vrai. Il tient son surnom de ce que, toujours, quelles que soient les situations, il acquiesce à tout, d'une petite voix charmante, en disant « Oui, oui ! », car il est facile autant qu'il est vif. Exemple : « Dimanche, on demandait à Oui-Oui à qui je ressemblais, rapporte Joséphine à sa fille, j'attendais qu'il en tourmente tout le monde. Il a regardé tout autour de la table et a répondu que je ressemblais à la plus belle femme de Paris. Cela m'a paru qu'il me voit avec son cœur plus qu'avec ses yeux », conclut-elle joliment[1]... En septembre 1811, cependant qu'Hortense est partie discrètement accoucher, en Suisse, du futur Morny, le fils de Flahaut, le petit-fils de Talleyrand, Joséphine, qui garde ses petits-

_____

1. In *Correspondance, op. cit.*, p. 296.

enfants, avoue qu'elle ne leur refuse que les bonbons, et encore, le fait-elle sur ordre de leur mère! Polichinelles, lanterne magique, jeux et promenades variés, tout lui est bon pour les distraire, les voir heureux et animés... Plus tard, elle fera même venir un éléphant savant qui les amusera grandement mais qui laissera sa pelouse en piteux état! Ou elle leur offrira des petites poules d'or pondant des œufs en argent, joujoux exquis qui devaient l'enchanter autant qu'ils enchantaient les petits princes...

À la fin juillet 1812, alors que le ciel s'assombrit de nouveau, l'Empereur étant reparti en campagne, cette fois vers les lointains confins du Niémen, Joséphine quitte la Malmaison pour la Lombardie, où Auguste se trouve sur le point d'accoucher de son quatrième enfant, seule, car Eugène commande le 4e corps de la Grande Armée, dans le sillage de son prestigieux beau-père. Il s'y couvrira de gloire à la Moskowa, à Maro Iaroslavets, à la Berezina, et surtout pendant la retraite, mais en attendant ces hauts faits d'armes, Joséphine assiste sa belle-fille et se consacre de tout son être aux soins qu'elle lui prodigue. Ils lui sont un puissant dérivatif à son inquiétude pour son fils. La naissance d'une petite Amélie, le 31 juillet, donne lieu à une intense correspondance avec Eugène et Hortense qui, de son côté, se tient auprès de Marie-Louise, à Spa, étant plus à même d'y recevoir des nouvelles fraîches de l'Empereur, de son frère et de Flahaut. La veille de sa délivrance, Auguste a pu dîner avec Joséphine qui, les douleurs commençant, l'a fait se promener en calèche. À minuit, les douleurs se sont intensifiées et à quatre heures, l'enfant est apparue, Joséphine ayant aidé à l'accouchement. Tout s'est déroulé à merveille : « Chère et bonne Auguste, comme elle t'aime! écrit-elle à Eugène, au milieu des plus fortes douleurs, elle ne cessait de t'appeler et de pleurer de ce que tu n'étais pas auprès d'elle. Bien touchée moi-même de ses souffrances, j'ai fait de mon mieux pour la calmer. Enfin, entre quatre et cinq heures, ta fille est venue au monde. Il n'y a pas eu un seul moment de crainte ; tout s'est passé aussi bien qu'on pouvait le désirer. À cinq heures, j'ai été me coucher, fatiguée mais contente et heureuse. » Petit moment de vie familiale pris sur le vif...

Joséphine passe tout le mois d'août à la Villa Bonaparte, la résidence des vice-rois, ne tarissant pas d'éloges sur ses trois autres petits-enfants qu'elle voit pour la première et la dernière fois : Joséphine qui a cinq ans, Eugénie, qui en a quatre et Auguste, âgé de dix-neuf mois, et que sa grand-mère trouve « très fort, très gai et très doux ». Ils sont extrêmement beaux et affectueux. Comme elle l'exprime si simplement : « Tu seras heureux par tes enfants, mon cher Eugène. Tu le mérites : les bons fils doivent être d'heureux pères. »

On conçoit qu'arrivée à Aix-en-Savoie, où elle se propose de prendre quelques bains, sa précédente cure lui ayant bien réussi, avant de finir le mois de septembre et passer une partie d'octobre dans sa nouvelle propriété de Prégny-la-Tour, Joséphine se plaigne d'éprouver « un grand vide » : son cœur s'est empli de tendresse au contact de la petite famille d'Eugène et maintenant qu'elle n'en ressent plus la chaleureuse irradiation, son inquiétude devant les événements apparaît dans sa crudité. C'est une inquiétude de fond. Amplement justifiée.

* * *

Depuis son divorce, Joséphine, comme tout le monde, était consciente de ce que le grand Empire se trouvait au summum de son extension et de son apogée. La puissance du règne couvrait cent trente départements regroupant, outre la France proprement dite, ses conquêtes récentes : le Piémont, Gênes, la Toscane, les États du pape, Genève et le Valais, la Belgique, la rive gauche du Rhin, les Pays-Bas, et les côtes allemandes du Nord. Hambourg, Rome ou Barcelone étaient désormais des préfectures françaises[1]. À quoi s'ajoutaient les états vassaux : le vice-royaume d'Italie, le royaume de Naples, les provinces Illyriennes (Dalmatie, Croatie, Carniole, Carinthie et une

---

1. Hambourg, préfecture des Bouches-de-l'Elbe, comme Rome, préfecture du département de Rome, ou du Tibre et Barcelone, du département du Montserrat. À noter que la Catalogne – d'au-delà des Pyrénées – était divisée en quatre départements : du Ter, préfecture Gérone, du Sègre, comprenant Andorre, préfecture Puigcerda, du Montserrat, préfecture Barcelone, et des Bouches-de-l'Ebre, préfecture Lérida. Ce, à partir du 26 janvier 1812. Occupée, elle n'était pas « annexée » mais administrée et englobée dans l'Empire.

partie du Tyrol), le royaume d'Espagne, la Confédération helvétique et la Confédération du Rhin. Autour de ce bloc, le Danemark demeurait un allié sûr, cependant que la Russie, la Prusse, la Suède et l'Autriche n'offraient qu'une alliance de façade. Ce grand ensemble ne trouvait son illusoire cohésion que dans l'unité des institutions qui lui étaient imposées, système administratif et politique placé sous l'exclusive autorité de l'Empereur. Il s'appuyait sur le développement économique que celui-ci stimulait vigoureusement malgré une évidente récession due aux effets du Blocus. Grand ensemble, certes, trop artificiel et trop nouveau pour être homogène. Moins encore harmonieux.

Le mécontentement grondait sur plusieurs fronts. Il grondait chez les peuples conquis mais non soumis : la résistance nationale en Espagne en était l'exemple le plus flagrant que, néanmoins, Napoléon refusait de considérer dans sa gravité. Si au lieu de s'en aller sur le Niémen, il s'en était allé personnellement combattre Wellesley, le futur duc de Wellington, en Espagne, peut-être l'eût-il, à ce moment, vaincu... Mais l'abcès espagnol l'irritait, l'ennuyait et son tort était de le laisser puruler sans que la médiocre présence de son frère Joseph à Madrid enrayât en quoi que ce fût le danger qu'il représentait. L'Espagne, ce guêpier, était devenu le maillon faible par où l'ennemi anglais s'était introduit sur le continent.

Ce même esprit de résistance nationale s'aguerrissait et se structurait en Italie, où, sous l'égide de leur puissante société secrète, les Carbonari drainaient à eux les forces vives luttant contre l'occupant français. Comme en Prusse, où c'était l'Université de Berlin et l'armée – sous l'influence de Scharnhorst et de Gneisenau – qui prônaient un réveil patriotique, celui-là même que la défunte reine Louise appelait déjà de ses vœux... À quoi s'ajoutait le mécontentement, diffus mais réel, de la Chrétienté : la détention de Pie VII se prolongeant, elle irritait l'opinion et entraînait la défection d'un certain nombre d'évêques se refusant à avaliser cet acte arbitraire.

Ces différents foyers d'opposition étaient relayés auprès des populations par la lourdeur écrasante de l'impôt, notamment les taxes indirectes, car il fallait bien que Paris continue d'emplir « le sac »... Sans parler de la lassitude générale devant le trop fréquent appel de soldats : ces boucheries répétées, saignant les familles, provoquaient désormais des désertions ou des insoumissions dont on parlait peu mais qui se multipliaient. Seule la Noblesse rechignait moins, habituée qu'elle était depuis tant de siècles, à payer, encore et toujours, l'impôt du sang. Mais si, auparavant, elle servait de grand cœur un souverain et son royaume confondus, il commençait à lui apparaître qu'elle ne servirait plus qu'un chef de guerre prestigieux mais peu avare de chair à canon quand il s'agissait de satisfaire sa soif de conquête, sa volonté de puissance et sa vision toute personnelle de sa gloire... Le sacrifice de soi n'en devenait-il pas, dans ces conditions, plus qu'inutile : absurde ?

Au cœur même des centres du pouvoir, l'entourage et la Cour ressentaient un malaise. Depuis le divorce, l'Empereur avait changé. Il devenait autoritaire, cassant, désobligeant même, envers ses plus proches serviteurs. Il semblait ne plus supporter la contradiction, lui dont l'esprit avait été si ouvert et si équitable... Il s'était coupé des meilleurs de ses collaborateurs, Talleyrand et Fouché, qui, quels qu'aient été leurs défauts personnels – le premier, vénal, le second, ténébreux – le servaient avec une altitude et une compétence qu'il ne retrouvera plus et qu'il lui arrivera de regretter. Bref, Napoléon était devenu un autocrate, et comme tel, un homme seul.

Un homme seul, aux puissantes facultés, au puissant charisme toujours, mais sans aucun garde-fou dès lors qu'il n'avait plus autour de lui que des courtisans plats, médiocres, zélés – sa Maison civile – et des maréchaux – sa Maison militaire, pléthorique – ayant perdu de leur valeur et de leur agressivité guerrière à mesure que le faste et la vie facile les amollissaient. Le reste, dans cette Cour guindée et servile, se taisait, prudemment. Car l'absence de liberté personnelle et le carcan policier omniprésent ne laissaient de place qu'à la faveur ou à la disgrâce. Même les princesses redoublaient de prudence : jamais un mot plus haut que l'autre, jamais une lettre librement rédigée si elle n'était portée par un courrier sûr, jamais la moindre initiative qui risquât de déplaire ou simplement d'être mal interprétée en un lieu où s'aiguisaient les rivalités et les rumeurs... Hortense en savait quelque chose, encore que sa bonne nature et sa parfaite éducation lui fussent une protection efficace contre les intrigues et les médisances. Qui plus est, elle entretenait de cordiales relations avec Marie-Louise. Leur tempérament les rapprochant autant que leurs intérêts premiers : l'une et l'autre étant naturelles, affectueuses, occupées de leur progéniture et totalement dénuées de malice. Napoléon en savait gré à sa belle-fille qu'il continuait d'aimer tendrement. Avec la nouvelle Impératrice, il formait un bon ménage parce qu'elle se montrait docile, satisfaite de peu et très dépendante de lui. Et son fils le comblait... Mais nul, désormais, ne partageait plus rien d'essentiel avec lui. Et seul, il devenait la proie de ses démons. Ou mieux dit, de son imagination.

La campagne de Russie en est la meilleure illustration. Quand le Tsar, plus mécontent encore que tout le monde des effets du Blocus, de ne pouvoir annexer la Pologne, de voir Napoléon mettre la main sur le duché d'Oldenbourg, dont le souverain est son oncle, commence à armer, Napoléon en fait autant. Réponse du berger à la bergère ? Il concentre six cent mille hommes et se prépare à une grande campagne. Ce projet lui plaît et l'exalte : le chef de guerre qu'il est intrinsèquement restaurera sa légitimité en remportant, une fois encore, quelques belles, quelques mémorables victoires contre les armées d'Alexandre, l'ami d'un jour devenu « ce Grec du Bas-Empire » qu'il faut abattre, « dernier effort pour arriver au repos », comme il le confie à Hortense... Séduisante perspective, en effet, qui l'absoudra des difficultés sourdes mais tenaces et déplaisantes qui empoisonnent sa félicité.

Car aux différents paramètres que nous avons évoqués et qui expliqueront que ce grand Empire s'effondrera comme un château de cartes parce qu'il était miné de l'intérieur et depuis longtemps, s'ajoutent les mécomptes familiaux de l'Empereur. Les Bonaparte sont loin de lui donner satisfaction. À part Élisa qui administre avec sérieux et compétence son territoire toscan mais avec qui les relations sont aussi orageuses qu'avec les autres, ceux-ci doivent être continuellement surveillés et rappelés à l'ordre. Dieu sait combien d'espoir et de confiance Napoléon avait mis en eux! À qui se fier, sinon à son clan, dont il présumait l'allégeance politique et qu'il confortait en l'enrichissant et en le hissant à la couronne? Louis, le premier, a failli, nous avons vu comment. Joseph est incompétent et sans fermeté, incapable de s'imposer aux Espagnols, non plus qu'aux officiers français, laissant dégénérer une situation malsaine. Murat, à Naples, se montre indiscipliné, animé d'un perpétuel désir de se mettre en avant : n'a-t-il pas tenté l'invasion de la Sicile, sans en référer à Paris? Inconsidéré mais toujours aussi ambitieux… Comme sa femme, qui n'attend qu'une chose, la Régence, tant le pouvoir possède de séduction à ses yeux. Dans moins d'un an, ils concluront avec Vienne un accord secret contre leur frère, beau-frère et protecteur, hors du moindre sens commun, sans parler de l'inélégance foncière de leur geste… Jérôme, à Cassel, ne fait rien d'autre que dilapider, en fêtes et en plaisirs faciles, le bien dont il a la charge… Quant à Pauline, ses désordres personnels en font un scandale permanent, au point que sa santé en est atteinte, et son mari, Borghese, gouverneur général en poste à Turin, qu'elle a délaissé, ne compense en rien cette médiocrité fardée de richesses.

Et Madame Mère, du fond de son hôtel parisien, thésaurise… Pour après. Car son fatalisme séculaire s'effraie de ce que la roue de la Fortune finit toujours par tourner… Cet excès de grandeur et de faste échus aux siens lui semble anormal, et pour tout dire, réversible. « Pourvu que ça dure! » profère-t-elle, dans son antique sagesse. Poser la question, n'est-ce pas déjà, en partie, y répondre? ça ne durera plus très longtemps.

* * *

Les Beauharnais, Joséphine en tête, s'inquiètent, mais ils demeurent confiants. L'Empereur n'a-t-il pas tous les atouts dans son jeu? N'est-il pas invincible dès lors qu'il se mobilise personnellement au service de sa cause? L'entreprise, cette fois encore, n'est-elle pas nécessaire, ne serait-ce qu'à titre disuasif? Contenir, en l'effrayant, l'hégémonique Alexandre, maintenir par la loi du plus fort la puissance territoriale consacrée à Tilsitt, à Erfurt, à Vienne? Ils sont loin d'imaginer que la Russie va s'avérer un piège, si pernicieux qu'il en deviendra mortel. Malheureusement, Napoléon mettra du temps à s'en aviser et s'il en réchappera, sa Grande Armée sera décimée. Au prix de quelles souffrances, de quelle endurance, de quel héroïsme, des quatre cent soixante-deux mille hommes entraînés dans cette aventure, seuls vingt mille à peine repasseront le Niémen, le 13 décembre! Le 4e corps que commande Eugène et qui compte au premier passage, en juin, quarante-six mille hommes, sera réduit de moitié à Vilna, fin juillet, et seuls deux mille hommes en reviendront...

Joséphine attend les nouvelles et, compte tenu de l'immensité des distances, son anxiété s'accroît de ce que celles-ci soient différées. Les femmes sont solidaires dans l'épreuve : avec quelle célérité échange-t-elle ses informations avec celles d'Hortense! Marie-Louise, elle-même, disposant de courriers spéciaux, fait prévenir qui de droit autour d'elle, au reçu de toute nouvelle exclusive, Auguste, par exemple, ce dont Joséphine lui saura gré et la fera remercier par sa fille. Quand elle était sur le trône, elle n'agissait pas autrement. Pendant la première phase, offensive, de la campagne, elle se maintient. À preuve, elle dirige, de loin, les travaux qu'elle a commandés à la Malmaison, notamment la réfection de sa chambre à coucher qui apparaîtra dans la solennité un peu chargée du casimir amaranthe, ou cramoisi, qui la tapisse, le plafond disposé en seize pans coupés agrémentés de broderies d'or, comme son lit, garni de quinze-seize blanc ou ses rideaux de mousseline également brodés de fils d'or. À Milan, elle s'occupe de futures acquisitions de peintures pour sa galerie, provenant tant de la collection de Melzi que de celle de Mme Grimaldi : elle envisage les paiements à compter du printemps 1813... En un mot, elle ne change rien à ses habitudes.

Elle donne l'exemple à sa fille, bouleversée par la mort d'Auguste de Caulaincourt, son Premier écuyer, cadet du duc de Vicence, et dont la mère était sa Dame d'honneur : il a été tué à la Moskowa – où le rôle d'Eugène, prenant plusieurs fois la grande redoute de Borodino, a été déterminant –, et Joséphine enjoint sa fille de ne pas se laisser aller à ses « idées tristes et pénibles. Toute chose t'afflige trop vivement, lui écrit-elle, tu n'as déjà que trop souffert des maux de l'âme ; éloigne-les de toi, et je suis persuadée que ta santé reviendra. La sensibilité est ce qui fait le plus de mal[1] ». Elle a raison, mais la jeune génération n'en est rien moins que convaincue ! Hortense devrait songer, en priorité, à consoler la pauvre Mme de Caulaincourt…

Ceci est révélateur de la psychologie de Joséphine : faire bonne figure quoi qu'il arrive, relever la tête dans l'épreuve, endiguer ses émotions et s'occuper des autres. Sa sérénité est parfaite, lorsque regagnant la Malmaison – qu'elle ne quittera plus pendant longtemps –, fin octobre 1812, elle est avertie du complot qui vient de révulser Paris : le général Malet a fait une tentative de coup d'État, profitant de l'absence de l'Empereur pour annoncer sa mort et s'emparer, avec une poignée de complices, de quelques postes clés. L'imposture a été dévoilée rapidement et Malet passé par les armes. Nous pouvons mesurer, dans la lettre que Joséphine écrit à Eugène, combien ses réflexes politiques sont excellents : « S'il y avait eu le moindre danger pour le roi de Rome et l'Impératrice, je ne sais pas si j'aurais bien fait, mais, très certainement, j'aurais suivi mon premier mouvement : j'aurais été avec ma fille me réunir à eux[2]. » La compilation malveillante, qui lui dénie tout entendement de la situation, se trompe une fois de plus. Quand un pouvoir légal est menacé, ses tenants doivent le rejoindre, le défendre en faisant corps avec lui : quels que soient le régime, le rang ou la fonction dont on est investi. Très judicieusement, Joséphine fait remarquer que cette affaire l'a d'autant plus étonnée que « partout dans [sa] route,

---

1. In *Correspondance, op. cit.*, p. 338.
2. *Ibid.*, p. 340.

[elle] avait vu la plus grande tranquillité[1] » : là encore, réflexe de souveraine qui observe la réaction des populations qu'elle côtoie, cette « tranquillité » se référant à l'absence de mouvements civils ou militaires suspects.

À partir de novembre, les nouvelles sont moins bonnes – encore qu'Eugène soit rassurant dans ses lettres – ou elles sont inexistantes : « Pourquoi Eugène n'écrit-il pas ? J'ai besoin, pour calmer ma tête, de penser que l'Empereur défend d'écrire. La preuve, c'est que personne ne reçoit de lettres[2]. » Si elle savait ! Non seulement Eugène mène la retraite, au prix de privations et de fatigues sans nom – succédant à Murat qui a abandonné l'armée dont il avait le commandement pour retourner à Naples (!) – mais il va être requis par l'Empereur pour en réorganiser les débris, en Allemagne, d'où il ne reviendra que plus d'un an après avoir quitté les siens !

L'Empereur, qui a laissé ses hommes – comme en Égypte, comme plus tard à Waterloo –, s'est empressé de revenir à Paris reprendre en mains les rênes de la politique, ceci compensant cela. Il a assez de lucidité pour avouer : « J'ai fait une grande faute mais j'aurai les moyens de la réparer. » Ces moyens, on les connaît : c'est la réquisition de troupes fraîches et la poursuite de la guerre. Sa Grande Armée est exsangue, ses soldats exténués, ses officiers découragés – Eugène confie à sa sœur qu'il ne voit que des mains, des pieds et des nez gelés autour de lui –, ses populations civiles désireuses de paix – qui signifie travail et prospérité –, les familles, de repos et de consolation... Mais la fuite en avant est inéluctable. La Russie, qui a vaincu en se dérobant – sous Barclay et Bagration –, ou en affrontant ponctuellement – sous Koutousov –, puis qui a laissé agir le climat et la dureté du terrain, veut continuer la guerre. La Prusse s'allie avec elle. Et lorsqu'au printemps 1813, le Tsar envahit la Pologne, les hostilités reprennent. Napoléon emporte deux belles victoires, à Lutzen, sur la Saale et à Bautzen, sur la Spree, victoires coûteuses et incomplètes puisque faute de cavalerie, il ne peut

---

1. In *Correspondance, op. cit.*, p. 340.
2. *Ibid.*, p. 342.

poursuivre les Prussiens. Où cela s'arrêtera-t-il ? Le Congrès de Prague qui entérine la disparition de la Confédération du Rhin, permet à l'Autriche de gagner du temps et de se préparer, elle aussi, à la guerre. Le 10 août, Metternich provoque la rupture. La guerre générale est déclenchée.

Jusqu'à la grande défaite de Leipzig, la « bataille des nations » qui dure du 16 au 19 octobre, nul encore ne peut imaginer le pire. À Paris, on est sombre. À la Cour, on danse sur ordre, on continue de figurer un pouvoir qui ne saurait douter. Mais les esprits clairvoyants ont de bonnes raisons d'envisager l'avenir sous l'angle d'un changement politique qui ramène la paix, première urgence, et la liberté, deuxième aspiration très forte, notamment au sein de la bourgeoisie. Liberté d'expression, parlementarisme, retour à la primauté du civil sur le militaire : quel que soit le régime qui les garantirait, il serait le bienvenu. Pourvu qu'on en finisse avec l'état de guerre permanent, avec l'autocratie, avec le carcan policier, avec la conquête inutile, la ruine, le deuil, l'arbitraire généralisé. À la Malmaison, on se tient et on mène une vie parfaitement normale.

Ce qui ne veut pas dire qu'on ne se tourmente pas, loin s'en faut. Les deuils sont ressentis cruellement, mais les temps sont cruels : les Beauharnais sont affligés de la perte du fidèle Duroc, Grand maréchal du Palais et aide de camp de la première heure, ami personnel d'Eugène, compagnon des jours heureux de l'époque consulaire… Hortense, aux eaux d'Aix-en-Savoie, a la douleur de perdre sa plus chère compagne, sa confidente de toujours, cette modeste et douce Adèle Auguié, qu'on avait mariée au général de Broc, mort prématurément, et qui se noie, sous ses yeux, dans un méchant torrent, aux gorges du Sierroz… Joséphine envoie à sa fille son chambellan Turpin afin de la conforter et elle lui signifie fermement : « Tu as passé par bien des épreuves. Tout le monde n'a-t-il pas ses chagrins ? La seule différence est dans le plus ou moins de force d'âme qu'on met à les supporter[1]. » Rien de plus vrai.

1. In *Correspondance, op. cit.*, p. 351.

Joséphine vit son dernier été paisiblement heureuse de savoir Eugène à Milan, travaillant à préparer ses troupes pour la campagne d'automne, où il lui faudra contenir les poussées des Autrichiens dans le nord de l'Italie. Heureuse aussi d'avoir auprès d'elle les deux fils d'Hortense. Heureuse de se consacrer à sa galerie et à ses plantes, ainsi qu'elle le conte à son fils : « Mon jardin qui est la plus belle chose possible, est plus fréquenté par les Parisiens que mon salon, car, au moment où je t'écris, on me dit qu'il y a au moins trente personnes dans le jardin qui s'y promènent…[1] » Sagesse et équilibre… Cultiver son jardin, fût-il un parc impérial, n'est-ce pas une plus grande preuve de civilisation que mettre l'Europe à feu et à sang pour signifier sa valeur et sa puissance ? Sept cents hectares dont on fait un paradis ne valent-ils pas ces milliers de kilomètres carrés enanglantés, pillés, brûlés, monde convulsif devenu un insupportable enfer ? La femme est riveraine, l'homme est sans rivages, dira un grand poète. Riveraine est Joséphine, sans rivages est Napoléon. Entre la châtelaine exquise, harmonieuse parmi ses plantes, ses bêtes, ses objets favoris, sa petite société, aimant son ancrage surtout, et l'homme de pouvoir, le visionnaire, le conquérant jamais assouvi, menant à la mort des milliers d'êtres humains, que préfère-t-on ? Plénitude contre insatisfaction, rayonnement contre isolement, douceur et bonté contre brutalité et cruauté… Humanité contre inhumanité. Chacun des deux, de Joséphine et de Napoléon, poussant la logique de sa vérité profonde à l'extrême, se situe à des pôles radicalement antagonistes. Question de goût, c'est la première qui force notre admiration.

À la suite de la désastreuse « bataille des nations », à Leipzig, qui lui coûte vingt mille hommes et l'oblige à une retraite désordonnée cependant que l'Europe en armes le poursuit, ses alliés d'hier ligués aujourd'hui contre lui – y compris Bernadotte et les Suédois, les Saxons comme les Bavarois –, Napoléon reçoit de Joséphine un petit mot bien senti : « Vos peines sont les miennes, elles iront toujours à

---

1. In *Correspondance, op. cit.*, p. 349.

mon cœur », lui dit-elle en substance, en le conjurant de venir trouver refuge parmi les siens. Il y sera contraint, ses ennemis le talonnant au-delà du Rhin, décidés qu'ils sont, cette fois, d'en finir avec lui. À l'aube de 1814, Bernadotte, Blücher, Schwarzenberg, au nord et au nord-est, Wellington, au sud, déferlent, avec plus de trois cent cinquante mille hommes, sur le territoire national. La bataille de France a commencé. Les jours de l'Empire sont comptés. Ceux de Joséphine aussi.

L'AGONIE EN ROSE

Joséphine s'inquiétait, maintenant elle se tourmente. Au point d'en perdre le sommeil, comme nous le confie Mlle Avrillion, qui passe nombre de nuits auprès d'elle. « Ce n'était pas vivre que de vivre dans de pareilles angoisses ! » gémit la pauvre fille. Il y a plusieurs sources à ce tourment : en premier lieu, la situation militaire de Napoléon. Celui-ci va, pendant cette campagne, retrouver ses réflexes de jeune général, redevenant comme par miracle époustouflant de virtuosité, d'endurance et d'astuce. En pure perte, vu la disproportion des forces en présence. Mais ses déconcertants succès, ses héroïques actions à Champaubert et à Montmirail – contre les Prussiens – ou à Montereau – contre les Autrichiens –, l'éloignent de la réalité et de la raison : il devrait traiter. Il ne traitera qu'à bout de souffle, à bout de forces, à bout de nerfs. La France en pâtira, mais enfin, la performance reste belle… En second lieu, Joséphine se tourmente pour Eugène qui fait de son mieux en Italie du Nord, avec des troupes peu nombreuses et, surtout, peu aguerries. Brave jusqu'au bout, Eugène lutte, avec à son côté, sa femme, plus solidaire que jamais – elle a cessé toute relation avec sa propre famille dès que celle-ci a retourné son alliance –, et qui, enceinte, refuse de quitter son mari à l'heure du danger. Elle refuse de venir à Paris, comme le lui ordonne Napoléon et elle fait bien :

---

1. In *Correspondance, op. cit.*, p. 351.

qu'irait-elle encourir dans cet antre où elle ne figurerait que comme otage, risquant, la débâcle venue, le même traitement que la pauvre Marie-Louise ! Dans l'épreuve – qui est toujours un révélateur – la famille Bonaparte se comportera sans noblesse ni mansuétude. Lors du « sauve qui peut » général, la brutalité et l'avidité des frères – qui oseront lever la main sur la jeune Impératrice-Régente – deviendront proprement invivables. Auguste choisit de partager le sort d'Eugène. Et lui, en dépit des allégations d'un ancien aide de camp aigri, en dépit des attaques des Bonaparte toujours envieux de sa qualité et de sa rectitude, se conduit comme le bon soldat et le gentilhomme qu'il n'a jamais cessé d'être. Menant jusqu'au bout son impossible mission, compliquée du fait de la trahison de Murat, passé aux Autrichiens, dont les troupes remontent depuis Naples. Après, mais après seulement, quand tout sera consommé, et que le traité de Paris, puis le Congrès de Vienne, lui assigneront sa place hors de France, il ira rejoindre son beau-père à Munich[1]. Même désespéré de l'inaptitude de Napoléon à faire la paix pendant qu'il en est encore temps, Eugène fait son devoir. Quant à la malheureuse Hortense, Joséphine s'en inquiète dès lors que Louis est revenu, d'une humeur toujours aussi vindicative envers elle, décidé à la soumettre et à récupérer ses enfants. Une longue et épuisante lutte, qui durera des années, se poursuit entre eux, attisée par les événements.

Quant au dernier tourment de Joséphine, il n'est pas mineur : son douaire ne lui est plus payé. Sans ce que lui assigne le Sénat – ne parlons plus de l'apport personnel de Napoléon –, elle va se trouver sans ressources. D'où son soulagement quand, les institutions résistant lors de la capitula-

---

1. C'est le général d'Anthouard qui a été envoyé par le roi de Bavière pour tenter de rallier Eugène, celui-ci ayant hautement refusé, faisant l'admiration de tous. Ce subalterne fielleux, jaloux d'Eugène, se livrera à des délations, reprises par Marmont dans ses *Mémoires*. Elles donneront lieu à un procès intenté en 1857 par les descendants d'Eugène, qui le gagneront. Malgré l'ordre, direct, d'évacuation donné le 17 janvier 1814, Eugène tiendra encore, avec des forces moitié moindres de celles de l'ennemi. Le 24 mars, sa mère lui écrit : « Tu suffis à mon ambition ; j'aurai toujours assez de gloire avec celle que tu t'es acquise. »

tion de Paris grâce à des hommes comme Pasquier ou Talleyrand assurant la transition sans vacance du pouvoir, elle apprend que sa situation – qui n'est pas celle d'une particulière – va être réglée par le traité de Paris. En attendant, force lui est de tenir.

Elle tient dans une ambiance de fin de règne dont se ressent son entourage. Tout se délite. Que va-t-on devenir? Où va-t-on? C'est clair, on va vers l'inexorable marche des Alliés sur Paris qui, le 31 mars, est prise. Comme l'étaient Lyon, Bordeaux et Toulouse. La défaite militaire s'accompagne d'une défaite politique, la Régente et les frères Bonaparte ayant quitté la capitale le 29 mars. Une Commission provisoire de cinq membres, présidée par Talleyrand, se met en place le 1er avril. La déchéance de Napoléon est votée par le Sénat, le 3. Celui-ci, à Fontainebleau, espérait encore obtenir une solution de continuité à l'Empire, par le biais d'une régence qui assurât ses droits à son fils : erreur! Ni l'opinion, ni les acteurs politiques de la transition, ni les souverains Alliés, ni ses maréchaux, ni surtout l'activisme royaliste devenu prépondérant, n'en veulent. Le 6 avril, Napoléon abdique. Le même jour, le Sénat proclame Louis XVIII roi. Cinq jours plus tard, le traité de Paris est signé, qui précise le sort des Napoléonides. Les Beauharnais sont ménagés, grâce à Talleyrand : « Je plaide pour la reine Hortense, dit-il d'emblée, c'est la seule que j'estime! » Flahaut et le futur Morny y étant sans doute pour quelque chose… « Le traitement annuel de l'Impératrice Joséphine sera réduit à un million en domaines ou en inscriptions sur le Grand Livre de France. Elle continuera de jouir de tous ses biens meubles et immeubles particuliers et pourra en disposer conformément aux lois françaises » y est-il stipulé. Hortense a droit à 400 000 francs annuels que le Tsar lui fera confirmer par Louis XVIII en lui obtenant l'érection de Saint-Leu en duché, dont l'apanage sera de ce montant exact, supplémentaire garantie pour elle et ses deux enfants d'un état indépendant au sein du royaume restauré.

Et Joséphine? Qu'est-elle devenue dans ce tourbillon? Il était prévu qu'elle s'éloignerait de Paris en même temps que

Marie-Louise. Mais comme personne n'a songé à elle, force lui a été d'aviser. Ne disposant à la Malmaison que d'un piquet de seize hommes, tous blessés, aux ordres du général Ornano, elle choisit de se diriger, seule, vers Navarre. Partie le 29 mars, elle rallie la Normandie en deux jours, passant par Mantes, et recueillant sur son passage des témoignages de sympathie des villageois. Elle a cousu ses diamants dans son jupon, comme c'était l'usage, et laissé la Malmaison en l'état. De fait, le Tsar y enverra une sauvegarde dès que le pont de Neuilly sera libre et le domaine ne connaîtra aucune déprédation. Cependant, à Navarre, la première semaine qui suit son arrivée est terrible : les communications sont coupées, les nouvelles incertaines et Joséphine ne sait rien des siens. Grâce à la cordiale complicité de Marie-Louise, Hortense et ses deux enfants, échappant aux rudesses des Bonaparte que leur situation de perdition ne rendait ni plus urbains ni plus sereins, peut rejoindre promptement sa mère : « J'ai eu du courage dans les positions douloureuses où je me suis trouvée, lui avait écrit celle-ci à son arrivée, j'en aurai pour supporter les revers de la fortune, mais je n'en ai pas assez pour soutenir l'absence de mes enfants et l'incertitude de leur sort[1]. » La voilà rassurée, du moins en partie. Dès qu'elle connaîtra les nouvelles récentes et surtout l'abdication, elle s'apaisera. « Tout est fini : il abdique. Pour toi, écrit-elle à Eugène, tu es libre et délié de tout serment de fidélité. Tout ce que tu ferais de plus pour sa cause serait inutile. Agis pour ta famille[2]. » Car il va falloir se réorganiser. Dans cet effondrement général, Joséphine ne perd pas la tête – cela ne lui ressemblerait guère ! – mais elle vit ces moments sur deux registres différents qu'il faut considérer pour bien la comprendre. D'une part, elle doit mener sa barque et celle de ses enfants. N'étant pas une particulière, elle doit obtenir la haute protection du nouveau régime choisi, et assurer son statut, son identité sociale et son existence économique. Chose acquise par le traité de Paris : son repli ne dure plus.

---

1. In *Correspondance, op. cit.*, p. 366.
2. *Ibid.*, p. 368.

Le 15 avril, elle a regagné la Malmaison. Le 16, elle reçoit le Tsar. D'autre part, et simultanément, elle souffre : aux tourments succède le chagrin de voir Napoléon, non le souverain – du moment qu'il abdique, la situation est claire –, mais l'homme, terrassé. Le guerrier est vaincu, le chef isolé, bientôt exilé, copieusement trahi, insulté dans les journaux et abandonné de ses proches. Cela est intolérable au cœur de Joséphine. Et son cœur saigne de la blessure ouverte infligée à l'Empereur. Comme elle l'écrit à Caulaincourt, le 11 avril : « J'ai le cœur brisé de la position de l'Empereur. J'ai bien oublié ses torts envers moi et je ne vois que son malheur[1]. » Joséphine a toujours été bonne. Sa réaction était prévisible.

La Malmaison retrouve son lustre et son animation. Toujours respectueuse des formes, Joséphine a avisé son Service d'honneur qu'elle le déliait de son serment mais elle conserve auprès d'elle ses fidèles et ses familiers qui l'aident à en faire les honneurs. Car les visiteurs ne désemplissent pas : la beauté des lieux autant que la célébrité de leur hôtesse les y attirent. C'est le moment de remarquer combien Joséphine, en ces jours tumultueux, recueille les fruits de sa réputation et de son aura. Ni sa maison, ni les siens n'auront eu à pâtir du changement de régime. La monarchie rétablie, assortie d'une « charte », c'est-à-dire d'une constitution garantissant le parlementarisme, restaure sur son trône cet ancien Prétendant qui, de Mittau, n'avait qu'à se louer de la façon obligeante dont Mme Bonaparte traitait et aidait ses tenants. Elle ne peut en attendre qu'un retour de bons procédés. Le Tsar vient vers elle, la découvre, découvre son petit monde, et lui rend hommage. Il rend hommage à l'épouse du vaincu, mais il est infiniment séduit par la femme, son élégance, sa qualité, la mesure avec laquelle elle s'exprime sur toute chose. Il est séduit par sa fille aussi, disons-le, même si cette inclination sera victime, au-delà de Waterloo, des développements politiques…

Pour l'heure, le bel Alexandre se montre assidu auprès des Beauharnais – Eugène ralliant Paris le 9 mai –, et passe son

---

1. *Ibid.*, p. 369.

temps auprès d'eux. Pourquoi? C'est simple, ce gentil-homme se sent à son aise en leur compagnie. Il en apprécie le raffinement et la bonne tenue, simple, chaleureuse, élégante. Alors que les Bourbons, qu'il vient pourtant de restaurer, ne lui font aucunement bon visage, loin s'en faut! La morgue protocolaire de Louis XVIII et la raideur de la duchesse d'Angoulême – la fille de Louis XVI, mariée à l'aîné des fils du comte d'Artois – l'ont blessé lors de leur rencontre à Compiègne, à l'arrivée de l'exil anglais de ceux-ci : Louis XVIII s'est assis à table dans le seul fauteuil du lieu, et l'étiquette envers le souverain russe a été si humiliante, délibérément, que celui-ci a pris le premier prétexte pour s'éclipser et regagner le salon de M. de Talleyrand, chez lequel il est descendu, rue Saint-Florentin, ou celui de Joséphine. Il y est mille fois mieux traité, avec plus d'urbanité et plus de tact.

Évidemment, quoi que Joséphine soit bien considérée par l'ancienne société qui revient aux affaires, cette assiduité d'Alexandre n'est pas du goût de tous. Chateaubriand que le Tsar n'a pas distingué – il prendra sa revanche au Congrès de Vérone! –, fulmine : « Où se tripotait la Restauration? chez les royalistes? Non, chez M. de Talleyrand. Avec qui? avec M. de Pradt, aumônier du dieu Mars et saltimbanque mitré. Avec qui et chez qui dînait en arrivant le lieutenant-général du Royaume (le comte d'Artois)? chez des royalistes et avec des royalistes? Non : chez l'évêque d'Autun (Talleyrand), avec M. de Caulaincourt. Où donnait-on des fêtes aux « infâmes princes étrangers »? Aux châteaux des royalistes? Non : à la Malmaison, chez l'Impératrice Joséphine. » Aucune reconnaissance pour le magnolia à fleur pourpre! Ni pour l'intervention en faveur de son cousin Armand, fusillé le Vendredi Saint 1809, dans la plaine de Grenelle[1]! Chateaubriand a toujours été trop passionnel pour être équitable. Mais il a raison en ce que la Malmaison est honorée de la présence de tous les grands de ce monde présents à Paris. C'est pour elle et sa châtelaine, une épiphanie. Une épiphanie non usurpée.

---

1. In *Mémoires d'Outre-Tombe, op. cit.*, II, p. 538. Il semble qu'il n'ait eu connaissance de cette intervention que par Hortense, à Arenenberg. Étrange! Mme de Rémusat ayant été l'intermédiaire…

Visites plus prestigieuses les unes que les autres. Au Tsar et à son état-major – dont le prince Léopold de Saxe-Cobourg, futur époux de la princesse de Galles et futur premier roi des Belges – succède Mme de Staël qui bouleverse Joséphine en lui demandant abruptement – elle est ainsi – si elle aime toujours Napoléon – objet de sa fascination, plus que l'insipide Impératrice –, puis le roi de Prusse et ses fils qui, à leur tour, découvrent les enchantements du lieu, puis les jeunes grands-ducs de Russie, Nicolas et Michel, eux aussi émerveillés de ce monde délicieux et clément. Tout cela est plus que brillant! C'est un succès inespéré pour les Beauharnais, car, dans le même temps, Eugène reçu au Château – les Tuileries redeviennent le Château –, y est accueilli avec estime : il est vrai que Louis XVIII, doté d'une mémoire de prince, savait ses campagnes napoléoniennes sur le bout des doigts... Les augures sont favorables, c'est une évidence. Ce qui l'est moins, c'est la fatigue de Joséphine, car on suppose bien qu'une telle pression, qu'un tel mouvement de société, implique de sa part un masque parfait mais beaucoup de soins, d'exigence, de vigilance. Ce surcroît de tension intérieure s'ajoutant au contre-coup des récentes anxiétés va avoir raison d'elle.

* * *

Comme tout va vite! Trop vite... Le 14 mai, Joséphine a accompagné le Tsar à Saint-Leu, chez sa fille, ce fort beau domaine jouxtant la forêt de Montmorency que celle-ci est désireuse de montrer au tout-puissant souverain russe, afin qu'il se convainque, et convainque le roi, que cette terre ferait un excellent apanage. Visite très réussie, dont le clou est l'habituelle promenade dans le grand char à bancs d'Hortense, un rustique moyen de locomotion qu'elle se plaît à utiliser. Joséphine a pris froid, mais elle n'en dit rien. Se dominant, en femme bien élevée, elle paraît au salon avant le dîner sans pouvoir toutefois y demeurer. Elle fait l'effort d'y redescendre pour la soirée musicale qui suit. Nul ne se rend compte que l'Impératrice a fait une grande imprudence : son état général, apparemment florissant ces deux dernières années, mis à part le catarrhe humoral dont elle se plaignait et les purges régulières dont elle croyait devoir user dès qu'elle se sentait incommodée, cache en vérité un terrain fragile que les récentes fatigues, les insomnies et les anxiétés à répétition rendent, sans doute, encore plus vulnérable au mal.

La semaine du 23 mai est particulièrement chargée : presque chaque jour, Joséphine doit accueillir des visiteurs princiers, quand ce ne sont pas les souverains eux-mêmes. Elle aurait garde de manquer à ses devoirs. Elle est parfaite d'élégance et de grâce. Mais le mal la ronge. Elle essaie de n'en rien montrer. Le mardi 24, pendant la visite des grands-ducs, elle doit s'allonger sur une chaise longue. Le mercredi 25, elle est prise de fièvre. Le docteur Horeau la soigne – toujours, cette absurdité des vésicatoires ou des sangsues! – et la fait s'aliter. Le lendemain, elle ne se trouve guère mieux mais elle s'oppose à appeler un autre médecin. Le vendredi 27, une toux sèche, un « souffle anxieux », comme disent les témoins, alerte l'entourage : le médecin du Tsar, l'Écossais James Wylie, la voit. L'impression n'est pas bonne. Le mal empire inexorablement. Le samedi, Alexandre est attendu : c'est Hortense qui fait les honneurs du dîner. Le Tsar a la délicatesse de ne pas s'attarder. Le soir, les médecins parisiens Bourdois de la Motte, Lamoureux et Lasserre, appelés par Hortense, sont plus qu'inquiets. Les traits de l'Impératrice sont altérés, l'oppression s'accentue. Son arrière-gorge est violemment inflammée, son pouls baisse. La nuit est mauvaise, le souffle plus rauque. Toujours consciente, cependant, Joséphine a le souci de son apparence. Comme elle pense que le Tsar peut lui rendre une visite, elle se fait parer, c'est Mme de Rémusat qui l'affirme et nous pouvons la croire, d'« une robe de chambre fort élégante ». Le dimanche 29 mai, jour de la Pentecôte, après s'être confessée et avoir reçu l'extrême-onction, Joséphine s'affaiblit encore, perd la parole et rend le dernier soupir dans les bras d'Eugène. Il est midi. Elle a expiré « toute couverte de rubans et de satin couleur de rose », commente sa dame du Palais[1]. Mlle Avrillion, qui

---

1. In *Mémoires, op. cit.*, II, p. 347.

n'était pas de service cette ultime semaine, alertée par ses compagnes, accourt mais elle arrive trop tard : sa voiture entre dans le parc au moment où celle d'Hortense et d'Eugène en sort. Conformément à l'étiquette des cours, ils devaient s'éloigner sur-le-champ et gagnaient Saint-Leu. Mlle Avrillion, introduite dans la chambre mortuaire, la belle chambre cramoisie au mobilier d'acajou, aux dorures exquises, à la toilette de vermeil, somptueux cadeau de la Ville de Paris lors du Sacre, se recueille devant sa maîtresse : « Jamais la mort n'a plus extraordinairement ressemblé à la vie », nous dit-elle, « Sa Majesté avait l'air tout à fait endormie ; elle était pâle mais ses traits étaient restés les mêmes ; pas la moindre contraction sur son visage si ce n'est une légère flexion aux deux coins de sa bouche, qui rappelait avec une incroyable vérité son sourire habituel[1] ». La main de l'Impératrice, encore chaude, conservait son élasticité... Comme une dernière élégance de la délicieuse Impératrice. Encore parée, plaisante aux autres, même sur son lit de mort...

* * *

Cette mort foudroyante a un énorme retentissement : Joséphine était universellement aimée, elle ne laissait que de bons souvenirs autour d'elle. Son entourage est inconsolable, le peuple, la société, les souverains, tous sont atterrés de la soudaineté de sa disparition. À tel point que des rumeurs se font jour : pourquoi la bonne Impératrice a-t-elle été enlevée si vite ? Aimée de Coigny, la mieux informée toujours, évoquera crûment Barras sachant « le secret de la substitution du Dauphin [au Temple]. Par-là, il a tenu, il tient tous ceux qui l'ont entouré ou qui lui ont succédé. Quelqu'un qui en savait autant, qui a eu le tort d'en parler mal à propos, malgré son rang en est morte ». Ce quelqu'un, c'est Joséphine, qui, bien sûr, se trouvait aux côtés de Barras, en 1795, et qui si elle en parla « mal à propos », le fit au Tsar, en ces jours

---

1. In *Mémoires, op. cit.*, pp. 309-310.

d'avril et de mai 1814[1]. Dans les milieux royalistes, on étouffa bien vite ces échos. L'autopsie pratiquée par Cadet de Gassicourt, en présence du docteur Horeau, conclut à la mort d'une angine gangréneuse, ce que l'époque appelait une « esquinancie gangrénée ». Mlle Avrillion est persuadée que cette angine gangréneuse ne s'est développée que parce que l'Impératrice avait vécu dans les affres, et que c'est le chagrin qui l'a tuée. Elle a sans doute raison. Ni poison bourbonnien, ni maladie de la mousseline, comme il est si joliment dit de ces refroidissements intempestifs, courants alors, mais mal virulent prenant sur un organisme miné par l'angoisse, l'angoisse ravalée, la pire de toutes. Joséphine a été victime de son mortel chagrin dissimulé sous un mortel stoïcisme. Une chose est sûre, c'est qu'elle est morte à propos, comme le notera finement le chancelier Pasquier. Elle a eu ce tact suprême de disparaître en même temps que cet Empire qui l'avait célébrée et qu'elle avait si bien accompagné. Qu'eût-elle fait au-delà des Cent Jours? Mieux vaut, peut-être, ne pas se le demander…

Eugène, en ces temps de bouleversements politiques, a la délicatesse de ne pas envoyer de billets de part officiels qui mentionneraient la titulature de sa mère mais il rédige, de sa main, quelques invitations aux funérailles. Elles auront lieu, le 2 juin, après que le cercueil de l'Impératrice a été exposé dans le vestibule de la Malmaison : vingt mille personnes viennent le saluer. Le cortège se rend à pied à l'église de Rueil, le deuil étant mené par les deux fils d'Hortense. Une haie de hussards de la Garde du Tsar ainsi que des gardes nationaux encadrent un défilé immense de princes étrangers, de maréchaux et de généraux, de pairs de France, députés et ambassadeurs, de savants et d'artistes, de grandes dames et de gens du cru, deux mille pauvres fermant la marche. Les calèches de

1. In *Journal, op. cit.*, p. 127. Joséphine n'était pas femme à parler « mal à propos » d'un secret d'État. Qui a sorti le Dauphin du Temple? Qui s'« en est défait », sans doute sur-le-champ? Sur quel ordre? C'est bien la première chose que nous demanderions à Fouché, à Pasquier, à Decazes, si nous les rencontrions… Barras, Joséphine et, bien sûr, Louis XVIII, eux n'avoueraient rien! Ces six personnages détiennent la clé d'une énigme non résoluble.

deuil suivent à vide. Immense foule recueillie, silencieuse, attristée, escortant celle qui avait fait l'unanimité autour d'elle de son vivant, comme elle la faisait dans la mort. Roulement funèbre des tambours recouverts de crêpe tout au long de la marche, branle ininterrompu des cloches de tous les villages alentour sonnant le glas, douces paroles de Mgr de Barral prononçant l'homélie, assistance en larmes, sanglots et cantiques alternants jusqu'au moment où le cercueil disparaît à la vue, ainsi que les urnes de vermeil contenant le cœur et les entrailles de l'Impératrice...

Dans le chœur de l'église, à main droite, s'élèvera son monument en marbre de Carrare, érigé par Cartellier qui la figure, grandeur nature, en habit de Cour, à genoux sur un coussin, et dont le visage, nous dit Mlle Avrillion, est très ressemblant. Une inscription, magnifique de simplicité – politique obligeant :

À JOSÉPHINE
EUGÈNE et HORTENSE

Sans dates. Joséphine est morte prématurément : le 23 juin, elle eût eu cinquante-deux ans. Ses enfants aussi mourront prématurément, Eugène, en 1824, la quarantaine à peine dépassée, et Hortense, en 1837, âgée de cinquante-quatre ans. Sa dépouille viendra reposer dans la petite église de Rueil, auprès de Robert-Marguerite, l'oncle Tascher, et auprès de son inoubliable mère (non dans le chœur, mais dans la crypte). Chaque année, à la date anniversaire de sa mort, les fidèles de Joséphine ne manquèrent jamais d'assister à la messe célébrée à sa mémoire. Aujourd'hui, cette tradition se perpétue : la famille Bonaparte, les derniers descendants Tascher et ceux qui se considèrent, par-delà le temps, comme les amis de l'Impératrice, se rendent à Rueil. Elle eût apprécié cette fidélité du cœur à laquelle elle n'avait jamais failli et qui, plus que tout, la contient et la résume. Napoléon déclarera qu'elle était la femme qu'il avait le plus aimée. Nous le croyons sans peine. Mais il n'était pas le seul : l'époque tout entière sut reconnaître dans l'élégante Joséphine, l'excellence dont elle était porteuse, symbole du meilleur de la vieille société d'où elle venait, symbole de ce que pouvait s'efforcer de devenir la nouvelle. Symbole, à notre humble avis, qui n'a rien perdu de son actualité, ni de sa nécessité.

Fontanilles, février-juin 1999.

Annexes

La réaction d'Alexandre de Beauharnais à la naissance de sa fille : lettre à sa femme, du 12 juillet 1783.

(12 juillet) :

« Si je vous avais écrit dans le premier moment de ma rage, ma plume aurait brûlé le papier, et vous auriez cru, en entendant toutes mes invectives, que c'était un moment d'humeur et de jalousie que j'avais pris pour vous écrire ; mais il y a trois semaines et plus que je sais, au moins en partie, ce que je vais vous apprendre. Malgré donc le désespoir de mon âme, malgré la fureur qui me suffoque, je saurai me contenir ; je saurai vous dire froidement que vous êtes à mes yeux la plus vile des créatures, que mon séjour dans ce pays-ci m'a appris l'abominable conduite que vous y avez tenue, que je sais dans les plus grands détails votre intrigue avec M. de B...., officier du régiment de la Martinique, ensuite celle avec M. d'H...., embarqué à bord du "César", que je n'ignore ni les moyens que vous avez pris pour vous satisfaire, ni les gens que vous avez employés pour vous en procurer la facilité, que Brigitte n'a eu sa liberté que pour l'engager au silence ; que Louis, qui est mort depuis, était aussi dans la confidence ; je sais enfin le contenu de vos lettres et je vous apporterai avec moi un des présents que vous avez faits.

« Il n'est donc plus temps de feindre, et, puisque je n'ignore aucun détail, il ne vous reste plus qu'un parti à prendre, c'est celui de la bonne foi. Quant au repentir, je ne vous en demande pas, vous en êtes incapable : un être qui a pu, lors des préparatifs pour son départ, recevoir son amant dans ses bras alors qu'elle sait qu'elle est destinée à un autre, n'a point d'âme; elle est au-dessous de tous les coquins de la terre. Ayant pu avoir la hardiesse de compter sur le sommeil de sa mère et de sa grand-mère, il n'est pas étonnant que vous ayez su tromper aussi votre père à Saint-Domingue. Je leur rends justice à tous et ne vois que vous seule de coupable. Vous seule avez pu abuser une famille entière et porter l'opprobre et l'ignominie dans une famille étrangère dont vous étiez indigne.

« Après tant de forfaits et d'atrocités, que penser des nuages, des contestations survenus dans notre ménage? Que penser de ce dernier enfant survenu après huit mois et quelques jours de mon retour d'Italie? Je suis forcé de le prendre; mais, j'en jure par le ciel qui m'éclaire, il est d'un autre. C'est un sang étranger qui coule dans ses veines! Il ignorera toujours ma honte, et j'en fais encore le serment, il ne s'apercevra jamais ni dans les soins de son éducation, ni dans ceux de son établissement, qu'il doit le jour à l'adultère; mais vous sentez combien je dois éviter un pareil malheur dans l'avenir.

« Prenez donc vos arrangements; jamais, jamais je ne me mettrai dans le cas d'être encore abusé, et, comme vous seriez femme à en imposer au public si nous habitions sous le même toit, ayez la bonté de vous mettre au couvent sitôt ma lettre reçue. C'est mon dernier mot, et rien dans la nature entière n'est capable de me faire revenir; j'irai vous y voir dès mon arrivée à Paris, une fois seulement; je veux avoir une conversation avec vous et vous remettre quelque chose. Mais, je vous le répète, point de larmes, point de protestations. Je suis déjà armé contre tous vos efforts, et mes soins seront tous employés à m'armer d'avantage contre de vils serments aussi faux et aussi méprisables que faux.

« Malgré toutes les invectives que votre fureur va répandre sur mon compte, vous me connaissez, Madame, vous savez que je suis bon, sensible, et je sais que, dans l'intérieur de votre cœur, vous me rendrez justice. Vous persisterez à nier parce que dès votre plus bas âge vous vous êtes fait de la fausseté une habitude ; mais vous n'en serez pas moins intérieurement convaincue que vous n'avez que ce que vous méritez. Vous ignorez probablement les moyens que j'ai pris pour dévoiler tant d'horreurs, et je ne les dirai qu'à mon père et à votre tante. Il vous suffira de sentir que les hommes sont bien indiscrets et, à plus forte raison, quand ils ont sujet de se plaindre ; d'ailleurs vous avez écrit, d'ailleurs vous avez sacrifié les lettres de M. de Be…. à celui qui lui a succédé ; ensuite vous avez employé des gens de couleur qu'à prix d'argent on rend indiscrets. Regardez donc la honte dont vous et moi ainsi que vos enfants allons être couverts comme un châtiment du ciel que vous avez mérité et qui me doit obtenir votre pitié et celle de toutes les âmes honnêtes.

« Adieu, Madame, je vous écrirai par duplicata, et l'une et l'autre seront les dernières lettres que vous recevrez de votre désespéré et infortuné mari.

« *P.S.* – Je pars aujourd'hui pour Saint-Domingue, et je compte être à Paris en septembre ou en octobre, si ma santé ne succombe pas à la fatigue d'un voyage jointe à un état si affreux. Je pense qu'après cette lettre je ne vous trouverai pas chez moi, et je dois vous prévenir que vous me trouveriez un tyran si vous ne suiviez pas ponctuellement ce que je vous ai dit. »

Plainte de la vicomtesse de Beauharnais contre son mari, du 8 décembre 1783.

« L'an mil sept cent quatre-vingt-trois, le lundi huit décembre, sur les onze heures du matin, nous, Louis Joron, Conseiller du Roi, Commissaire au Châtelet de Paris, ayant été requis, nous nous sommes transporté rue de Grenelle à l'abbaye de Pantémon, ayant été introduit en un parloir, numéroté 3 au second étage ayant vu sur la cour, et, où étant, est comparue par-devant nous dame Marie-Rose Tascher de la Pagerie, âgée de vingt ans, créole de la Martinique, épouse de M. Alexandre-François-Marie, vicomte de Beauharnais, capitaine à la suite au régiment de Sarre-Infanterie ; demeurant depuis dix à onze jours dans le dit couvent de Pantémon, et auparavant demeurant rue Neuve-Saint-Charles, faubourg Saint-Honoré, en l'hôtel du vicomte de Beauharnais ;

« Laquelle nous a porté plainte contre le sieur Beauharnais son mary et nous a dit qu'elle a été amenée en France par M. de la Pagerie son père pour épouser le dit sieur vicomte de Beauharnais, que, le 12 octobre 1779 ils débarquèrent au port de Brest où Mme de Renaudin, sa tante, et le dit sieur vicomte de Beauharnais allèrent les rechercher. Les empressements du dit sieur vicomte de Beauharnais annoncèrent sa satisfaction. Le mariage a été célébré le 13 décembre de la même année 1779 ; les époux ont toujours vécu chez M. le

Marquis de Beauharnais, père du vicomte, et la jeune femme n'a jamais quitté son beau-père ni sa tante aux soins desquels son mari l'avait confiée. Cette union qui aurait dû réussir n'a cependant pas été sans nuages. La grande dissipation du mari et son éloignement pour sa maison furent pour cette épouse infortunée des sujets de se plaindre à lui-même de son indifférence qu'elle ne méritait point. La dite dame de Beauharnais déclare qu'il a été plus fort qu'elle de ne pas lui en témoigner sa sensibilité. Malheureusement le cœur de son mari était fermé aux impressions qu'elle s'était flattée de lui faire en lui marquant ses craintes.

« La naissance d'un fils qu'elle lui donna le 3 septembre 1781 semblait avoir resseré leurs liens. Le vicomte tint à la plaignante compagnie fidèle, jusqu'au rétablissement de ses couches, époque où le goût de sa liberté et d'une volonté absolue le décidèrent à voyager ; il partit pour l'Italie le 1er novembre suivant. De retour de ce voyage le 20 juillet 1782, il reçut de la comparante les plus grands témoignages de joie, et il parut enchanté de se retrouver avec elle.

« Ce bonheur dura peu. Le 10 septembre de la même année, elle eut le chagrin de le voir partir pour un voyage d'outre-mer qu'il avait sollicité avec beaucoup de vivacité. À son départ, M. le vicomte de Beauharnais se flattait de l'espoir de laisser son épouse enceinte. Ayant été obligé par les circonstances de séjourner à Brest, il se félicite d'en apprendre la certitude. En effet la comparante est accouchée d'une fille, le 10 avril dernier. Jusque-là toutes les lettres que M. le vicomte de Beauharnais lui avait adressées ne respiraient que des sentiments tendres et affectueux. Hélas ! pouvait-elle s'attendre que la nouvelle de ses couches servirait de prétexte à son mari pour l'accabler d'injustes reproches par deux lettres, l'une datée du 12 juillet seulement et l'autre datée de Châtellerault le 20 octobre seulement (elles sont toutes deux de 1783). La dite dame vicomtesse de Beauharnais nous a présenté ces deux lettres, lesquelles sont, à la réquisition de la dame vicomtesse de Beauharnais, demeurées cy annexées après avoir été par elle certifiées véritables et d'elle signées et paraphées et de nous commissaire sus-dit.

« Lesquelles lettres contenant des imputations les plus atroces où, non content d'accuser la comparante d'adultère, M. le vicomte de Beauharnais la traite encore d'infâme et ajoute qu'il la méprise trop pour vivre désormais avec elle ; en conséquence, il lui ordonne de se renfermer dans un couvent et, au cas qu'elle refuse d'exécuter cet ordre, il la menace d'être un tyran.

« Observe la comparante que, si ces horreurs n'étaient que l'effet d'un premier mouvement de jalousie, la jeunesse de son mari porterait peut-être à les excuser ; mais elles sont tellement réfléchies et imaginées à dessein de secouer un joug qui lui pèse, que, sans vouloir, sur l'innocence de sa femme, s'en rapporter ni à M. le Marquis de Beauharnais, son père, ni à aucune des personnes respectables qui ont toujours été témoins de son honnêteté, il persiste dans sa résolution de ne plus habiter avec elle, et, pour montrer même qu'il la fuit, au lieu de descendre dans l'hôtel, dont il est le principal locataire, rue Neuve-Saint-Charles, et dans lequel il habite ordinairement ainsi que Monsieur son père et Madame la vicomtesse de Beauharnais son épouse, il a été se loger ailleurs, observant qu'il est arrivé à Paris le 26 octobre dernier et que jusqu'à ce jour il n'a point encore repris son logement dans l'hôtel.

« Il n'est pas possible à la comparante de souffrir patiemment tant d'affronts. Ce serait manquer à ce qu'elle se doit, à ce qu'elle doit à ses enfants, et s'exposer au sort le plus affreux.

« À quoi désirant obvier la dite dame vicomtesse de Beauharnais nous a requis de nous transporter dans le dit couvent où nous sommes, à l'effet d'y recevoir la présente plainte des faits ci-dessus et dépendances dont elle nous a requis, acte que nous lui avons octroyé pour lui servir et valoir ce que de raison, se réservant de former incessamment sa demande en séparation de corps contre le dit sieur son mari, et a signé Tascher de Lapagerie.

Signé : JORON. »

Du verre pilé dans les petits pois

Dans les fonds C8A des Archives Nationales, se trouve un dossier consacré à Madame de la Pagerie, mère de l'Impératrice Joséphine, victime en juin 1806 d'une tentative d'empoisonnement. Sombre affaire! Et qui fut réglée sur l'heure par le gouverneur de la Martinique, Mr Villaret de Joyeuse, ami et hôte de Mme de la Pagerie à Fort-de-France au moment de l'Incident.

Qui voulut la mort de la mère de l'Impératrice? Pourquoi? Et comment la justice s'exerça-t-elle en l'occurrence? Voilà ce que révèlent les papiers conservés aux A.N. sous les cotes:

- C8A 112-1806, f° 219 du 15 juin
[lettre du Gouverneur rendant compte à son Ministre de tutelle de l'affaire]

- C8A 114-1806, ff° 163 et suiv.
[rendant comte de l'interrogatoire du 7 juin 1806]

- C8A 112-1806, f° 210 du 9 juin
[rendant compte du jugement du tribunal spécial composé pour l'occasion afin de juger les coupables]

DOCUMENT N°1:
Lettre du Gouverneur à son ministre

au fort de france, le 15 juin 1806

Monseigneur,

J'ai à rendre compte à votre Excellence d'un attentat horrible dont la colonie frémit encore.

Il est à la fois douloureux et pénible pour moi de vous informer que les jours de l'auguste mère de l'Impératrice ont été menacés et il est au moins satisfaisant d'avoir à annoncer la conservation de ces jours si précieux pour nous, et le châtiment du monstre d'ingratitude et de perfidie qui osa concevoir le plus exécrable des projets.

Madame de la Pagerie dont la résidence habituelle est maintenant au gouvernement où nous sommes plus à portée de lui donner des soins s'était décidée d'après les avis de sa famille à se faire faire l'extirpation d'un squirrhe qu'elle avait au visage, ce qui lui donnait quelques inquiétudes. L'opération avait parfaitement réussi, mais la précaution de ne pas s'exposer au grand air étant nécessaire, elle s'était tenue pendant quelques jours dans son appartement.

Ce fut de cet intervalle que chercha à profiter une femme qui préparait à la colonie la plus épouvantable des catastrophes.

Le 3 de ce mois la nommée *Émilie* fille de couleur née et élevée dans la maison de Madame de La Pagerie, et sa servante de confiance lui porta au moment du dîner un plat de petits pois dans lequel ce monstre glissa pendant le trajet des cuisines aux appartements du verre pilé qui heureusement était en si grande quantité que la mère de l'Impératrice dès le premier coup de dent rejeta promptement ce qu'elle avait dans la bouche et analysa elle-même le reste de ce plat dans lequel elle trouva une très grande quantité de cette matière.

La bonté, le courage et l'impassibilité qui caractérisent madame de la Pagerie constamment supérieure à tous les événements de la vie, la déterminèrent à garder à notre égard dans le premier moment le silence sur la découverte, et son attachement pour Madame de Joyeuse dont la santé est toujours chancelante lui fit craindre pour elle l'effet trop subit de l'horreur dont un pareil récit devait inévitablement la frapper.

Elle se contenta en conséquence de faire appeler mes gens pour leur commander la plus grande surveillance dans les cuisines et dans les offices en leur montrant le verre qu'elle avait trouvé, elle leur enjoignit en même temps de garder le plus profond silence envers ma femme et moi, mais ces fidelles serviteurs forts de leur conscience et sûrs de leurs subordonnés vinrent sur le champ me communiquer leurs soupçons fondés sur des propos affreux que s'était permis cette servante contre sa respectable maîtresse : j'obtins de Madame de la Pagerie la permission de [la (barré in ms.)] faire arrêter et interroger cette esclave par M. Mottet le président du Tribunal spécial qui dès le premier interrogatoire obtint l'aveu du crime. Cette malheureuse subit le chatiment de son forfait le 10 du mois.

Je joins ici Monseigneur une expédition du Jugement rendu par le tribunal spécial dont la colonie regarde l'établissement comme un des plus grands bienfaits du gouvernement.

J'ai ordonné dans toutes les paroisses une célébration en actions de grâces de l'Issue d'un événement qui pouvait être si affreux et qui a produit une telle sensation dans la colonie que par un élan spontané plusieurs églises se sont remplies dès le premier moment de vœux formés par la piété et la reconnaissance en faveur de la Vertu et de la Bonté

Agréez, Monseigneur, l'ass(urance) de mon respect.

Villaret.

DOCUMENT N° 2:
Interrogatoire

Extrait des minutes du greffe du Tribunal spécial de l'Isle martinique :

Interrogatoire d'Émilie

Interrogatoire fait par nous Claude Auguste Louis Mottet chef d'escadron commandant la gendarmerie coloniale de l'Isle martinique, Président le Tribunal spécial.

En présence des membres du Tribunal assemblé,

À la requête du procureur Impérial par le dit Tribunal, demandeur et accusateur agissant de son office, d'une part

Contre la nommée Émilie métisse esclave appartenant à Madame de la Pagerie, mère de sa Majesté l'Impératrice, défenderesse et accusée d'avoir voulu empoisonner sa maîtresse, d'autre part

Auquel interrogatoire nous avons procédé en vertu de notre ordonnance portant décret de prise de corps contre l'accusé, étant assisté de M. François Victor Blain, greffier en chef du Tribunal de première instance de la ville du Fort de France de cette isle, que nous avons pris pour notre greffier en cette partie à cause de l'absence de M. Pierre François Depaz greffier du Tribunal duquel sieur Blain nous avons appris et reçu le serment de bien et fidèlement s'acquitter des fonctions qui lui sont confiées, ainsi et de la manière qui suit :

du sept juin mil huit cent six à onze heures du matin, en la chambre du palais de justice de cette ville

Nous avons mandé devant nous et fait conduire par les gens d'armes de service, la nommée Émilie, esclave de Madame de la Pagerie, laquelle Émilie après avoir prêté serment de dire vérité, a été interrogée par nous de ses noms, surnoms, âge, religion, de(meure) et du nom de sa maîtresse.

- A répondu qu'elle se nomme Émilie âgée d'environ trente ans, Créole de cette isle, femme de chambre de Madame de la Pagerie, de laquelle elle est l'esclave et qu'elle professe la religion catholique apostolitique et romaine.

Interrogée si elle connaît celui ou celle qui a mis du verre pilé dans le manger de Madame de la Pagerie

- A répondu qu'elle ne connaît pas la personne qui a pu le faire.

Interrogée de quelle main elle a reçu l'assiette où se trouvait le verre pilé amalgamé avec les pois

- A répondu des mains de Pelage, nègre domestique de madame de Joyeuse, à la porte de la salle à manger même.

Interrogée, si c'est elle qui, immédiatement après l'avoir reçue, a porté à Madame de la Pagerie cette assiette de pois où s'est trouvé le verre pilé

- A répondu que c'est elle-même.

Interrogée de ce qu'elle a répondu à madame de la Pagerie, lorsque madame de la Pagerie a senti sous ses dents quelque chose qu'elle ne pouvait broyer

- A répondu qu'elle a dit à Madame de la Pagerie sa maîtresse, qu'elle croyait que ce ne pouvait être que du sable, ce que Madame de la Pagerie voulant vérifier, vit avec étonnement être du verre pilé. Ce dont aussi est convenue en sa présence, elle accusée.

À elle demandé, comment du verre pilé qui n'existait pas dans le plat de petits pois qui était sur la table du Capitaine Général, s'est trouvé dans l'assiette de petits pois qui a été servie par Madame de Joyeuse elle-même, et qui a été portée immédiatement après, par elle accusée à Madame de la Pagerie sa maîtresse et lui avons observé pour lui prouver qu'effectivement le verre pilé n'existait pas dans le plat qui était sur la table du Capitaine Général, que plusieurs personnes en avaient mangé, et que pas une n'avait trouvé du verre pilé.

- L'accusée a répondu après beaucoup de dénégations, beaucoup d'hésitations, après avoir enfin senti qu'il lui était impossible de ne pas convenir que le verre pilé, qui avait été trouvé dans l'assiette de Madame de la Pagerie par Madame de la Pagerie elle-même, n'y avait été mis que du moment qu'elle avait reçu l'assiette pour la porter à sa maîtresse malade dans sa chambre, qu'il était bien vrai qu'à sa connaissance du verre qu'elle avait pilé dans du papier avec le manche d'un couteau pour nettoyer disait-elle la lame de ce couteau, avait été porté par l'effet du vent dans l'assiette de petits pois présentée à Madame de la Pagerie.

À elle demandé pourquoi, sachant parfaitement que du verre pilé était tombé dans l'assiette de petits pois qu'elle présentait à sa maîtresse, elle avait répondu à Madame de la Pagerie (qui ne concevait pas que ce pouvait être ce qui lui paraissait si dur et si difficile à broyer pour ses dents)

Pourquoi donc, elle avait répondu « Madame, C'est sans doute du sable ».

- L'accusée a gardé le silence pour toute réponse

Interpellée de nouveau de déclarer la vérité qu'elle s'obstinait à cacher :

- A répondu qu'elle persistait à soutenir ce qu'elle avait avancé, et qu'elle n'y voulait rien changer.

Sur ce, nous lui avons observé que sa déclaration sur le verre pilé était fausse dans tous ses points, que premièrement, on ne pile point de verre pour nettoyer la lame d'un couteau, que secondement, on ne pile jamais de verre dans un morceau de papier et avec le manche d'un couteau parce que l'un et l'autre seraient bientôt macérés, que troisièmement, on ne conserve jamais dans du papier (sans dessein) du verre que l'on n'a pilé (dit-on) que pour nettoyer la lame d'un couteau, que, quatrièmement, quand de son aveu ce verre pilé est enfermé dans du papier, le vent n'ouvre pas ce même papier pour faire voler ce qu'il renferme dans l'assiette de petits pois que l'on tient à la main, et nous l'avons sommée de nouveau de déclarer sans restriction la vérité qu'elle ne pouvait plus se flatter de cacher par(ce) qu'au milieu de toutes ces fausses déclarations, il en existait une bien vraie, qui ne permettait plus de douter que le verre pilé ne se soit trouvé dans le manger de madame de la Pagerie, que du seul moment où lui a été remis pour le porter à sa maîtresse ;

- L'accusée après avoir gardé longtemps le silence, après avoir essayé vainement d'échapper à la conviction qui l'atteignait s'est précipitée à nos genoux, en implorant le pardon de son crime, et en demandant grâce pour sa famille, sa mère, ses sœurs ; nous a fait l'aveu de l'attentat qu'elle avait projetté de commettre sur les jours de Madame de la Pagerie, et qu'elle avait exécuté.

Nous lui avons observé qu'elle n'avait pu concevoir l'idée d'un si grand crime sans avoir un intérêt et de grandes raisons pour le commettre, ou sans y être excitée par quelqu'un, et qu'il fallait que sur tous ces articles, elle fût aussi sincère qu'elle l'avait été dans son précédent aveu.

- L'accusée a répondu qu'elle n'avait aucune raison à donner, et qu'elle était seule coupable du forfait dont elle s'accusait.

Nous lui avons observé qu'il était impossible qu'elle fût sincère dans cette dernière réponse, et lui avons enjoint de nouveau de déclarer la vérité tout entière, et pour ne lui laisser aucun doute de ce qui était venu à notre connaissance, nous lui avons ajouté que les domestiques de la maison du Capitaine Général, et notamment les deux cuisiniers blancs l'accusaient d'avoir tenu à plusieurs reprises les propos les plus offensants, les plus injurieux à sa maîtresse; propos qu'elle avait terminés par une menace effrayante, en disant dans son langage oui [ ] qu'elle prenne garde à moi, qu'elle ne me fasse pas facher et mettre en colère.

- L'accusée après avoir longtemps gardé le silence, a déclaré qu'elle savait bien que sa maîtresse ne l'avait jamais aimée et que, quoique ses services lui fussent odieux, ils lui étaient cependant assez nécessaires pour qu'elle ne voulût pas s'en passer en la renvoyant de sa chambre, et que, desespérée de jamais parvenir à mériter son affection, elle avait résolu de se venger de la haine que lui portait Madame de la Pagerie en l'empoisonnant avec du verre pilé.

Interrogée si elle n'a pas mis dans le café de Madame de la Pagerie quelque ingré(dient) capable d'altérer sa santé.

- A répondu que non.

Sur ce, elle a observé qu'il est bien extraordinaire que sur quinze tasses de caffé qui ont été prises chez le Capitaine Général, aucunes n'aient été trouvées mauvaise, excepté celle de Madame de la Pagerie qui n'était pas potable, et que sans doute elle cache un secret sur cet objet, qu'il est pourtant important pour elle-même de dévoiler.

- L'accusée a toujours répondu n'avoir rien mis dans la tasse de caffé qui fut trouvée detestable par Madame de la Pagerie.

Nous avons sommé pour la dernière fois l'accusée de déclarer si elle avait des complices de son crime, et si elle avait eu d'autres raisons de le commettre.

- L'accusée a répondu qu'elle persévèrerait à ne point donner d'autres raisons du crime qu'elle avait commis, et que jamais, qui que ce soit ne l'avait excitée à le commettre.

Interrogée pourquoi elle a pris chez un nommé Ulric mulâtre libre, au nom de Madame de la Pagerie, une aune de drap bleu, de la toile pour doublure et du fil?

- A répondu que, ne comptant point sur son crédit à elle, elle avait mis en avant le nom de Madame de la Pagerie pour ne pas être refusée, et que, tous ces objets, drap toile et fil avaient été envoyés par elle à Noël nègre [raffineur] esclave d'habitation de Madame de la Pagerie lequel dit Noël depuis trois semaines devait lui envoyer de l'argent pour les payer.

Interrogée pourquoi elle avait fait venir des malles et tout son linge de l'habitation de Madame de la Pagerie, ce qu'elle n'était pas dans l'usage de faire

- A répondu que depuis le précédent voyage de Madame de la Pagerie au fort de France, ses malles et son linge étaient restés au fort de France.

Interrogée pourquoi elle n'a pas dit toute la vérité, lorsqu'à plusieurs reprises nous lui avons demandé où étaient toutes ses hardes

- L'accusée a gardé le silence.

Interrogée pourquoi le titre de liberté de sa sœur se trouvait dans une de ses malles.

- A répondu qu'elle l'ignorait et que, effectivement il s'y trouvait, il y avait été mis par sa sœur Brigitte elle-même.

Interrogée de nouveau, si elle n'a pas quelque complice du crime qu'elle voulait commettre

- A répondu qu'une vieille négresse de la chaîne, gardienne de la basse cour du gouvernement, nommée Thérèse lui a dit toutes les fois qu'elle la rencontrait *pourquoi donc Émilie ne sortez-vous pas plus souvent pour aller vous promener - Est-ce votre maîtresse qui vous retient? Si c'est elle, dites-le moi, moi [va?] vous verre pilé pou mettre dans manger Madame, et ça va faire li mourir.*

Interrogée si elle s'est servie du verre pilé que lui a donné la négresse Thérèse le même jour que cette dernière le lui a remis dans la main

- A répondu que oui, que le verre pilé a été donné mardi dernier à une heure et qu'elle l'a employé dans le manger de sa maîtresse le même jour à quatre heures

Interrogée si elle a pris de l'argent dans un sac, où l'on a fait un vol d'à peu près dix [moides] chez sa maîtresse.

- A persisté à répondre qu'elle n'a rien pris dans ce sac et qu'elle n'a pas volé sa maîtresse.

Interrogée où elle prenait l'argent qui lui servait à faire tant de dépenses.

- A répondu que cet argent venait d'un petit commerce de volailles et d'autres objets qu'elle faisait avec sa sœur, et que celle-ci allait vendre du lamentin.

A elle demandé si elle reconnaîtrait du verre pilé qu'elle a mis elle même dans le manger de Madame de la Pagerie.

- A répondu qu'elle le reconnaîtrait. En conséquence nous lui avons représenté le verre pilé dont il s'agit, et après l'avoir examiné, elle a déclaré qu'elle le reconnaissait.

Ce fait nous avons enveloppé le dit verre pilé dans un morceau de papier que nous avons empaqueté et sur lequel nous avons mis ces mots *Paraphé au dos de l'interrogatoire de la métisse Émilie de ce jour sept juin mil huit cent six* en notre signature se trouvant ensuite.

sur quoi nous avons cessé de l'interroger. Lecture faite à l'accusée du présent interrogatoire a dit que ses réponses en icelui contiennent vérité et qu'elle y persiste, en guise de signer, a déclaré ne savoir le faire, en conséquence avons signé avec le greffier signé à la minute Mottet et Blain.

Fait le présent interrogatoire, l'information et autres pièces de la procédure communiquées au Procureur Impérial.

Fort de France, le sept juin mille huit cent six

signé Mottet.

Collationné conforme à la minute déposé avec la procédure au greffe du Tribunal spécial.   Depaz, Greffier

DOCUMENT N° 3

<u>Membres du Tribunal spécial</u> : [N. de L R.]

    Claude Auguste Louis Mottet
    Sébastien de Crozant
    Thomas Richard Garnier Laroche
    Jacques Champin
    Claude François Saint-Félix
    Pierre François Depaz

Napoléon par la grâce de Dieu et la constitution de la république, Empereur des Français, à tous présents et avenir salut.

Vu par le tribunal spécial établi par l'arrêté du Capitaine Général en date du vingt-quatre Vendémiaire an douze, et composé de Messieurs Claude Auguste Louis Mottet chef d'escadron commandant la gendarmerie coloniale de l'Isle Martinique Président le dit Tribunal, Sébastien de Crozant commissaire commandant la paroisse du Fort de France de la dite Isle, Thomas Richard Garnier Laroche lieutenant Commissaire de la même paroisse, Jacques Champin chirurgien major de l'hôpital militaire et de marine du fort de france habitant notable de ladite ville, Claude François St Félix Capitaine de ladite gendarmerie rapporteur du/dit tribunal et Pierre François Depaz greffier du dit Tribunal.

Le procès extraordinairement poursuivi à la requête du procureur impérial près le dit Tribunal, demandeur et accusateur agissant de son office,
    d'une part

Contre la nommée Émilie métisse Escl. Appartenant à Madame de la Pagerie mère de sa Majesté l'Impératrice, la nommée Thérèse negresse attachée à la chaîne et employée dans la basse cour du palais du gouvernement, et le nommé Joseph nègre employé au service du palais du gouvernement, tous défendeurs et accusés d'empoisonnement prémédité contre Madame de la Pagerie,

d'autre part

Vu la remontrance en plainte du procureur impérial près le dit Tribunal, contre la nommée Émilie l'ordonnance au bas d'icelle en date du sept présent mois portant permis d'informer et décret de prise de corps contre la nommée Émilie, et qu'ensuite il en sera fait examen et vérification par le vérificateur Juré du Tribunal, le procès-verbal fait en exécution de l'ordonnance ci-dessus par le Commissaire et lieutenant Commissaire de la paroisse.

L'information faite le sept du présent mois, l'interrogatoire subi le même jour par Émilie ; l'ordonnance dudit jour portant décret de prise de corps contre la nommée Thérèse, le procès-verbal de l'état des drogues et matières trouvées par le Commis à la police dans la Case de Thérèse ; l'interrogatoire subi par Thérèse le sept du présent mois de relevée, le procès-verbal de vérification du vérificateur Juré, la remontrance en plainte du procureur impérial contre le nommé Joseph et l'ordonnance au bas d'icelle en date du huit présent mois portant permis d'informer et décret de prise de corps contre le dit Joseph, l'interrogatoire subi ce jour par ledit Joseph : les conclusions du procureur impérial tendant à ce que la procédure soit réglée à l'extraordinaire ; le Jugement qui règle la procédure à l'extraordinaire, le recolement des sieurs Poré et Melines témoins sur en l'information, la confrontation des dits sieurs Poré et Melines avec Émilie, la répétition d'Émilie en son interrogatoire du sept de ce mois, [l'affrontation] faite des accusées Émilie et Thérèse en date de ce jour.

Vu aussi les conclusions par écrit du procureur impérial en date de ce jour étant considéré et mûrement examiné

Le Tribunal oui M. De St Félix en son rapport des charges et informations et de toute la procédure dont la lecture a été faite déclare la nommée Émilie esclave de Madame de la Pagerie mère de sa majesté l'Impératrice, düement atteinte et convaincue d'avoir formé le dessein d'empoisonner et de faire mourir Madame de la Pagerie en mêlant du verre pilé d (ans) une assiette de pois qui était un des mets du repas de

Madame de la Pagerie pour réparation de quoi et en conformité de l'article 34 de l'arrêté du 24 Vendémiaire an douze portant que le crime *d'empoisonnement et celui d'incendie seront punis de mort la tentative d'empoisonnement et d'incendie accompagnée d'actes extérieurs et de préparatifs tendant à l'empoisonnement ai a l'incendie sera punie de la même peine.*

Condamne ladite Émilie à être attachée par l'exécuteur de la haute Justice sur un bûcher qui sera dressé dans le lieu le plus apparent de cette ville pour y être brûlée vive son corps réduit en cendres et icelles semées au vent.

Ordonne qu'il en sera plus amplement informé indéfiniment contre la négresse Thérèse.

Décharge le nommé Joseph de l'accusation contre lui portée, et ordonne qu'il sera élargi des prisons.

Ordonne que l'exécution d'Émilie aura lieu dans les vingt-quatre heures

Mandons etc.

fait à fort de France de l'Isle Martinique en la Chambre du palais de Justice le neuf juin mil huit cent six à deux heures de relevée, devant tous les membres du Tribunal cy-devant dénommés signé avec le greffier - signé à la minute Morret, Séb. Crozant, Garnier Laroche, Champin, St Félix et Depaz greffier

Exécuté a été le jugement ci-dessus après la prononciation qui en a été faite à l'accusée dix juin mil huit cent six sept heures et demi du matin

signé Depaz

Collationné conforme à la minute déposée avec la procédure au greffe du Tribunal spécial.

Depaz
Gr

[Communication de l'auteur, publiée dans le *Bulletin du Centre de Généalogie et d'Histoire des Isles d'Amérique*, n° 38. XII. 1991. 30 rue Boissière, 75116 Paris.]

Le caractère de Joséphine,
analysé par Frédéric Masson

Ainsi dans un minutieux détail, a-t-on suivi l'existence de Joséphine durant qu'elle fut impératrice, et de ses goûts, de ses habitudes, des façons qu'elle a adoptées, des cadres qu'elle a traversés, a-t-on pris quelque idée. Sans doute, l'on a touché ici qu'un des éléments d'information ; l'on n'a regardé que l'Impératrice et c'est sur elle seule qu'a été menée l'enquête : rien donc des relations de l'épouse, de la mère, de la bru, de la belle-sœur, avec son mari, ses enfants et ses alliés ; rien de la vie de Joséphine avant l'Empire et après le divorce.

C'est l'Impératrice seule qui est en jeu, et c'est uniquement le spectacle qu'elle a donné à ses contemporains qu'on a prétendu restituer. C'est sur les faits qu'on vient de voir qu'ils ont formé leur opinion et c'est sur cette opinion qu'a été rendu jusqu'ici le jugement de la postérité.

« Caractère bienveillant, tact social tout particulier » dit Metternich ; « jugement sain, grande habitude de la société » dit Lavallette, et tous à la suite, Beugnot, Meneval, Mollien, Savary, Rapp, tous les mémorialistes sans exception, s'accordent à vanter son affabilité, son tact et la plupart ajoutent : sa bonté.

Tous aussi sont unanimes en jugeant son intelligence :
« Elle avait un esprit peu étendu », disent ensemble Lavallette
et Metternich ; « elle n'avait pas un esprit supérieur », dit
Meneval.

Quant à la portée de cet esprit et à son envergure, l'on
peut se trouver d'accord avec les contemporains. Il manque,
certes, à Joséphine, l'esprit de conduite, le haut dessein, le
désir d'aller au grand. Elle est la gaspilleuse, et sa folie de
dépense, l'incapacité où elle est de se régler jamais, le gouffre
de Malmaison, le gouffre des bijoutiers, cette vie la plus
absurdement prodigue qui fût jamais au monde, suffisent
pour en fournir la preuve. En évaluant à 25 millions ce
qu'elle a, pour ses fantaisies, dépensé en six années, l'on est
au-dessous de la vérité ; mais, qu'une femme trouve un amant
prêt à payer toujours toutes les dettes qu'il lui plaira de faire,
à quelle somme les montera-t-elle ? Joséphine a réalisé ce rêve
de ne compter jamais, d'ignorer la valeur des choses, de
méconnaître l'argent, de ne voir que son désir du moment, et
de le satisfaire : par là sans doute, elle s'est montrée médio-
crement pratique et n'a point, comme le lui reprochait
l'Empereur, assuré des rentes à ses petits-enfants ; mais elle a
été dans la vérité de son rôle et de son tempérament, qui est
un rôle et un tempérament de courtisane.

En même temps qu'elle manque de l'esprit de conduite,
qu'on trouve chez les bourgeoises économes, elle déploie en
toute circonstance une habileté infinie pour retenir et garder
près d'elle l'amant, l'époux qui, à chaque instant, cherche à
s'échapper : elle tient en échec tous les Bonaparte ; elle mène
quantité d'intrigues, pratique des alliances et, dans ce siège de
quatorze ans dont elle est l'objet, nul ne peut lui apprendre
des tours pour se défendre, pour pratiquer des sorties et faire
jouer des contre-mines. Elle a cet art suprême de ne laisser
rien paraître de cette habileté et elle préfère qu'on la croie
sotte plutôt que de se découvrir.

Elle a pris, ou elle a de naissance, étant femme, une habitude de la dissimulation qu'en toute occasion elle met en pratique. Elle a, comme dit Napoléon, *la négative*, « c'est là son
premier mouvement, sa première parole : *Non* et ce *Non* n'est

pas précisément un mensonge, c'est une précaution, une simple défensive ». Elle n'avoue point, elle n'avoue jamais et avec cette arme seule, mais constamment employée, elle est constamment en garde. Elle porte à s'en servir une telle habileté qu'un observateur tel que Beugnot a pu s'y tromper et vanter sa *sincérité*.

C'est qu'en effet sur tout ce qui ne touche pas à sa *position*, elle peut paraître et il semble même qu'elle soit sincère : que lui importe ? Il lui est plus simple, plus agréable et plus facile d'être aimable pour tous que de marquer à qui que ce soit une préférence ou une antipathie. À défaut de la prudence qui lui conseillait une telle règle de vie, l'égoïsme la lui imposerait. Elle n'a point d'amis, ni d'amies qu'elle ne soit prête à sacrifier à son intérêt du moment ; point de parent, point d'enfant, mais en même temps elle fait des grâces à l'univers et chacun se retire charmé. La profondeur de son égoïsme est insondable, mais cet égoïsme revêt la forme particulière de l'affabilité et de l'attendrissement. Tout le monde s'y laisse prendre, elle-même semble y croire. Et cela suffit.

L'égoïsme, lorsqu'une femme le dissimule assez pour faire penser qu'elle a du cœur, est à la fois la plus grande des forces et la meilleure des armes. Joséphine y excelle et il suffit qu'elle paraisse ainsi, car, pour ce qu'elle pense réellement, nul ne le sait, pas même elle. Car, chez elle, l'égoïsme est si profond et si naïvement absorbant qu'il s'ignore. La dissimulation est si habituelle que son jeu n'exige aucun effort, et qu'elle est d'abord en action. De fait, on ne saurait demander mieux : la sincérité, qui est un besoin de nature et une faiblesse chez certains êtres masculins, n'est jamais qu'une apparence chez la femme et un moyen de mieux tromper. On ne doit donc exiger d'elle que de faire croire qu'elle éprouve des sensations ou des sentiments. Si elle en donne l'illusion, c'est assez. Joséphine a convaincu son mari et ses enfants qu'elle les aimait, elle a convaincu tout le monde qu'elle était bonne ; elle a convaincu Beugnot qu'elle était sincère. N'est-ce pas comme si elle l'avait été ?

Elle est une femme – la femme à la fois la plus civilisée et la plus sauvage ; nulle instruction, nulle croyance, nulle règle morale ; mais le sens du monde : sens qu'elle n'a point acquis, qu'elle a de naissance et qui la pare aux yeux. Du premier coup, elle sait entrer dans un salon, y marcher, y paraître, dire ce qu'il faut à chaque personne, faire les différences, gagner tous les cœurs. Où l'a-t-elle appris ? À la Martinique, à Panthemont, chez Barras ? Nulle part. Cela est un don. Elle est ainsi.

C'est là sa qualité majeure, l'unique peut-être. Avec ce tact du monde et cette affabilité qui sont de nature, elle sauve tout, et le néant de son moral est couvert. Cela ne se rencontre-t-il pas chez quelques êtres ? N'en sait-on pas qui, partis de plus bas, n'ayant point reçu plus que Joséphine une tradition de politesse et une éducation de société, se trouvent en leur atmosphère dans le premier salon où ils pénètrent et y sont mieux à leur aise que s'ils y avaient été élevés ? Et l'inverse est vrai, car on sait tant de femmes et d'hommes bien nés, ayant reçu l'éducation qui convient, qui passent, dans le monde, leur vie à n'en pas être.

Affabilité et tact, égoïsme, dissimulation, voilà les vertus mondaines de Joséphine : elle n'en a point d'autres, mais n'aurait pas besoin d'en avoir si elle se trouvait toujours avec Napoléon. Il est, pour elle, le guide et le mentor nécessaire ; qu'il gronde ou qu'il se taise, il est là, cela suffit ; elle se surveille, elle agit selon la règle qu'il a donnée ; et, en se soumettant à l'étiquette, elle contraint les autres à la subir. Par là, elle se maintient en son rang, s'établit en sa dignité, et, par crainte plus que par goût, elle se trouve de pair avec sa fortune. Mais, que Napoléon s'absente, alors, pareille à ces étoffes molles dont elle aime à se parer, elle laisse tout aller ; elle oublie ce qu'elle est devenue pour ce qu'elle a été, retombe à ses fréquentations, s'amuse à des niaiseries, se fait la complice d'inventions plaisantes, rit aux histoires salées, supporte les méchantes humeurs de qui l'entoure, se plaît aux cancans de femmes de chambre, retombe à sa vie d'autrefois. Napoléon manquant, tout lui manque, car elle n'a pas, d'elle-même, pris une idée qui la maintienne et la porte au-dessus des autres ; sa dignité n'est que de reflet ; sa tenue ne lui est imposée que par la conscience de son intérêt, par la peur de perdre sa *position*.

Cette position, quel fardeau! Quelle lutte pour la conquérir, quel continuel effort pour s'y maintenir, et, au fond, quelle triste vie! Qu'on mette de côté ce qui en est la joie principale, le gaspillage, la toilette, les bijoux, Malmaison; rien que la vanité satisfaite, mais à quel prix! Pas une minute de calme, d'apaisement, même de tranquillité. Cette femme qui serait volontiers sédentaire passe son temps d'impératrice à courir les routes, à changer perpétuellement d'horizon et de cadre. Une inquiétude qui la dévore, une attention qui la surmène : que dit-il? que pense-t-il? que va-t-il faire? S'il part, elle part. S'il voyage, elle voyage. S'il demeure, elle reste. Elle attend, des heures, des jours, épiant le moindre bruit et craintive au moindre souffle. *Ne point déplaire* au maître, ne point donner prise, et faire bonne contenance, garder bon visage, se renseigner sans avoir l'air, écouter sans qu'on s'en doute, sentir constamment sur soi la menace de la répudiation, savoir cette répudiation inévitable, mais gagner du temps, retarder l'accident, et cela, quatre années durant!

Quelle vie! Quel supplice pour une autre femme : mais, telle qu'elle est, Joséphine avec sa nature, son existence de hauts et de bas, cette suite d'alternatives qui emplissent son passé, y est moins sensible sans doute que ne serait une femme dont la vie eût été établie dès l'enfance, même en une position médiocre, mais définie et stable. Elle peut, même au milieu des plus graves inquiétudes, jouir d'un chapeau, d'une robe, d'un bijou, elle peut potiner avec ses femmes de chambre, ses dames du Palais, les femmes qui lui font visite; elle peut regarder ses fleurs, jouer avec ses bêtes, faire des patiences. Elle a ce côté de l'enfance qui, forcément, la distrait et l'empêche de s'assombrir. Ce n'est point une martyre, pas plus que ce n'est un grand esprit ni un pauvre esprit : c'est, il semble, en la plus étonnante fortune qui soit, fortune où elle n'est pour rien, ne s'est en rien aidée et qui lui est tombée du ciel, comme la sublimation de la femme française – non point des vertus de la race, mais de ses charmes, de ses agréments et de ses vices de nature.

Des deux femmes qu'elle montre – celle qu'elle est, l'Empereur présent, celle qu'elle est, l'Empereur absent –

celle-ci seule, sans doute, est la véritable et la sincère. C'est celle que voient les marchands, les cabotins, les femmes de chambre, les jardiniers, celle que voient, à des jours, les dames du Palais et les chambellans, la femme à dettes, à potins, à bestioles, qui mène au vrai la vie d'une fille la plus éminemment entretenue, qui en a tout le fond d'être, tous les goûts, toutes les habitudes ; mais, de celle-là, le public, même à la Cour, en devine seulement de petits côtés qu'il soupçonne, en raconte de petites historiettes et qui passent encore pour bonté, gentillesse, agrément de femme ; c'est l'autre que voit le public, celle tendue en son désir, en sa passion de ne pas déchoir, de ne pas être remerciée, congédiée vilainement, si adroite que, de ce continuel effort, sauf aux derniers jours et lors de la chute imminente, nul ne s'aperçoit : elle ne se guinde point, elle ne s'efforce pas ; elle est juste ce qu'il faut et telle qu'il faut qu'elle soit. Elle y excelle à ce degré qu'elle y est constamment naturelle, et sa comédie est si divinement jouée qu'elle fournit constamment l'illusion entière de la vérité. Aussi bien, qui peut dire qu'elle n'y soit pas sincère et que, ce rôle appris, elle n'y soit pas entrée au point de le vivre réellement ? Serait-elle la première femme chez qui l'on relèverait une dualité de sentiments, une existence double, une tromperie sincère ? Serait-elle la seule qui eût trouvé le moyen d'être ensemble très fille et très grande-dame, en qui l'on constaterait à la fois tous les goûts qui font celle-là, et tout le charme qu'il faut à celle-ci ? Tromper, n'est-ce point toute la femme et pourvu qu'elle trompe sans que jamais l'on s'en aperçoive, qu'importe le reste ?

En vérité, les contemporains ont eu raison, et c'est leur opinion qui doit demeurer : l'intime, le profond, le for intérieur des êtres, si, grâce à une recherche attentive, l'on parvient à en prendre des indices, l'on y pénètre point ; il faut se tenir aux apparences qu'ils ont données et les juger sur le dehors. Les vertus domestiques consistent d'abord à rendre heureux le compagnon de vie : et Napoléon n'a cessé de proclamer le bonheur qu'il avait dû à sa femme. Quant aux vertus sociales qui, chez les civilisés, doivent primer toutes les autres, qui sont les seules sur qui la Société ait un droit d'enquête, les seules qui lui importent et qui la regardent, Joséphine ne les possédait-elle point à un degré incomparable ; la grâce qui la faisait agréable à regarder, l'affabilité qui lui indiquait les mots à dire, le tact et la mémoire, l'agrément de la voix et le charme du sourire, et cette admirable faculté de dissimuler et de mentir, la vertu sociale par excellence !

Ainsi vaut-elle parce qu'elle est femme et ne peut-on dire que, en son temps, elle représente, incarne, symbolise même *la Femme*, non la femme de foyer ou la femme de temple, la femme de chasteté et de sacrifice, de devoir et d'abnégation, mais la femme telle qu'il faut dans le monde, dans le salon et le boudoir, la femme qui n'a rien appris et qui sait, d'instinct, tout ce qu'il faut, l'être de luxe, d'agrément et de plaisir, qui, par ses défauts plus encore que ses qualités, forme le lien des sociétés, en rejoint les membres épars, y établit une sorte de loi de galanterie et de politesse et qui, sans effort apparent, passe de sa bergère à un trône, n'y semble point enivrée, n'y éprouve point de gêne, y est *à son aise*. C'est là sans doute la qualité suprême – et combien rare et distinguée ! – qu'il faut reconnaître à Joséphine. Tout en gardant le souvenir de ce qu'elle a été, et ne s'en faisant pas accroire, elle se met de pair avec chaque situation nouvelle et elle n'y paraît point déplacée. Si elle a des incertitudes et des hésitations, lorsqu'elle est parvenue au sommet, elle est de nature si malléable et si facile que, sur un regard de l'Empereur, elle se reprend tout de suite et se trouve de pair : il n'est point de ses actes sociaux – et combien compliqués, difficiles, étranges ! – un seul qui fasse sourire ; il n'est point une de ses paroles publiques qui détonne ; il n'est point un de ses costumes qu'on regrette. Elle n'a ni à se reprocher une faute de goût, ni un manque de tact, ni une vulgarité d'expression ou de tenue. La femme triomphe en elle, la Française, la créole, la femme qui n'est qu'une mondaine, et qui n'a besoin d'être rien de plus, parce qu'elle ne saurait être rien de mieux.

Conclusion de *Joséphine, Impératrice et Reine*, 1898-1909, pp.453 et suiv.

Chronologie

1726	Arrivée de Gaspard Joseph Tascher de la Pagerie à la Martinique.
16 avril 1734	Mariage avec Marie-Françoise Bourreau de la Chevalerie.
5 juillet 1735	Naissance de Joseph Gaspard Tascher de la Pagerie, père de Joséphine, au Carbet.
26 novembre 1736	Naissance de Rose Claire Des Vergers de Sannois, mère de Joséphine, aux Trois-Îlets.
28 mai 1760	Naissance à Fort-Royal d'Alexandre de Beauharnais.
9 novembre 1761	Mariage aux Trois-Îlets de Joseph Gaspard Tascher de la Pagerie et de Rose Claire Des Vergers de Sannois.
23 juin 1763	Naissance aux Trois-Îlets de Marie Joseph Rose Tascher de la Pagerie, baptisée le 27 dans l'église de la paroisse, dite Mlle de la Pagerie.

1761-1765 environ	Le petit Alexandre de Beauharnais grandit chez Mme de la Chevalerie de la Pagerie, grand-mère paternelle de Joséphine.
11 décembre 1764	Naissance de Catherine Désirée, cadette de Joséphine, aux Trois-Îlets, baptisée le 21 janvier 1765.
13-14 août 1766	Cyclone ravageur sur la Martinique.
3 septembre 1766	Naissance de Marie Françoise, dernière sœur de Joséphine, baptisée le 6 avril 1767.
1773-1777	Joséphine chez les Dames de la Providence, à Fort-Royal.
15 octobre 1777	Mort aux Trois-Îlets de Désirée, sœur de Joséphine, inhumée le lendemain.
11, 18, 25 avril 1779	Publication à Notre-Dame des Trois-Îlets des bans annonçant le mariage de Mlle de la Pagerie avec Alexandre de Beauharnais.
Fin août-12 oct. 1779	Première traversée transatlantique de Mlle de la Pagerie escortée de son père. Débarquement à Brest.
5 et 6 déc. 1779	Bans annonçant son mariage publiés simultanément à Noisy-le-Grand, à Saint-Sulpice et à Saint-Sauveur de Paris.
10 décembre 1779	Contrat de mariage signé chez les Beauharnais, rue Thévenot, à Paris.

13 décembre 1779	Mariage religieux de Mlle de la Pagerie et d'Alexandre de Beauharnais, à Noisy le Grand.
3 septembre 1781	Naissance d'Eugène de Beauharnais, rue Thévenot.
10 avril 1783	Naissance d'Hortense de Beauharnais, rue Neuve Saint-Charles, à Paris.
8 juillet 1783	Lettre injurieuse du vicomte de Beauharnais à sa femme.
8 décembre 1783	Mme de Beauharnais, à Panthemont, dépose une plainte contre son mari.
10 décembre 1783	Mme de Beauharnais demande la séparation de corps et de biens d'avec son mari.
4 mars 1785	Accord amiable entre les époux Beauharnais.
Eté 1785	Mme de Beauharnais s'installe auprès de son beau-père, le marquis de Beauharnais, et de sa tante, Mme de Renaudin, à Fontainebleau.
Fin 1787-juin 1788	Elle séjourne à Paris, chez les banquiers Rougemont.
Juin 1788	Séjour au Havre, avec sa fille Hortense.
Juillet 1788	Embarquement pour la Martinique où elle séjourne jusqu'au 4 septembre 1790.

29 octobre 1790	Mme de Beauharnais débarque à Toulon.
7 novembre 1790	Mort de son père aux Trois-Îlets.
Avril 1791	Alexandre de Beauharnais président des Jacobins.
Juin-juillet 1791	Il préside la Constituante.
4 novembre 1791	Mort aux Trois-Îlets de la dernière sœur de Joséphine.
20 avril 1792	La France entre en guerre. Beauharnais à l'Armée du Nord.
16 août 1792	Beauharnais, chef d'état-major à l'Armée du Rhin.
Hiver 1792-93	Beauharnais à Strasbourg. Mme de Beauharnais s'y rend (initiation maçonnique).
13 juin 1793	Beauharnais nommé ministre de la Guerre. Refuse.
23 juin 1793	Commandant en chef de l'Armée du Rhin.
17-18 août 1793	Donne sa démission.
Fin septembre 1793	Mme de Beauharnais et ses enfants à Croissy.
21 ventôse, an II (11 mars 1794)	Beauharnais arrêté à la Ferté-Avrain.

24 ventôse, an II (14 mars 1794)	Il est incarcéré aux Carmes.
1er floréal, an II (21 avril 1794)	Arrestation de Joséphine, rue Saint-Dominique. Incarcérée aux Carmes.
5 thermidor, an II (23 juillet 1794)	Beauharnais est guillotiné.
19 thermidor, an II (6 août 1794)	Joséphine sort des Carmes.
Sept. 1794 -mi-août 1795	Vie précaire, rue de l'Université, jusqu'à l'installation rue Chantereine.
25 juin 1795	Conseil de famille à Fontainebleau.
Eté 1795	Hortense et Eugène en pension à Saint-Germain.
13 vendémiaire an IV (5 octobre 1795)	Bonaparte réduit l'insurrection parisienne des sectionnaires. Joséphine et Barras dînent ensemble.
Fin octobre 1795 -8/9 mars 1796	Liaison entre Bonaparte et Joséphine.
8 mars 1796	Contrat de mariage Bonaparte-Beauharnais.
9 mars 1796	Mariage civil, à l'hôtel de Mondragon.
11 mars 1796	Départ du général Bonaparte pour la campagne d'Italie.

20 juin 1796	Le marquis de Beauharnais épouse Mme de Renaudin, née Désirée Tascher de la Pagerie, tante de Joséphine.
27 juin 1796	Joséphine quitte Fontainebleau pour l'Italie.
13 juillet 1796	Elle arrive à Milan.
30 juillet 1796	Entre le fort de Peschiera et Castelnuovo, sur les bords du lac de Garde, la berline de Joséphine est canonnée.
Été 1796	Crémone, Parme, Florence, Lucques, Gênes.
Automne-Hiver 1796	À Milan.
Printemps-Été 1797	Les Bonaparte installés au château de Mombello. Une partie de la famille Bonaparte les rejoint.
Sept.-octobre 1797	Les Bonaparte à Passeriano. Eugène les rejoint.
Décembre 1797	Joséphine rentre, depuis Venise, à Paris, où elle arrive le 2 janvier 1798.
3 janvier 1798	Fête en son honneur à l'hôtel de Gallifet.
Mars 1798	Crise conjugale. Lettre au lieutenant Charles.
4 mai 1798	Départ de Bonaparte pour l'Égypte. Joséphine l'accompagne jusqu'à Toulon, d'où il embarque le 19 mai.

Été 1798	Joséphine à Plombières. Arrivée le 14, le 20, elle fait une chute de son balcon. Retour à Paris le 16 septembre.
2 floréal an VII (21 avril 1799)	Achat de la Malmaison.
16 octobre 1799	Débarqué à Fréjus le 9, Bonaparte arrive à Paris. Scène conjugale au retour de Joséphine.
18 et 19 brumaire an VII (9 et 10 nov. 1799)	Coup d'État de Bonaparte qui institue le Consulat.
19 février 1800	Installation du Premier Consul et de sa famille aux Tuileries.
14 juin 1800	Victoire de Marengo.
Juillet 1800	Joséphine à Plombières.
3 nivôse an IX (24 décembre 1800)	Attentat contre Bonaparte, rue Saint-Nicaise.
Septembre 1801	Bonaparte commence la restauration de Saint-Cloud.
13-14 nivôse an X, (2-3 janvier 1802)	Mariage d'Hortense de Beauharnais et de Louis Bonaparte.
Janvier 1802	Voyage du Premier Consul et de Joséphine à Lyon.
27 mars 1802	Paix d'Amiens.

18 avril 1802	Culte rétabli à Notre-Dame, Te-Deum.
26 avril 1802	Amnistie générale des émigrés.
Mi-juin-mi-juil. 1802	Joséphine à Plombières.
2 août 1802	Instauration du Consulat à vie.
10 octobre 1802	Naissance du premier fils d'Hortense et de Louis Bonaparte, Napoléon Charles.
29 oct.-14 nov. 1802	Voyage du Premier Consul et de Joséphine en Normandie (Ivry-la-Bataille, Rouen, Le Havre, Dieppe, Gisors, Beauvais).
23 novembre 1802	Nomination des Dames du palais.
24 juin-11 août 1802	Voyage du Premier Consul et de Joséphine dans le Nord et en Belgique (Amiens, Lille, Bruges, Gand, Bruxelles, Namur).
20/21 mars 1804	Assassinat du duc d'Enghien, fusillé dans les fossés de Vincennes.
28 floréal an XII (18 mai 1804)	Instauration de l'Empire.
Août 1804	Joséphine aux eaux d'Aix-la-Chapelle, où Napoléon la rejoint le 2 ou 3 septembre : périple par Cologne, Coblence, Mayence, d'où Joséphine revient le 7 octobre.
11 octobre 1804	Naissance du deuxième fils d'Hortense et de Louis Bonaparte, Napoléon Louis.

1er décembre 1804	Célébration religieuse du mariage de Napoléon et de Joséphine, dans l'intimité, par Fesch.
2 décembre 1804	Sacre et couronnement à Notre-Dame de Paris.
2 avril-11 juillet 1805	Voyage en Italie (à Milan, Napoléon couronné roi des Lombards, puis périple aux îles Borromées et à Gênes).
7 juin 1805	Eugène devient vice-roi d'Italie.
1er-30 août 1805	Joséphine à Plombières.
25 sept.-28 nov. 1805	Joséphine à Strasbourg, au Palais des Rohan, pendant la campagne d'Allemagne.
2 décembre 1805	Bataille des Trois Empereurs, Austerlitz.
28 nov.-4 déc. 1805	Joséphine à Carslruhe, Stuttgart, Augsbourg et Munich.
5-31 décembre 1805	Elle séjourne à Munich, où Napoléon la rejoint le 31 décembre.
12 janvier 1806	Adoption par Napoléon d'Hortense et d'Eugène.
13-14 janvier 1806	Mariage à Munich d'Eugène de Beauharnais et de la princesse Auguste de Bavière. Joséphine quitte Munich le 17 janvier et rentre à Paris le 26.
8 juin 1806	Louis et Hortense sont faits roi et reine de Hollande.

28 sept. 1806 -15 janv. 1807	Joséphine à Mayence, pendant la campagne en Prusse. Napoléon se portera en Pologne. Ne rentrera que fin juillet.
5 mai 1807	Mort à La Haye du premier fils d'Hortense et de Louis, du croup.
12 mai 1807, au soir	Joséphine arrive au château de Laeken. Elle y retrouve sa fille, le 15.
2 juin 1807	Mort aux Trois-Îlets de Mme de la Pagerie, mère de Joséphine.
7-17 sept. 1807	Chasses à Rambouillet.
20 sept.-16 nov. 1807	À Fontainebleau.
10-25 avril 1808	Séjour à Bordeaux.
27 avril-21 juil. 1808	Séjour à Marracq, près de Bayonne. (Le 20 avril est né, à Paris, le troisième fils d'Hortense et de Louis, Louis Napoléon, futur Napoléon III.)
21 juil.-14 août 1808	Retour de Napoléon et de Joséphine (par Bayonne, Auch, Toulouse, Bordeaux, la Vendée, Angers, Tours et Blois).
Mi-avril-mi-juin 1809	Séjour de Joséphine à Strasbourg.
12 juin-18 août 1809	Joséphine à Plombières, en compagnie d'Hortense et de Stéphanie de Bade
26 octobre 1809	Napoléon et Joséphine se retrouvent à Fontainebleau, où la Cour séjournera

	jusqu'au 16 novembre. Scène conjugale. Il lui annonce le divorce.
30 novembre 1809	Scène conjugale aux Tuileries (modalités du divorce).
14 décembre 1809	Cérémonie de dissolution du mariage par consentement mutuel, aux Tuileries, dans le grand cabinet.
15 décembre 1809	Eugène devant le Sénat. Sénatus-consulte adoptant le divorce. Joséphine quitte les Tuileries pour la Malmaison.
16 décembre 1809	Visite de Napoléon à Joséphine.
25 décembre 1809	Joséphine et Hortense dînent avec Napoléon, à Trianon.
9 et 12 janvier 1810	L'Officialité diocésaine de Paris et l'Officialité métropolitaine annulent le mariage religieux de Napoléon et de Joséphine.
Mi-février-mars 1810	Séjour à l'Élysée.
29 mars-16 mai 1810	Séjour à Navarre, en Normandie.
Mi-mai-mi-juin 1810	À la Malmaison.
18 juin-25 août 1810	À Aix-en-Savoie.
Sept.-oct. 1810	À l'Hôtel d'Angleterre, au Sécheron, jouxtant Genève d'où elle fait une série d'excursions. (La mer de Glace, le Montenvers, Neufchâtel, Berne, la Jungfrau, le tour du lac Léman,

	Chillon, Lausanne, Vufflens.) À son retour, achat de Prégny-la-Tour.
23 nov. 1810 -avril 1811	Séjour à Navarre.
Avril-juillet 1811	À la Malmaison.
Août 1811	À Navarre.
3 sept. 1811 -27 juillet 1812	À la Malmaison.
27 juil.-8 sept. 1812	À Milan, pour l'accouchement de sa belle-fille, le 31 juillet, d'une fille, Amélie, future Impératrice du Brésil. Eugène en Russie.
Septembre 1812	À Aix-en-Savoie.
28 sept.-21 oct. 1812	À Prégny-la-Tour.
27 octobre 1812 -29 mars 1814	À la Malmaison.
29 mars-15 avril 1814	Repli à Navarre.
16 avril 1814	Première visite du Tsar.
14 mai 1814	Avec le Tsar, à Saint-Leu, chez Hortense. Refroidissement.
25 mai 1814	Fièvre. S'alite.
29 mai 1814	Dimanche de Pentecôte, à midi, elle meurt à la Malmaison.
2 juin 1814	Funérailles en l'église de Rueil.

Bibliographie

Sources manuscrites

L'essentiel de la documentation manuscrite concernant l'Impératrice Joséphine se trouve aux Archives Nationales, dans le monumental Fonds Napoléon, entré en 1979, sous la cote 400 AP, aujourd'hui microfilmé. Les cartons numérotés 25 à 40 étant les plus utilisés par nous, notamment les lettres d'Eugène de Beauharnais à sa sœur Hortense (28). Comme les papiers Beauharnais, sous la cote 251 AP. Les archives Tascher de la Pagerie et les archives Leuchtenberg ont été explorées par Jean Hanoteau, avant la Seconde Guerre mondiale : on en trouvera la mention dans les sources imprimées. Dans le fonds C 8A, nous avons retrouvé le dossier consacré à Mme de la Pagerie, mère de Joséphine, dont nous avons utilisé les cotes 112-1806 et 114-1806, publiées en Annexes.

Sources imprimées

Abrantès (Laure Junot, duchesse d') : *Mémoires*, Souvenirs historiques sur la Révolution et le Directoire, Paris, 1928
  Mémoires, sur Napoléon, sa cour et sa famille, Paris, 1838
A. d'Arjuzon : *Wellington*, Paris, 1998
C. d'Arjuzon : *Hortense de Beauharnais*, Paris, 1897
  Madame Louis Bonaparte, Paris, 1897

M-B. d'Arneville : *Parcs et jardins sous le Premier Empire*, Paris, 1981

Arthur-Lévy : *Napoléon et Eugène de Beauharnais*, Paris, 1926
  Les dissentiments de la famille impériale, Paris, 1932

J. Aubenas : *Histoire de l'Impératrice Joséphine*, Paris, 1857, 2 vol.

A. Augustin-Thierry : *Le Tragédien de Napoléon, François-Joseph Talma*, Paris, 1942
  Madame Mère, Paris, 1939

Mlle Avrillion : *Mémoires sur la vie privée de Joséphine, sa famille et sa cour*, Paris, 1969

Barras : *Mémoires*, Paris, 1946

A. Beaunier : *Le Roman d'une amitié, Joseph Joubert et Pauline de Beaumont*, Paris, 1924

B. Bergerot : *Hoche, un sans-culotte aristocrate*, Paris

F. de Bernardy : *La Reine Hortense*, Paris, 1968
  Flahaut, Paris, 1974

J. Bertaut : *Napoléon Ier aux Tuileries*, Paris, 1949
  Les belles émigrées, Paris, 1948

Général Bertrand : *Lettres à Fanny*, 1808-1815, Paris, 1979

Blaynay (Lord) : *Une captivité en France, Journal d'un prisonnier anglais, 1811-1814*, Louis Michaud, s.d., (v. 1910), coll. Albert Savine

Comtesse de Boigne : *Mémoires*, récits d'une tante, Paris, 1971

Baron de Bourgoing : *Marie-Louise, impératrice des Français*, 1810-1814, Paris, 1938

J-D Bredin : *Siéyès*, la clé de la Révolution française, Paris, 1988

C. Brifaut : *Souvenirs d'un académicien*, Paris, 1921

G. de Broglie : *Le Général de Valence*, Paris, 1972

Y. Brunel : *La Mère de Louis XVI, Marie-Josèphe de Saxe, Dauphine de France*, Paris, 1960

L. Buonaparte : *Lettere*, a cura di P. Misciatelli, Milan, 1936

Dr Cabanès : *Mœurs intimes du passé, La vie aux bains*, Paris, 1926

Mme Campan : *Correspondance inédite avec la reine Hortense*, Paris, 1835

A. Castelot : *Joséphine*, Paris, 1964

Duc de Castries : *Papiers de famille*, Paris, 1977

Mme Cavaignac : *Mémoires d'une inconnue*, Paris, 1894

Mme de Chastenay : *Mémoires 1771-1815*, Paris, 1987

Vicomte de Chateaubriand : *Les Mémoires d'Outre-Tombe*, Paris 1948, 2 vol.

   Génie du Christianisme, Paris, La Pléiade, 1978

Vicomtesse de Chateaubriand : *Mémoires et Lettres*, Paris, 1929

B. Chevallier : *Malmaison, château et domaine, des origines à nos jours*, Paris, 1989

   L'Art de vivre au temps de Joséphine, Paris, 1998

   L'Impératrice Joséphine, avec C. Pincemaille, Paris, 1988

   Correspondance de l'Impératrice Joséphine, *1782-1814*, Paris, 1996

J. Claretie : *L'Empire, les Bonaparte et la Cour*, Paris, 1871

L. Cochelet (Mme Parquin) : *Mémoires sur la reine Hortense et la famille impériale*, Paris, 1836

A. de Coigny : *Journal*, Paris, 1981

Sir John Dean Paul : *Journal d'un voyage à Paris au mois d'août 1802*, Paris, 1913

A. Decaux : *Letizia*, Paris, 1969

G. de Diesbach : *Histoire de l'émigration 1789-1814*, Paris, 1975

E. Driault : *L'Impératrice Joséphine*, Paris, 1928

G. Ducrest : *Mémoires sur l'Impératrice Joséphine*, Paris

C. Dufresne : *Morny*, Paris, 1983

L. Dumont-Wilden : *Le Prince errant : Charles-Edouard, le dernier des Stuarts*, Paris, 1934

M. Dupont : *Pauline Fourès*, Paris, 1942

Générale Durand : *Mes souvenirs sur Napoléon, sa famille, sa cour*, Paris, 1819

Duchesse de Duras, née Noailles : *Journal des prisons de mon père, de ma mère et des miennes*, Paris, 1889

G. d'Esparbès et H. Fleischmann : *L'Épopée du Sacre*, Paris, 1908

S. Fasquelle (née La Rochefoucauld) : *Les La Rochefoucauld, une famille dans l'Histoire de France*, Paris, 1992

Mme de Flahaut (Souza) : *Œuvres*, Paris, 1842

Fleuriot de Langle : *Alexandrine Lucien Bonaparte, princesse de Canino, 1778-1855*, Paris, 1939

J. Fouché : *Mémoires*, Paris, 1957

Baron de Frénilly : *Souvenirs*, Paris, 1909

L. Garros et J. Tulard : *Itinéraire de Napoléon, au jour le jour 1769-1821*, Paris, 1992

A. Gavoty : *Les Amoureux de l'Impératrice Joséphine*, Paris, 1961

J. Godechot : *Le Comte d'Antraigues, un espion dans l'Europe des émigrés*, Fayard, 1986

E. de Goncourt : *Catalogue de l'œuvre de Prudhon*, Paris, 1876

E. et J. de Goncourt : *Histoire de la société française pendant la Révolution*, Paris, 1854
   Histoire de la société française pendant le Directoire, Paris, 1855

P. de Gorsse : *Villégiatures romantiques*, Paris, 1944

Général baron Gourgaud : *Journal de Sainte-Hélène, 1815-1818*, Paris, 1947

G. Gouyé-Martignac et M. Sementéry : *La Descendance de Joséphine Impératrice des Français*, Paris, 1994

S. Grandjean : *Inventaire après décès de l'Impératrice Joséphine à Malmaison*, Paris, 1964

P. Guth : *Moi, Joséphine impératrice*, Paris, 1979

J. Hanoteau : *Le Ménage Beauharnais*, Paris, 1935
   Les Beauharnais et l'Empereur, Paris, 1936

L. Hastier : *Le Grand Amour de Joséphine*, Paris, 1955

E. d'Hauterive : *La Police secrète du Premier Empire*, Paris, 1908-1913, 2 vol.

Baron Hochscheld : *Désirée, reine de Suède et de Norvège*, Paris, Stockholm, 1888

La reine Hortense : *Mémoires*, Paris, 1928

G. d'Houville : *La Vie amoureuse de l'Impératrice Joséphine*, Paris, 1925

Baron Hüe : *Souvenirs, 1787-1815*, Paris, 1903

Imbert de Saint-Amand : *La Jeunesse de l'Impératrice Joséphine*, Paris, 1883
   La Citoyenne Bonaparte, Paris, 1884
   La Cour de l'Impératrice Joséphine, Paris, 1884

J. Janssens : *Joséphine amoureuse*, Paris, 1978

Général T. Jung : *Bonaparte et son temps*, Paris, 1880-81, 3 vol.

Lucien Bonaparte et ses Mémoires, Paris, 1882-83, 3 vol.

E. Kahane : *Un mariage parisien sous le Directoire*, Paris, 1961

Comtesse de Kielmannsegge : *Mémoires*, Paris, Neufchâtel, 1928, 2 vol.

Comte de Lamothe-Langon : *Les Après-dîners de Cambacérès*, Paris, 1946

La Réveillère-Lépeaux : *Mémoires*, Paris, 1895, 3 vol.

J. D. de La Rochefoucauld : *Le Duc de La Rochefoucauld-Liancourt*, Paris, 1980

Comte de Las Cases : *Le Mémorial de Sainte-Hélène*, Paris, La Pléiade, 1956, 2 vol.

Marquise de La Tour du Pin : *Mémoires*, 1778-1813, Paris, 1979

Comte de Lavalette : *Mémoires et Souvenirs*, Paris, 1905

C. Lenormant : *François Gérard*, Paris, 1846
Isabey, Paris, 1858

G. Lenôtre : *Le Jardin de Picpus*, Paris, 1955
La Maison des Carmes, Paris, 1933
Georges Cadoudal, Paris, 1929
Femmes, amours évanouies, Paris, 1933

A. Lestra : *Le Père Coudrin, fondateur de Picpus*, Paris, 1952

J. Lhomer : *Le Banquier Perregaux et sa fille, la duchesse de Raguse*, Paris, 1926

J. Loredan : *Madame de Lavalette, née Beauharnais*, 1781-1855, Paris, 1929

A. de Mackau (comtesse Watier de Saint-Alphonse) : *Correspondance*, 1790-1870, Paris, 1967

L. Madelin : *Histoire du Consulat et de l'Empire*, 16 tomes, Paris, 1937-1954
Fouché, 1759-1829, Paris, 1945

H. Malo : *Le Beau Montrond*, Paris, 1926
La Duchesse d'Abrantès au temps des amours, Paris, 1927
Les Années de bohême de la duchesse d'Abrantès, Paris, 1927

Baron A. de Maricourt : *Mme de Souza et sa famille*, Paris, 1907

Vicomte de Marsay : *De l'âge des privilèges au temps des vanités*, Paris, 1932-1933

G. Martineau : *Marie-Louise, Impératrice des Français*, Paris, 1985

Napoléon à Sainte-Hélène, 1815-1821, Paris, 1981

F. Masson : *Napoléon et sa famille*, Paris, 1897-1913, 13 vol.

V. Masuyer : *Mémoires, Lettres et Papiers*, Paris, 1937

G. Maugras : *Delphine de Sabran, marquise de Custine*, Paris, 1912

A. Maurois : *Adrienne ou la vie de Mme de La Fayette*, Paris, 1960

A. de Maussion : *Rescapés de Thermidor*, Paris, 1975

Baron de Mèneval : *Mémoires*, Paris, 1845

Comte Molé : *Souvenirs d'un témoin de la Révolution et de l'Empire*, Paris, 1943

Sa vie, ses Mémoires, par le marquis de Noailles, Paris, 1922, 6 vol.

Vicomte du Motey : *Guillaume d'Orange et les origines des Antilles françaises*, Paris, 1908

B. Nabonne : *La Reine Hortense*, Paris, 1951

Napoléon : *Lettres d'amour à Joséphine*, présentées par J. Tulard, préface de J. Favier, établie par C. Tourtier-Bonazzi, Paris, 1981

C. Nauroy : *Les Secrets des Bonaparte*, Paris, 1889

Comte de Nesselrode : *Lettres et papiers*, Paris, 1904-1907, 6 vol.

S. Normand : *Telle fut Joséphine*, Paris, 1962

G. Pérouse : *La vie d'autrefois à Aix-les-Bains*, s. d.

Chancelier Pasquier : *Mémoires*, Paris, 1908, 6 vol.

R. Pichevin : *L'Impératrice Joséphine*, Paris, 1909

E. de Pellapra : *Mémoires, Une fille de Napoléon*, Paris, 1921

L. Peretti : *Letizia Bonaparte*, Paris, 1932

Comtesse Potocka : *Mémoires, 1794-1820*, Paris, 1924

J. G. Prud'homme : *Gluck*, Paris, 1948

J. F. Reichardt : *Un Prussien en France en 1792*, Paris, 1892

Un hiver à Paris sous le Consulat, 1802-1803, Paris, 1896

Mme de Rémusat : *Mémoires, 1802-1808*, Paris, 1880, 3 vol.

Lettres, 1804-1814, Paris, 1881, 2 vol.

E. A. Rheinhardt : *L'Impératrice Joséphine*, Paris, 1935

Comte Roederer : *Œuvres*, Paris, 1854, 8 vol.
    Bonaparte me disait..., Paris, 1942

Dr Rose-Rosette : *Les Jeunes Années de l'Impératrice Joséphine*, 1992

Comtesse de Rouillé : *Correspondance*, Mons, 1970

Duc de Rovigo : *Mémoires*, Paris, 1828

Comtesse de Sabran : *Correspondance inédite de la comtesse de Sabran et du chevalier de Boufflers*, 1778-1788, Paris, 1875

Sainte-Croix de la Roncière : *Joséphine, Impératrice des Français et Reine d'Italie*, Paris, 1934

Duchesse de Saulx-Tavannes : *Mémoires, sur les routes de l'émigration*, 1791-1806, Paris, 1934

A. Savine : *Les Jours de la Malmaison*, Paris, 1909

M. Schumann : *Qui a tué le duc d'Enghien?*, Paris, 1984

J. A. de Sédouy : *Le Comte Molé*, Paris, 1994

A. E. Sorel : *Louise de Prusse*, Paris, 1937

G. Stenger : *La Société française pendant le Consulat*, Paris, 1903-1908, 6 vol.

Prince de Talleyrand : *Mémoires*, Paris, 1982

J. Tulard : *Bibliographie critique des Mémoires sur le Consulat et l'Empire*, Paris, 1971.
    Joseph Fouché, Paris, 1998
    Histoire et Dictionnaire de la Révolution française, 1789-1799, Paris, 1987
    Dictionnaire Napoléon, Paris, 1987
    Napoléon à Sainte-Hélène, Paris, 1981
    La Vie quotidienne des Français sous Napoléon, Paris, 1978

J. Turquan : *La Générale Bonaparte*, s. d.

T. R. Underwood : *Journal*, Paris en 1814, Paris, 1907

F. Wagener : *Madame Récamier*, Paris, 1986
    La Reine Hortense, Paris, 1992
    La Comtesse de Boigne, Paris, 1997

Barons van Ypersele de Strihou : *Laeken, un château de l'Europe des Lumières*, Bruxelles, 1991
    Laeken, résidence impériale et royale, Bruxelles, 1970

R. Zins : *Le Maréchal Lannes*, favori de Napoléon, Paris, 1994

Divers

Les Cahiers du Centre de Généalogie et d'Histoire des Isles d'Amérique (C. G. H. I. A., 30, rue Boissière, 75116, Paris), une manne pour qui s'intéresse à la vie aux Antilles aux XVIIᵉ, XVIIIᵉ et XIXᵉ siècles.

Les articles du Dr Guy Godlewski dans la revue *Le Souvenir Napoléonien*, notamment le numéro consacré à Joséphine, en juillet 1984 (n° 336). (82, rue de Monceau, 75008 Paris).

Études et documents sur l'art français du XIIᵉ au XIXᵉ siècle, Armand Colin, 1959, Tome XXII, l'article du Dr Guy Ledoux-Lebard consacré à *La liquidation des objets d'art provenant de l'Impératrice Joséphine à Malmaison*.

Rueil-Malmaison, quinze siècles d'Histoire, 1991, l'étude de M. Georges Poisson consacrée à l'église de Rueil et aux obsèques de l'Impératrice Joséphine.

Les bulletins de la Société des Amis de Malmaison (Musée national des châteaux de Malmaison et Bois-Préau).

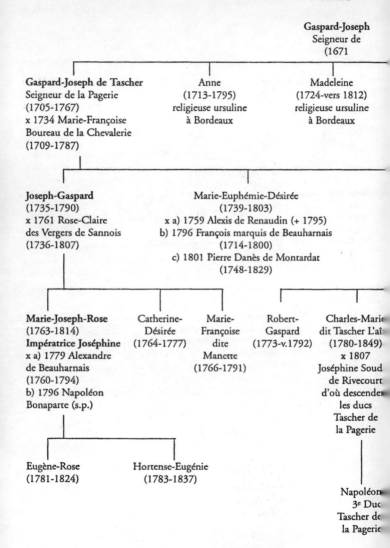

Les

Gaspard-Joseph
Seigneur de
(1671

Gaspard-Joseph de Tascher
Seigneur de la Pagerie
(1705-1767)
x 1734 Marie-Françoise
Boureau de la Chevalerie
(1709-1787)

Anne
(1713-1795)
religieuse ursuline
à Bordeaux

Madeleine
(1724-vers 1812)
religieuse ursuline
à Bordeaux

Joseph-Gaspard
(1735-1790)
x 1761 Rose-Claire
des Vergers de Sannois
(1736-1807)

Marie-Euphémie-Désirée
(1739-1803)
x a) 1759 Alexis de Renaudin (+ 1795)
b) 1796 François marquis de Beauharnais
(1714-1800)
c) 1801 Pierre Danès de Montardat
(1748-1829)

Marie-Joseph-Rose
(1763-1814)
Impératrice Joséphine
x a) 1779 Alexandre
de Beauharnais
(1760-1794)
b) 1796 Napoléon
Bonaparte (s.p.)

Catherine-
Désirée
(1764-1777)

Marie-
Françoise
dite
Manette
(1766-1791)

Robert-
Gaspard
(1773-v.1792)

Charles-Marie
dit Tascher L'aî
(1780-1849)
x 1807
Joséphine Soud
de Rivecourt
d'où descende
les ducs
Tascher de
la Pagerie

Eugène-Rose
(1781-1824)

Hortense-Eugénie
(1783-1837)

Napoléon
3e Duc
Tascher de
la Pagerie

Tascher

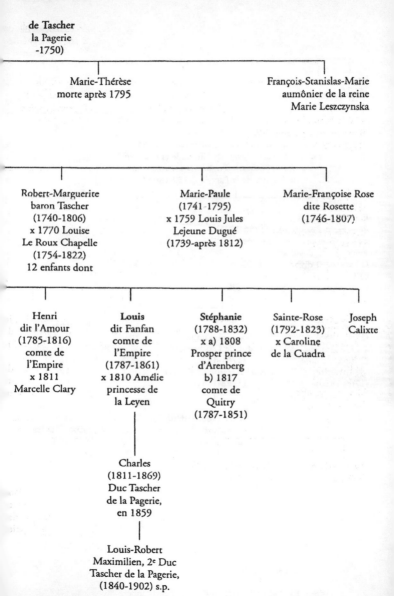

de Tascher
la Pagerie
-1750)

Marie-Thérèse
morte après 1795

François-Stanislas-Marie
aumônier de la reine
Marie Leszczynska

Robert-Marguerite
baron Tascher
(1740-1806)
x 1770 Louise
Le Roux Chapelle
(1754-1822)
12 enfants dont

Marie-Paule
(1741-1795)
x 1759 Louis Jules
Lejeune Dugué
(1739-après 1812)

Marie-Françoise Rose
dite Rosette
(1746-1807)

Henri
dit l'Amour
(1785-1816)
comte de
l'Empire
x 1811
Marcelle Clary

Louis
dit Fanfan
comte de
l'Empire
(1787-1861)
x 1810 Amélie
princesse de
la Leyen

Stéphanie
(1788-1832)
x a) 1808
Prosper prince
d'Arenberg
b) 1817
comte de
Quitry
(1787-1851)

Sainte-Rose
(1792-1823)
x Caroline
de la Cuadra

Joseph
Calixte

Charles
(1811-1869)
Duc Tascher
de la Pagerie,
en 1859

Louis-Robert
Maximilien, 2e Duc
Tascher de la Pagerie,
(1840-1902) s.p.

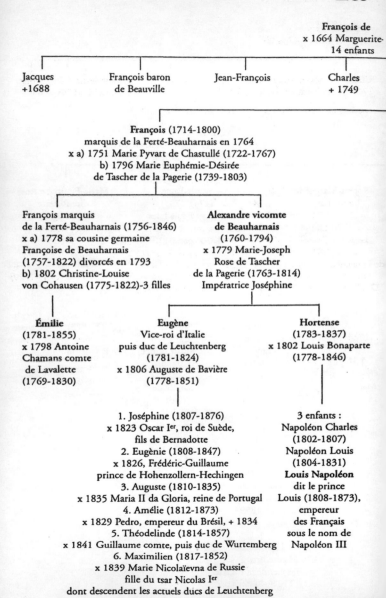

François de
x 1664 Marguerite
14 enfants

Jacques
+1688

François baron
de Beauville

Jean-François

Charles
+ 1749

François (1714-1800)
marquis de la Ferté-Beauharnais en 1764
x a) 1751 Marie Pyvart de Chastullé (1722-1767)
b) 1796 Marie Euphémie-Désirée
de Tascher de la Pagerie (1739-1803)

François marquis
de la Ferté-Beauharnais (1756-1846)
x a) 1778 sa cousine germaine
Françoise de Beauharnais
(1757-1822) divorcés en 1793
b) 1802 Christine-Louise
von Cohausen (1775-1822)-3 filles

**Alexandre vicomte
de Beauharnais**
(1760-1794)
x 1779 Marie-Joseph
Rose de Tascher
de la Pagerie (1763-1814)
Impératrice Joséphine

Émilie
(1781-1855)
x 1798 Antoine
Chamans comte
de Lavalette
(1769-1830)

Eugène
Vice-roi d'Italie
puis duc de Leuchtenberg
(1781-1824)
x 1806 Auguste de Bavière
(1778-1851)

Hortense
(1783-1837)
x 1802 Louis Bonaparte
(1778-1846)

1. Joséphine (1807-1876)
x 1823 Oscar Ier, roi de Suède,
fils de Bernadotte
2. Eugénie (1808-1847)
x 1826, Frédéric-Guillaume
prince de Hohenzollern-Hechingen
3. Auguste (1810-1835)
x 1835 Maria II da Gloria, reine de Portugal
4. Amélie (1812-1873)
x 1829 Pedro, empereur du Brésil, + 1834
5. Théodelinde (1814-1857)
x 1841 Guillaume comte de Wurtemberg
6. Maximilien (1817-1852)
x 1839 Marie Nicolaïevna de Russie
fille du tsar Nicolas Ier
dont descendent les actuels ducs de Leuchtenberg

3 enfants :
Napoléon Charles
(1802-1807)
Napoléon Louis
(1804-1831)
Louis Napoléon
dit le prince
Louis (1808-1873),
empereur
des Français
sous le nom de
Napoléon III

Beauharnais

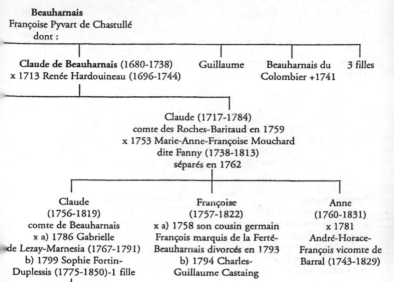

Beauharnais
Françoise Pyvart de Chastullé
dont :

Claude de Beauharnais (1680-1738)   Guillaume   Beauharnais du   3 filles
x 1713 Renée Hardouineau (1696-1744)   Colombier +1741

Claude (1717-1784)
comte des Roches-Baritaud en 1759
x 1753 Marie-Anne-Françoise Mouchard
dite Fanny (1738-1813)
séparés en 1762

Claude   Françoise   Anne
(1756-1819)   (1757-1822)   (1760-1831)
comte de Beauharnais   x a) 1758 son cousin germain   x 1781
x a) 1786 Gabrielle   François marquis de la Ferté-   André-Horace-
de Lezay-Marnesia (1767-1791)   Beauharnais divorcés en 1793   François vicomte de
b) 1799 Sophie Fortin-   b) 1794 Charles-   Barral (1743-1829)
Duplessis (1775-1850)-1 fille   Guillaume Castaing

Stéphanie
adoptée par Napoléon Ier
(1789-1860)
x 1806 Charles-Louis
grand-duc de Bade en 1811
(1786-1818)

Liste récapitulative des principaux personnages

Alexandre 1er. 1777-1825. Tsar de Russie de 1800 à 1825. Marié en 1793 à la princesse Louise de Bade (tsarine Elisabeth Alexievna). Grand antagoniste à Napoléon. Assidu auprès de Joséphine, en 1814.

Auguié, Adèle. 1784-1813. Nièce de Mme Campan et amie préférée d'Hortense. Épouse en 1807 le général baron de Broc, mort en 1810.

Auguié, Églé. 1782-1853. Sœur de la précédente. Épouse en août 1802 le général Michel Ney, futur maréchal, duc d'Elchingen et prince de la Moskowa (1769-1815).

Avrillion, Marie Jeanne Pierrette. 1774-1853. Famille au service des princes de Condé. En 1803, nommée dame pour accompagner Stéphanie de Tascher, cousine de Joséphine. Femme de chambre de l'Impératrice, devient, après le divorce, la première en titre. Épouse en avril 1812, Antoine Florimond Bourgillon. Très attachée à sa maîtresse, laissera des *Mémoires* (mis en forme par Villemarest) véridiques et détaillés sur la vie quotidienne de Joséphine.

Barras, Paul François, vicomte de. Né le 30 juin 1755 à Fort-Amphoux, mort le 29 janvier 1829, à Chaillot. L'un des principaux acteurs du 9 Thermidor. Le plus influent des cinq Directeurs. Protecteur de Joséphine et de Bonaparte. Écarté après Brumaire. Exilé en Belgique et en Provence. Revenu à la Restauration, jamais inquiété quoique ancien régicide.

Les Beauharnais*

François de Beauharnais, Gouverneur général des Îles d'Amérique, marquis de la Ferté-Beauharnais. Né le 8 février 1714, à Rochefort, mort le 18 juin 1800, à Saint-Germain-en-Laye. Épouse en premières noces, le 6 septembre 1751, Marie Anne Pyvart de Chastullé, née le 17 mars 1722, morte le 4 octobre 1767, et en secondes noces, le 20 juin 1796, Désirée Tascher de la Pagerie, veuve Renaudin (1739-1803). Beau-père de Joséphine.

François de Beauharnais, dit « Féal Beauharnais », 2e marquis de la Ferté-Beauharnais, 1756-1846. Epouse en premières noces, en 1778, sa cousine germaine Françoise de Beauharnais (1757-1822), divorce en 1793, se remarie en 1802, avec Christine Louise de Cohausen, d'où une fille Hortense. Du premier lit, Émilie, ci-après. Beau-frère de Joséphine.

Émilie de Beauharnais, 1781-1855. Épouse en 1798 Antoine Marie Chamans de Lavalette, comte de l'Empire (1769-1830). Dame d'atours de sa tante de 1804 à 1809.

Comtesse Claude de Beauharnais, dite la « comtesse Fanny ». Née en 1738, Marie Anne Françoise Mouchard. Mariée en 1753 à Claude de Beauharnais, comte des Roches-Baritaud en 1759 (1717-1784). Morte en 1813. Belle-sœur du Gouverneur général. Tante par alliance de Joséphine. Marraine d'Hortense. Trois enfants qui suivent :

---

* Voir également l'arbre généalogique.

Claude, comte de Beauharnais (1756-1819). Épouse en premières noces en 1786, Gabrielle de Lezay-Marnésia (1767-1791). Se remarie en 1799, avec Sophie Fortin-Duplessis. Du premier lit, Stéphanie de Beauharnais.

Françoise de Beauharnais (1757-1822), épouse son cousin germain, François de Beauharnais, en 1778, divorce en 1793, se remarie en 1794 à Charles Guillaume Castaing. Mère d'Émilie. Belle-sœur et cousine par alliance de Joséphine.

Anne de Beauharnais (1760-1831). Épouse en 1781, André Horace François, vicomte de Barral. Cousine issue de germains de Joséphine.

Stéphanie de Beauharnais, née à Versailles, le 28 août 1789, morte à Nice, le 29 janvier 1860. Adoptée par Napoléon, épouse les 7 et 8 avril 1806 le prince héréditaire puis grand-duc de Bade, Charles Louis Frédéric (3 juin 1786-8 décembre 1818). Petite cousine par alliance de Joséphine.

Alexandre de Beauharnais, né à Fort-Royal le 28 mai 1760, mort à Paris le 23 juillet 1794. Épouse les 11 et 13 décembre 1779, à Noisy-le-Grand, Marie Joseph Rose Tascher de la Pagerie. Deux enfants, Eugène, né le 3 septembre 1781, et Hortense, née le 10 avril 1783.

Enfants illégitimes qui suivent :
Alexandre Le Vassor de La Touche de Longpré, dit Alexandre de La Touche (1779-1824). Fils de Mme de Latouche de Longpré, née Laure de Girardin (1749-1817), épouse d'Alexandre Le Vassor de La Touche de Longpré (1744-1779), dite alors Mme de Longpré, remariée en 1785 au général comte Arthur Dillon (1750-1794), d'où Fanny Dillon (1785-1836) future générale comtesse Bertrand.

Adélaïde Marie, dite Adèle, née à Cherbourg en juin 1786, fille de Mme de La Ferté. Baptisée le 26 mars 1789. Élevée aux frais de Mme de Renaudin. Mariée le 29 novembre 1804, par Joséphine, au capitaine Lecomte, aide de camp du général Meunier.

Un fils, qui sous le Directoire vit dans l'Orléanais.

Eugène de Beauharnais, né à Paris, le 3 septembre 1781, mort à Munich, le 21 février 1824. Épouse les 13 et 14 janvier 1806, à Munich, la princesse Augusta Amélie Louise de Bavière, dite Auguste, née à Strasbourg le 21 juin 1788, morte le 22 mai 1851. Quatre filles et deux fils. Fils de Joséphine.

Hortense de Beauharnais, née à Paris, le 10 avril 1783, morte à Arenenberg, le 5 octobre 1837. Épouse le 2 janvier 1802, à Paris, Louis Bonaparte (1778-1846). Trois fils : Napoléon Charles (1802-1807), Napoléon Louis (1804-1831), Louis Napoléon futur Napoléon III (1808-1873) et un fils de Charles de Flahaut (1785-1870), futur duc de Morny (1811-1865). Fille de Joséphine.

*

Berthault, Louis Martin. 1770-1823. Architecte, élève de Percier. À partir de 1805, devient l'architecte-paysagiste de Joséphine. Construit la grande Galerie de la Malmaison en 1807-1808.

Général de Beurnonville, Pierre de Riel, comte. 1752-1821. Général de l'an II. Ministre de la Guerre sous la Convention. Livré avec quatre commissaires de la Convention aux Autrichiens. Échangé contre Madame Royale. Brumairien. Diplomate, sénateur, comte de l'Empire. Louis XVIII le fait Pair de France, marquis et maréchal.

*

Les Bonaparte

Charles de Buonaparte, né le 27 mars 1746 à Ajaccio, mort à Montpellier le 24 février 1785. Épouse le 1er juin 1764 Letizia Ramolino. Treize enfants, dont huit vivent.

Letizia Bonaparte, née Ramolino, à Ajaccio, le 24 août 1750, morte à Rome, 2 février 1736. Épouse le 1er juin 1764 Charles de Buonaparte. « Madame Mère » sous l'Empire.

Huit enfants qui suivent :

Joseph Bonaparte, né à Corte le 7 janvier 1768, mort à Florence, le 28 juillet 1744. Épouse le 1er août 1794, Julie Clary (26 décembre 1771-7 avril 1845). Roi de Naples en 1806. Roi d'Espagne en 1808.

Napoléon Bonaparte, né à Ajaccio le 15 août 1769, mort à Sainte-Hélène, le 5 mai 1821. Épouse le 9 mars 1796, Marie Joseph Rose Tascher de la Pagerie, veuve Beauharnais. Premier Consul après Brumaire, Consul à vie en août 1802. Empereur des Français, le 18 mai 1804. Divorce le 14 décembre 1809. Se remarie le 1er avril 1810 à l'archiduchesse Marie-Louise d'Autriche (12 décembre 1791-17 décembre 1847). Un fils légitime, Napoléon François Joseph Charles, roi de Rome, né à Paris le 20 mars 1811, mort à Schönbrunn le 22 juillet 1832.

Lucien Bonaparte, né à Ajaccio le 21 mai 1775, mort à Viterbe le 29 juin 1840. Épouse en 1794 Christine Boyer (1773-1800), puis Alexandrine de Bleschamps (1778-1855). Ministre de l'Intérieur après Brumaire. Fait prince de Canino et de Musignano, en 1814, par le Pape.

Marie Anne Bonaparte, dite Élisa, née à Ajaccio le 3 janvier 1777, morte à Trieste le 7 août 1820. Épouse en 1797 Félix Bacciochi (1762-1841). Princesse de Piombino en 1805, de Lucques en 1806 et grande-duchesse de Toscane en 1809.

Louis Bonaparte, né à Ajaccio le 2 septembre 1778, mort à Livourne le 25 juillet 1846. Épouse le 2 janvier 1802 Hortense de Beauharnais, dont trois fils, le dernier, Louis Napoléon, devenant Napoléon III (1808-1873), roi de Hollande de 1806 à 1810.

Marie Paulette, dite Pauline Bonaparte, née à Ajaccio, le 10 octobre 1780, morte à Florence le 7 juin 1825. Épouse en 1797, en premières noces, le général Leclerc (1772-1802), en secondes noces, en 1803, Camille, prince Borghese (1775-1832).

Marie Annonciade dite Caroline Bonaparte, née à Ajaccio le 25 mars 1782, morte à Florence le 18 mai 1839, mariée le 20 janvier 1800 à Joachim Murat (1767-1815), maréchal d'Empire, grand-duc de Berg et de Clèves en 1806, roi de Naples en 1808.

Jérôme Bonaparte, né à Ajaccio le 9 novembre 1784, mort à Massy le 24 juin 1860. Épouse en 1803, à Baltimore, Elizabeth Patterson (1785-1879) puis, le 22 août 1807, la princesse Catherine de Wurtemberg (1783-1835). Roi de Westphalie en 1807. Maréchal de France le 1er juillet 1850. Président du Sénat sous le Second Empire. Postérité masculine subsistante, l'actuelle Maison impériale.

Joseph Fesch, Cardinal. 1763-1839. Frère utérin de Letizia. Primat des Gaules puis Cardinal en 1803. Grand aumônier de Napoléon. Finit ses jours à Rome.

*

Bonpland, Aimé. 1773-1858. Savant botaniste au service de Joséphine. Entre 1799 et 1804, avait accompagné Alexandre de Humboldt en Amérique centrale et en Amérique du Sud. À partir de 1808, il poursuit, au service de l'Impératrice, l'œuvre de Ventenat (1757-1808) inventaire descriptif de ses collections botaniques et zoologiques, et, de plus, en assure l'intendance, succédant au précédent administrateur, Brisseau de Mirbel (1776-1854).

Cambacérès, Jean Jacques Régis de. 1758-1824. Conventionnel régicide. Bon juriste. Brumairien. Devient Second Consul. Collaborateur essentiel de Napoléon. Archichancelier sous l'Empire.

Mme Campan, Jeanne Louise Henriette Genêt. Née à Paris le 2 octobre 1752, morte à Mantes le 16 mars 1822. Épouse en 1774 Dominique François Berthollet, dit Campan. Femme de chambre de Marie-Antoinette. Ouvre, dès 1795, un pensionnat de jeunes filles à Saint-Germain-en-Laye. Pédagogue notoire. Devient directrice puis surintendante de la Maison impériale Napoléon à Écouen. Grande influence sur Hortense et sa génération.

Caulaincourt, Gabriel Louis, marquis de. 1740-1808. Marié en 1770 à Anne Joséphine de Barandier de La Chaussée d'Eu. Lié à Joséphine dès Thermidor. Père d'Armand (1773-1827), aide de camp de Bonaparte puis ambassadeur à Saint-Pétersbourg, de 1807 à 1811 et ministre des Relations extérieures, et d'Auguste (1777-1812), Premier écuyer d'Hortense, qui meurt à la Moskowa.

Charles, Louis Hippolyte. Né à Romans le 5 juillet 1772, mort à Genissieux le 9 mars 1837. Jeune hussard adepte du calembour qui pendant trois ans (1796-1799) entretient une liaison et fait des affaires avec Joséphine.

Aimée de Coigny. Née Anne Françoise Aimée Franquetot de Coigny, fille du comte de Coigny et de Michèle de Roissy. Née et morte à Paris (12 octobre 1769 -17 janvier 1820). Nièce du duc de Coigny. Épouse en 1784 le duc de Fleury. Divorce en 1793. Se remarie avec Casimir de Montrond, en 1794. Divorce en 1802. Esprit et plume virulents. Liée à Joséphine dès après Thermidor.

Custine, Louise Éléonore Mélanie de Sabran, dite Delphine, marquise de. 1770-1826. Sa mère, la comtesse de Sabran (1749-1827), veuve précocement, remariée avec le chevalier de Boufflers, connue pour son esprit primesautier. Épouse Armand de Custine (1768-1794), fils du général Adam Philippe de Custine (1740-1793) : les deux Custine, généraux de la République, périront sur l'échafaud. Emprisonnée aux Carmes, liaison avec Beauharnais. Célèbre pour sa beauté et son esprit. Inspiratrice de Chateaubriand, mère d'Astolphe, marquis de Custine, autre grand talent d'écrivain. Joséphine fait rentrer sa famille d'émigration.

Dalberg, Carl Theodor von. 1744-1817. Évêque de Constance en 1800. Archevêque-Électeur de Mayence en 1802 dont il restera prince-souverain. Prince-primat de la Confédération du Rhin, en 1806. En préside la diète. Prélat des Lumières, grand ami de Joséphine.

Les Des Vergers de Sannois

Florimond Des Vergers, seigneur de Sannois, épouse le 5 mai 1692 Charlotte de Longvilliers, sœur de Philippe de Longvilliers, Lieutenant-général aux Îles. Neveux du bailli Longvilliers de Poincy, qu'ils suivent à Saint-Christophe. Maillon qui rattache les Des Vergers aux Capétiens.

Joseph François Des Vergers de Sannois. Né en janvier 1705, épouse le 4 juillet 1709 sa cousine Marie Catherine Françoise Brown, propriétaire à Sainte-Christophe, Sainte-Lucie et en Martinique, née en 1708 et morte aux Trois-Îlets, le 27 novembre 1785. Grands-parents maternels de Joséphine.

Rose Claire Des Vergers de Sannois. Née, baptisée et morte aux Trois-Îlets (16 décembre 1736-2 juin 1807). Épouse le 9 novembre 1761 Joseph Gaspard Tascher de la Pagerie. Dite Mme de la Pagerie. Mère de Joséphine.

Catherine Louis Jeanne Élisabeth Des Vergers de Sannois. Morte en juillet 1807. Epouse Jean Jacques Catherine Alexandre d'Audiffredi, dit Sainte-Catherine, ou Sainte-Catherine d'Audiffredi, mort en 1810, à l'armée d'Espagne. Trois de leurs cinq enfants sont élevés par Joséphine : Alix, née en 1798, Joséphine, née en 1806 et Alexandre, né en 1799. Cousine germaine de Joséphine.

Françoise Aimée, ou Edmé, Des Vergers de Maupertuis. Cousine de Rose Claire Des Vergers de Sannois. Née à la Martinique en juin 1733, morte avant 1812. Épouse à Paris, le 4 mai 1777, le président Raymond Copons del Llor, président à mortier du Conseil souverain du Roussillon, chevalier d'honneur de Malte, mort le 6 février 1787, à Paris. Émigrée. Pensionnée par Joséphine.

*

Flahaut, Charles, général comte de. 1785-1870. Fils naturel de Talleyrand et de Mme de Flahaut (voir Souza). Aide de camp de Murat puis de Napoléon. Ambassadeur sous la monarchie de Juillet. Sénateur et Grand Chancelier de la Légion d'Honneur sous le Second Empire. Lié à Hortense de 1810 à 1815, d'où Morny (1811-1865). Épouse ensuite Mercer Elphinstone, fille de l'amiral Lord Keith.

Fontaine, Pierre François Léonard. 1762-1853. Architecte. Travaille avec Percier (1764-1838) à la restauration de la Malmaison. Devient architecte des palais impériaux en 1804.

Fouché, Joseph. Né le 21 mai 1759 au Pellerin (Loire-Atlantique), mort à Trieste le 26 décembre 1820. Oratorien. Conventionnel régicide, l'un des acteurs de Thermidor. Aide au 18 Brumaire. Ministre de la Police, comte de l'Empire, duc d'Otrante. Carrière brillante aux côtés de Napoléon. Rôle primordial en 1815, après Waterloo. Exilé.

Gohier, Louis Jérôme. 1746-1830. Avocat. Directeur lors du coup d'État de Brumaire. Consul général de France à Amsterdam, jusqu'en 1810.

Hoche, Louis Lazare. Né à Versailles le 24 juin 1768, mort à Wetzlar le 19 septembre 1797. Un des généraux les plus remarquables de la Révolution. Emprisonné aux Carmes. Y connaît Joséphine. Courte liaison.

Hohenzollern-Sigmaringen, princesse de. 1760-1841. Née Amélia Zéphyrine, dite Amélie, de Salm-Kyrbourg. Épouse le 12 août 1782 le prince régnant Antoine de Hohenzollern-Sigmaringen, qui accède à la Confédération du Rhin. Leur fils Charles épousera, en 1808, Antoinette Murat (nièce du maréchal), et leur petit-fils, Joséphine de Bade (fille de la grande-duchesse Stéphanie). Avant et pendant la Révolution, vit à Paris avec son frère, dans l'hôtel de Salm (actuel Palais de la Légion d'Honneur). Son frère est guillotiné en même temps que Beauharnais. Demeure très liée aux Beauharnais.

Hüe, François baron. 1757-1819. Famille établie à Fontainebleau. Lié aux Montmorin et aux Beauharnais dès avant la Révolution. Partage la captivité de la Famille royale au Temple. Suit Madame Royale à Mittau. Demeure en correspondance avec Joséphine.

Hosten, Mme de Lamothe Hosten, dite. Née de Louvigny, 1763-1798. Famille créole. Mère de trois enfants à seize ans. Veuve vers 1792. Ses deux fils sont à Sainte-Lucie, où elle a des propriétés. À Paris, sous la Terreur, avec sa fille, partage la même maison que Joséphine, rue Saint-Dominique. Puis à Croissy, où elle entraîne Joséphine. Sa fille Désirée (1779-1806) y épouse le 31 août 1793 Henri de Croiseil, fils d'un magistrat de Fort-Dauphin (Saint-Domingue). Emprisonnés aux Carmes, en même temps que les Beauharnais.

Hosten, née de Merceron, Mme. Cousine germaine de la précédente. Salon contre-révolutionnaire rue Saint-Georges. Mère de Pascalie, qui épouse le comte Gabriel d'Arjuzon, futur Premier chambellan d'Hortense. Liens durables entre les familles d'Arjuzon et Beauharnais.

La Rochefoucauld, comtesse Alexandre de, dite comtesse Alex. Née Adélaïde Marie Françoise Pyvart de Chastullé, 1769-1816. Cousine germaine d'Alexandre de Beauharnais. Mariée le 9 juin 1788, au cadet du duc de La Rochefoucauld-Liancourt, 7e duc de La Rochefoucauld (1747-1827), Alexandre François (1767-1841), ambassadeur sous l'Empire. Elle deviendra Dame d'honneur de Joséphine (1804-1809). Trois fils, une fille, Adèle, mariée au prince Aldobrandini, le 11 avril 1809.

Longpré, Mme Le Vassor de Latouche de, dite Mme de. 1749-1817. Née Laure de Girardin. Alliée par les Girardin aux Des Vergers depuis 1710. Cousine par les Latouche, au neuvième degré, avec les Tascher, descendants des filles de Guillaume d'Orange. Épouse en premières noces Alexandre Le Vassor de Latouche de Longpré (1744-1779). Liaison avec Alexandre de Beauharnais, d'où son fils Alexandre de Latouche (1779-1824). Remariée avec le général comte Arthur Dillon (1750-1794), général de la Révolution mort sur l'échafaud. D'où une fille, Fanny, future comtesse Bertrand (1785-1836).

Mackau, Anne Angélique, dite Annette, comtesse Watier de Saint-Alphonse. 1790-1870. Élevée chez Mme Campan. Très liée à Stéphanie de Beauharnais, future princesse héréditaire puis grande-duchesse de Bade. Dame de Joséphine après le divorce, qui la marie en 1811 au général Watier de Saint-Alphonse (1770-1846). Laisse une correspondance très intéressante.

Montesson, marquise de. Née Charlotte Jeanne Béraud de la Haie de Riou. 1737-1806. Épouse en 1754 le marquis de Montesson. Épouse morganatique du duc d'Orléans, père de

Philippe-Égalité, le 28 juillet 1773. Protégée et pensionnée par le Consul et sa femme qui la consultent sur les questions d'étiquette et de protocole des cours.

Montmorin, Louis Victor Hippolyte Luce, marquis de. Gouverneur du Château de Fontainebleau. Victime des massacres de Septembre (1792). Sa veuve, née en 1761, admise aux Honneurs de la Cour en 1787, se remarie en 1807 au marquis d'Aloigny. Un fils, Calixte de Montmorin (1785-1806), comme sa mère, protégé par Joséphine.

Montmorin Saint-Hérem, Armand-Marc, comte de. Cousin du précédent, né en 1746, ministre des Affaires étrangères de Louis XVI, victime aussi des massacres de Septembre (1792). Marié en 1767 à sa cousine, Mlle de Tanes (1744-1793). Cinq enfants dont un fils Calixte de Montmorin, guillotiné avec sa mère en 1793, et une fille, Pauline, comtesse de Beaumont, morte à Rome en 1803, immortalisée par Chateaubriand, dans les *Mémoires d'outre-tombe*.

Pie VII, Barnabé Chiaramonti. 1742-1823. Pape en 1800. Établit le Concordat en juillet 1801. Officie lors du couronnement et du sacre de Napoléon, le 2 décembre 1804. Dépossédé de ses États, enlevé et emprisonné par lui (1809-1814). Après 1815, accueille dans ses États bon nombre de Bonaparte exilés.

Prudhon, Pierre Paul. 1758-1823. Peintre et portraitiste talentueux qui, le mieux, sut rendre, en la flattant, l'élégance et la grâce de l'Impératrice.

Redouté, Pierre Joseph. 1759-1840. Peintre et aquarelliste spécialisé dans la description florale. C'est grâce à Joséphine qu'il peut entreprendre sa série des « Liliacées », publiée de 1802 à 1816 suivie de celle qu'il consacre aux « Roses », publiée de 1817 à 1821 et qui lui vaut une immense célébrité.

Rémusat, Claire Élisabeth Jeanne Gravier de Vergennes, dite Clari, Mme de. Née et morte à Paris (5 janvier 1780-16 décembre 1821). Petite-nièce du ministre des Affaires étrangères de Louis XVI, mariée en 1796 à Augustin Laurent de Rémusat (1762-1823) qui deviendra Préfet du Palais sous le Consulat, puis Premier chambellan, maître de la garde-robe et surintendant des spectacles de Napoléon. Dame du Palais consulaire. Demeure auprès de Joséphine jusqu'en 1814. Auteur de Mémoires importants.

Souza, Adélaïde dite Adèle Filleul, comtesse de Flahaut puis marquise de. 1761-1836. Mariée en premières noces, en 1779, au comte de Flahaut de La Billarderie, mort sur l'échafaud. Émigrée. Remariée à José Maria de Souza Botelho, diplomate, en 1801. Un fils, Charles de Flahaut, fils naturel de Talleyrand (1785-1870), lié à Hortense, père du futur duc de Morny. Femme d'esprit laissant une œuvre romanesque charmante. Amie de Joséphine.

Tallien, Jean Lambert. 1767-1820. L'un des acteurs du 9 Thermidor, très influent pendant la réaction thermidorienne. Part avec l'expédition d'Égypte. Prisonnier des Anglais. Consul à Alicante.

Tallien, Jeanne Marie Ignace Thérésa Cabarrus, Madame. 1773-1835. Fille d'un banquier au service des Bourbons d'Espagne. Épouse en 1788 le marquis de Fontenay, puis en décembre 1794, Tallien, son sauveur. Influente, liée à Barras, à Ouvrard. Sous l'Empire, épouse en août 1805 le comte Joseph de Caraman, qui, par héritage maternel, reçoit la principauté de Chimay. Amie de Joséphine.

Talleyrand-Périgord, Charles-Maurice de. 1754-1838. Evêque d'Autun en 1788. Ministre des Relations extérieures en 1797. Puis de Bonaparte, jusqu'en 1807. Prince de Bénévent, Grand chambellan à la Cour impériale. Ministre des Affaires étrangères de Louis XVIII. Ambassadeur de Louis-Philippe, à Londres. Avec Cambacérès, Lebrun et Fouché, il est un collaborateur essentiel de Napoléon depuis le 18 Brumaire.

Talma, François-Joseph. 1763-1826. Grand tragédien. Sa première épouse, Julie Carreau (1756-1805), loue à Joséphine son hôtel de la rue Chantereine, en 1795.

Les Tascher*

Gaspard Joseph Tascher de la Pagerie. 1705-1767. Passé aux Îles en 1726. Épouse le 16 avril 1734 Marie Françoise Bourreau de la Chevalerie, née le 3 avril 1709 au Carbet, morte en 1787 à Fort-Royal. Grands-parents paternels de Joséphine.

Joseph Gaspard Tascher de la Pagerie, dit M. de la Pagerie. Né le 5 juillet 1735 au Carbet, mort le 7 novembre 1790 aux Trois-Îlets. Épouse le 9 novembre 1761 Rose Claire Des Vergers de Sannois (1734-1807). Parents de Joséphine.

Catherine Désirée Tascher de la Pagerie, dite Désirée. Née le 11 décembre 1764, morte le 15 octobre 1777 aux Trois-Îlets. Sœur de Joséphine.

Marie Françoise Tascher de la Pagerie, dite Manette. Née le 3 septembre 1766, morte le 4 novembre 1791 aux Trois-Îlets. Sœur de Joséphine.

Robert-Marguerite Tascher de la Pagerie, dit le baron Tascher. Né le 5 mai 1740 à Sainte-Marie, mort le 15 mars 1806 à Paris. Enterré à Rueil. Épouse Jeanne Louise Le Roux Chapelle dont il aura douze enfants. Oncle paternel de Joséphine.

Mme de Renaudin, née Marie Euphémie Désirée Tascher de la Pagerie le 10 janvier 1739 à Sainte-Marie, morte en 1803 à Saint-Germain-en-Laye. Mariée en premières noces à Michel Alexis de Renaudin, mort en 1795, en deuxièmes

---

* Voir également l'arbre généalogique.

noces, le 20 juin 1796, au marquis François de Beauharnais, mort en 1800, et en troisièmes noces, en 1801, au chevalier Pierre Danès de Montardat, futur maire de Saint-Germain sous la Restauration. Tante paternelle de Joséphine.

Mme Lejeune Dugué, née Marie Paule Tascher de la Pagerie. 1741-1795. Mariée en 1759 à Lejeune Dugué. Tante paternelle de Joséphine.

Marie Françoise Rose Tascher de la Pagerie, dite Rosette. Née à Saint-Pierre le 31 mars 1746, morte à Fort-de-France le 1er octobre 1807. Tante paternelle de Joséphine.

Robert Gaspard Tascher de la Pagerie, fils aîné du baron Tascher. Né à Fort-Royal le 7 février 1773, mort vers 1792. Présent au baptême d'Hortense de Beauharnais, où il représente son oncle Joseph Gaspard, grand-père et parrain de l'enfant. Cousin germain de Joséphine.

Charles Tascher de la Pagerie, dit l'Aîné, frère du précédent. Né le 3 décembre 1782 à Fort-Royal, mort à Paris le 6 mai 1849. Épouse, le 11 avril 1807, Céline Elisabeth Joséphine Soudon de Rivecourt (1793-1852). Cousin germain de Joséphine.

Henri Tascher de la Pagerie, dit l'Amour. Frère du précédent. Né à Fort-Royal, le 24 juin 1785, mort à Paris le 17 janvier 1816. Épouse le 11 juin 1811 Marcelle Clary, nièce de Julie Bonaparte. Cousin germain de Joséphine.

Louis de Tascher de la Pagerie, dit Fanfan. Frère du précédent. Né à Fort-Royal le 1er avril 1787, mort à Paris, le 3 mars 1861. Épouse le 10 août 1810, la princesse Amélie de La Leyen (1789-1870), nièce du Prince-primat. Cousin germain de Joséphine.

Louis Robert Nicolas Rose Tascher de la Pagerie, dit Sainte-Rose. Frère du précédent. Né à Saint-Pierre le 21 janvier 1792, mort au Havre le 25 décembre 1823. Epouse à

Madrid en 1816 Caroline de La Cuadra. Cousin germain de Joséphine.

Stéphanie Tascher de la Pagerie, sœur des précédents. Née à Fort-Royal le 4 août 1788, morte en 1832. Mariée en premières noces, le 1er février 1808, au prince Louis Prosper d'Arenberg (1785-1861). Mariage annulé en 1816 (civil) et en 1817 (religieux). Remariée le 12 novembre 1817 au comte Victor de Chaumont-Quitry (1787-1851). Cousine germaine et filleule de Joséphine.

*

Siéyès, Emmanuel Joseph. 1748-1836. Action déterminante en 1789 : « Qu'est-ce que le Tiers état ? » Réponse : « Tout ». Et en 1799 : « Je cherche une épée ». La trouve en Bonaparte. L'un des concepteurs de Brumaire et de la Constitution de l'an VIII. Consul provisoire. Comte de l'Empire en 1809. Pair pendant les Cent-Jours.

Spontini, Gaspare. 1774-1851. Compositeur. Arrivé à Paris en 1803. Devient le compositeur de l'Impératrice, puis celui du règne. On lui doit le renouveau de l'Opéra. Dédie sa *Vestale* (1805 à Strasbourg, 1807 à Paris) à Joséphine.

Turpin de Crissé, Lancelot Théodore, comte de. 1782-1859. Chambellan de Joséphine après le divorce. Marié en 1813 à Adèle de Lesparda (1789-1861). Excellent peintre et dessinateur. Inspecteur général des Beaux-Arts en 1826. Laisse un *Album de voyage de l'Impératrice Joséphine en Savoie et en Suisse, 1810.*

Walewska, comtesse Marie, née Laczinska. 1786-1817. Mariée à dix-huit ans au comte Athanase Walewski qui en a soixante-huit. Liaison avec Napoléon, à Varsovie, à partir de 1806. Un fils, Alexandre, comte Walewski (1810-1868), ambassadeur à Londres pendant le Second Empire, ministre des Affaires étrangères et président du Corps législatif. Joséphine les reçoit à la Malmaison.

Index

Remerciements

J'ai utilisé, pour faire ce livre, les éléments de la recherche que j'avais menée pendant cinq années pour mon ouvrage consacré à « La Reine Hortense », publié en 1992. Le travail aux Archives Nationales, les repérages et l'étude des sources imprimées se recoupant amplement, je renouvelle donc mes remerciements aux personnes qui m'avaient aidée alors. J'y ajoute l'expression de ma gratitude particulière à ceux et celles qui m'ont aidée et soutenue pendant la rédaction de ce portrait de Joséphine : Mariel Gouyon Guillaume, le comte et la comtesse Philippe Engelhard, Jean-Claude Lachnitt, Ronald Zins, Jean-Jacques Fiechter, Francine Blin, Brigitte Iselin-Lavauzelle, Cyrille et Guy Lesourd, le professeur et Mme Jean-Claude Roucayrol, Jean Bataille de Longprey, sans oublier la maison Flammarion : Charles-Henri, Marie-Françoise et Alain Flammarion, Raphaël Sorin, avec une mention spéciale pour Juliette Joste, Charlotte Nikitenko, Béatrice Peyret-Vignals et Anne Vijoux auxquelles cet ouvrage doit son aboutissement.

*

Table

collection tempus
Perrin

Déjà paru

1. *Histoire des femmes en Occident* (dir. Michelle Perrot, Georges Duby), *L'Antiquité* (dir. Pauline Schmitt Pantel).
2. *Histoire des femmes en Occident* (dir. Michelle Perrot, Georges Duby), *Le Moyen Âge* (dir. Christiane Klapisch-Zuber).
3. *Histoire des femmes en Occident* (dir. Michelle Perrot, Georges Duby), *XVIe-XVIIIe siècle* (dir. Natalie Zemon Davis, Arlette Farge).
4. *Histoire des femmes en Occident* (dir. Michelle Perrot, Georges Duby), *Le XIXe siècle* (dir. Michelle Perrot, Geneviève Fraisse).
5. *Histoire des femmes en Occident* (dir. Michelle Perrot, Georges Duby), *Le XXe siècle* (dir. Françoise Thébaud).
6. *L'épopée des croisades* – René Grousset.
7. *La bataille d'Alger* – Pierre Pellissier.
8. *Louis XIV* – Jean-Christian Petitfils.
9. *Les soldats de la Grande Armée* – Jean-Claude Damamme.
10. *Histoire de la Milice* – Pierre Giolitto.
11. *La régression démocratique* – Alain-Gérard Slama.
12. *La première croisade* – Jacques Heers.
13. *Histoire de l'armée française* – Philippe Masson.
14. *Histoire de Byzance* – John Julius Norwich.
15. *Les chevaliers teutoniques* – Henry Bogdan.
16. *Mémoires, Les champs de braises* – Hélie de Saint Marc.
17. *Histoire des cathares* – Michel Roquebert.
18. *Franco* – Bartolomé Bennassar.
19. *Trois tentations dans l'Église* – Alain Besançon.
20. *Le monde d'Homère* – Pierre Vidal-Naquet.
21. *La guerre à l'Est* – August von Kageneck.
22. *Histoire du gaullisme* – Serge Berstein.
23. *Les Cent-Jours* – Dominique de Villepin.
24. *Nouvelle histoire de la France*, tome I – Jacques Marseille.
25. *Nouvelle histoire de la France*, tome II – Jacques Marseille.
26. *Histoire de la Restauration* – Emmanuel de Waresquiel et Benoît Yvert.
27. *La Grande Guerre des Français* – Jean-Baptiste Duroselle.
28. *Histoire de l'Italie* – Catherine Brice.
29. *La civilisation de l'Europe à la Renaissance* – John Hale.
30. *Histoire du Consulat et de l'Empire* – Jacques-Olivier Boudon.
31. *Les Templiers* – Laurent Daillez.

Impression réalisée sur Presse Offset par

BRODARD & TAUPIN

GROUPE CPI

La Flèche (Sarthe), le 18-05-2005
pour le compte des Éditions Perrin
76, rue Bonaparte
Paris 6ᵉ
N° d'édition : 2023 – N° d'impression : 29925
Dépôt légal : mai 2005
Imprimé en France